CONTES

ET

RÉCITS

DES GRANDS ÉCRIVAINS FRANÇAIS

EDITED BY FRANÇOIS DENOEU

HOLT, RINEHART AND WINSTON
NEW YORK

JULY, 1967

3152303

TO MONIQUE

PRÉFACE
de l'annotateur

THIS collection of stories is intended for the third year of French in High School, and the second year, preferably the fourth semester, in College. Its aim is to familiarize the student with the natural, living language of France as presented by the best authors from Rabelais to Aragon. Of course the prose of Rabelais and even that of Mme de Sévigné had to be modernized and simplified more or less so as not to bewilder the student, especially as it comes first in the book. With the simplification of the passages by the two oldest writers, it was easy enough to adhere to chronology, except in the case of Balzac, Daudet and Zola. Balzac is a more difficult author than Hugo, Dumas and Mérimée, so is Zola in comparison with France and Maupassant. Daudet was placed ahead of his chronological place because his sunshine and kindly humor were needed after the tragic story of Carmen. All the selections are of medium difficulty, however, except the last one, by Aragon, whose colloquial, terse and dynamic French should not prove too hard for a student who has cleared the obstacles in Balzac, Zola and Duhamel. Numerous footnotes and a complete glossary of words and idioms, with brief definitions of uncommon English equivalents, should also make the student's work not only easier, but informative and even pleasant. Teachers will find the questionnaires useful for written and, especially, oral work.

Sentences, phrases and words requiring footnotes are repeated at the bottom of the page on which they appear; a simpler French equivalent follows, and then, if necessary, the English translation is given. In the case of sentences and ideas over which editors usually disagree, extensive research has been done, and an honest interpretation has been presented. Sometimes I have not been satisfied with the results, and I have said so, instead of disregarding the difficulty entirely, as has been done too often in previous collections. Also the attitude of the editor has not been one of blind admiration for the great writers introduced; great writers are human beings too, and make mistakes like the rest of us; such mistakes have been pointed out and explained honestly, rather than connived at or whitewashed.

The difference between this collection and most others is that it is made up entirely of stories by the best authors, not only of today, but of the near and distant past. At this early stage it can already serve as an introduction to the best in French literature. Furthermore this is not exclusively a collection of short stories; there are also *récits*, narratives taken from great works of prose, especially novels; they all have the unity of the short story. Every selection tells a dramatic, humorous or fast-moving story; a few omissions have been made, especially in the prolix Hugo and Balzac passages, so that the student will never have the uncomfortable feeling of marking time or crawling along.

About half the selections are old favorites; as far as I know, the others are presented to American High School and College students for the first time in an intermediate book of this kind. I hope that they will enjoy some of the former's popularity among teachers as well as students.

I wish to express my gratitude to the authors and publishers who gave me their permission to use copyrighted material, and also to Mrs. Marie-Louise Michaud Hall, and my daughter Monique, whose help was invaluable in the preparation of the manuscript and the reading of proofs.

F. D.

Dartmouth College

TABLE
des matières

François Rabelais

Le bateau sur lequel voyage Panurge,* joyeux compagnon du prince Pantagruel, s'arrête en pleine mer tout près d'un autre bateau. On s'interpelle amicalement d'un bord à l'autre, on boit à la santé les uns des autres.

APERCEVANT SUR LE pont de l'autre bateau, un gros homme entouré de moutons, Panurge, levant son verre, lui cria « A votre santé ! » et le vida d'un trait. L'autre fit de même.

— Vendez-moi un de vos moutons, lui cria Panurge.   5

— Hé, hé, répondit le marchand, tu te moques de moi; tu m'as plutôt l'air d'un voleur que d'un honnête acheteur.

— Minute ! Je ne vous demande pas ce que vous pensez de moi; je vous demande seulement de me vendre un de vos moutons. Combien ?   10

— Qu'est-ce que tu dis ? Mais tu es fou ? Ne vois-tu pas que mes moutons sont de premier choix ?

— C'est vrai, dit Panurge, mais je vous en prie, vendez m'en un; je vous paierai immédiatement, en bonnes pièces d'or.   15

— Je te répète que mes moutons ne sont pas pour toi.

— Quand même, vendez m'en un.

— Mon ami, vois-tu ce mouton-ci ? Si tu te mettais dans le plateau d'une balance et lui dans l'autre, je te parie un cent d'huîtres qu'en poids et cervelle il te ferait monter 20 aussi haut que le jour où tu seras pendu.

— Vous êtes charitable, répondit Panurge avec une patience qui ne lui était pas habituelle, mais vous vous feriez beaucoup d'honneur, ainsi qu'à votre postérité, si vous vouliez me vendre un de vos moutons, même le plus 25 maigre.

---

* For a brief discussion of the life and works of François Rabelais
see p. 219.

— Mon ami, c'est avec la laine de ces moutons qu'on fera le beau drap de Rouen,[1] avec leur peau qu'on fera du maroquin; t'en rends-tu compte ?

— Oui.

5 — Avec leurs boyaux on fera les meilleures cordes de violon du monde.

— D'accord, mais vendez m'en un, un seul; je vous paierai comptant.

Et Panurge montra sa bourse pleine de pièces d'or toutes
10 neuves.

— Voisin, répondit le marchand, la chair de ces moutons est si délicate et savoureuse qu'elle est destinée aux princes et aux rois.

— Vendez m'en un; je vous paierai en roi.

15 — J'ajoute que mes moutons descendent en ligne directe du bélier qui emporta dans les airs Phrixos et sa sœur Hellé; Hellé tomba dans l'Hellespont [2] et se noya; arrivé sain et sauf en Colchide,[3] Phrixos tua le bélier en l'honneur de Jupiter; la toison de ce bélier est la fameuse Toison
20 d'Or que conquirent Jason [4] et ses camarades, Hercule et les autres Argonautes.

— Vous êtes un pédant, dit Panurge.

— Et toi tu es un ignorant, répliqua le marchand. Encore une fois je te fais remarquer que mes moutons sont
25 bien gras. Quels beaux gigots, quelles belles côtelettes on en tirera !

— Ça suffit, dit le capitaine du navire au marchand. Vends-lui un mouton tout de suite, si telle est ton intention; sinon, ne lui fais plus perdre son temps.

30 — Je veux bien lui en vendre un, mais c'est seulement pour vous faire plaisir, capitaine; cela lui coûtera cinq cents francs; c'est peut-être un peu cher mais il aura le droit de choisir.

— Vous êtes bien généreux, répondit Panurge ironique-

[1] Rouen [rwɑ̄] est une des villes de France les plus endommagées (*damaged*) pendant la dernière guerre. Elle est encore célèbre par son drap; ses armes (*coat of arms*) portent un mouton.

[2] L'Hellespont [lɛlɛspɔ̄] s'appelle aujourd'hui les Dardanelles.

[3] La Colchide (*Colchis*) s'appelle aujourd'hui la Géorgie, province russe entre le Caucase et la Turquie.

[4] Jason est un héros grec légendaire.

ment; j'ai promis de vous payer en roi,[1] et les rois ne
marchandent pas.[2] Voici votre argent.

Panurge, ayant payé, choisit dans tout le troupeau un
beau et grand mouton. Comme les deux bateaux étaient
bord à bord il n'eut pas trop de mal à le faire passer sur le
sien.

Le mouton de Panurge, peu satisfait de quitter le
troupeau, bêlait comme si on le tuait; ses camarades lui
répondaient de même.

Bientôt les deux bateaux commencèrent à s'éloigner 10
l'un de l'autre, chacun reprenant sa direction. C'était le
moment qu'attendait Panurge pour se venger des insultes
et de la rapacité du marchand.

Soulevant son mouton dans ses bras, sans hésiter il le
jeta à la mer. Vous auriez dû entendre les bêlements 15
désespérés du pauvre mouton; ses camarades, bêlant
aussi fort, commencèrent à se jeter à la mer, les uns après
les autres. Rien ne pouvait les en empêcher, car n'est-ce
pas dans la nature du mouton de toujours suivre le premier, où qu'il aille ?   20

Le marchand, tout effrayé de voir ses moutons se noyer,
s'efforçait de les retenir; ce fut en vain. Tous à la file ils
sautaient dans la mer. Finalement il en saisit un grand
et fort par la toison, pensant ainsi le retenir et sauver le
reste. Le mouton fut si puissant qu'il emporta avec lui, 25
dans la mer, le marchand impoli et rapace qui fut noyé
misérablement.

d'après François Rabelais, *Gargantua et Pantagruel*
(*Le Quart Livre*)

---

[1] **de vous payer en roi:** *to pay you like a king.*
[2] **ne marchandent pas:** *don't haggle.*

LE SUICIDE
de Vatel

2

Mme De Sévigné

*Le prince * de Condé, surnommé le Grand Condé, fut un des plus remarquables généraux de Louis XIV.[1] Il habitait au château de Chantilly[2] qui appartient aujourd'hui à l'Académie française, et où il y a un beau musée. Vatel était le maître d'hôtel du prince.*

Paris, dimanche 26 avril 1671

LE ROI[3] ARRIVA jeudi. La chasse, les lanternes,[4] le clair de lune, la promenade, le goûter[5] dans une salle aux murs couverts de jonquilles, tout fut parfait. On soupa; il y eut
5 quelques tables où le rôti manqua à cause de plusieurs dîners auxquels on ne s'était pas attendu. Cela affecta profondément Vatel. Il dit plusieurs fois: « Je suis déshonoré; voici un affront que je ne pourrai pas supporter. » Il dit à Gourville, le chef des domestiques:
10 — La tête me tourne[6]; il y a douze nuits que je n'ai pas dormi; aidez-moi à donner des ordres.

Gourville l'aida de son mieux. Ce rôti qui avait manqué, non pas à la table du roi, mais aux vingt-cinquième et vingt-sixième tables, lui revenait toujours en tête. Gour-
15 ville le dit au prince; celui-ci alla dans la chambre de Vatel et lui dit:

* For a brief discussion of the life and works of Mme De Sévigné, see page 221.

[1] Louis XIV fut roi de France pendant soixante-douze ans, de 1643 à 1715. Il encouragea les lettres et les arts; il donna à la France beaucoup de prestige mais la ruina par de longues guerres.

[2] **Chantilly** [ʃɑ̃tiji] est une jolie ville située à vingt milles au nord de Paris, au bord d'une belle forêt.

[3] Le roi: Louis XIV.

[4] **les lanternes:** les lanternes vénitiennes, *the Chinese lanterns*; **vénitien:** de Venise.

[5] **le goûter:** le léger repas que l'on fait au milieu de l'après-midi, *the mid-afternoon lunch.*

[6] **La tête me tourne:** *I am dizzy.*

— Vatel, tout va bien; rien n'était si beau que le souper du roi.

Le maître d'hôtel lui répondit:

— Monseigneur, vous êtes trop aimable; je sais que le rôti a manqué à deux tables. 5

— Pas du tout; ne vous tracassez pas [1]; tout va bien.

La nuit vient; le feu d'artifice [2] ne réussit pas car le ciel était nuageux. A quatre heures du matin Vatel s'en va partout; il trouve tout le monde endormi; il rencontre un petit domestique qui lui apportait seulement deux paniers 10 de poissons; il lui demande:

— C'est tout ce qu'il y a ?

— Oui, monsieur.

Ce garçon ne savait pas que Vatel avait envoyé chercher du poisson à tous les ports de Normandie.[3] 15

Vatel attend quelque temps; les messagers ne reviennent pas. Il s'impatiente; il croit qu'il n'aura pas d'autres poissons. Il va trouver Gourville et lui dit:

— Monsieur, je ne survivrai pas à cet affront-ci; je vais perdre mon honneur et ma réputation. 20

Gourville se moque de lui. Vatel monte à sa chambre, met son épée contre la porte et se la passe au travers du cœur; mais ce n'est qu'au troisième coup qu'il meurt car il s'en donna deux qui n'étaient pas mortels. Il tombe mort. 25

Le poisson cependant arrive de tous les côtés. On cherche Vatel pour le distribuer; on va à sa chambre, on frappe, on enfonce la porte, on le trouve étendu dans son sang, on court à monsieur le Prince qui fut au désespoir. Celui-ci annonça la nouvelle au roi fort tristement. On dit 30 que Vatel s'était tué parce qu'il avait un sens élevé de l'honneur. On le loua fort, on loua et blâma son courage.

Le roi dit qu'il y avait cinq ans qu'il remettait de venir à Chantilly parce qu'il comprenait que c'était un grand 35 dérangement pour son hôte. Il dit au prince qu'il n'aurait dû avoir que deux tables et non vingt-six. Il jura qu'il

---

[1] ne vous tracassez pas: *don't worry.*

[2] le feu d'artifice: *the fireworks.*

[3] à tous les ports de Normandie: par exemple à Dieppe, au Havre.

n'accepterait plus que le prince refît ce qu'il avait fait. Mais c'était trop tard pour le pauvre Vatel.

Cependant Gourville fit de son mieux pour remplacer Vatel; on dîna très bien, on goûta, on soupa, on se promena, 5 on joua aux cartes, on alla à la chasse; tout était parfumé de jonquilles, tout était enchanté.

d'après Mme de Sévigné, *Lettres*

3

Alphonse de Lamartine

C'ÉTAIT * LE MOMENT où Ossian,[1] le poète des ruines et des
batailles, régnait sur l'imagination de la France ... De
petites éditions en volumes portatifs se glissaient dans
toutes les bibliothèques. Il m'en tomba une sous la main.
Je m'abîmai dans cet océan d'ombres, de sang, de larmes,   5
de fantômes, d'écume, de neiges et de brumes ... Mais il
manquait quelque chose à mon intelligence complète
d'Ossian: c'était l'ombre d'un amour ...

Mon père passait alors les hivers tout entiers à la campagne. Il y avait, dans les environs, des familles nobles ou 10
des familles d'honorable et élégante bourgeoisie qui habitaient également leurs châteaux ou leurs petits domaines
pendant toutes les saisons de l'année. On se réunissait
dans des repas de campagne ou dans des soirées sans
luxe ...   15

Pendant que les parents s'entretenaient longuement [2] à
table, ou jouaient aux échecs, au trictrac,[3] aux cartes, dans
la salle, les jeunes gens jouaient à des jeux moins réfléchis [4]
dans un coin de la chambre, se répandaient dans les jar-
dins, ... ou répétaient les rôles de petites pièces ... qu'ils 20
venaient représenter, après le souper et le jeu, devant les
parents et les amis.

Une jeune personne de seize ans, comme moi, fille unique

* For a brief discussion of the life and works of Alphonse de
Lamartine, see page 223.

[1] **Ossian** [ɔsjɑ̃]: sous le nom d'Ossian, poète écossais du troisième
siècle, l'Écossais James Macpherson publia des poèmes en prose,
Fingal, an Ancient Epic Poem (1761) et *Temora* (1763).

[2] **s'entretenaient longuement:** *carried on long conversations.*

[3] **au trictrac:** *backgammon;* le mot **trictrac** est une onomatopée
(*imitative word*); le mot imite le bruit des dés (*dice*).

[4] **réfléchis:** sérieux, *serious.*

d'un propriétaire aisé de nos montagnes,[1] se distinguait de
tous ces enfants par son esprit, par son instruction et par
ses talents précoces. Elle s'en distinguait aussi par sa
beauté plus mûre qui commençait à la rendre plus rêveuse
5 et plus réservée que ses autres compagnes . . .

Elle s'appelait Lucy . . . Elle savait par cœur les poètes;
elle adorait comme moi Ossian, dont les images[2] lui rappelaient nos propres collines dans celles de Morven.[3] Cette
adoration commune du même poète, cette intelligence à
10 deux d'une même langue ignorée des autres, était déjà une
confidence involontaire entre nous . . .

Ossian fut notre confident muet et notre interprète.
Elle m'en avait prêté un volume. Je devais le lui rendre . . . ; l'idée me vint d'ajouter une ou deux pages à
15 Ossian, et de charger l'ombre[4] des bardes écossais de la
confidence de mon amour sans espoir . . .

Je lui remis un soir, en nous séparant, le volume grossi de
ces vers. Elle les lut sans colère et vraisemblablement sans
surprise. Elle y répondit par un petit poème ossianique
20 aussi, comme le mien, intercalé dans les pages d'un autre
volume . . .

Nous trouvions toujours trop courtes les heures que nous
passions ensemble, pendant les promenades ou pendant
les soirées de famille, à contempler la sauvage physionomie
25 de nos montagnes . . . Nous aspirions à jouir de ces spec-
tacles nocturnes pendant des nuits plus entièrement à
nous . . .

« Qu'elles seraient belles, nous disions-nous souvent, des
heures passées ensemble, dans la solitude et dans le silence
30 d'une nuit d'hiver, à nous entretenir, sans témoins et sans
fin, des plus secrètes émotions de nos âmes, comme les
personnages d'Ossian sur les collines de leurs aïeux ! »

[1] **nos montagnes:** les petites montagnes du Maconnais (région à
40 milles au nord de Lyon) où se trouve le village de Milly qu'habitait Lamartine.

[2] **les images:** les descriptions.

[3] **Morven** [mɔrvɛn]: le mont Morven se trouve à l'extrémité nord
de l'Écosse; c'est là que se passe l'action d'une partie des poèmes
d'Ossian; les collines autour de Milly ne sont pas aussi hautes.

[4] **de charger l'ombre:** de confier à l'ombre, *of intrusting to the
shades.*

Des larmes de désir et d'enthousiasme montaient dans
nos yeux à ces images anticipées du bonheur poétique que
nous osions rêver . . . A force d'en parler, nous arrivâmes
à un égal désir de réaliser ce songe d'enfant; puis nous
concertâmes [1] secrètement, mais innocemment, les moyens   5
de nous donner l'un à l'autre cette félicité d'imagination.

La tour qu'habitait Lucy, à l'extrémité du petit manoir
de son père, avait pour base une terrasse dont le mur,
bâti en forme de rempart, avait ses fondements [2] dans le 10
bas de la petite vallée près du torrent.   Le mur était en
pente assez douce.   Des buis,[3] des ronces, des mousses,
poussés dans les crevasses des vieilles pierres ébréchées
par le temps, permettaient à un homme agile et hardi
d'arriver, en rampant, au sommet du parapet et de sauter 15
de là dans le petit jardin qui occupait l'espace étroit de la
terrasse au pied de la tour.   Une porte basse de cette tour,
servant d'issue à la dernière marche d'un escalier tournant,
ouvrait sur le jardin.[4]   Cette porte, fermée la nuit par un
verrou intérieur, pouvait s'ouvrir sous la main de Lucy   20
et lui donner la promenade du jardin [5] pendant le sommeil
de sa nourrice.[6]   Je connaissais le mur, la terrasse, le
jardin, la tour, l'escalier.   Il ne s'agissait pour elle que
d'avoir assez de résolution pour y descendre, pour moi
assez d'audace pour y monter.   Nous convînmes de la 25
nuit, de l'heure, du signal que je ferais de la colline opposée
en brûlant une amorce de mon fusil.[7]

---

[1] **nous concertâmes:** nous discutâmes, *we discussed.*

[2] **ses fondements:** ses fondations, *its foundations.*

[3] **des buis** [bi̥i]: des buissons de buis, *clumps of boxwood;* le buis
n'est pas courant (*common*) dans le Nord des États-Unis; il l'est dans
le Sud; beaucoup des allées (*paths*) de Mount Vernon en sont bordées.

[4] **Une porte basse de cette tour, servant d'issue à la dernière
marche d'un escalier tournant, ouvrait sur le jardin:** *A low door, at
the bottom of a winding staircase within the tower, opened upon the
garden.*

[5] **lui donner la promenade du jardin:** lui donner la liberté de se
promener dans le jardin.

[6] **sa nourrice:** la femme qui l'avait nourrie de son lait et élevée,
her nurse.

[7] **en brûlant une amorce de mon fusil:** *by firing the percussion cap
of my rifle.*

Le plus embarrassant [1] pour moi était de sortir inaperçu, la nuit, de la maison de mon père. La grosse porte du vestibule sur le perron ne s'ouvrait qu'avec un retentisse-ment d'énormes serrures rouillées, de barres et de verrous
5 dont le bruit ne pouvait manquer d'éveiller mon père. Je couchais dans une chambre haute du premier étage.[2] Je pouvais descendre en me suspendant à un drap de mon lit et en sautant de l'extrémité du drap dans le jardin; mais je ne pouvais remonter. Une échelle, heureusement oubliée
10 par des maçons qui avaient travaillé quelques jours dans les pressoirs, me tira d'embarras. Je la dressai, le soir, contre le mur de ma chambre. J'attendis impatiemment que l'horloge eût sonné onze heures et que tout bruit fût assoupi dans la maison. J'ouvris doucement la fenêtre et
15 je descendis, mon fusil à la main, dans l'allée des noisetiers. Mais à peine avais-je fait quelques pas muets sur la neige, que l'échelle, glissant avec fracas contre la muraille, tomba dans le jardin. Un gros chien de chasse qui couchait au pied de mon lit, m'ayant vu sortir par la fenêtre, s'était
20 élancé à ma suite. Il avait entravé ses pattes dans [3] les barreaux et avait entraîné par son poids l'échelle à terre. A peine dégagé, le chien [4] s'était jeté sur moi et me couvrait de caresses. Je le repoussai rudement pour la première fois de ma vie. Je feignis de le battre pour lui ôter l'envie de
25 me suivre plus loin. Il se coucha à mes pieds et me vit franchir le mur qui séparait le jardin des vignes [5] sans faire un mouvement.

Je me glissai à travers les champs, les bois et les prés, sans rencontrer personne, jusqu'au bord du ravin opposé à
30 la maison de Lucy. Je brûlai l'amorce. Une légère lueur allumée un instant, puis éteinte, à la fenêtre haute de la tour, me répondit. Je déposai mon fusil au pied du mur

---

[1] **Le plus embarrassant.** la plus grande difficulté.

[2] **du premier étage:** *of the second floor; the first floor* se dit **le rez-de-chaussée** [retʃose].

[3] **Il avait entravé ses pattes dans:** *He had caught his legs in.*

[4] **A peine dégagé, le chien . . . :** à peine le chien s'était-il dégagé qu'il . . . , *hardly had the dog extricated himself when he . . .*

[5] **qui séparait le jardin des vignes:** *which separated the garden from the vineyards.*

en talus.[1] Je grimpai le rempart. Je sautai sur la terrasse.
Au même instant, la porte de la tour s'ouvrit. Lucy,
franchissant le dernier degré [2] et marchant comme quelqu'un qui veut assoupir le bruit de ses pas, s'avança vers
l'allée où je l'attendais un peu dans l'ombre. Une lune 5
splendide éclairait de ses gerbes [3] froides, mais éblouis-
santes, le reste de la terrasse, les murs et les fenêtres de la
tour, les flancs de la vallée.

Nous étions enfin au comble de nos rêves.[4] Nos cœurs
battaient. Nous n'osions ni nous regarder ni parler. 10
J'essuyai cependant avec la main un banc de pierre
couvert de neige glacée. J'y étendis mon manteau, que je
portais plié sous mon bras, et nous nous assîmes un peu
loin l'un de l'autre. Nul de nous ne rompait le silence.
Nous regardions tantôt à nos pieds, tantôt vers la tour, 15
tantôt vers le ciel. A la fin je m'enhardis:

— O Lucy! lui dis-je, comme la lune [5] jaillit pittoresquement ici de tous les glaçons du torrent et de toutes les
neiges de la vallée! Quel bonheur de la contempler avec
vous!   20

— Oui, dit-elle, tout est plus beau avec un ami qui
partage vos admirations pour ces paysages.

Elle allait poursuivre, quand un gros corps noir, passant
comme un boulet par-dessus le mur du parapet, roula
dans l'allée, et vint, en deux ou trois élans,[6] bondir sur 25
nous en aboyant de joie.

C'était mon chien qui m'avait suivi de loin, et qui, ne
me voyant pas redescendre, s'était élancé sur ma piste et
avait grimpé comme moi le mur de la terrasse. A sa voix et
à ses bonds dans le jardin, les chiens de la cour répondirent 30
par de longs aboiements, et nous aperçûmes dans l'intérieur de la maison la lueur d'une lampe qui passait de
fenêtre en fenêtre en s'approchant de la tour.

[1] **du mur en talus:** du mur en pente, *of the sloping wall.*
[2] **franchissant le dernier degré:** descendant la dernière marche,
walking down the last step.
[3] **de ses gerbes:** de ses gerbes de rayons, *with its sheaves of rays.*
[4] **Nous étions enfin au comble de nos rêves:** enfin nos rêves
étaient comblés (réalisés), *our dreams had at last come true.*
[5] **la lune:** le reflet (*reflection*) de la lune.
[6] **élans:** sauts, bonds, *jumps.*

Nous nous levâmes. Lucy s'élança vers la porte de son escalier, dont je l'entendis refermer [1] précipitamment le verrou. Je me laissai glisser jusqu'au pied du mur dans les prés. Mon chien me suivit. Je m'enfonçai à grands

5　pas [2] dans les sombres gorges des montagnes en maudissant l'importune fidélité du pauvre animal. J'arrivai transi sous la fenêtre de ma chambre.

Je replaçai l'échelle. Je me couchai à l'aube du jour,[3] sans autre souvenir de cette première nuit de poésie

10　ossianique que les pieds mouillés, les membres transis, la conscience un peu humiliée de ma timidité devant la charmante Lucy, et une rancune très modérée contre mon chien qui avait interrompu à propos un entretien dont nous étions déjà plus embarrassés qu'heureux.

15　　　　　　　　Lamartine, *Confidences*, Livre cinquième

[1] refermer: pousser, *push.*
[2] Je m'enfonçai à grands pas: *I advanced with rapid strides.*
à l'aube du jour: à l'aube, *at dawn.*

JEAN VALJEAN
et l'évêque

4

Victor Hugo

C'est * *par une soirée d'octobre, en 1815. L'évêque de Digne, en Provence, et sa sœur sont dans leur salle à manger. La vieille servante va servir le souper.*

LA SOIRÉE

En ce moment, on frappa à la porte un coup assez violent.

— Entrez, dit l'évêque.

La porte s'ouvrit.

Elle s'ouvrit vivement, toute grande, comme si quelqu'un la poussait avec énergie et résolution.   5

Un homme entra, . . . fit un pas et s'arrêta, laissant la porte ouverte derrière lui. Il avait son sac sur l'épaule, son bâton à la main, une expression rude, hardie, fatiguée et violente dans les yeux. Le feu de la cheminée l'éclairait. Il était hideux. C'était une sinistre apparition.   10

Madame Magloire [1] n'eut pas même la force de jeter un cri. Elle tressaillit, et resta béante.[2]

Mademoiselle Baptistine [3] se retourna, aperçut l'homme qui entrait et se dressa à demi d'effarement, puis ramenant peu à peu sa tête vers la cheminée, elle se mit à regarder son 15 frère, et son visage redevint profondément calme et serein.

L'évêque fixait sur l'homme un œil tranquille.

Comme il ouvrait la bouche, sans doute pour demander au nouveau venu ce qu'il désirait, l'homme appuya ses deux mains à la fois sur son bâton, promena ses yeux tour 20 à tour sur le vieillard et les femmes, et, sans attendre que l'évêque parlât, dit d'une voix haute:

---

* See page 225.
[1] **Madame Magloire** était la servante (*maid*) de l'évêque.
[2] **béante:** bouche bée, bouche béante, *with her mouth open.*
[3] **Mademoiselle Baptistine** [batistin] était la sœur de l'évêque.

— Voici.[1] Je m'appelle Jean Valjean. Je suis un galérien. J'ai passé dix-neuf ans au bagne.[2] Je suis libéré
depuis quatre jours et en route pour Pontarlier[3] qui est ma
destination. Quatre jours que je marche depuis Toulon.[4]
5 Aujourd'hui, j'ai fait douze lieues[5] à pied. Ce soir, en
arrivant dans ce pays, j'ai été dans une auberge; on m'a
renvoyé à cause de mon passeport jaune[6] que j'avais
montré à la mairie. Il avait fallu.[7] J'ai été à une autre
auberge. On m'a dit: «Va-t'en!» Chez l'un, chez l'autre.[8]
10 Personne n'a voulu de moi. J'ai été à la prison, le guichetier[9] ne m'a pas ouvert. J'ai été dans la niche d'un chien.
Ce chien m'a mordu et m'a chassé, comme s'il avait été
un homme. On aurait dit qu'il savait qui j'étais. Je m'en
suis allé[10] dans les champs pour coucher à la belle étoile.[11]
15 Il n'y avait pas d'étoile. J'ai pensé qu'il pleuvrait, et qu'il

[1] **Voici:** voici mon histoire, *here's my story.*

[2] Autrefois, en France, certains criminels étaient condamnés à
ramer (*row*) sur les galères (*galleys*) de l'État; d'où leur nom de
« galérien. » Vers le milieu du 18e siècle, les galères furent sup-
primées; les galériens furent internés dans des bâtiments des ports
(Toulon, Brest, etc.) ayant servi de bains; d'où le nom de « bagne »
(italien *bagno*, bain). Ces bagnes furent supprimés en 1873 et les
« bagnards » (*convicts*) furent envoyés à la Nouvelle-Calédonie, puis
à la Guyane (île du Diable, etc.). Aujourd'hui le bagne est à l'île de
Ré, devant La Rochelle (100 milles au nord de Bordeaux). Les
bagnards sont aussi appelés « forçats » parce qu'ils sont condamnés
aux travaux forcés (*hard labor*).

[3] **Pontarlier** [lje]: ville de douze mille habitants, dans les
montagnes, près de la frontière suisse; industries du lait, du fromage,
du bois.

[4] Il y a près de cent milles par la route directe de Toulon à Digne;
cette route traverse des montagnes. Jean Valjean est passé par
Grasse et a fait cinquante milles de plus; la route directe n'existait
pas alors.

[5] **douze lieues:** *thirty miles.*

[6] **mon passeport jaune:** le passeport d'un forçat libéré, et con-
sidéré comme dangereux, était de couleur jaune.

[7] **Il avait fallu:** il avait fallu que je le montre; c'était nécessaire.

[8] **Chez l'un, chez l'autre:** j'ai été chez l'un, chez l'autre, *I went to
several houses.*

[9] le guichetier [giʃtje]: l'homme qui est au guichet [giʃe] (*wicket,
grilled window*) à l'entrée de la prison, le gardien, *the turnkey.*

[10] **Je m'en suis allé:** je suis allé. Cette forme est aujourd'hui
affectée et ne s'emploie plus dans la conversation.

[11] **coucher à la belle étoile:** *to sleep under the stars (in the open).*

n'y avait pas de bon Dieu pour empêcher de pleuvoir, et je
suis rentré dans la ville pour y trouver le renfoncement
d'une porte.[1] Là, dans cette place, j'allais me coucher sur
une pierre; une bonne femme[2] m'a montré votre maison et
m'a dit: « Frappe là. » J'ai frappé. Qu'est-ce que c'est   5
ici ? êtes-vous une auberge?[3] J'ai de l'argent, ma masse.[4]
Cent neuf francs quinze sous[5] que j'ai gagnés au bagne
par mon travail en dix-neuf ans. Je paierai. Qu'est-ce
que cela me fait ? j'ai de l'argent. Je suis très fatigué,
douze lieues à pied, j'ai bien faim. Voulez-vous que je   10
reste ?

— Madame Magloire, dit l'évêque, vous mettrez un
couvert de plus.

L'homme fit trois pas et s'approcha de la lampe qui
était sur la table: 15
— Tenez, reprit-il, comme s'il n'avait pas bien compris,
ce n'est pas ça. Avez-vous entendu ? Je suis un galérien.
Un forçat. Je viens des galères. (Il tira de sa poche une
grande feuille de papier jaune qu'il déplia.) Voilà mon
passeport. Jaune, comme vous voyez. Cela sert à me   20
faire chasser de partout où je vais. Voulez-vous lire ? Je
sais lire, moi. J'ai appris au bagne. Il y a une école pour
ceux qui veulent. Tenez, voilà ce qu'on a mis sur le passeport: « Jean Valjean, forçat libéré, natif de . . . — cela
vous est égal — est resté dix-neuf ans au bagne. Cinq ans 25
pour vol avec effraction. Quatorze ans pour avoir tenté de
s'évader quatre fois. Cet homme est dangereux. » Voilà !
Tout le monde m'a jeté dehors. Voulez-vous me recevoir,
vous ? Est-ce une auberge ? Voulez-vous me donner à
manger et à coucher ? Avez-vous une écurie ?   30

---

[1] le renfoncement d'une porte: *a doorway.*

[2] une bonne femme: *a good woman.* Aujourd'hui l'expression
« une bonne femme » est surtout employée en argot (*slang*) dans un
sens peu respectueux.

[3] êtes-vous une auberge?: est-ce une auberge ici ? tenez-vous
(*are you running*) une auberge ?

[4] ma masse: l'argent que j'ai gagné pendant mon temps de bagne,
my earnings at the prison.

[5] Cent neuf francs quinze sous: presque vingt-deux dollars à cette
époque-là. Il y a vingt sous dans un franc.

— Madame Magloire, dit l'évêque, vous mettrez des
draps blancs au lit de l'alcôve . . .

Madame Magloire sortit pour exécuter ces ordres.

L'évêque se tourna vers l'homme:

5 — Monsieur, asseyez-vous et chauffez-vous. Nous
allons souper dans un instant, et l'on fera votre lit pendant
que vous souperez.

Ici l'homme comprit tout à fait. L'expression de son
visage, jusqu'alors sombre et dure, s'empreignit de stupé-
10 faction, de doute, de joie, et devint extraordinaire. Il se
mit à balbutier comme un homme fou:

— Vrai ? Quoi ? Vous me gardez ? Vous ne me chassez
pas ? Un forçat ? Vous m'appelez *monsieur!* Vous ne me
tutoyez pas ? « Va-t'en, chien ! » qu'on me dit toujours.[1]
15 Je croyais bien que vous me chasseriez. Aussi [2] j'avais dit
tout de suite qui je suis. Oh la brave femme qui m'a
enseigné ici ! [3] Je vais souper. Un lit avec des matelas et
des draps ! Comme tout le monde ! Un lit ! Il y a dix-
neuf ans que je n'ai couché dans un lit ! Vous voulez bien
20 que je ne m'en aille pas ! Vous êtes de dignes gens. D'ailleurs j'ai de l'argent. Je paierai bien. Pardon, monsieur
l'aubergiste, comment vous appelez-vous ? je paierai tout
ce qu'on voudra. Vous êtes un brave homme. Vous êtes
aubergiste, n'est-ce pas ?

25 — Je suis, dit l'évêque, un prêtre qui demeure ici.

— Un prêtre ! reprit l'homme. Oh ! un brave homme de
prêtre ! Alors vous ne me demandez pas d'argent ? Le
curé, n'est-ce pas ? le curé de cette grande église ? Tiens !
c'est vrai; que je suis bête ! je n'avais pas vu votre ca-
30 lotte.

Tout en parlant il avait déposé son sac et son bâton dans
un coin, avait remis son passeport dans sa poche, et s'était
assis. Mademoiselle Baptistine le considérait avec douceur. Il continua:

35 — Vous êtes humain, monsieur le curé, vous n'avez pas

---

[1] **qu'on me dit toujours:** forme incorrecte pour « me dit-on
toujours. »

[2] Aussi: *therefore.*

[3] **qui m'a enseigné ici:** qui m'a enseigné (indiqué, *pointed out*)
cette maison.

de mépris. C'est bien bon un bon prêtre. Alors vous
n'avez pas besoin que je paye ?[1]

— Non, dit l'évêque, gardez votre argent. Combien
avez-vous ? ne m'avez-vous pas dit cent neuf francs ?

— Quinze sous, ajouta l'homme.   5

— Cent neuf francs quinze sous. Et combien de temps
avez-vous mis à gagner cela ?

— Dix-neuf ans.

— Dix-neuf ans !

L'évêque soupira profondément.   10

L'homme poursuivit:

— J'ai encore tout mon argent. Depuis quatre jours je
n'ai dépensé que vingt-cinq sous, que j'ai gagnés en aidant
à décharger des voitures à Grasse.[2] Puisque vous êtes
abbé,[3] je vais vous dire, nous avions un aumônier au bagne. 15
Et puis un jour j'ai vu un évêque. Monseigneur, qu'on
appelle.[4] C'était l'évêque de la Majore,[5] à Marseille.
C'est le curé qui est sur les curés, vous savez. Pardon, je
dis mal cela,[6] mais pour moi, c'est si loin ! — Vous comprenez, nous autres . . . ! — Il a dit la messe au milieu du bagne, 20
sur un autel; il avait une chose pointue, en or, sur la tête.[7]
Au grand jour de midi, cela brillait. Nous étions en rang,
des trois côtés,[8] avec les canons, mèche allumée, en face de

---

[1] **vous n'avez pas besoin que je paye ?**: vous ne voulez pas que je
paye (paie) ?

[2] Grasse [grɑːs]: charmante ville au milieu de montagnes couvertes de lavande (*lavender*), à vingt milles à l'ouest de Nice; on y
fait des parfums. L'armée américaine a occupé la ville en 1944.

[3] **abbé**: *priest*. En France on emploie souvent les trois mots
« prêtre, curé, abbé » l'un pour l'autre.

[4] **Monseigneur, qu'on appelle**: Monseigneur, comme on l'appelle,
his Lordship, as he is called.

[5] **la Majore**: ou Sainte-Marie-Majeure, c'est le nom de la cathédrale
de Marseille. Elle est aujourd'hui composée de deux cathédrales,
l'ancienne, dont parle Jean Valjean, qui date des 12e et 14e siècles,
et la nouvelle, bâtie de 1852 à 1893, dans le style byzantin; ces
cathédrales se trouvent dans le quartier au nord du Vieux-Port, qui
a été détruit par les Allemands en 1942.

[6] **je dis mal cela**: Jean Valjean aurait dû dire : « au-dessus des
curés, » au lieu de « sur les curés, » ou mieux: « C'est le supérieur des
curés. »

[7] Le chapeau de l'évêque s'appelle la mitre (*miter*).

[8] **des trois côtés**: des trois côtés d'un carré, *on three sides of a square.*

nous. Nous ne voyions pas bien. Il a parlé, mais il était
trop au fond; nous n'entendions pas. Voilà ce que c'est
qu'un évêque.

Pendant qu'il parlait, l'évêque était allé pousser la
5 porte qui était restée toute grande ouverte.

Madame Magloire rentra. Elle apportait un couvert
qu'elle mit sur la table.

— Madame Magloire, dit l'évêque, mettez ce couvert le
plus près possible du feu.

10   Et se tournant vers son hôte:

— Le vent de nuit est dur dans les Alpes.[1] Vous devez
avoir froid, monsieur ?

Chaque fois qu'il disait ce mot, *monsieur*, avec sa voix
doucement grave et de si bonne compagnie, le visage de
15 l'homme s'illuminait. *Monsieur* à un forçat, c'est un
verre d'eau à un naufragé de la *Méduse*.[2] L'ignominie a
soif de considération.

— Voici, reprit l'évêque, une lampe qui éclaire bien mal.

Madame Magloire comprit, et alla chercher sur la
20 cheminée de la chambre à coucher de monseigneur les
deux chandeliers d'argent qu'elle posa sur la table, tout
allumés.

— Monsieur le curé, dit l'homme, vous êtes bon, vous ne
me méprisez pas. Vous me recevez chez vous. Vous
25 allumez vos cierges [3] pour moi. Je ne vous ai pourtant pas
caché d'où je viens et que je suis un homme malheureux.

L'évêque, assis près de lui, lui toucha doucement la
main:

30   — Vous pouviez ne pas me dire qui vous étiez. Ce n'est

---

[1] **les Alpes:** Digne se trouve dans les Grandes Alpes de Provence.

[2] **un naufragé de la *Méduse*:** *a shipwrecked man from the Méduse*
(*Jellyfish*). La *Méduse* fit naufrage (*was wrecked*) au nord de Dakar,
en 1816. Cent-quarante-neuf hommes se réfugièrent sur un radeau
(*raft*), sans provisions. Au bout de douze jours il n'y avait plus que
quinze survivants; ils furent recueillis (*picked up*) par un autre
bateau. Géricault a peint *Le Radeau de la Méduse* (1819), le premier
grand tableau romantique.

[3] **vos cierges:** *your wax tapers.* Un cierge est gros et long; Jean
Valjean aurait dû dire tout simplement « vos bougies, » *your candles.*

pas ici ma maison; c'est la maison de Jésus-Christ. Cette porte ne demande pas à celui qui entre s'il a un nom, mais s'il a une douleur. Vous souffrez; vous avez faim et soif; soyez le bienvenu. Et ne me remerciez pas, ne me dites pas que je vous reçois chez moi. Personne n'est ici 5 chez soi, excepté celui qui a besoin d'un asile. Je vous le dis à vous qui passez, vous êtes ici chez vous plus que moi-même. Tout ce qui est ici est à vous. Qu'ai-je besoin de savoir votre nom? D'ailleurs, avant que vous me le dissiez,[1] vous en avez un que je savais.   10

L'homme ouvrit des yeux étonnés:

— Vrai? vous saviez comment je m'appelle?

— Oui, répondit l'évêque, vous vous appelez mon frère.

— Tenez, monsieur le curé! s'écria l'homme, j'avais bien 15 faim [2] en entrant ici; mais vous êtes si bon qu'à présent je ne sais plus ce que j'ai [3]; cela m'a passé.

L'évêque le regarda et lui dit:

— Vous avez bien souffert?

— Oh! la casaque rouge, le boulet au pied, une planche 20 pour dormir, le chaud, le froid, le travail, la chiourme,[4] les coups de bâton! La double chaîne pour rien. Le cachot pour un mot. Même malade au lit, la chaîne. Les chiens, les chiens sont plus heureux! Dix-neuf ans! J'en ai quarante-six. A présent le passeport jaune. Voilà.   25

— Oui, reprit l'évêque, vous sortez d'un lieu de tristesse. Écoutez. Il y aura plus de joie au ciel pour le visage en larmes d'un pécheur repentant que pour la robe blanche de cent justes. Si vous sortez de ce lieu douloureux avec des pensées de haine et de colère contre les hommes, vous êtes 30 digne de pitié; si vous en sortez avec des pensées de bienveillance, de douceur et de paix, vous valez mieux qu'aucun de nous.

---

[1] **avant que vous me le dissiez:** avant que vous me l'ayez dit; « dissiez » est la forme de l'imparfait du subjonctif qui n'est plus guère naturel dans la conversation.

[2] **j'avais bien faim:** I was very hungry.

[3] **ce que j'ai:** what I feel.

[4] la chiourme [ʃjurm] est l'ensemble des forçats d'un bagne; *the other convicts.*

Cependant madame Magloire avait servi le souper; une
soupe faite avec de l'eau, de l'huile, du pain, et du sel; un
peu de lard, un morceau de viande de mouton,[1] des figues,
un fromage frais, et un gros pain de seigle. Elle avait
5 d'elle-même ajouté à l'ordinaire de M. l'évêque une bouteille de vieux vin de Mauves.[2]

Le visage de l'évêque prit tout à coup cette expression de
gaieté propre aux natures hospitalières:

— A table! dit-il vivement.

10 Comme il en avait coutume lorsque quelque étranger
soupait avec lui, il fit asseoir l'homme à sa droite. Mademoiselle Baptistine, parfaitement paisible et naturelle, prit
place à sa gauche.

L'évêque dit le bénédicité,[3] puis servit lui-même la
15 soupe, selon son habitude. L'homme se mit à manger
avidement.

Tout à coup l'évêque dit:

— Mais il me semble qu'il manque quelque chose sur
cette table.

20 Madame Magloire, en effet, n'avait mis que les trois
couverts absolument nécessaires. Or, c'était l'usage de la
maison, quand M. l'évêque avait quelqu'un à souper, de
disposer sur la nappe les six couverts d'argent, étalage
innocent. Ce gracieux semblant de luxe était une sorte
25 d'enfantillage plein de charme dans cette maison douce et
sévère qui élevait la pauvreté jusqu'à la dignité.

Madame Magloire comprit l'observation, sortit sans
dire un mot, et un moment après, les trois couverts ré-
clamés par l'évêque brillaient sur la nappe, symétriquement
30 arrangés devant chacun des trois convives . . .

---

[1] **un morceau de viande de mouton:** un morceau de mouton, *a
piece of mutton.*

[2] **Mauves:** village sur la Loire, à 10 milles à l'est de Nantes.

[3] **dit le bénédicité:** *said grace.* La prière des catholiques, avant
le repas, est en latin et commence par: *Benedicite* . . . (Bénissez, ô
mon Dieu, la nourriture que nous allons prendre).

TRANQUILLITÉ

Après avoir donné le bonsoir [1] à sa sœur, monseigneur
Bienvenu prit sur la table un des deux flambeaux [2] d'argent,
remit l'autre à son hôte, et lui dit:

— Monsieur, je vais vous conduire à votre chambre.

L'homme le suivit . . .   5

Le logis était distribué de telle sorte que, pour passer
dans l'oratoire où était l'alcôve, ou pour en sortir, il fallait
traverser la chambre à coucher de l'évêque.

Au moment où il traversait cette chambre, madame
Magloire serrait l'argenterie dans le placard qui était au   10
chevet du lit. C'était le dernier soin qu'elle prenait [3]
chaque soir avant de s'aller coucher. [4]

L'évêque installa son hôte dans l'alcôve. Un lit blanc et
frais [5] y était dressé. [6] L'homme posa le flambeau sur une
petite table.   15

— Allons, dit l'évêque, faites une bonne nuit. Demain
matin, avant de partir, vous boirez une tasse de lait de nos
vaches, tout chaud.

— Merci, monsieur l'abbé, dit l'homme.

A peine eut-il prononcé ces paroles pleines de paix, que, 20
tout à coup et sans transition, il eut un mouvement étrange
et qui eût glacé d'épouvante les deux saintes filles, si elles
en eussent été témoins . . . Il se tourna brusquement vers
le vieillard, croisa les bras, et, fixant sur son hôte un
regard sauvage, il s'écria d'une voix rauque: 25

— Ah çà, décidément ! [7] vous me logez chez vous, près
de vous, comme cela !

Il s'interrompit et ajouta avec un rire où il y avait
quelque chose de monstrueux:

---

[1] **donné le bonsoir:** souhaité une bonne nuit, *said good night.*

[2] **flambeaux:** « flambeaux » est le nom que l'on donne quelquefois à de grands chandeliers de valeur (*valuable*).

[3] **le dernier soin qu'elle prenait:** la dernière chose qu'elle faisait.

[4] **avant de s'aller coucher:** avant d'aller se coucher.

[5] **et frais:** et propre, avec du linge propre.

[6] **y était dressé:** y était, s'y trouvait.

[7] **Ah çà, décidément!:** *Now then, really?*

— Avez-vous bien fait toutes vos réflexions ?   Qui est-ce qui vous dit que je n'ai pas assassiné ?

L'évêque répondit:

— Cela regarde le bon Dieu.

5   Puis gravement et remuant les lèvres comme quelqu'un qui prie ou qui se parle à lui-même, il dressa[1] les deux doigts de sa main droite et bénit l'homme qui ne se courba pas [2]· et, sans tourner la tête, et sans regarder derrière lui, il rentra dans sa chambre.

10   Quand l'alcôve était habitée, un grand rideau de serge tiré de part en part dans l'oratoire cachait l'autel. L'évêque s'agenouilla en passant devant ce rideau et fit une courte prière.

Un moment après, il était dans son jardin, marchant, 15 rêvant, contemplant, l'âme et la pensée tout entières à ces grandes choses mystérieuses que Dieu montre la nuit aux yeux qui restent ouverts.

Quant à l'homme, il était vraiment si fatigué qu'il n'avait même pas profité de ces bons draps blancs.   Il avait soufflé 20 sa bougie, et s'était laissé tomber tout habillé sur le lit, où il s'était tout de suite profondément endormi.

Minuit sonnait comme l'évêque rentrait de son jardin dans son appartement.

Quelques minutes après, tout dormait dans la petite 25 maison . . .

L'HOMME RÉVEILLÉ

Comme deux heures du matin sonnaient à l'horloge de la cathédrale, Jean Valjean se réveilla.

Ce qui le réveilla, c'est que le lit était trop bon.   Il y avait vingt ans bientôt qu'il n'avait couché dans un lit, et, 30 quoiqu'il ne se fût pas déshabillé, la sensation était trop nouvelle pour ne pas troubler son sommeil.

Il avait dormi plus de quatre heures.   Sa fatigue était passée.   Il était accoutumé à ne pas donner beaucoup d'heures au repos.

[1] **il dressa:** il leva, *he raised.*

[2] **qui ne se courba pas:** qui ne courba pas la tête, *who didn't bow his head.*

Il ouvrit les yeux et regarda un moment dans l'obscurité autour de lui, et puis les referma pour se rendormir ... Il ne put se rendormir et il se mit à penser ...

Beaucoup de pensées lui venaient, mais il y en avait une qui se présentait continuellement et qui chassait toutes les autres. Il avait remarqué les six couverts d'argent et la grande cuiller que madame Magloire avait posés sur la table.

Ces six couverts d'argent l'obsédaient. — Ils étaient là. — A quelques pas. — A l'instant où il avait traversé la chambre d'à côté pour venir dans cette salle [1] où il était, la vieille servante les mettait dans un petit placard à la tête du lit. — Il avait bien remarqué ce placard. — A droite, en entrant par la salle à manger. — Ils étaient massifs. [2] — Et de vieille argenterie. — Avec la grande cuiller, on en tirerait au moins deux cents francs. — Le double de ce qu'il avait gagné en dix-neuf ans. — Il est vrai qu'il eût gagné davantage si « *l'administration* ne l'avait pas *volé* ».

Son esprit oscilla toute une grande heure dans des fluctuations auxquelles se mêlait bien quelque lutte. Trois heures sonnèrent. Il rouvrit les yeux, se dressa brusquement sur son séant, étendit le bras et tâta son havresac qu'il avait jeté dans le coin de l'alcôve, puis il laissa pendre ses jambes et poser ses pieds à terre, et se trouva, presque sans savoir comment, assis sur son lit.

Il resta un certain temps rêveur dans cette attitude ... Tout à coup il se baissa, ôta ses souliers et les posa doucement sur la natte près du lit ... Il se leva debout, [3] hésita encore un moment, et écouta; tout se taisait dans la maison; alors il marcha droit et à petits pas vers la fenêtre qu'il entrevoyait. La nuit n'était pas très obscure; c'était une pleine lune sur laquelle couraient de larges nuées chassées par le vent ...

Arrivé à la fenêtre, Jean Valjean l'examina. Elle était sans barreaux, donnait sur le jardin et n'était fermée, selon la mode du pays, que d'une petite clavette. Il l'ouvrit,

---

[1] **cette salle**: cette pièce, *this room.*

[2] **massifs**: en argent massif, *solid silver.*

[3] **Il se leva debout**: il se mit debout, il se dressa de toute sa hauteur, *he drew himself up to his full height.*

mais comme un air froid et vif entra brusquement dans la
chambre, il la referma tout de suite. Il regarda le jardin de
ce regard attentif qui étudie plus qu'il ne regarde. Le
jardin était enclos d'un mur blanc assez bas, facile à
5 escalader. Au fond, au delà, il distingua des têtes d'arbres
également espacées, ce qui indiquait que ce mur séparait
le jardin d'une avenue ou d'une ruelle plantée.[1]

Ce coup d'œil jeté, il fit le mouvement d'un homme déterminé, marcha à son alcôve, prit son havresac, l'ouvrit,
10 le fouilla, en tira quelque chose qu'il posa sur le lit, mit ses
souliers dans une de ses poches,[2] referma le tout, chargea
le sac sur ses épaules, se couvrit de sa casquette dont il
baissa la visière sur ses yeux, chercha son bâton en tâtonnant, et l'alla poser dans l'angle de la fenêtre, puis revint au
15 lit et saisit résolument l'objet qu'il y avait déposé. Cela
ressemblait à une barre de fer courte, aiguisée comme un
épieu à l'une de ses extrémités . . .

Ce n'était autre chose qu'un chandelier de mineur. On
employait alors quelquefois les forçats à extraire de la roche
20 des hautes collines qui environnent Toulon, et il n'était
pas rare qu'ils eussent à leur disposition des outils de
mineur. Les chandeliers des mineurs sont en fer massif,
terminés à leur extrémité inférieure par une pointe au
moyen de laquelle on les enfonce dans le rocher.

25 Il prit le chandelier dans sa main droite, et retenant son
haleine, assourdissant son pas, il se dirigea vers la porte de
la chambre voisine, celle de l'évêque . . .

Arrivé à cette porte, il la trouva entre-bâillée. L'évêque
ne l'avait point fermée.

CE QU'IL FAIT

30 Jean Valjean écouta. Aucun bruit.

Il poussa la porte . . .

La porte céda à cette pression et fit un mouvement imperceptible et silencieux qui élargit un peu l'ouverture.

Il attendit un moment, puis poussa la porte une seconde
35 fois, plus hardiment.

[1] **ruelle plantée :** ruelle plantée (bordée) d'arbres, *tree-lined by-street.*
[2] **dans une de ses poches :** dans une des poches du sac.

Elle continua de céder en silence. L'ouverture était assez grande maintenant pour qu'il pût passer. Mais il y avait près de la porte une petite table qui faisait avec elle un angle gênant et qui barrait l'entrée.

Jean Valjean reconnut la difficulté. Il fallait à toute 5 force que l'ouverture fût encore élargie.

Il prit son parti, et poussa une troisième fois la porte, plus énergiquement que les deux premières. Cette fois il y eut un gond mal huilé qui jeta tout à coup dans cette obscurité un cri rauque et prolongé. 10

Jean Valjean tressaillit. Le bruit de ce gond sonna dans son oreille avec quelque chose d'éclatant et de formidable comme le clairon du jugement dernier...

Il s'arrêta, frissonnant, éperdu...

Il demeura où il était,... n'osant faire un mouvement. 15 Quelques minutes s'écoulèrent. La porte s'était ouverte toute grande. Il se hasarda à regarder dans la chambre. Rien n'y avait bougé. Il prêta l'oreille. Rien ne remuait dans la maison. Le bruit du gond rouillé n'avait éveillé personne... 20

Il fit un pas et entra dans la chambre.

Cette chambre était dans un calme parfait... Jean Valjean avança avec précaution en évitant de se heurter aux meubles. Il entendait au fond de la chambre la respiration égale et tranquille de l'évêque endormi. 25

Il s'arrêta tout à coup. Il était près du lit. Il y était arrivé plus tôt qu'il n'aurait cru...

Depuis près d'une demi-heure un grand nuage couvrait le ciel. Au moment où Jean Valjean s'arrêta en face du lit, ce nuage se déchira, et un rayon de lune, traversant la 30 longue fenêtre, vint éclairer subitement le visage pâle de l'évêque. Il dormait paisiblement... Toute sa face s'illuminait d'une vague expression de satisfaction, d'espérance et de béatitude. C'était plus qu'un sourire et presque un rayonnement... Un reflet du ciel était sur 35 l'évêque...

Jean Valjean, lui, était dans l'ombre, son chandelier de fer à la main, debout, immobile, effaré de ce vieillard lumineux...

Au bout de quelques instants, son bras gauche se leva 40

lentement vers son front, et il ôta sa casquette, puis son
bras retomba avec la même lenteur, et Jean Valjean
rentra dans sa contemplation, sa casquette dans la main
gauche, sa massue dans la main droite, ses cheveux hérissés
5 sur sa tête farouche.

L'évêque continuait de dormir dans une paix profonde
sous ce regard effrayant . . .

Tout à coup Jean Valjean remit sa casquette sur son
front, puis marcha rapidement le long du lit sans regarder
10 l'évêque, droit au placard qu'il entrevoyait près du chevet;
il leva le chandelier de fer comme pour forcer la serrure;
la clé y était; il l'ouvrit; la première chose qui lui apparut
fut le panier d'argenterie; il le prit, traversa la chambre à
grands pas, sans précaution et sans s'occuper du bruit,
15 gagna la porte, rentra dans l'oratoire, ouvrit la fenêtre,
saisit son bâton, enjamba l'appui du rez-de-chaussée,[1] mit
l'argenterie dans son sac, jeta le panier, franchit le jardin,
sauta par-dessus le mur comme un tigre, et s'enfuit.

L'ÉVÊQUE TRAVAILLE

Le lendemain, au soleil levant, monseigneur Bienvenu
20 se promenait dans son jardin. Madame Magloire accourut
vers lui toute bouleversée . . .

— Monseigneur, l'homme est parti! l'argenterie est
volée! . . .

L'évêque resta un moment silencieux, puis . . . dit à
25 madame Magloire avec douceur:

— Et d'abord, cette argenterie était-elle à nous?

Madame Magloire resta interdite. Il y eut encore un
silence, puis l'évêque continua:

— Madame Magloire, je détenais à tort et depuis long-
30 temps cette argenterie. Elle était aux pauvres. Qui
était-ce que cet homme? Un pauvre évidemment . . .

Quelques instants après, il déjeunait à cette même table
où Jean Valjean s'était assis la veille . . .

Comme le frère et la sœur allaient se lever de table, on
35 frappa à la porte.

---

[1] **l'appui du rez-de-chaussée** [retʃose] : l'appui de la fenêtre du
rez-de-chaussée, *the sill of the first-floor window.*

— Entrez, dit l'évêque.

La porte s'ouvrit. Un groupe étrange et violent apparut sur le seuil. Trois hommes en tenaient un quatrième au collet. Les trois hommes étaient des gendarmes; l'autre était Jean Valjean.

Un brigadier de gendarmerie, qui semblait conduire le groupe, était près de la porte. Il entra et s'avança vers l'évêque en faisant le salut militaire.

— Monseigneur, dit-il.

A ce mot, Jean Valjean, qui était morne et semblait abattu, releva la tête d'un air stupéfait.

— Monseigneur ! murmura-t-il. Ce n'est donc pas le curé?

— Silence ! dit un gendarme. C'est monseigneur l'é-vêque.

Cependant monseigneur Bienvenu s'était approché aussi vivement que son grand âge le lui permettait.

— Ah ! vous voilà ! s'écria-t-il en regardant Jean Valjean. Je suis aise de vous voir. Eh bien, mais ! je vous avais donné les chandeliers aussi, qui sont en argent comme le reste, et dont vous pourrez bien avoir deux cents francs. Pourquoi ne les avez-vous pas emportés avec vos couverts ?

Jean Valjean ouvrit les yeux et regarda le vénérable évêque avec une expression qu'aucune langue humaine ne pourrait rendre.

— Monseigneur, dit le brigadier de gendarmerie, ce que cet homme disait était donc vrai ? Nous l'avons rencontré. Il allait comme quelqu'un qui s'en va.[1] Nous l'avons arrêté pour voir. Il avait cette argenterie.

— Et il vous a dit, interrompit l'évêque en souriant, qu'elle lui avait été donnée par un vieux bonhomme de prêtre chez lequel il avait passé la nuit ? Je vois la chose.[2] Et vous l'avez ramené ici ? C'est une méprise.

— Comme cela,[3] reprit le brigadier, nous pouvons le laisser aller ?

— Sans doute, répondit l'évêque.

Les gendarmes lâchèrent Jean Valjean, qui recula.

---

[1] **qui s'en va:** qui se sauve, qui s'enfuit, *who is running away.*

[2] **je vois la chose:** je vois comment ça s'est passé.

[3] **Comme cela:** dans ce cas.

— Est-ce que c'est vrai qu'on me laisse ? dit-il d'une voix presque inarticulée et comme s'il parlait dans le sommeil.

— Oui, on te laisse; tu n'entends donc pas ?[1] dit un 5 gendarme.

— Mon ami, reprit l'évêque, avant de vous en aller, voici vos chandeliers. Prenez-les.

Il alla à la cheminée, prit les deux flambeaux d'argent et les apporta à Jean Valjean. Les deux femmes le regar-10 daient faire sans un mot, sans un geste, sans un regard qui pût déranger l'évêque.

Jean Valjean tremblait de tous ses membres. Il prit les deux chandeliers machinalement et d'un air égaré.

— Maintenant, dit l'évêque, allez en paix. A propos, 15 quand vous reviendrez, mon ami, il est inutile de passer par le jardin. Vous pourrez toujours entrer et sortir par la porte de la rue. Elle n'est fermée qu'au loquet jour et nuit.

Puis se tournant vers la gendarmerie:

— Messieurs, vous pouvez vous retirer.

20   Les gendarmes s'éloignèrent.

Jean Valjean était comme un homme qui va s'évanouir. L'évêque s'approcha de lui, et lui dit à voix basse:

— N'oubliez pas, n'oubliez jamais que vous m'avez promis d'employer cet argent à devenir honnête homme.

25   Jean Valjean, qui n'avait aucun souvenir d'avoir rien promis, resta interdit. L'évêque avait appuyé sur ces paroles en les prononçant. Il reprit avec solennité:

— Jean Valjean, mon frère, vous n'appartenez plus au mal, mais au bien. C'est votre âme que je vous achète; 30 je la retire aux pensées noires et à l'esprit de perdition, et je la donne à Dieu.

Victor Hugo, *Les Misérables*,
livre deuxième, La Chute

Jean Valjean avait été condamné au bagne pour avoir volé un pain. Après avoir quitté Digne avec les chandeliers, il vole une pièce de deux francs à un petit garçon; c'est le point le plus bas de la chute (fall) *de Jean Valjean. Enfin le*

---

[1] **tu n'entends donc pas ?** *can't you hear?*

souvenir de la bonté de l'évêque amène en lui un repentir sincère. Il jure de se réhabiliter. Il travaille dans une fabrique de jais artificiel (imitation jet) *à Montreuil-sur-Mer (Pas-de-Calais); il invente un nouveau procédé, devient le directeur de la fabrique et maire de la ville. On le connaît sous le nom du riche et charitable monsieur Madeleine. Au bout de huit ans il révèle son identité pour qu'un autre homme ne soit pas condamné à sa place, condamné pour avoir volé la pièce de deux francs au petit garçon.*

Il retourne au bagne de Toulon mais il s'en échappe bientôt. Il se cache à Paris avec Cosette, une petite fille qu'il a adoptée. Il se cache de son ennemi l'inspecteur de police Javert. Il s'appelle maintenant Fauchelevent; il est jardinier dans un couvent, puis il s'installe dans deux appartements et vit de l'argent qu'il a gagné à Montreuil. Il se promène souvent avec Cosette au jardin du Luxembourg; c'est là que Cosette rencontre Marius, un étudiant pauvre. En 1832, lors d'une insurrection républicaine à Paris, Marius est blessé; Jean Valjean le sauve de la police à travers les égouts (sewers) *de Paris. Enfin l'inspecteur de police Javert se suicide en se jetant dans la Seine; Marius, qui s'est réconcilié avec son grand-père, le riche monsieur Gillenormand, épouse Cosette, et Jean Valjean meurt content en pensant qu'il retrouvera au ciel le bon évêque de Digne.*

AU SACRE
de Charles X

5

Victor Hugo

M.[1] VICTOR HUGO qui passait quelques jours à Blois,[2] chez son père,[3] dut [4] le quitter pour aller au sacre [5] de Charles X,[6] auquel il fut invité; mais il lui laissa [7] sa femme [8] et sa petite fille.[9]

5   En repassant par Paris, M. Victor Hugo trouva un mot de M. Charles Nodier [10] et courut à la bibliothèque de l'Arsenal,[11] où M. Nodier logeait depuis peu.[12] Le bibliothécaire déjeunait [13] avec deux amis, M. de Cailleux et le peintre Alaux [14] qu'on appelait le Romain, parce qu'il avait

---

  [1] **M.** est l'abréviation de **Monsieur**; en général on emploie **M.** devant le nom d'un homme quand celui-ci vit encore.

  [2] **Blois:** ville sur la Loire, à 110 milles au sud-ouest de Paris. Blois possède un célèbre château Renaissance.

  [3] Le père de Hugo était un ancien général de Napoléon.

  [4] **dut:** *had to.*

  [5] **le sacre:** *coronation.*

  [6] **Charles X:** roi de France, très peu libéral (1824–1830). Il fut sacré dans la cathédrale de Reims [rēs] comme tous les rois de France depuis Clovis; celui-ci y fut baptisé en 496.

  [7] **il lui laissa:** il laissa auprès de lui, *he left with him.*

  [8] La femme de Victor Hugo était Adèle Foucher. Hugo dit que ce fut elle qui écrivit le livre dont cette histoire est tirée; en réalité ce fut Hugo qui en écrivit la plus grande partie; il lui en dicta des passages.

  [9] **sa petite fille:** sa fillette, Léopoldine, qui n'avait alors que quelques mois.

  [10] **Nodier** [nɔdje] (1780–1844): charmant écrivain qui encouragea les jeunes romantiques; il était alors bibliothécaire (*librarian*) de l'Arsenal, près de la place de la Bastille.

  [11] La bibliothèque (*library*) de l'Arsenal est la plus importante de Paris et de France après la Bibliothèque Nationale. Elle occupe une partie de l'ancien arsenal de Paris, qui s'étendait de la Seine à la Bastille.

  [12] **où M. Nodier logeait depuis peu:** *where M. Nodier had been living for a short time.*

  [13] **déjeunait:** *was having lunch.*

  [14] Cailleux [kajø] et Alaux étaient des peintres qui sont bien oubliés aujourd'hui.

eu le prix de Rome.[1] Tous trois étaient invités au sacre et discutaient les moyens d'y aller; il n'était pas question des diligences,[2] dont toutes les places étaient retenues depuis trois mois. M. Nodier proposait un voiturier [3] qui lui servait d'ordinaire dans ses excursions et qui offrait une 5 sorte de grand fiacre [4] pour cent francs par jour.[5] Il y avait quatre places; M. Victor Hugo en prendrait une, on irait à petites journées,[6] on s'arrêterait où l'on voudrait, on coucherait la nuit dans des lits, ce serait charmant.

La chose fut acceptée et le voyage se fit gaiement. La 10 route de Paris à Reims [7] était sablée et ratissée [8] comme une allée de parc; de place en place, on avait fait des bancs de gazon sous les arbres. Diligences, calèches armoriées, coucous, carrioles,[9] toutes les espèces de véhicules se hâtaient et donnaient au chemin l'animation bruyante 15 d'une rue.

M. Victor Hugo regardait les bois, les plaines, les villages, et se querellait avec le Romain qui, épris du style noble et rassis,[10] accusait les moulins à vent de déranger les lignes du paysage avec leurs mouvements de bras. Quand 20

[1] Le prix de Rome est accordé tous les ans, après un examen très difficile, au meilleur étudiant en peinture, sculpture, architecture et musique. Il donne aux lauréats le droit d'étudier quatre ans à Rome — villa Médicis — aux frais du gouvernement français.

[2] **il n'était pas question des diligences:** *stagecoaches were out of the question.*

[3] **proposait un voiturier:** recommandait de prendre un cocher (*cabby*) avec sa voiture.

[4] **un fiacre:** *a cab.*

[5] Cent francs ont valu (*were worth*) vingt dollars jusqu'en 1918.

[6] **à petites journées:** *by easy stages.*

[7] Reims [rēs] est à 85 milles au nord-est de Paris. Les Allemands y ont signé leur capitulation sans réserve devant le général Eisenhower, le 6 juin 1945.

[8] **ratissée:** *raked.*

[9] **calèches armoriées, coucous, carrioles:** *barouches (light four-wheeled carriages) with coats of arms painted on them, post-chaises, buggies.*

[10] **épris du (*in love with the*) style noble et rassis (*staid*):** amoureux de l'art classique, noble et calme. Entre 1820 et 1830 il y eut une grande querelle, en France, entre les classiques et les romantiques. Les classiques aimaient ce qui était noble et calme; les romantiques aimaient ce qui était familier et plein de mouvement.

on demandait à M. Nodier son avis sur les moulins, il répondait qu'il aimait beaucoup le roi d'atout [1]; il avait mis
entre ses genoux son chapeau retourné, qui était devenu
ainsi une excellente table de jeu, et tout le voyage ne fut,
5 pour lui et pour M. de Cailleux, qu'une partie d'é-
carté.[2]

La partie s'interrompait aux côtes qu'il fallait monter à
pied pour épargner les chevaux.   A une de ces montées,
M. Nodier vit à terre une pièce de cinq francs.

10 — Tiens, dit-il, le premier pauvre que nous rencontre-
rons va être joliment content.[3]

— Et le deuxième donc ! [4] dit M. Victor Hugo qui aperçut une deuxième pièce.

— Et le troisième ! reprit M. Alaux après un mo-
15 ment.

Ce fut bientôt le tour de M. de Cailleux.   D'instant en
instant les trouvailles devenaient plus abondantes.[5]

— Ah ça,[6] dit l'un, quel est le fou qui s'amuse ainsi à
semer ses trésors ?

20 — Ce n'est pas un fou, dit M. Victor Hugo; c'est plutôt
un millionnaire généreux qui ajoute à la magnificence de la
fête en tenant bourse ouverte.[7]

— Moi, repartit M. Nodier, je crois que c'est une idée du
roi qui aura voulu [8] qu'aux approches de Reims le chemin
25 fût caillouté d'argent.[9]

— Nous entrons dans un conte de fées ! s'écria le chœur.[10]

---

[1] atout: *trump.*

[2] une partie d'écarté: *a game of écarté.*   L'écarté est un vieux jeu
de cartes.   Les Français préfèrent maintenant jouer au bridge, au
poker ou à la belote [bəlɔt].

[3] joliment content: *very happy indeed.*

[4] Et le deuxième donc !: *and the second one will be extremely glad
also!* donc est emphatique ici.

[5] les trouvailles devenaient plus abondantes: *they found more and
more pieces.*

[6] Ah ça !: *Well now!*

[7] en tenant bourse ouverte: *by keeping his purse open.*

[8] qui aura voulu: futur de probabilité, *who probably wished.*

[9] caillouté d'argent: pavé de cailloux d'argent, *paved with silver
pebbles (stones).*

[10] s'écria le chœur: s'écrièrent (*exclaimed*) les voyageurs tous en
chœur, *chorused the travelers.*

Surtout [1] ne remontons jamais dans notre carrosse; ceci est pour les piétons; ce soir notre fortune sera faite.

Malheureusement, avec les pièces de cinq francs, on ramassa une croix d'honneur,[2] et la pluie de monnaie[3] s'expliqua. La valise de M. Victor Hugo avait un trou, et 5 à chaque secousse se vidait.

Le quatrième jour, ils arrivèrent. C'était la veille du sacre. Ils se firent descendre au premier hôtel [4] qui se présenta, et demandèrent quatre chambres. On ne leur répondit même pas.[5] Ils allèrent à un autre, puis à un autre, 10 et ne trouvèrent partout qu'un haussement d'épaules. A force de rebuffades,[6] ils en étaient à se dire [7] qu'ils avaient leur voiture où ils pourraient, à la rigueur, coucher et s'habiller, lorsqu'ils rencontrèrent le directeur du théâtre de Reims. M. Nodier, qui le connaissait, causa un moment 15 avec lui.

— Où logez-vous ? demanda le directeur.

— Dans la rue, dit M. Nodier.

Il conta l'embarras.[8] Le directeur s'étonna que des gens raisonnables fussent venus au sacre sans avoir fait arrêter [9] 20 leur logement d'avance. Sa maison, à son grand regret, était absolument envahie, et il n'avait plus lui-même qu'un réduit [10] dans un grenier; mais une de ses pensionnaires,[11]

---

[1] **Surtout:** *to be sure.*

[2] **une croix d'honneur:** une croix de la légion d'honneur, *a Legion of Honor cross.* Cette croix a la forme d'une étoile à cinq branches; son ruban est rouge. L'ordre de la légion d'honneur a été fondé par Napoléon (1802) pour récompenser les services militaires et civils. Hugo venait de recevoir la légion d'honneur pour ses poèmes et ses articles de journaux en faveur de la monarchie.

[3] **de monnaie:** *of pieces of money.*

[4] **ils se firent descendre au premier hôtel:** ils dirent au cocher de les arrêter au premier hôtel.

[5] **On ne leur répondit même pas:** *they didn't even get an answer.*

[6] **A force de rebuffades:** après avoir essuyé tant de refus, *after being refused so many times.*

[7] **ils en étaient à se dire:** *they had come to the conclusion.*

[8] **l'embarras:** la difficulté.

[9] **sans avoir fait arrêter:** sans avoir fait réserver, *without reserving.*

[10] **un réduit:** *a little alcove (recess).*

[11] **une de ses pensionnaires:** *one of his regular (salaried) actresses.* Une pensionnaire de théâtre est une actrice qui reçoit un salaire fixe et ne participe pas aux bénéfices (*does not share in the profits*).

Mlle Florville, avait réussi à se réserver chez elle deux chambres, et peut-être qu'en sachant les noms des voyageurs elle consentirait à se contenter d'une.

L'actrice eut toute l'obligeance possible. Elle avait une
5 chambre à coucher et un salon; elle donna le salon. Le canapé était un lit tout fait[1]; trois matelas sur le tapis complétèrent un dortoir inespéré.

Le lendemain matin, les hôtes de l'actrice, en habit à la française,[2] l'épée au côté, un peu gênés[3] dans leur costume
10 de marquis, se présentèrent à la porte de la cathédrale. Un contrôleur, qui était un garde du corps, leur demanda leurs billets d'invitation et leur indiqua leur loge. La décoration recouvrait de carton peint la sévère architecture[4] et découpait des ogives[5] de papier sur trois rangs de
15 galeries regorgeant de foule.[6] Du haut en bas de la vaste nef, c'était un fourmillement d'hommes parés[7] et de femmes éclatantes de dentelles et de pierreries. Malgré le carton et les enluminures, la cérémonie eut de la grandeur. Le trône, au bas duquel étaient les princes, puis les am-
20 bassadeurs, avait à sa gauche la chambre des députés et à sa droite la chambre des pairs.[8] Les députés, vêtus gravement

---

[1] Le canapé était un lit tout fait: *just as it was, the sofa could be used as a bed.*

[2] en habit à la française: *wearing French tails.* L'habit à la française consistait en un habit (*tails*) et une culotte collante (*tight breeches*).

[3] gênés: à l'étroit, *cramped.*

[4] La cathédrale Notre-Dame de Reims n'a pas une architecture sévère; elle est célèbre, au contraire, pour ses nombreuses et délicates sculptures qui lui font comme une dentelle (*lace*) de pierre. Beaucoup des dégâts (*damages*) causés par les bombardements allemands de la première Grande Guerre ont été réparés.

[5] La décoration découpait des ogives de paper: *the decoration consisted of pointed arches cut out of paper.*

[6] regorgeant de foule: *packed with people.*

[7] un fourmillement d'hommes parés: *an overflowing crowd of men all dressed up.* Les hommes parés fourmillaient: ils étaient aussi nombreux que des fourmis (*ants*).

[8] La chambre des députés et la chambre des pairs (*House of Lords*) exerçaient le pouvoir législatif sous le gouvernement de Charles X et de son prédécesseur Louis XVIII. Ce gouvernement était réactionnaire; on l'appelle, en histoire, le gouvernement de la Restauration (1815-1830); il s'agit de la restauration de la dynastie des Bourbons, après la chute (*fall*) de Napoléon.

d'un habit de drap boutonné jusqu'au haut et qui avait
pour unique ornement une broderie de soie verte au revers,
contrastaient avec les pairs tout chamarrés, en habit de
velours bleu ciel brodé, en manteau de velours bleu ciel
semé de fleurs de lis,[1] en gilet de satin bleu, en bas de soie 5
blancs, en souliers de velours noir à talons [2] et à bouffettes,
en chapeau à la Henri IV [3] garni de plumes blanches et
dont la coiffe était enroulée d'une torsade d'or.[4]

En revenant de l'église, M. Victor Hugo parlait de ses
impressions. Excepté le décor de la cathédrale, il avait 10
trouvé la chose imposante. Un seul détail l'avait choqué;
c'était quand le roi s'était couché de tout son long aux pieds
de l'archevêque.[5]

— Que dites-vous donc là ? interrompit M. Nodier. Où
diable avez-vous vu rien de pareil ?   15

Il s'ensuivit une contestation, M. Charles Nodier sou-
tenant que le fait n'avait pas eu lieu, et M. Victor Hugo
affirmant qu'il l'avait vu.

M. Victor Hugo laissa M. Nodier pour aller chez M. de
Chateaubriand.[6] Il le trouva rentrant et furieux de la 20
cathédrale et de la cérémonie.

— J'aurais compris,[7] dit-il, le sacre tout autrement.

---

[1] La fleur de lis [lis] est l'emblème de la royauté française depuis
Louis VII le Jeune (1137–1180); cet ornement ressemble plutôt à la
fleur de l'iris qu'à la fleur du lis (*lily*).

[2] à talons: à hauts talons, *with high heels.*

[3] en chapeau à la Henri IV: *in Henry IV hats.* Henri IV, le
meilleur des rois de France (1589–1610), aimait à porter un grand
chapeau de feutre (*felt*) garni de plumes blanches, et à large bord
(*brim*) relevé sur le devant (*turned up in front*).

[4] enroulée d'une torsade d'or: *surrounded by coils of twisted gold
cord.*

[5] Quand les évêques (*bishops*) sont nommés cardinaux, eux aussi
doivent se coucher de tout leur long aux pieds du pape.

[6] François-René de Chateaubriand (1768–1848) est le père du
romantisme français. Ses meilleures œuvres sont en prose: *Atala,
René, Le Génie du Christianisme, Mémoires d'Outre-Tombe.* Il voyagea
cinq mois aux États-Unis en 1791 et fut reçu par George Washington
à Baltimore. Il fut ambassadeur à Berlin, puis à Londres, et
ministre (*cabinet member*).

[7] J'aurais compris: *I would have planned.*

L'église nue, le roi à cheval, deux livres ouverts, la charte [1]
et l'évangile, la religion rattachée à la liberté. Au lieu de
cela nous avons eu des tréteaux et une parade.[2]

Il continua, trouvant que tout avait été mesquin et
5 misérable.

— On ne sait même plus dépenser d'argent. Savez-vous
ce qui est arrivé ? Il y a eu une guerre d'écurie entre le roi
de France et l'ambassadeur d'Angleterre,[3] et c'est le roi qui
a été vaincu. Oui, l'ambassadeur est venu ici avec une
10 voiture tellement splendide que tout le monde a été la
voir, même moi, qui ne suis pas curieux. On a senti qu'à
côté de cette voiture, celle du roi aurait l'air d'un fiacre, et
l'on en a parlé à l'ambassadeur, qui a daigné se servir d'un
carrosse plus modeste, par pitié pour le roi de France.

15   M. Victor Hugo raconta sa discussion avec M. Charles
Nodier.

— Tenez, lui dit M. de Chateaubriand, montrez-lui cela.

Il prit sur la table le formulaire du cérémonial, où il
y avait en toutes lettres qu'à un certain moment le roi
20 devait se coucher aux pieds de l'archevêque.

— Eh bien ? dit M. Victor Hugo à M. Nodier en lui
faisant lire le passage.

— Ma foi, répondit M. Nodier, j'avais pourtant bien
regardé, et mes yeux ne sont pas plus mauvais que les
25 autres. Voilà comme on voit les choses qu'on a sous les
yeux en plein jour. J'aurais été en justice que j'aurais
juré,[4] de la meilleure foi du monde, le contraire de la
vérité.

— Et, dit M. Victor Hugo, il suffit souvent d'un témoi-
30 gnage pour faire tomber une tête.[5]

---

[1] Cette charte (*charter*) est « la charte constitutionnelle », la
constitution réactionnaire du gouvernement de la Restauration
(1815–1830).

[2] **des tréteaux et une parade:** *the platform in front of a circus, and
a side show.*

[3] L'ambassadeur d'Angleterre en France était alors Lord Northum-
berland; pour le sacre il loua (*rented*) à Reims une maison pour trois
jours au tarif (*rate*) de 30.000 francs (*$6,000*) par jour.

[4] **J'aurais été en justice que j'aurais juré:** si j'avais été en justice
(il serait arrivé que) j'aurais juré.

[5] **pour faire tomber une tête:** pour faire guillotiner quelqu'un.

Les quatre compagnons de voyage restèrent à Reims
pour la réception des chevaliers du Saint-Esprit,[1] qui eut
lieu le surlendemain du sacre. M. Victor Hugo employa le
jour d'entr'acte à visiter la ville . . .

La réception des chevaliers se fit dans la cathédrale, 5
comme le sacre. Charles X fit son entrée, couronne en
tête, suivi des princes du sang, qui prirent rang sur les
marches du trône. L'abside n'admit que la famille royale
et les chevaliers.

Un des incidents qui excitèrent le plus vivement l'at- 10
tention fut le rapprochement [2] de M. de Chateaubriand et
du ministre Villèle.[3] Ils étaient mortellement ennemis; M.
de Chateaubriand, chassé du ministère par M. de Villèle,[4]
se vengeait par des articles sanglants dans le *Journal des
Débats*.[5] Le piquant était que les deux adversaires étaient 15
les deux derniers venus dans la promotion et par conséquent
placés l'un à côté de l'autre. Ils attendirent ainsi leur tour
de réception, et le public eut tout le temps de les examiner.

Celui des deux qui sembla supporter la rencontre le plus
fièrement fut M. de Villèle. D'abord, le costume, très 20
beau en lui-même, n'allait pas à M. de Chateaubriand.
C'était le même que l'avant-veille, à la couleur près. Au
manteau de velours bleu avait succédé un manteau de
velours noir, dont la doublure était de moire feu, ainsi que
la culotte, le gilet et les bouffettes des souliers. Le chapeau 25
avait conservé ses plumes, mais la torsade d'or était
remplacée par un galon couleur feu dont les agréments

[1] L'ordre du Saint-Esprit (*Holy Ghost*) fut institué en 1578 par
Henry III et cessa d'être conféré en 1830. Il était composé de cent
nobles français, catholiques, nommés par le roi.

[2] **le rapprochement:** *coming together.* D'ordinaire un rapprochement implique un certain degré de réconciliation; ce ne fut pas le
cas ici entre Chateaubriand et Villèle; un meilleur mot serait « le
voisinage » (*proximity one to the other*) ou la « rencontre » (*meeting*).

[3] **Villèle** *was the head of the reactionaries, or ultra-royalists, and*
prime minister from 1821 to 1828.

[4] Chateaubriand fut chassé du ministère en 1824, par Louis XVIII,
à cause de son ambition et des difficultés qu'il faisait à Villèle pour
prendre sa place.

[5] *Le Journal des Débats* fut fondé en 1789 pour rendre compte des
débats (*debates*) de l'Assemblée Constituante. Ce fut un journal
républicain libéral; il cessa de paraître en 1934.

figuraient des flammes et des colombes.[1] Cet habillement
fastueux écrasait la chétiveté de la taille,[2] et le chapeau
empanaché dissimulait la tête, qui était la beauté de M. de
Chateaubriand. Il parut maussade et impatient que le
5 tête-à-tête finît.

M. de Villèle, au contraire, triomphant, président du
conseil, eut l'air parfaitement à l'aise. On n'eût pas dit
qu'il connaissait son voisin; il le regardait sans le voir,
avec l'indifférence profonde et le dédain bien naturel d'un
10 homme qui a un portefeuille, pour un homme qui n'a que
du génie.

Victor Hugo,
Victor Hugo raconté par un témoin de sa vie

---

[1] Ces flammes et ces colombes rappelaient les formes que le Saint-
Esprit (*Holy Ghost*) a prises pour descendre sur les apôtres le jour de
la Pentecôte (qui marque la résurrection du Christ, cinquante jours
après Pâques).

[2] écrasait la chétiveté de la taille: *weighed upon the small* (**chétive**)
figure (**taille**) of Chateaubriand.

L'ÉVASION
d'Edmond Dantès

6

Alexandre Dumas père

A Marseille,* en février 1815, on trouve sur un marin de dix-neuf ans, Edmond Dantès, une lettre qu'à l'île d'Elbe Napoléon lui a donnée pour un de ses amis de Paris. Edmond est donc arrêté par ordre du gouvernement de Louis XVIII pour conspirer le retour de Napoléon en France. Il est emprisonné au château d'If, forteresse bâtie sur une petite île, à deux milles en avant du port de Marseille. On l'y garde sans jugement.

Au bout de sept ans il fait la connaissance d'un autre prisonnier qui arrive dans sa cellule (cell) par un tunnel. C'est un vieil abbé italien, Faria, emprisonné depuis 1811 par ordre de Napoléon. Faria l'encourage, lui dit exactement où se trouve un trésor caché plus de trois cents ans auparavant par un membre d'une riche famille italienne qui n'existe plus: c'est dans l'île de Monte-Cristo, à trente-cinq milles à l'est de la Corse. Sept autres années se passent et Faria meurt: par le tunnel, Dantès va dans la prison de son vieil ami.

LE CIMETIÈRE DU CHATEAU D'IF

Sur le lit, couché dans le sens de la longueur, et faiblement éclairé par un jour brumeux qui pénétrait à travers la fenêtre, on voyait un sac de toile grossière, sous les larges plis duquel se dessinait confusément une forme longue et raide . . .

Seul ! Dantès était redevenu seul ! . . .

L'idée du suicide, chassée par son ami, écartée par sa présence, revint alors se dresser comme un fantôme près du cadavre de Faria.

* See p. 230.

— Si je pouvais mourir, dit-il, j'irais où il va, et je le retrouverais certainement. Mais comment mourir ? C'est bien facile, ajouta-t-il en riant; je vais rester ici, je me jetterai sur le premier qui va entrer, je l'étranglerai et 5 l'on me guillotinera.

Mais . . . Dantès recula à l'idée de cette mort infamante, et passa précipitamment de ce désespoir à une soif ardente de vie et de liberté.

— Mourir ! oh non ! s'écria-t-il, ce n'est pas la peine 10 d'avoir tant vécu, d'avoir tant souffert, pour mourir maintenant ! . . . Non, je veux vivre, je veux lutter jus-qu'au bout; non, je veux reconquérir ce bonheur qu'on m'a enlevé.[1] Mais à présent on va m'oublier ici, et je ne sortirai de mon cachot que comme Faria.

15 Mais à cette parole Edmond resta immobile, les yeux fixes, comme un homme frappé d'une idée subite, mais que cette idée épouvante; tout à coup il se leva, porta la main à son front comme s'il avait le vertige, fit deux ou trois tours dans la chambre et revint s'arrêter devant le 20 lit.

— Oh, oh ! murmura-t-il, qui m'envoie cette pensée ? est-ce vous, mon Dieu ? Puisqu'il n'y a que les morts qui sortent librement d'ici, prenons la place des morts !

Et sans perdre le temps de revenir sur cette décision, 25 comme pour ne pas donner à la pensée le temps de détruire cette résolution désespérée, il se pencha vers le sac hideux, l'ouvrit avec le couteau que Faria avait fait, retira le cadavre du sac, l'emporta chez lui, le coucha dans son lit, le coiffa du lambeau de linge dont il avait l'habitude de se 30 coiffer lui-même, le couvrit de sa couverture, baisa une dernière fois ce front glacé, essaya de refermer ces yeux rebelles qui continuaient de rester ouverts, effrayants par l'absence de la pensée, tourna la tête le long du mur [2] afin que le geôlier, en apportant son repas du soir, crût qu'il 35 était couché comme c'était souvent son habitude, rentra dans la galerie, tira le lit contre la muraille, rentra dans l'au-

---

[1] ce bonheur qu'on m'a enlevé: ce bonheur, pour Dantès, c'est la liberté avec l'amour de Mercédès, sa fiancée, d'origine espagnole.
[2] le long du mur: du côté du mur.

tre chambre, prit dans l'armoire l'aiguille, le fil, jeta
ses haillons [1] pour qu'on sentît bien sous la toile les chairs
nues, se glissa dans le sac éventré, se plaça dans la situation où était le cadavre, et referma la couture en de-
dans . . .   5

Dantès aurait bien pu attendre après la visite du soir,
mais il avait peur que d'ici là le gouverneur [2] ne changeât
de résolution [3] et qu'on n'enlevât le cadavre . . .

Les heures s'écoulèrent sans amener aucun mouvement
dans le château. Enfin, vers l'heure fixée par le gouverneur, 10
des pas se firent entendre dans l'escalier. Edmond comprit
que le moment était venu; il rappela tout son courage,
retenant son haleine; heureux s'il eût pu [4] retenir en même
temps et comme elle les pulsations précipitées de ses ar-
tères.   15

On s'arrêta à la porte; le pas était double.[5] Dantès
devina que c'étaient les deux fossoyeurs qui le venaient
chercher.[6] Ce soupçon se changea en certitude, quand il
entendit le bruit qu'ils faisaient en déposant la civière.[7]

La porte s'ouvrit; une lumière voilée parvint aux yeux 20
de Dantès. Au travers de la toile qui le couvrait, il vit
deux ombres s'approcher de son lit. Une troisième restait
à la porte, tenant un falot [8] à la main. Chacun des deux
hommes, qui s'étaient approchés du lit, saisit le sac par
une de ses extrémités . . .   25

On transporta le prétendu mort, du lit sur la civière.
Edmond se raidissait pour mieux jouer son rôle de trépassé . . . ; et le cortège, éclairé par l'homme au falot, qui
marchait devant, monta l'escalier.

Tout à coup, l'air frais et âpre de la nuit l'inonda. 30

[1] **ses haillons** [se ajɔ̃]: *his rags.*

[2] **le gouverneur:** le gouverneur du château.

[3] **ne changeât de résolution:** ne changeât d'idée, *would change his
mind.*

[4] **heureux s'il eût pu:** il aurait été heureux s'il avait pu.

[5] **le pas était double:** c'était le pas de deux hommes.

[6] **qui le venaient chercher:** plus naturellement on écrirait: « qui
venaient le chercher. »

[7] **en déposant la civière:** en posant la civière (*stretcher*) par
terre.

[8] **un falot** [falo]: une grosse lanterne.

Dantès reconnut le mistral.[1] Ce fut une sensation subite,
pleine à la fois de délices et d'angoisses.

Les porteurs firent une vingtaine de pas, puis ils s'arrêtèrent et déposèrent la civière sur le sol.

5   Un des porteurs s'éloigna, et Dantès entendit ses souliers
retentir sur les dalles.

— Où suis-je donc ?[2] se demanda-t-il.

— Sais-tu qu'il n'est pas léger du tout ! dit celui qui
était resté près de Dantès, en s'asseyant sur le bord de la
10 civière.

Le premier sentiment de Dantès avait été de s'échapper; heureusement il se retint.

— Éclaire-moi donc, animal, dit celui des deux porteurs qui s'était éloigné, ou je ne trouverai jamais ce que
15 je cherche.

L'homme au falot obéit à l'injonction, quoiqu'elle fût
faite en termes peu convenables.[3]

— Que cherche-t-il donc ? se demanda Dantès. Une
bêche sans doute.

20 Une exclamation de satisfaction indiqua que le fossoyeur avait trouvé ce qu'il cherchait.

— Enfin ! dit l'autre, ce n'est pas sans peine.

— Oui, répondit-il, mais il n'aura rien perdu pour attendre.[4]

25 A ces mots il se rapprocha d'Edmond, qui entendit
déposer près de lui un corps lourd et retentissant; au
même moment, une corde entoura ses pieds d'une vive et
douloureuse pression.

— Eh bien ! le nœud est-il fait ? demanda celui des
30 fossoyeurs qui était resté inactif.

---

[1] Le mistral est un « maître vent » (grand vent) froid et sec qui
souffle du nord au sud, dans la vallée du Rhône — Avignon, Tarascon
— et dans la région de Marseille. Il ne se fait guère sentir sur la
Riviera.

[2] **Où suis-je donc?**: **donc** est emphatique ici et se traduit par *the
devil, the deuce, in heck!* ou quelque équivalent.

[3] **en termes peu convenables**: *in very improper* (*uncivil*) *words.*
En réalité le porteur n'a dit qu'un seul mot peu convenable, celui
d'animal (*dumbbell*).

[4] **il n'aura rien perdu pour attendre**: il aura ce qui l'attend, *he'll
get it just the same.*

— Et bien fait,[1] dit l'autre; je t'en réponds.

— En ce cas, en route !

Et la civière soulevée reprit son chemin.

On fit cinquante pas à peu près, puis on s'arrêta pour ouvrir une porte, puis on se remit en route. Le bruit des flots se brisant contre les rochers sur lesquels est bâti le château, arrivait plus distinctement à l'oreille de Dantès à mesure que l'on avançait.

— Mauvais temps, dit un des porteurs; il ne fera pas bon d'être en mer cette nuit.

— Oui, l'abbé court grand risque d'être mouillé, dit l'autre; et ils éclatèrent de rire.

Dantès ne comprit pas très bien la plaisanterie, mais ses cheveux ne s'en dressèrent pas moins sur sa tête.

— Bon, nous voilà arrivés ! reprit le premier.

— Plus loin, plus loin, dit l'autre, tu sais bien que le dernier est resté en route, brisé sur les rochers, et que le gouverneur nous a dit le lendemain que nous étions des fainéants.

On fit encore quatre ou cinq pas en montant toujours, puis Dantès sentit qu'on le prenait par la tête et par les pieds et qu'on le balançait.

— Une ! dirent les fossoyeurs.

— Deux !

— Trois !

En même temps Dantès se sentit lancé, en effet, dans un vide énorme, traversant les airs comme un oiseau blessé, tombant, tombant toujours avec une épouvante qui lui glaçait le cœur. Quoique tiré en bas[2] par quelque chose de pesant qui précipitait son vol rapide, il lui sembla que cette chute durait un siècle. Enfin, avec un bruit épouvantable, il entra comme une flèche dans une eau glacée qui lui fit pousser un cri, étouffé à l'instant même par l'immersion.

Dantès avait été lancé dans la mer, au fond de laquelle l'entraînait un boulet de trente-six[3] attaché à ses pieds.

La mer est le cimetière du château d'If.

---

[1] **Et bien fait:** et bien serré, *and it's tight too.*

[2] **en bas:** vers le bas, *downward.*

[3] **un boulet de trente-six livres:** *a thirty-six-pound cannon ball.*

L'ILE DE TIBOULEN

Dantès[1] étourdi, presque suffoqué, eut cependant la
présence d'esprit de retenir son haleine, et, comme sa main
droite, ainsi que nous l'avons dit, préparé qu'il était[2]
à toutes les chances, tenait son couteau tout ouvert, il
5 éventra rapidement le sac, sortit le bras, puis la tête;
mais alors, malgré ses mouvements pour soulever le boulet,
il continua de se sentir entraîné; alors il se cambra,[3]
cherchant la corde qui liait ses jambes, et, par un effort
suprême, il la trancha précisément au moment où il suffo-
10 quait; alors, donnant un vigoureux coup de pied, il
remonta libre à la surface de la mer, tandis que le boulet
entraînait dans ses profondeurs inconnues le tissu grossier
qui avait failli devenir son linceul.

Dantès ne prit que le temps de respirer, et replongea une
15 seconde fois; car la première précaution qu'il devait
prendre était d'éviter les regards . . .

Lorsqu'il revint à la surface de la mer le falot avait
disparu.

Il fallait s'orienter. De toutes les îles qui entourent le
20 château d'If, Ratonneau et Pommègue sont les plus
proches; mais Ratonneau et Pommègue sont habitées;
il en est ainsi de la petite île de Daume. L'île la plus sûre
était donc celle de Tiboulen ou de Lemaire[4]; les îles de
Tiboulen et de Lemaire sont à une lieue du château
25 d'If.[5]

Dantès ne résolut pas moins de gagner une de ces deux
îles; mais comment trouver ces îles au milieu de la nuit
qui s'épaississait à chaque instant autour de lui !

En ce moment, il vit briller comme une étoile le phare
30 de Planier.

En se dirigeant droit sur ce phare, il laissait l'île de

---

[1] Tiboulen [tibulɛn] est une toute petite île à quatre milles au
sud du château d'If.

[2] **préparé qu'il était:** préparé comme (*as*) il l'était.

[3] **il se cambra:** il plia le corps en arrière, *he bent (his body) backward.*

[4] Le nom officiel de cette île est aujourd'hui « île Maire ».

[5] Plus exactement ces îles sont à plus d'une lieue (*league*) et demie
du château d'If.

Tiboulen un peu à gauche; en appuyant un peu à gauche,
il devait donc rencontrer cette île sur son chemin.

Mais, nous l'avons dit, il y avait une lieue au moins du
château d'If à cette île . . .

Une heure s'écoula, pendant laquelle Dantès, exalté par 5
le sentiment de la liberté qui avait envahi toute sa personne, continua de fendre les flots dans la direction qu'il
s'était faite.

— Voyons, se disait-il, voilà bientôt une heure que je
nage, mais comme le vent m'est contraire j'ai dû perdre un 10
quart de ma rapidité; cependant, à moins que je ne me sois
trompé de ligne, je ne dois pas être loin de Tiboulen maintenant.

Mais, si je m'étais trompé !

Un frisson passa par tout le corps du nageur; il essaya 15
de faire un instant la planche pour se reposer; mais la
mer devenait de plus en plus forte, et il comprit bientôt
que ce moyen de soulagement,[1] sur lequel il avait compté,
était impossible.

— Eh bien, dit-il, soit ![2] J'irai jusqu'au bout, jusqu'à 20
ce que mes bras se lassent, jusqu'à ce que les crampes
envahissent mon corps, et alors je coulerai à fond !

Et il se mit à nager avec la force et l'impulsion du
désespoir.

Tout à coup il lui sembla que le ciel, déjà si obscur, 25
s'assombrissait encore, qu'un nuage épais, lourd, com-
pact s'abaissait vers lui; en même temps, il sentit une
violente douleur au genou; l'imagination, avec son in-
calculable vitesse, lui dit alors que c'était le choc d'une
balle, et qu'il allait immédiatement entendre l'explosion [3] 30
du coup de fusil; mais l'explosion ne retentit pas. Dantès
allongea la main et sentit une résistance; il retira son autre
jambe à lui [4] et toucha la terre; il vit alors quel était l'objet
qu'il avait pris pour un nuage.

A vingt pas de lui s'élevait une masse de rochers bi- 35

---

[1] **ce moyen de soulagement:** cette façon de se soulager, de trouver
un peu de repos.

[2] **soit!:** (prononcez [swat]) *let it be so, all right!*

[3] **l'explosion:** la détonation, *the report.*

[4] **à lui:** vers lui, vers son corps, *to his body.*

zarres[1] qu'on prendrait pour un foyer[2] immense pétrifié
au moment de sa plus ardente combustion: c'était l'île
de Tiboulen.

Dantès se releva, fit quelques pas en avant, et s'éten-
5 dit, en remerciant Dieu, sur ces pointes de granit,[3] qui lui
semblèrent à cette heure plus douces que ne lui avait
jamais paru le lit le plus doux.

Puis, malgré le vent, malgré la tempête, malgré la pluie
qui commençait à tomber, brisé de fatigue qu'il était,[4] il
10 s'endormit de ce délicieux sommeil de l'homme chez lequel
le corps s'engourdit, mais dont l'âme veille avec la conscience d'un bonheur inespéré.

Au bout d'une heure, Edmond se réveilla sous le grondement d'un immense coup de tonnerre: la tempête était
15 déchaînée dans l'espace et battait l'air de son vol éclatant;
de temps en temps un éclair descendait du ciel comme un
serpent de feu, éclairant les flots et les nuages qui roulaient
au-devant les uns des autres comme les vagues d'un immense chaos.

20 Dantès, avec son coup d'œil de marin, ne s'était pas
trompé: il avait abordé à la première des deux îles, qui
est effectivement celle de Tiboulen. Il la savait nue,
découverte et n'offrant pas le moindre asile; mais quand
la tempête serait calmée il se remettrait à la mer et ga-
25 gnerait à la nage l'île de Maire, aussi aride, mais plus large
et par conséquent plus hospitalière.

Une roche qui surplombait offrit un abri momentané à
Dantès; il s'y réfugia, et presque au même instant la
tempête éclata dans toute sa fureur ...

30 Il se rappela alors que depuis vingt-quatre heures il
n'avait pas mangé: il avait faim, il avait soif.

Dantès étendit les mains et la tête,[5] et but l'eau de la
tempête dans le creux d'un rocher.

Comme il se relevait, un éclair qui semblait ouvrir le

---

[1] **bizarres:** bizarrement formés, *strangely formed.*
[2] **un foyer:** un feu.
[3] **granit** [granit].
[4] **brisé de fatigue qu'il était:** bien qu'il fût brisé de fatigue.
[5] **Dantès étendit les mains et la tête:** Dantès étendit les mains par
terre et allongea la tête.

ciel jusqu'au pied du trône éblouissant de Dieu, illumina
l'espace; à la lueur de cet éclair, entre l'île Maire et le cap
Croisette, à un quart de lieue de lui, Dantès vit apparaître
comme un spectre glissant du haut d'une vague dans un
abîme, un petit bâtiment pêcheur emporté à la fois par   5
l'orage et par le flot; une seconde après, à la cime d'une
autre vague, le fantôme reparut, s'approchant avec une
effroyable rapidité. Dantès voulut crier,[1] chercha quelque
lambeau de linge à agiter en l'air pour leur faire voir qu'ils
se perdaient, mais ils le voyaient bien eux-mêmes. A la   10
lueur d'un autre éclair, le jeune homme vit quatre hommes
cramponnés aux mâts et aux étais; un cinquième se tenait
à la barre du gouvernail brisé. Ces hommes qu'il voyait le
virent aussi sans doute, car des cris désespérés, emportés
par la rafale sifflante, arrivèrent à son oreille. Au-dessus   15
du mât, tordu comme un roseau, claquait en l'air, à coups
précipités, une voile en lambeaux; tout à coup les liens
qui la retenaient encore se rompirent, et elle disparut, em-
portée dans les sombres profondeurs du ciel, pareille à ces
grands oiseaux blancs qui se dessinent sur les nuages   20
noirs.

En même temps un craquement effrayant se fit entendre,
des cris d'agonie arrivèrent jusqu'à Dantès. Cramponné
comme un sphinx à son rocher, d'où il plongeait sur
l'abîme,[2] un nouvel éclair lui montra le petit bâtiment   25
brisé et, parmi les débris, des têtes aux visages désespérés,
des bras étendus [3] vers le ciel.

Puis tout rentra dans la nuit: le terrible spectacle avait
eu la durée de l'éclair.

Dantès se précipita sur la pente glissante des rochers, au   30
risque de rouler lui-même dans la mer; il regarda, il écouta,
mais il n'entendit et ne vit plus rien: plus de cris, plus
d'efforts humains; la tempête seule continuait de rugir avec
les vents et d'écumer avec les flots.

Peu à peu le vent s'abattit [4]; le ciel roula vers l'occident   35

---

[1] **Dantès voulut crier:** D. eut envie de crier, *D. felt like shouting.*
[2] **il plongeait sur l'abîme:** ses regards plongeaient sur l'abîme, *his
eyes looked down into the abyss.*
[3] **étendus:** tendus, *held out.*
[4] **le vent s'abattit:** le vent diminua, se calma, *the wind abated.*

de gros nuages gris: l'azur [1] reparut avec les étoiles plus
scintillantes que jamais; bientôt, vers l'est, une longue
bande rougeâtre dessina à l'horizon des ondulations d'un
bleu noir; les flots bondirent [2]; une subite lueur courut sur
5 leurs cimes et changea leurs crêtes écumeuses en crinières
d'or.

C'était le jour.

Dantès resta immobile et muet devant ce grand spectacle, comme s'il le voyait pour la première fois; en effet,
10 depuis le temps qu'il était au château d'If, il l'avait oublié.
Il se retourna vers la forteresse, interrogeant à la fois d'un
long regard circulaire la terre et la mer . . .

Il pouvait être cinq heures du matin; la mer continuait de se calmer.

15 Dans deux ou trois heures, se dit Edmond, le porte-clés [3]
va rentrer dans ma chambre, trouvera le cadavre de mon
pauvre ami, le reconnaîtra, me cherchera vainement et
donnera l'alarme. Alors on trouvera le trou, la galerie; on
interrogera ces hommes qui m'ont lancé à la mer et qui ont
20 dû entendre le cri que j'ai poussé. Aussitôt des barques
remplies de soldats armés courront après le [4] malheureux
fugitif, qu'on sait bien ne pas être loin. Le canon avertira
toute la côte qu'il ne faut point donner asile à un homme
qu'on rencontrera errant, nu et affamé. Les espions et
25 la police de Marseille seront avertis et battront la côte
tandis que le gouverneur du château d'If fera battre la mer.
Alors, traqué sur l'eau, cerné sur la terre, que deviendrai-je ?
J'ai faim, j'ai froid; j'ai lâché jusqu'au couteau sauveur qui
me gênait pour nager; je suis à la merci du premier paysan
30 qui voudra gagner vingt francs en me livrant; je n'ai plus
ni force, ni idée, ni résolution.[5] O mon Dieu ! mon Dieu !
voyez si j'ai assez souffert, et si vous pouvez faire pour moi
plus que je ne puis faire moi-même.

[1] l'azur: le firmament.

[2] les flots bondirent: les vagues, devenant plus visibles, semblèrent bondir (*surge*) hors de la mer.

[3] le porte-clés: le gardien (*keeper*) qui porte les clés, *the turnkey*.

[4] courront après le: poursuivront le, donneront la chasse au, *will
chase* (*pursue*) *the*.

[5] ni force, ni idée, ni résolution: ni force physique, ni idée, ni
force de volonté (*strength of will, will power*).

Au moment où Edmond, dans une espèce de délire occasionné par l'épuisement de sa force et le vide de son cerveau, prononçait, anxieusement tourné vers le château d'If, cette prière ardente, il vit apparaître, dessinant sa voile latine [1] à l'horizon, et pareil à une mouette qui vole 5 en rasant le flot, un petit bâtiment que l'œil d'un marin pouvait seul reconnaître pour une tartane génoise [2] sur la ligne encore à demi obscure de la mer. Elle venait du port de Marseille et gagnait le large en poussant l'écume étincelante devant la proue aiguë qui ouvrait une route plus 10 facile à ses flancs rebondis.

« Oh ! s'écria Edmond, dire que dans une demi-heure j'aurais rejoint ce navire si je ne craignais pas d'être questionné, reconnu pour un fugitif et reconduit à Marseille ! Que faire ? que dire ? quelle fable inventer dont ils 15 puissent être la dupe ? Ces gens sont tous des contrebandiers, des demi-pirates. Sous prétexte de faire le cabotage, ils écument les côtes; ils aimeront mieux me vendre que de faire une bonne action stérile.

» Attendons. 20

» Mais attendre est chose impossible: je meurs de faim; dans quelques heures le peu de force qui me reste sera évanoui; d'ailleurs l'heure de la visite [3] approche; l'éveil n'est pas encore donné, peut-être ne se doutera-t-on de rien; je puis me faire passer pour un des matelots de ce 25 petit bâtiment qui s'est brisé cette nuit. Cette fable ne manquera point de vraisemblance; nul ne viendra pour me contredire, ils sont bien engloutis tous. Allons. »

Et, tout en disant ces mots, Dantès tourna les yeux vers l'endroit où le petit navire s'était brisé, et tressaillit. A 30 l'arête d'un rocher était resté accroché le bonnet phrygien [4] d'un des matelots naufragés, et tout près de là flottaient

[1] Une **voile latine** (*lateen sail*) est une grande voile triangulaire.

[2] **une tartane génoise**: *Genoese tartan*. Une tartane est un petit bateau avec une grande voile triangulaire.

[3] **la visite**: l'inspection des cellules.

[4] Un **bonnet phrygien** [friʒjɛ̃] est un bonnet rouge que portaient les habitants de la Phrygie, ancienne province du centre de l'Asie Mineure. Il est encore porté par certains marins de la Méditerranée, de Barcelone en particulier; il a été adopté en France, pendant la Révolution de 1789, comme emblème de la liberté.

quelques débris de la carène, solives[1] inertes que la mer
poussait et repoussait contre la base de l'île, qu'elles battaient comme d'impuissants béliers.

En un instant la résolution de Dantès fut prise; il se
5 remit à la mer, nagea vers le bonnet, s'en couvrit la tête,
saisit une des solives et se dirigea pour couper la ligne que
devait suivre le bâtiment.

— Maintenant, je suis sauvé, murmura-t-il.

Et cette conviction lui rendit ses forces...

10 Cependant le navire et le nageur approchaient insensiblement l'un de l'autre; dans une de ses bordées, le petit
bâtiment vint même à un quart de lieue à peu près de
Dantès. Il se souleva alors sur les flots, agitant son bonnet
en signe de détresse; mais personne ne le vit sur le bâti-
15 ment, qui vira de bord et recommença une nouvelle bordée.
Dantès songea à appeler; mais il mesura de l'œil la distance et comprit que sa voix n'arriverait point jusqu'au
navire...

C'est alors qu'il se félicita de cette précaution qu'il avait
20 prise de s'étendre sur une solive. Affaibli comme il était,
peut-être n'eût-il pas pu se soutenir sur la mer jusqu'à ce
qu'il eût rejoint la tartane; et à coup sûr, si la tartane,
ce qui était possible, passait sans le voir, il n'eût pas pu
regagner la côte.

25 Dantès, quoiqu'il fût à peu près certain de la route que
suivait le bâtiment, l'accompagna des yeux avec une certaine anxiété, jusqu'au moment où il le vit revenir à lui.

Alors il s'avança à sa rencontre; mais avant qu'ils se
fussent joints, le bâtiment commença à virer de bord.

30 Aussitôt Dantès, par un effort suprême, se leva presque
debout sur l'eau, agitant son bonnet, et jetant un de ces cris
lamentables comme en poussent les marins en détresse, et
qui semblent la plainte de quelque génie de la mer.

Cette fois on le vit et on l'entendit. La tartane in-
35 terrompit sa manœuvre et tourna le cap[2] de son côté.
En même temps il vit qu'on se préparait à mettre une
chaloupe à la mer.

---

[1] **solives:** poutres, *beams.*
[2] **tourna le cap:** mit le cap, *made, headed.*

Un instant après, la chaloupe, montée par deux hommes, se dirigea de son côté, battant la mer de son double aviron. Dantès alors laissa glisser la solive dont il pensait n'avoir plus besoin, et nagea vigoureusement pour épargner la moitié du chemin à ceux qui venaient à lui.   5

Cependant le nageur avait compté sur des forces presque absentes; ce fut alors qu'il sentit de quelle utilité lui avait été ce morceau de bois qui flottait déjà, inerte, à cent pas de lui. Ses bras commençaient à se raidir, ses jambes avaient perdu leur flexibilité,[1] ses mouvements de- 10 venaient durs et saccadés, sa poitrine était haletante.

Il poussa un grand cri, les deux rameurs redoublèrent d'énergie, et l'un d'eux lui cria en italien:

— Courage !

Le mot lui arriva au moment où une vague, qu'il n'avait 15 plus la force de surmonter, passait au-dessus de sa tête et le couvrait d'écume.

Il reparut, battant la mer de ces mouvements inégaux et désespérés d'un homme qui se noie, poussa un troisième cri, et se sentit enfoncer dans la mer, comme s'il eût eu 20 encore au pied le boulet mortel.[2]

L'eau passa par-dessus sa tête, et à travers l'eau il vit le ciel livide avec des taches noires.

Un violent effort le ramena à la surface de la mer. Il lui sembla alors qu'on le saisissait par les cheveux; puis il 25 ne vit plus rien, il n'entendit plus rien; il était évanoui.

TOUT EST BIEN QUI FINIT BIEN

Lorsqu'il rouvrit les yeux, Dantès trouva qu'il était sur le pont de la tartane, qui continuait son chemin; son premier regard fut pour voir quelle direction elle suivait: on 30 continuait de s'éloigner du château d'If . . .

— Qui êtes-vous ? demanda en mauvais français le patron.

— Je suis, répondit Dantès en mauvais italien, un

---

[1] leur flexibilité: leur souplesse.
[2] mortel: *fatal.*

matelot maltais [1]; nous venions de Syracuse,[2] nous étions
chargés de vin. Le grain de cette nuit nous a surpris au
cap Morgiou,[3] et nous avons été brisés contre ces rochers
que vous voyez là-bas.

5   — D'où venez-vous ?

     — De ces rochers où j'avais eu le bonheur de me cram-
ponner, tandis que notre pauvre capitaine s'y brisait la
tête. Nos trois autres compagnons se sont noyés. Je crois
que je suis le seul qui reste vivant; j'ai aperçu votre navire,
10 et, craignant d'avoir longtemps à attendre sur cette île
isolée et déserte, je me suis hasardé sur un débris de notre
bâtiment pour essayer de venir jusqu'à vous. Merci,
continua Dantès, vous m'avez sauvé la vie; j'étais perdu
quand l'un de vos matelots m'a saisi par les cheveux.

15   — C'est moi, dit un matelot à la figure franche et
ouverte; et il était temps: vous couliez.

     — Oui, dit Dantès en lui tendant la main, oui, mon
ami, et je vous remercie une seconde fois.

     — Ma foi ! dit le marin, j'hésitais presque; avec votre
20 barbe de six pouces de long et vos cheveux d'un pied, vous
aviez plus l'air d'un brigand que d'un honnête homme.

     Dantès se rappela effectivement que depuis qu'il était
au château d'If il ne s'était pas coupé les cheveux, et ne
s'était pas fait la barbe.

25   — Oui, dit-il, c'est un vœu que j'avais fait à la Vierge [4]
dans un moment de danger, d'être dix ans sans couper
mes cheveux ni ma barbe. C'est aujourd'hui l'expiration
de mon vœu, et j'ai failli me noyer pour mon anniversaire.

     — Maintenant, qu'allons-nous faire de vous ? demanda
30 le patron.

[1] **maltais**: de Malte, *Maltese*. Malte est une petite île d'une
grande importance stratégique, au sud de la Sicile. Elle est occupée
par l'Angleterre depuis 1800; pendant la deuxième Grande Guerre
elle reçut le titre de « l'île la plus bombardée du monde. »

[2] Syracuse est une ville sur la côte sud-est de la Sicile. La Sicile fut
conquise par les Américains et les Britanniques de juillet à septembre
1943.

[3] Le cap Morgiou est à environ sept milles à l'est de l'île Tiboulen.

[4] **la Vierge**: la Vierge Marie. La Vierge a sa statue dorée (*gilded*)
au haut du clocher (*steeple*) de la basilique Notre-Dame de la
Garde, bâtie sur une colline qui domine Marseille. Bien des soldats
américains y sont montés par l'ascenseur (*elevator*) de 1944 à 1946.

— Hélas ! répondit Dantès, ce que vous voudrez; la feloque [1] que je montais est perdue, le capitaine est mort; comme vous le voyez, j'ai échappé au même sort, mais absolument nu; heureusement, je suis assez bon matelot; jetez-moi [2] dans le premier port où vous relâcherez, [3] et je trouverai toujours de l'emploi sur un bâtiment marchand.

— Vous connaissez la Méditerranée ?

— J'y navigue depuis mon enfance.

— Vous connaissez les bons mouillages ?

— Il y a peu de ports, même des plus difficiles, dans lesquels je ne puisse entrer ou dont je ne puisse sortir les yeux fermés.

— Eh bien ! dites donc, patron, demanda le matelot qui avait crié « courage » à Dantès, si le camarade dit vrai, qui empêche qu'il reste avec nous ?

— Oui, s'il dit vrai, dit le patron d'un air de doute, mais dans l'état où est le pauvre diable, on promet beaucoup, quitte à tenir ce que l'on peut.

— Je tiendrai plus que je n'ai promis, dit Dantès.

Et pour le prouver il se met au gouvernail et guide le bateau d'une manière qui excite l'enthousiasme du patron et de l'équipage de quatre hommes. Pour le récompenser on lui apporte du pain et une gourde de rhum.

— Tiens ! demanda le patron, que se passe-t-il donc au château d'If ?

En effet, un petit nuage blanc... venait d'apparaître, couronnant les créneaux du bastion du château d'If.

Une seconde après, le bruit d'une explosion lointaine vint mourir à bord de la tartane.

Les matelots levèrent la tête en se regardant les uns les autres.

— Que veut dire cela ? demanda le patron.

— Il se sera sauvé quelque prisonnier [4] cette nuit, dit Dantès, et l'on tire le canon d'alarme.

---

[1] Une feloque (*felucca*) est un petit bateau long, étroit, à deux voiles triangulaires.

[2] **jetez-moi**: *throw me away, leave me.*

[3] **vous relâcherez**: vous ferez relâche, *you will call.*

[4] **Il se sera sauvé quelque prisonnier**: quelque prisonnier se sera sauvé: *probably some prisoner escaped*; futur de probabilité.

Le patron jeta un regard sur le jeune homme qui, en disant ces paroles, avait porté la gourde à sa bouche; mais il le vit savourer la liqueur qu'elle contenait avec tant de calme et de satisfaction que, s'il eut un soupçon quel-
5 conque, ce soupçon ne fit que traverser son esprit et mourut aussitôt.

— Voilà du rhum qui est diablement fort, fit Dantès, essuyant avec la manche de sa chemise son front ruisselant de sueur.

10 — En tout cas, murmura le patron en le regardant, si c'est lui, tant mieux; car j'ai fait là l'acquisition d'un fier homme

Le petit bateau fait la contrebande de tabac, d'étoffes, de poudre etc. entre l'Italie, la Corse et la France. Il va à Livourne,[1] puis à l'île italienne de Monte-Cristo (35 milles à l'est de la Corse). Dans une grotte il trouve le trésor dont lui avait parlé l'abbé Faria. Le voilà riche. Il achète un titre de comte et se fait appeler le comte de Monte-Cristo. Il retrouve sa fiancée Mercédès, récompense ses amis et se venge de ses ennemis qui l'ont fait emprisonner pendant quatorze ans.

[1] **Livourne:** Leghorn, port de la côte italienne, au nord-est de la Corse.

HAREL
et son cochon

7

Alexandre Dumas père

Mes répétitions de *Christine* [1] m'avaient ouvert la maison de mademoiselle George,[2] comme mes répétitions d'*Henri III* [3] m'avaient ouvert la maison de mademoiselle Mars.[4]

C'était une maison d'une composition bien originale que celle qu'habitait ma bonne et chère George,[5] rue Madame,[6] n° 12, autant qu'il m'en souvienne. 5

D'abord, dans les mansardes, Jules Janin,[7] second locataire.

Au second,[8] Harel, principal locataire. 10

Au premier et au rez-de-chaussée, George, sa sœur et ses deux neveux.

[1] *Christine:* drame de Dumas, sur la reine de Suède (1626–1689) qui, après son abdication, fit assassiner à Fontainebleau son favori italien Monaldeschi.

[2] Marguerite Weimer, mieux connue sous le nom de Mlle George, fut une grande actrice de la Comédie-Française. Elle se distingua dans les tragédies de Corneille et de Racine, et dans les premiers (1787–1867) drames romantiques. Elle fut aimée de Napoléon.

[3] *Henri III et sa Cour* est un bien meilleur drame que *Christine.* Il fut, par la date (1829), le premier grand drame romantique. Par la qualité, le premier grand drame romantique est *Hernani*, de Hugo (1830).

[4] Anne Boutet, mieux connue sous le nom de Mlle Mars, fut plutôt une comédienne. Elle se distingua dans les pièces de Molière et quelques drames romantiques; elle joua la duchesse de Guise dans *Henri III et sa Cour* et doña Sol dans *Hernani*, bien qu'elle n'aimât pas les romantiques.

[5] **C'était une maison d'une composition bien originale que celle qu'habitait ... George:** *the house in which ... George lived sheltered a very peculiar group of persons.*

[6] La rue Madame est tout près du jardin du Luxembourg, à Paris, parallèle au côté ouest. Dans le même quartier il y a aussi la rue Monsieur et la rue Mademoiselle.

[7] Jules Janin fut un très spirituel (*witty*) critique littéraire et romancier (1804–1874).

[8] Le second étage (*floor*) en France est le troisième en Amérique.

L'un de ces deux neveux, qui est aujourd'hui un grand, beau et spirituel garçon, avait longtemps, soit en province, soit à Paris, figuré stéréotypé sur les affiches de sa tante, qui ne pouvait pas plus se passer de lui au théâtre qu'à la
5 ville.

On se rappelle cette phrase, qui, pendant cinq ou six ans, ne subit aucune altération:

« Le jeune Tom, âgé de dix ans, remplira le rôle de ... »

Puis les noms variaient depuis celui de Joas [1] jusqu'à
10 celui de Thomas Diafoirus [2]; l'âge seul ne variait jamais: le jeune Tom restait toujours âgé de dix ans.

Il faut rendre justice au jeune Tom: il exécrait la comédie; aussi, chaque fois qu'il lui fallait entrer en scène, murmurait-il entre ses dents:

15 — Maudit théâtre ! et penser qu'il ne brûlera pas !

 — Que dis-tu, Tom ? demandait mademoiselle George.

 — Rien, ma tante, répondait Tom; je repasse mon rôle ... La tante George était, alors, une admirable créature âgée de quarante et un ans, à peu près.   Elle
20 avait la main, le bras, les épaules, le cou, les yeux d'une richesse et d'une magnificence inouïes; mais, comme la belle fée Mélusine, [3] elle sentait, dans sa démarche, une certaine gêne [4] à laquelle ajoutaient encore — je ne sais pourquoi, car George avait le pied digne de la main — des
25 robes d'une longueur exagérée.

A part les choses de théâtre, pour lesquelles elle était toujours prête, George était d'une paresse incroyable. Grande, majestueuse, connaissant sa beauté, qui avait eu pour admirateurs deux empereurs et trois ou quatre rois, [5]

---

[1] **Joas** [ʒoɑs]: petit-fils de la reine Athalie qu'il remplaça très jeune sur le trône de Juda, dont la capitale était Jérusalem.   Mlle George joua souvent le rôle d'Athalie dans la belle tragédie du même nom, par Racine.

[2] Thomas Diafoirus [rys] est un jeune médecin ignorant, dans la comédie de Molière *Le Malade imaginaire*.

[3] Mélusine, d'après une légende du Moyen Age, était une belle fée qui tous les samedis avait le bas du corps changé en queue de serpent.

[4] La gêne, dans la démarche de Mélusine, venait du serpent; dans celle de George, elle venait de son poids (*weight*).

[5] Les deux empereurs qui aimèrent Mlle George furent Napoléon et Alexandre Ier de Russie.

George aimait à rester couchée sur un grand canapé, l'hiver
dans des robes de velours, dans des manteaux de fourrures,
dans des cachemires de l'Inde; et l'été dans des peignoirs
de batiste ou de mousseline. Ainsi étendue dans une pose
toujours nonchalante et gracieuse, George recevait la visite   5
des étrangers, tantôt avec la majesté d'une matrone
romaine, tantôt avec le sourire d'une courtisane grecque;
tandis que des plis de sa robe, des ouvertures de ses châles,
des entre-bâillements de ses peignoirs, sortaient, pareilles à
des cous de serpents, les têtes de deux ou trois lévriers de la   10
plus belle race.

George était d'une propreté proverbiale; elle faisait une
première toilette avant d'entrer au bain, afin de ne point
salir l'eau dans laquelle elle allait rester une heure.

. . . George avait rendu tout le monde propre autour   15
d'elle, — excepté Harel.

Oh ! Harel, c'était autre chose ! La propreté était pour
lui un immense sacrifice, et, ce sacrifice, il ne le faisait que
contraint et forcé.[1]

. . . A cette époque, George avait encore des diamants   20
magnifiques, et, entre autres, deux boutons qui lui avaient
été donnés par Napoléon, et qui valaient chacun à peu près
douze mille francs.

Elle les avait fait monter en boucles d'oreilles, et portait ces boucles d'oreilles-là de préférence à toutes au-   25
tres.

Ces boutons étaient si gros, que bien souvent George, en
rentrant le soir, après avoir joué, les ôtait, se plaignant
qu'ils lui allongeaient les oreilles.

Un soir, nous rentrâmes et nous nous mîmes à souper.   30
Le souper fini, on mangea des amandes; George en mangea
beaucoup, et, tout en mangeant, se plaignit de la lourdeur
de ces boutons, les tira de ses oreilles, et les posa sur la
nappe.

Cinq minutes après, le domestique vint avec la brosse,   35
nettoya la table, poussa les boutons dans une corbeille avec
les coques des amandes, et, amandes et boutons, jeta le
tout par la fenêtre de la rue.

---

[1] contraint et forcé: ces deux adjectifs ont le même sens; un seul
suffit pour la traduction.

George se coucha sans songer aux boutons, et s'endormit tranquillement; ce qu'elle n'eût pas fait,[1] toute philosophe qu'elle était,[2] si elle eût su que son domestique avait jeté par la fenêtre pour vingt-quatre mille francs de dia-
5 mants.

Le lendemain, George cadette entra dans la chambre de sa sœur, et la réveilla.

— Eh bien, lui dit-elle, tu peux te vanter d'avoir de la chance, toi ! Regarde ce que je viens de trouver.

10 — Qu'est cela ? [3]

— Un de tes boutons.

— Et où l'as-tu trouvé ?

— Dans la rue.

— Dans la rue ?

15 — C'est comme je te le dis,[4] ma chère; dans la rue, à la porte. Tu l'auras perdu [5] en rentrant du théâtre.

— Mais non, je les avais en soupant.

— Tu en es sûre ?

— A telles enseignes que,[6] comme ils me gênaient, je les
20 ai ôtés et les ai mis près de moi. Qu'en ai-je donc fait après ? Où les ai-je serrés ?

— Ah ! mon Dieu, s'écria George cadette, je me rappelle: nous mangions des amandes; le domestique a nettoyé la table avec la brosse.

25 — Ah ! mes pauvres boutons ! s'écria George à son tour. Descends vite, Bébelle,[7] descends !

Bébelle était déjà au bas de l'escalier. Cinq minutes après, elle rentrait avec le second bouton; elle l'avait retrouvé dans le ruisseau.

30 — Ma chère amie, dit-elle à sa sœur, nous sommes trop

---

[1] **ce qu'elle n'eût pas fait:** chose qu'elle n'aurait pas faite.

[2] **toute philosophe qu'elle était:** bien qu'elle fût philosophe, *although she did not get excited easily.*

[3] **qu'est cela ?:** Une phrase plus naturelle serait « qu'est-ce que c'est que ça ? »

[4] **C'est comme je te le dis:** *right.*

[5] **Tu l'auras perdu:** Tu l'as probablement perdu; futur de probabilité.

[6] **A telles enseignes que:** la preuve (c') est que, *the proof being that.*

[7] **Bébelle:** la sœur de George et la mère de Tom et de Popol.

heureuses![1] Fais dire une messe, ou, sans cela, il nous arrivera quelque grand malheur.[2]

Nous avons parlé de la malpropreté d'Harel; elle était de notoriété publique, et lui-même en prenait une espèce d'orgueil; homme de paradoxe, il s'amusait à faire des 5 amplifications sur cette triste supériorité.

Quand il voyait George couchée sur son canapé au milieu de ses chiens bien peignés, bien lavés, avec leur collier de maroquin au cou, il soupirait d'ambition.

Car Harel avait une ambition qu'il avait manifestée bien 10 souvent, et qui n'avait jamais été satisfaite: — c'était d'avoir un cochon!

A son avis, saint Antoine[3] était le plus heureux des saints, et il était, comme lui, prêt à se retirer au désert, si la Providence daignait lui accorder le même compagnon. 15

La fête[4] d'Harel approchant, nous résolûmes, George et moi, de combler les modestes désirs d'Harel; nous achetâmes, moyennant vingt-deux francs, un cochon de trois à quatre mois; nous lui mîmes une couronne de diamants sur la tête, un bouquet de roses au côté, des nœuds de pierreries 20 aux pattes, et, le conduisant majestueusement comme une mariée, nous entrâmes dans la salle à manger, au moment où nous crûmes l'heure venue de faire à Harel cette douce surprise.

Aux cris que poussait le nouvel arrivant, Harel aban- 25 donna à l'instant même la conversation de Lockroy[5] et de Janin, si attachante qu'elle fût, et accourut vers nous.

Le cochon tenait à la patte un compliment qu'il présenta à Harel.

---

[1] **heureuses**: chanceuses, *lucky*.

[2] **il nous arrivera quelque grand malheur**: quelque grand malheur nous arrivera.

[3] Saint Antoine est un des premiers ermites chrétiens qui se retirèrent dans le désert à l'ouest de la Thébaïde (Haute Égypte); il avait un cochon comme compagnon.

[4] **La fête**: chaque Français a deux fêtes (*celebrations*) personnelles, son « anniversaire » (*birthday*) et sa « fête » (*patron saint's day*); dans notre texte c'est ce dernier sens qui est le bon; *wedding anniversary* se dit **anniversaire de mariage**.

[5] Joseph Simon, dit Lockroy [lɔkrwa], auteur dramatique et comédien (1803–1891).

Harel se précipita sur son cochon, — car il devina du premier coup que ce cochon était à lui, — le serra contre son cœur, se frotta le nez à son groin, le fit asseoir près de lui sur la grande chaise de Popol,[1] le maintint sur cette
5 chaise avec une écharpe à George, et se mit à le bourrer de toute sorte de friandises.

Le cochon, baptisé séance tenante, reçut d'Harel — qui déclara contracter envers lui les obligations d'un parrain envers son filleul — le nom euphonique de Piaff-Piaff. Dès
10 le même soir, Harel se retira à son second étage avec Piaff-Piaff, et, comme nul ne s'était préoccupé du coucher de l'animal, Harel s'empara d'une robe de velours de George, et lui en fit une litière.

Cela amena, le lendemain, entre George et Harel, une
15 grande altercation où, pris pour juges par les parties,[2] nous condamnâmes Harel à payer à George deux cents francs d'indemnité sur la recette [3] du soir.

La robe fut envoyée au magasin,[4] et l'on en fit des costumes de page.

20 Cette amitié d'Harel pour son cochon devint une frénésie. Un jour, Harel m'aborda à la répétition en me disant:

— Vous ne savez pas, mon cher? J'aime tant mon cochon, que je couche avec lui!

— Eh bien, lui répondis-je, je viens de rencontrer votre
25 cochon, qui m'a dit exactement la même chose.

Je crois que c'est le seul mot [5] auquel Harel n'ait rien trouvé à répliquer.[6]

Il en fut de [7] Piaff-Piaff comme de tous les animaux trop aimés: il sentit sa puissance, il en abusa, et les choses
30 finirent, un jour, par mal tourner pour lui.

Piaff-Piaff, bien nourri, bien logé, bien caressé, couchant avec Harel, en était arrivé au poids honorable de cent cin-

---

[1] **Popol:** Paul, frère de Tom, enfant de six à sept ans.

[2] **les parties:** *the plaintiff and the defendant.*

[3] **la recette:** *the takings,* l'argent reçu au théâtre de la Porte-Saint-Martin, dont Harel était directeur.

[4] **au magasin:** au magasin des costumes, *to the costume room* (du théâtre de la Porte-Saint-Martin.)

[5] **Un mot:** un mot d'esprit, un bon mot, *witty remark, joke, gag.*

[6] Harel était célèbre pour son esprit (*wit*).

[7] **Il en fut de:** *it was with.*

quante livres; ce qui était — nous en avions fait le calcul
— cinquante livres de plus que Janin, trente livres de plus
que Lockroy... Il avait été arrêté, dans un conseil d'où
avait été exclu Harel, qu'arrivé au poids de deux cents
livres, Piaff-Piaff serait utilisé en boudin et en saucisses.   5

Malheureusement pour lui, chaque jour, il commettait
dans la maison quelque nouveau désordre qui amenait une
menace universelle d'avancer l'heure fixée pour son trépas;
et, cependant, malgré tous ces méfaits, l'adoration d'Harel
pour Piaff-Piaff était tellement connue, que les plus dures 10
résolutions finissaient toujours par tourner à la miséricorde.

Mais, un jour, il arriva que, Piaff-Piaff rôdant à l'entour
d'une espèce de cage où se tenait un magnifique faisan que
j'avais donné à Tom, le faisan eut l'imprudence d'allonger 15
le cou entre deux barreaux pour attraper un grain de blé, et
Piaff-Piaff allongea le groin, et attrapa la tête du faisan.

Tom était à quatre pas de là [1]; il vit se faire le tour,[2] et
jeta les hauts cris.

Le faisan, décapité, n'était plus bon qu'à être rôti.   20

Tant que Piaff-Piaff, en s'attaquant à tout le monde,
avait eu l'intelligence de respecter les objets appartenant à
Tom, Piaff-Piaff, comme nous l'avons dit, avait joui du
bénéfice des circonstances atténuantes; mais, cette dernière
maladresse commise, il n'y avait point de plaidoyer, si 25
éloquent qu'il fût qui pût sauver le meurtrier.   George
déclara énergiquement qu'il avait mérité la mort.   Personne, pas même Janin, n'osa aller contre le jugement.

Le jugement rendu, on résolut de profiter de l'absence
d'Harel pour le mettre à exécution, et, tout chaud tout 30
bouillant,[3] on envoya chercher le charcutier en le prévenant
d'apporter son couteau.

Cinq minutes après, Piaff-Piaff poussait des cris à
ameuter tout le quartier.[4]

---

[1] **à quatre pas de là:** ne traduisez pas littéralement; *close by.*

[2] **il vit se faire le tour:** il vit le tour se faire (se passer), *he saw the trick taking place, he witnessed the trick.*

[3] **tout chaud tout bouillant:** *right away, hot foot.*

[4] **des cris à ameuter tout le quartier:** des cris suffisants pour faire arriver tous les gens du quartier comme une meute (*pack of hounds*).

On gardait la porte de la rue pour écarter Harel, si, par hasard, il revenait en ce moment-là; seulement, on avait oublié que le jardin possédait une sortie sur le Luxembourg,[1] et qu'Harel pouvait rentrer de ce côté.

5 Tout à coup, comme Piaff-Piaff donnait ces notes douloureuses qui annoncent l'approche de l'agonie, la porte s'ouvrit, et Harel parut en criant:

— Qu'est-ce qu'on fait à mon pauvre Piaff-Piaff? Qu'est-ce qu'on lui fait?

10 — Ma foi, dit George, tant pis! Il devenait trop désagréable ton affreux Piaff-Piaff!

— Ah! pauvre animal! pauvre bête! s'écria Harel; je parie qu'on l'égorge!

Puis, après une pause d'un instant:

15 — Au moins, dit-il d'un ton plaintif, avez-vous recommandé au charcutier de mettre beaucoup d'oignon dans le boudin?[2] J'adore l'oignon!

Telle fut l'oraison funèbre de Piaff-Piaff.

Alexandre Dumas père,
Mes Mémoires

[1] Le jardin du Luxembourg est un des plus grands et des plus beaux de Paris; il est situé au centre de Paris, dans le quartier de la Sorbonne et des grandes écoles; son monument le plus remarquable est la fontaine de Médicis.

[2] Le boudin (*blood sausage*) est une grosse et excellente saucisse faite de sang (*blood*) et de graisse (*fat*) de porc avec beaucoup d'oignons et d'assaisonnements (*seasonings*). On mange beaucoup plus de boudin en France qu'en Amérique.

MORT
de Carmen

8

Prosper Mérimée

Dans * la prison de Cordoue, dans le sud de l'Espagne, un condamné à mort raconte son histoire à l'auteur.

Il s'appelle José; il est né dans une bonne famille du pays basque; au cours d'une querelle il tue un homme. Il s'enfuit et s'engage (enlists) dans un régiment de cavalerie. Il devient brigadier (corporal). A Séville il reçoit l'ordre d'arrêter la bohémienne (gypsy girl) Carmen qui a blessé de deux coups de couteau une de ses camarades de la manufacture de tabacs. Carmen est belle et José lui permet de s'échapper. Elle devient son amante. Carmen est aussi voleuse, menteuse et infidèle. Par jalousie José tue son lieutenant, déserte et se joint à la bande de contrebandiers que commande le Dancaïre. C'est alors une succession de batailles, de vols et de meurtres.

LE DANCAÏRE [1] ET moi nous nous étions associés quelques camarades ... et nous nous occupions de contrebande, et aussi parfois, il faut bien l'avouer, nous arrêtions [2] sur la grande route, mais à la dernière extrémité, et lorsque nous ne pouvions faire autrement. D'ailleurs, nous ne mal- 5 traitions pas les voyageurs, et nous nous bornions à leur prendre leur argent. Pendant quelques mois je fus content de Carmen; elle continuait à nous être utile pour nos opérations, en nous avertissant des bons coups que nous

---

* See page 234.
[1] **Le Dancaïre** [dākair]: le chef des contrebandiers (*smugglers*).
[2] **nous arrêtions:** nous arrêtions des gens, *we held up people.*

pourrions faire. Elle se tenait, soit à Malaga,[1] soit à
Cordoue,[2] soit à Grenade [3] . . .

Peu après, un malheur nous arriva. La troupe [4] nous
surprit. Le Dancaïre fut tué, ainsi que deux de mes
5 camarades; deux autres furent pris. Moi, je fus grièvement blessé, et, sans mon bon cheval, je demeurais [5] entre
les mains des soldats. Exténué de fatigue, ayant une balle
dans le corps, j'allai me cacher dans un bois avec le seul
compagnon qui me restât. Je m'évanouis en descendant
10 de cheval, et je crus que j'allais crever dans les broussailles comme un lièvre qui a reçu du plomb. Mon camarade me porta dans une grotte que nous connaissions, puis
il alla chercher Carmen.

Elle était à Grenade, et aussitôt elle accourut. Pendant
15 quinze jours, elle ne me quitta pas d'un instant. Elle ne
ferma pas l'œil; elle me soigna avec une adresse et des
attentions que jamais femme n'a eues pour l'homme le plus
aimé. Dès que je pus me tenir sur mes jambes, elle me
mena à Grenade dans le plus grand secret. Les bohé-
20 miennes trouvent partout des asiles sûrs, et je passai plus de
six semaines dans une maison, à deux portes du corrégidor [6]
qui me cherchait. Plus d'une fois, regardant derrière un
volet, je le vis passer. Enfin je me rétablis; mais j'avais
fait bien des réflexions sur mon lit de douleur, et je proje-
25 tais de changer de vie. Je parlai à Carmen de quitter
l'Espagne, et de chercher à vivre honnêtement dans le
Nouveau-Monde. Elle se moqua de moi.

— Nous ne sommes pas faits pour planter des choux, dit-
elle; notre destin, à nous, c'est de vivre aux dépens des

---

[1] **Malaga:** grand port du Sud de l'Espagne, sur la Méditerranée.
La région produit un bon vin sucré.

[2] **Cordoue:** *Cordoba*, grande ville espagnole, à 160 milles au nord
de Gibraltar, célèbre par son cuir (*leather*) et sa mosquée (*mosque*)
transformée en cathédrale.

[3] **Grenade:** *Granada*, grande ville au sud de l'Espagne, célèbre par
ses monuments arabes (l'Alhambra, le Generalife), sa cathédrale et
son quartier de bohémiens (*gypsies*).

[4] **La troupe:** les soldats.

[5] **sans mon bon cheval, je demeurais:** si je n'avais pas eu mon bon
cheval je serais demeuré (*I would have remained, I would have fallen*).

[6] **corrégidor:** président du tribunal, *chief justice.*

payos.[1] Tiens, j'ai arrangé une affaire avec Nathan ben-Joseph de Gibraltar. Il a des cotonnades qui n'attendent que toi pour passer. Il sait que tu es vivant. Il compte sur toi. Que diraient nos correspondants de Gibraltar, si tu leur manquais de parole ?

Je me laissai entraîner, et je repris mon vilain commerce.

Pendant que j'étais caché à Grenade, il y eut des courses de taureaux où Carmen alla. En revenant, elle parla beaucoup d'un picador [2] très adroit nommé Lucas. Elle savait le nom de son cheval, et combien lui coûtait sa veste brodée. Je n'y fis pas attention. Juanito, le camarade qui m'était resté, me dit, quelques jours après, qu'il avait vu Carmen avec Lucas chez un marchand du Zacatin.[3] Cela commença à m'alarmer. Je demandai à Carmen comment et pourquoi elle avait fait connaissance avec le picador.

— C'est un garçon, me dit-elle, avec qui on peut faire une affaire. Rivière qui fait du bruit a de l'eau ou des cailloux.[4] Il a gagné douze cents réaux [5] aux courses. De deux choses l'une: ou bien il faut avoir cet argent; ou bien, comme c'est un bon cavalier et un gaillard de cœur,[6] on peut l'enrôler dans notre bande. Un tel et un tel sont morts, tu as besoin de les remplacer. Prends-le avec toi.

— Je ne veux, répondis-je, ni de son argent, ni de sa personne, et je te défends de lui parler.

— Prends garde, me dit-elle; lorsqu'on me défie de faire une chose, elle est bientôt faite !

Heureusement le picador partit pour Malaga, et moi, je me mis en devoir de faire entrer [7] les cotonnades du juif. J'eus fort à faire dans cette expédition-là, Carmen aussi, et

---

[1] **payos** [pajos]: *non-Gypsy people.*

[2] **picador**: cavalier qui excite le taureau avec une lance; le **matador** tue le taureau.

[3] **le Zacatin**: El Zacatin, rue commerçante (*business street*) à Grenade.

[4] **Rivière qui fait du bruit a de l'eau ou des cailloux** (*pebbles*): proverbe des bohémiens, qui veut dire: « Si tu ne demandes rien, tu n'obtiens rien, » *Ask nothing, gain nothing.*

[5] **réaux**: *reals;* un réal est une ancienne pièce d'argent espagnole que la peseta a remplacée; un dollar valait huit réaux.

[6] **un gaillard** [gajar] **de cœur**: un garçon courageux, *a brave fellow.*

[7] **de faire entrer**: *smuggling in* (de Gibraltar en Espagne).

j'oubliai Lucas; peut-être aussi l'oublia-t-elle, pour le moment du moins. C'est vers ce temps, monsieur, que je vous rencontrai d'abord près de Montilla,[1] puis après à Cordoue. Je ne vous parlerai pas de notre dernière en-
5 trevue. Vous en savez peut-être plus long que moi. Carmen vous vola votre montre; elle voulait encore votre argent, et surtout cette bague que je vois à votre doigt, et qui, dit-elle, est un anneau magique qu'il lui importait beaucoup de posséder. Nous eûmes une violente dispute,
10 et je la frappai. Elle pâlit et pleura. C'était la première fois que je la voyais pleurer, et cela me fit un effet terrible. Je lui demandai pardon, mais elle me bouda pendant tout un jour, et, quand je repartis pour Montilla, elle ne voulut pas m'embrasser. J'avais le cœur gros, lorsque, trois jours
15 après, elle vint me trouver l'air riant et gaie comme un pinson. Tout était oublié, et nous avions l'air d'amoureux de deux jours.[2] Au moment de nous séparer, elle me dit:

— Il y a une fête à Cordoue, je vais la voir, puis je
20 saurai les gens qui s'en vont avec de l'argent,[3] et je te le dirai.

Je la laissai partir. Seul, je pensai à cette fête et à ce changement d'humeur de Carmen. Il faut qu'elle se soit vengée [4] déjà, me dis-je, puisqu'elle est revenue la première.
25 Un paysan me dit qu'il y avait des taureaux [5] à Cordoue. Voilà mon sang qui bouillonne, et, comme un fou, je pars, et je vais à la place. On me montra Lucas, et, sur le banc contre la barrière, je reconnus Carmen. Il me suffit de la voir une minute pour être sûr de mon fait. Lucas, au
30 premier taureau, fit le joli cœur, comme je l'avais prévu. Il arracha la cocarde [6] du taureau et la porta à Carmen,

---

[1] **Montilla** [ja]: ville à vingt milles au sud-est de Cordoue.

[2] **amoureux de deux jours:** amoureux (*lovers*) qui se connaissent depuis deux jours seulement, *honeymooning lovers*.

[3] **je saurai les gens qui s'en vont avec de l'argent:** *I'll know which people will be leaving town with a lot of money.*

[4] **Il faut qu'elle se soit vengée:** *she must have avenged herself* (*on me*).

[5] **des taureaux:** une course de taureaux, *a bullfight.*

[6] **la cocarde:** *the cockade, bow.* La couleur de cette cocarde indique le pâturage (*pasture land*) d'où vient le taureau.

qui s'en coiffa sur-le-champ. Le taureau se chargea de me venger. Lucas fut culbuté avec son cheval sur la poitrine, et le taureau par-dessus tous les deux. Je regardai Carmen, elle n'était déjà plus à sa place. Il m'était impossible de sortir de celle où j'étais, et je fus obligé d'attendre la fin des 5 courses. Alors j'allai à la maison que vous connaissez,[1] et je m'y tins coi toute la soirée et une partie de la nuit. Vers deux heures du matin Carmen revint, et fut un peu surprise de me voir.

— Viens avec moi, lui dis-je. 10

— Eh bien ! dit-elle, partons !

J'allai prendre mon cheval, je la mis en croupe, et nous marchâmes tout le reste de la nuit sans nous dire un seul mot. Nous nous arrêtâmes au jour dans une *venta* [2] isolée, assez près d'un petit ermitage. Là je dis à Carmen: 15

— Écoute, j'oublie tout. Je ne te parlerai de rien; mais jure-moi une chose: c'est que tu vas me suivre en Amérique, et que tu t'y tiendras tranquille.[3]

— Non, dit-elle d'un ton boudeur, je ne veux pas aller en Amérique. Je me trouve bien ici. 20

— C'est parce que tu es près de Lucas; mais songes-y bien, s'il guérit, ce ne sera pas pour faire de vieux os. Au reste, pourquoi m'en prendre à lui ? Je suis las de tuer tous tes amants; c'est toi que je tuerai.

Elle me regarda fixement de son regard sauvage, et me 25 dit:

— J'ai toujours pensé que tu me tuerais. La première fois que je t'ai vu, je venais de rencontrer un prêtre à la porte de ma maison. Et cette nuit, en sortant de Cordoue, n'as-tu rien vu ? Un lièvre a traversé le chemin entre les 30 pieds de ton cheval. C'est écrit.

— Carmencita, lui demandais-je, est-ce que tu ne m'aimes plus?

Elle ne répondit rien. Elle était assise les jambes croisées

---

[1] **la maison que vous connaissez:** c'est la pauvre maison au bout d'un faubourg de Cordoue, où Carmen a emmené l'auteur (Mérimée) et lui a volé sa montre.

[2] **venta:** *wayside inn.*

[3] **que tu t'y tiendras tranquille:** que tu t'y conduiras bien, *that you will behave yourself there.*

sur une natte et faisait des traits par terre avec son doigt.

— Changeons de vie, Carmen, lui dis-je d'un ton suppliant. Allons vivre quelque part où nous ne serons jamais
5 séparés. Tu sais que nous avons, pas loin d'ici, sous un chêne, cent vingt onces [1] enterrées. Puis, nous avons des fonds encore chez le juif ben-Joseph.

Elle se mit à sourire, et me dit:

— Moi d'abord, toi ensuite. Je sais que cela doit arriver
10 ainsi.

— Réfléchis, repris-je; je suis au bout de ma patience et de mon courage; prends ton parti ou je prendrai le mien.

Je la quittai et j'allai me promener du côté de l'ermitage.
15 Je trouvai l'ermite qui priait. J'attendis que sa prière fût finie; j'aurais bien voulu prier, mais je ne pouvais pas. Quand il se releva, j'allai à lui.

— Mon père, lui dis-je, voulez-vous prier pour quelqu'un qui est en grand péril?

20 — Je prie pour tous les affligés, dit-il.

— Pouvez-vous dire une messe pour une âme qui va peut-être paraître devant son Créateur?

— Oui, répondit-il en me regardant fixement.

Et, comme il y avait dans mon air quelque chose
25 d'étrange, il voulut me faire parler:

— Il me semble que je vous ai vu, dit-il.

Je mis une piastre sur son banc.

— Quand direz-vous la messe? lui demandai-je.

— Dans une demi-heure. Le fils de l'aubergiste de là-bas
30 va venir la servir. Dites-moi, jeune homme, n'avez-vous pas quelque chose sur la conscience qui vous tourmente? voulez-vous écouter les conseils d'un chrétien?

Je me sentais près de pleurer. Je lui dis que je reviendrais, et je me sauvai. J'allai me coucher sur l'herbe
35 jusqu'à ce que j'entendisse la cloche. Alors je m'approchai, mais je restai en dehors de la chapelle. Quand la messe fut dite, je retournai à la venta. J'espérais que Carmen se serait enfuie; elle aurait pu prendre mon cheval et se sauver

---

[1] **Une once** (*ounce*) d'or valait environ dix-sept dollars.

mais je la retrouvai. Elle ne voulait pas qu'on pût dire
que je lui avais fait peur. Pendant mon absence, elle avait
défait l'ourlet de sa robe pour en retirer le plomb.[1] Maintenant, elle était devant une table, regardant dans une
terrine pleine d'eau le plomb qu'elle avait fait fondre, et   5
qu'elle venait d'y jeter. Elle était si occupée de sa magie[2]
qu'elle ne s'aperçut pas d'abord de mon retour. Tantôt
elle prenait un morceau de plomb et le tournait de tous les
côtés d'un air triste, tantôt elle chantait quelqu'une de ces
chansons magiques où elles invoquent Marie Padilla,[3] qui 10
fut, dit-on, . . . la grande reine des bohémiens.

— Carmen, lui dis-je, voulez-vous venir avec moi ?

Elle se leva, jeta sa sébile, et mit sa mantille sur sa tête
comme prête à partir. On m'amena mon cheval, elle
monta en croupe et nous nous éloignâmes.   15

— Ainsi, lui dis-je, ma Carmen, après un bout de chemin,
tu veux bien me suivre, n'est-ce pas ?

— Je te suis à la mort, oui, mais je ne vivrai plus avec
toi.

Nous étions dans une gorge solitaire; j'arrêtai mon   20
cheval.

— Est-ce ici ? dit-elle.

Et d'un bond elle fut à terre. Elle ôta sa mantille, la
jeta à ses pieds, et se tint immobile un poing sur la hanche,
me regardant fixement.   25

— Tu veux me tuer, je le vois bien, dit-elle; c'est écrit,
mais tu ne me feras pas céder.

— Je t'en prie, lui dis-je, sois raisonnable. Écoute-moi !
tout le passé est oublié. Pourtant, tu le sais, c'est toi qui
m'as perdu; c'est pour toi que je suis devenu un voleur et 30
un meurtrier. Carmen ! ma Carmen ! laisse-moi te sauver
et me sauver avec toi.

— José, répondit-elle, tu me demandes l'impossible. Je

[1] Parfois, pour que les robes tombent (*hang*) mieux, les couturières
(*dressmakers*) mettent à l'intérieur de l'ourlet (*hem*) une ficelle
(*string*) ou un fil (*thread*) passés dans de petits morceaux de plomb;
on fait de même pour les rideaux (*curtains*).

[2] Pour prédire l'avenir (*the future*), certaines personnes supersti-
tieuses examinent les formes que le plomb fondu prend dans l'eau.

[3] **Maria de Padilla** fut la favorite du roi de Castille Pierre (don
Pedro) le Cruel (14e siècle).

ne t'aime plus; toi, tu m'aimes encore, et c'est pour cela
que tu veux me tuer. Je pourrais bien encore te faire
quelque mensonge; mais je ne veux pas m'en donner la
peine. Tout est fini entre nous. Comme mon *rom*,[1] tu as
5 le droit de tuer ta *romi*[2]; mais Carmen sera toujours libre.
Calé[3] elle est née, *calé* elle mourra.

— Tu aimes donc Lucas? lui demandai-je.

— Oui, je l'ai aimé, comme toi, un instant, moins que toi
peut-être. A présent, je n'aime plus rien, et je me hais pour
10 l'avoir aimé.

Je me jetai à ses pieds, je lui pris les mains, je les arrosai
de mes larmes. Je lui rappelai tous les moments de bonheur
que nous avions passés ensemble. Je lui offris de rester brigand pour lui plaire. Tout, monsieur, tout; je lui offris
15 tout, pourvu qu'elle voulût m'aimer encore!

Elle me dit:

— T'aimer encore, c'est impossible. Vivre avec toi, je
ne le peux pas.

La fureur me possédait. Je tirai mon couteau. J'aurais
20 voulu qu'elle eût peur et me demandât grâce, mais cette
femme était un démon.

— Pour la dernière fois, m'écriai-je, veux-tu rester avec
moi?

— Non! non! non! dit-elle en frappant du pied.

25 Et elle tira de son doigt une bague que je lui avais donnée,
et la jeta dans les broussailles.

Je la frappai deux fois ... Elle tomba au second coup
sans crier. Je crois encore voir son grand œil noir me regarder fixement; puis il devint trouble et se ferma. Je
30 restai anéanti une bonne heure devant ce cadavre. Puis, je
me rappelai que Carmen m'avait dit souvent qu'elle
aimerait à être enterrée dans un bois. Je lui creusai une
fosse avec mon couteau, et je l'y déposai. Je cherchai
longtemps sa bague et je la trouvai à la fin. Je la mis dans
35 la fosse auprès d'elle avec une petite croix. Peut-être ai-je
eu tort. Ensuite je montai sur mon cheval, je galopai

---

[1] **rom** [rɔm]: mari, dans la langue des bohémiens.
[2] **romi:** *wife.*
[3] **Calé:** *gypsy.*

jusqu'à Cordoue, et au premier corps-de-garde je me fis
connaître. J'ai dit que j'avais tué Carmen; mais je n'ai
pas voulu dire où était son corps. L'ermite était un saint
homme. Il a prié pour elle! Il a dit une messe pour son
âme. Pauvre enfant! Ce sont les *Calé* qui sont coupables 5
pour l'avoir élevée ainsi.

L'ÉLIXIR
du révérend père Gaucher

9

Alphonse Daudet

— BUVEZ * CECI, MON voisin; vous m'en direz des nouvelles.

Et, goutte à goutte, avec le soin minutieux d'un lapidaire comptant des perles, le curé de Graveson [1] me versa deux doigts d'une liqueur verte, dorée, chaude, étincelante, 5 exquise . . . J'en eus l'estomac tout ensoleillé.

— C'est l'élixir du Père Gaucher, la joie et la santé de notre Provence, me fit le brave homme d'un air triomphant; on le fabrique au couvent des Prémontrés,[2] à deux lieues de votre moulin . . . N'est-ce pas que cela vaut bien 10 toutes les chartreuses [3] du monde ? . . . Et si vous saviez comme elle est amusante, l'histoire de cet élixir ! Écoutez plutôt . . .

Alors, tout naïvement, sans y entendre malice, dans cette salle à manger de presbytère, si candide et si calme 15 avec son Chemin de la croix en petits tableaux et ses jolis rideaux clairs empesés comme des surplis, l'abbé me commença une historiette légèrement sceptique et irrévérencieuse, à la façon d'un conte d'Érasme [4] ou de d'Assoucy.[5]

* See page 236.

[1] **Graveson** est un village entre Avignon et Tarascon, tout près de Maillane [majan] qui est le village du grand poète provençal Mistral (mort en 1914).

[2] **Les Prémontrés** (*Premonstrants*) sont des membres d'un ordre religieux fondé au 12e siècle. Ils sont soumis à la règle de saint Augustin et sont habillés de blanc. Leur nom vient du village de Prémontré (12 milles au nord de Soissons) où l'on voit encore, dans un beau parc, les ruines d'une abbaye.

[3] **La chartreuse** est une liqueur d'un jaune vert, faite avec de l'alcool et des plantes des Alpes; elle a été inventée par les religieux du monastère de la Grande-Chartreuse, près de Grenoble.

[4] **Érasme:** *Erasmus*, humaniste hollandais très spirituel (*witty*); auteur de l'*Éloge de la Folie, Anecdotes*, etc. (1467–1536).

[5] **d'Assoucy** (ou d'Assouci): poète burlesque et bohème, auteur d'*Ovide en belle humeur*, etc. (1605–1675).

— Il y a vingt ans, les Prémontrés, ou plutôt les Pères blancs, comme les appellent nos Provençaux, étaient tombés dans une grande misère. Si vous aviez vu leur maison [1] de ce temps-là, elle vous aurait fait peine.[2]

Le grand mur,[3] la tour Pacôme,[4] s'en allaient en morceaux. Tout autour du cloître rempli d'herbes, les colonnettes se fendaient, les saints de pierre croulaient dans leurs niches. Pas un vitrail debout,[5] pas une porte qui tînt. Dans les préaux, dans les chapelles, le vent du Rhône[6] soufflait comme en Camargue,[7] éteignant les cierges, cassant le plomb des vitrages, chassant l'eau des bénitiers. Mais le plus triste de tout, c'était le clocher du couvent, silencieux comme un pigeonnier vide; et les Pères, faute d'argent pour s'acheter une cloche, obligés de sonner matines avec des cliquettes de bois d'amandier !

Pauvres Pères blancs ! Je les vois encore, à la procession de la Fête-Dieu,[8] défilant tristement dans leurs capes rapiécées, pâles, maigres, nourris de *citres* [9] et de pastèques, et derrière eux monseigneur l'abbé, qui venait la tête basse, tout honteux de montrer au soleil sa crosse dédorée et sa mitre de laine blanche mangée des vers. Les dames de la

---

[1] **leur maison:** leur couvent, leur monastère.

[2] **fait peine:** fait de la peine.

[3] **Le grand mur:** le mur qui entourait le couvent, *the surrounding wall.*

[4] **la tour Pacôme:** la tour s'appelait ainsi en l'honneur de saint Pacôme (*Pachomius*), ermite égyptien du 4e siècle, qui fonda quelques communautés monastiques.

[5] **Pas un vitrail debout:** il n'y avait pas une seule fenêtre qui n'eût ses carreaux (*panes*) brisés.

[6] **le vent du Rhône:** le mistral, vent violent, sec et froid, qui souffle du nord au sud dans la vallée du Rhône.

[7] **soufflait comme en Camargue:** soufflait sans rien qui s'opposât à son passage, comme dans la plaine très ouverte de la Camargue, entre les deux bras principaux du Rhône, à son embouchure (*mouth.*)

[8] **La Fête-Dieu** est la fête du Saint Sacrement de l'Eucharistie (*the Eucharist, Corpus Christi*); elle est fixée au deuxième jeudi après la Pentecôte.

[9] **Le citre** n'est pas un citron, mais une sorte de citrouille (*pumpkin*); le nom est employé en Provence, mais il est inconnu dans le reste de la France.

confrérie [1] en pleuraient de pitié dans les rangs, et les gros
porte-bannière [2] ricanaient entre eux tout bas en se montrant les pauvres moines:

— Les étourneaux vont maigres quand ils vont en
5 troupe.[3]

Le fait est que les infortunés Pères blancs en étaient
arrivés eux-mêmes à se demander s'ils ne feraient pas
mieux de prendre leur vol à travers le monde et de chercher
pâture chacun de son côté.

10   Or, un jour que cette grave question se débattait dans
le chapitre, on vint annoncer au prieur que le frère Gaucher
demandait à être entendu au conseil . . . Vous saurez pour
votre gouverne que ce frère Gaucher était le bouvier du
couvent; c'est-à-dire qu'il passait ses journées à rouler
15 d'arcade en arcade dans le cloître, en poussant devant lui
deux vaches étiques qui cherchaient l'herbe aux fentes des
pavés.   Nourri jusqu'à douze ans par une vieille folle du
pays des Baux,[4] qu'on appelait tante Bégon, recueilli
depuis chez les moines, le malheureux bouvier n'avait
20 jamais pu rien apprendre qu'à conduire ses bêtes et à
réciter son *Pater noster;* encore le disait-il en provençal,[5]
car il avait la cervelle dure et l'esprit comme une dague de
plomb.[6]   Fervent chrétien du reste, quoiqu'un peu visionnaire, à l'aise sous le cilice et se donnant la discipline avec
25 une conviction robuste, et des bras [7] . . . !

---

[1] **la confrérie:** la confrérie (*sisterhood, brotherhood*) du Saint
Sacrement (*Eucharist*).

[2] **les porte-bannière:** les hommes qui portaient à tour de rôle
(*took turns carrying*) la bannière du Saint Sacrement.

[3] **Les étourneaux vont maigres quand ils vont en troupe:** *starlings
go thin when they go in flocks.*   Plus on est nombreux, moins la part
de chacun est grande.   Les étourneaux aiment beaucoup les fruits,
cerises, raisins, etc.

[4] **Les Baux** [bo]: vieille ville en ruines au sommet d'une montagne, à 15 milles au sud d'Avignon; très curieuse à visiter.   C'est
là que l'on a trouvé, pour la première fois, le minerai (*ore*) d'aluminium appelé la **bauxite.**

[5] **Le provençal** est le dialecte de la Provence; il ressemble à
l'italien et à l'espagnol.

[6] **il avait l'esprit comme une dague de plomb:** *his mind was as
sharp as a leaden dagger, he was dull-witted.*

[7] **et des bras . . . !:** et des bras très forts, *and such arms!*

Quand on le vit entrer dans la salle du chapitre, simple et balourd, saluant l'assemblée la jambe en arrière, prieur, chanoines, argentier,[1] tout le monde se mit à rire. C'était toujours l'effet que produisait, quand elle arrivait quelque part, cette bonne face grisonnante avec sa barbe de chèvre [2] 5 et ses yeux un peu fous; aussi le frère Gaucher ne s'en émut pas.

— Mes révérends, fit-il d'un ton bonasse en tortillant son chapelet de noyaux d'olives, on a bien raison de dire que ce sont les tonneaux vides qui chantent le mieux. Figurez- 10 vous qu'à force de creuser ma pauvre tête déjà si creuse, je crois que j'ai trouvé le moyen de nous tirer tous de peine.

» Voici comment. Vous savez bien tante Bégon, cette brave femme qui me gardait quand j'étais petit. (Dieu ait son âme, la vieille coquine! Elle chantait de bien vilaines 15 chansons après boire.) Je vous dirai donc, mes révérends pères, que tante Bégon, de son vivant, se connaissait aux herbes de montagnes autant et mieux qu'un vieux merle de Corse. Voire, elle avait composé sur la fin de ses jours un élixir incomparable en mélangeant cinq ou six espèces 20 de simples que nous allions cueillir ensemble dans les Alpilles.[3] Il y a belles années [4] de cela; mais je pense qu'avec l'aide de saint Augustin [5] et la permission de notre père abbé, je pourrais — en cherchant bien — retrouver la composition de ce mystérieux élixir. Nous n'aurions plus 25 alors qu'à le mettre en bouteilles, et à le vendre un peu cher, ce qui permettrait à la communauté de s'enrichir doucettement, comme ont fait nos frères de la Trappe [6] et de la Grande . . .[7]

---

[1] **argentier:** économe, *bursar, treasurer.*

[2] **sa barbe de chèvre:** sa barbiche, *its goatee.*

[3] **Les Alpilles** [alpij], ou Alpines, forment une petite chaîne de montagnes dans la région des Baux, au sud d'Avignon.

[4] **Il y a belles années:** il y a bien des années.

[5] **saint Augustin:** évêque de l'Afrique du Nord, au cinquième siècle; il fonda l'ordre des augustins, dont les prémontrés suivaient la règle.

[6] **La Trappe** [trap] est une abbaye fondée au douzième siècle au nord de Mortagne, en Normandie; les religieux, appelés trappistes, observent la règle du silence. Il y a des monastères appelés « Trappes » un peu partout dans le monde catholique. Il y en a au Canada et aux États-Unis.

[7] **La Grande-Chartreuse:** voyez la note 3, p. 72.

Il n'eut pas le temps de finir. Le prieur s'était levé pour
lui sauter au cou. Les chanoines lui prenaient les mains.
L'argentier, encore plus ému que tous les autres, lui bai-
sait avec respect le bord tout effrangé de sa cucule. Puis
5 chacun revint à sa chaire pour délibérer; et, séance tenante,
le chapitre décida qu'on confierait les vaches au frère
Thrasybule,[1] pour que le frère Gaucher pût se donner tout
entier à la confection de son élixir.

Comment le bon frère parvint-il à retrouver la recette
10 de tante Bégon ? au prix de quels efforts ? au prix de quelles
veilles ? L'histoire ne le dit pas. Seulement, ce qui est
sûr, c'est qu'au bout de six mois, l'élixir des Pères blancs
était déjà très populaire. Dans tout le Comtat,[2] dans tout
le pays d'Arles,[3] pas un *mas*, pas une grange qui n'eût au
15 fond de sa *dépense*, entre les bouteilles de vin cuit et les
jarres d'olives à la picholine, un petit flacon de terre brune
cacheté aux armes de Provence,[4] avec un moine en extase
sur une étiquette d'argent. Grâce à la vogue de son élixir,
la maison des Prémontrés s'enrichit très rapidement.
20 On releva la tour Pacôme. Le prieur eut une mitre neuve,
l'église de jolis vitraux ouvragés; et, dans la fine dentelle
du clocher, toute une compagnie de cloches et de clochettes
vint s'abattre, un beau matin de Pâques, tintant et
carillonnant à la grande volée.

25 Quant au frère Gaucher, ce pauvre frère lai dont les
rusticités égayaient tant le chapitre, il n'en fut plus question dans le couvent. On ne connut plus désormais que le
Révérend Père Gaucher, homme de tête et de grand savoir,
qui vivait complètement isolé des occupations si menues et
30 si multiples du cloître, et s'enfermait tout le jour dans sa

---

[1] **Thrasybule** [trazibyl].

[2] **Le Comtat** [kɔ̃ta]: le Comtat Venaissin, le comté (*county*) à l'est
d'Avignon; il appartenait aux papes et fut annexé à la France, ainsi
qu'Avignon, en 1791.

[3] **Arles** [arl] est une jolie ville, célèbre par ses antiquités romaines
(arènes, théâtre) et son église Saint-Trophime; la gare et le voisinage
ont été fort endommagés (*damaged*) par l'aviation américaine en
1944; ses richesses architecturales sont intactes. C'est à Arles que
le peintre Van Gogh a peint ses meilleurs tableaux.

[4] **La Provence** fut autrefois un royaume (royaume d'Arles), puis
un comté (*earldom*); ses armes sont un écu (*shield*) avec des bandes
(*stripes*) verticales.

distillerie, pendant que trente moines battaient la montagne pour lui chercher des herbes odorantes... Cette distillerie, où personne, pas même le prieur, n'avait le droit de pénétrer, était une ancienne chapelle abandonnée, tout au bout du jardin des chanoines. La simplicité des 5 bons pères en avait fait quelque chose de mystérieux et de formidable; et si, par aventure, un moinillon hardi et curieux, s'accrochant aux vignes grimpantes, arrivait jusqu'à la rosace du portail, il en dégringolait bien vite, effaré d'avoir vu le Père Gaucher, avec sa barbe de 10 nécromant, penché sur ses fourneaux, le pèse-liqueur à la main; puis, tout autour, des cornues de grès rose, des alambics gigantesques, des serpentins de cristal, tout un encombrement bizarre qui flamboyait ensorcelé dans la lueur rouge des vitraux. 15

Au jour tombant, quand sonnait le dernier angélus, la porte de ce lieu de mystère s'ouvrait discrètement, et le révérend se rendait à l'église pour l'office du soir. Il fallait voir quel accueil [1] quand il traversait le monastère! Les frères faisaient la haie sur son passage. On disait: 20

— Chut!... il a le secret!

L'argentier le suivait et lui parlait la tête basse... Au milieu de ces adulations, le père s'en allait en s'épongeant le front, son tricorne aux larges bords posé en arrière comme une auréole, regardant autour de lui d'un air de 25 complaisance les grandes cours plantées d'orangers, les toits bleus où tournaient des girouettes neuves, et, dans le cloître éclatant de blancheur, — entre les colonnettes élégantes et fleuries, — les chanoines habillés de frais [2] qui défilaient deux par deux avec des mines reposées. 30

— C'est à moi qu'ils doivent tout cela! se disait le révérend en lui-même; et chaque fois cette pensée lui faisait monter des bouffées d'orgueil.

Le pauvre homme en fut bien puni. Vous allez voir. 35

Figurez-vous qu'un soir, pendant l'office, il arriva à l'église dans une agitation extraordinaire: rouge, essoufflé,

---

[1] **quel accueil:** quel accueil on lui faisait, *what a welcome they gave him.*

[2] **habillés de frais:** habillés de neuf, *dressed in new robes.*

le capuchon de travers, et si troublé qu'en prenant de l'eau
bénite il y trempa ses manches jusqu'au coude. On crut
d'abord que c'était l'émotion d'arriver en retard; mais
quand on le vit faire de grandes révérences à l'orgue et aux
5 tribunes au lieu de saluer le maître-autel, traverser l'église
en coup de vent, errer dans le chœur pendant cinq minutes
pour chercher sa stalle, puis une fois assis, s'incliner de
droite et de gauche en souriant d'un air béat, un murmure
d'étonnement courut dans les trois nefs. On chuchotait de
10 bréviaire à bréviaire:

— Qu'a donc notre Père Gaucher? Qu'a donc notre
Père Gaucher?

Par deux fois le prieur, impatienté, fit tomber[1] sa crosse
sur les dalles pour commander le silence... Là-bas, au
15 fond du chœur, les psaumes allaient toujours; mais les
répons manquaient d'entrain...

Tout à coup, au beau milieu de l'*Ave verum*,[2] voilà mon
Père Gaucher qui se renverse dans sa stalle et entonne
d'une voix éclatante:

20   Dans Paris, il y a un Père blanc,
                 Patatin, patatan, tarabin, taraban...[3]

Consternation générale. Tout le monde se lève. On
crie:

— Emportez-le..., il est possédé!

25 Les chanoines se signent. La crosse de monseigneur se
démène. Mais le Père Gaucher ne voit rien, n'écoute rien;
et deux moines vigoureux sont obligés de l'entraîner par la
petite porte du chœur, se débattant comme un exorcisé et
continuant de plus belle ses *patatin* et ses *taraban*.

30 Le lendemain, au petit jour, le malheureux était à
genoux dans l'oratoire du prieur, et faisait sa *coulpe* avec
un ruisseau de larmes:

— C'est l'élixir, Monseigneur, c'est l'élixir qui m'a
surpris, disait-il en se frappant la poitrine. Et de le voir si
35 marri, si repentant, le bon prieur en était tout ému lui-
même.

---

[1] **fit tomber:** frappa, *beat.*

[2] **Ave verum corpus:** *Hail, true body;* c'est un hymne.

[3] **Patatin...taraban:** ces mots, comme **tra la la,** ne signifient
rien.

— Allons, allons, Père Gaucher, calmez-vous; tout cela
séchera comme la rosée au soleil. Après tout, le scandale
n'a pas été aussi grand que vous pensez. Il y a bien eu la
chanson qui était un peu ... hum! hum!... Enfin il faut
espérer que les novices ne l'auront pas entendue... A   5
présent, voyons, dites-moi bien comment la chose vous est
arrivée... C'est en essayant l'élixir, n'est-ce pas? Vous
aurez eu la main trop lourde [1]... Oui, oui, je comprends...
C'est comme le frère Schwartz, l'inventeur de la poudre:
vous avez été victime de votre invention [2]... Et dites-moi, 10
mon brave ami, est-il bien nécessaire que vous l'essayiez
sur vous-même, ce terrible élixir?

— Malheureusement, oui, Monseigneur; l'éprouvette
me donne bien la force et le degré de l'alcool; mais pour le
fini, le velouté, je ne me fie guère qu'à ma langue.   15

— Ah! très bien... Mais écoutez encore un peu que je
vous dise [3]... Quand vous goûtez ainsi l'élixir par nécessité, est-ce que cela vous semble bon? Y prenez-vous du
plaisir?

— Hélas! oui, Monseigneur, fit le malheureux Père en 20
devenant tout rouge. Voilà deux soirs que je lui trouve un
bouquet, un arome!... C'est pour sûr le démon qui m'a
joué ce vilain tour. Aussi je suis bien décidé désormais à
ne plus me servir que de l'éprouvette. Tant pis si la liqueur
n'est pas assez fine, si elle ne fait pas assez la perle. [4]   25

— Gardez-vous-en bien, interrompit le prieur avec
vivacité. [5] Il ne faut pas s'exposer à mécontenter la
clientèle. Tout ce que vous avez à faire maintenant que
vous voilà prévenu, c'est de vous tenir sur vos gardes...

---

[1] **Vous aurez eu la main trop lourde**: vous vous êtes probablement
trop versé de liqueur pour le goûter, *you probably poured yourself too
much liquor, to sample it.*

[2] Ce n'est pas le religieux allemand Berthold Schwartz [ʃvarts]
(1318-1384?), qui a inventé la poudre, mais les Chinois; cependant
Schwartz fit les premiers canons de bronze; la république de Venise
les employa. Le Sénat de Venise le fit mettre à mort parce qu'il
demandait trop d'argent pour ses services.

[3] **que je vous dise**: que je vous dise quelque chose.

[4] **si elle ne fait pas assez la perle**: si elle n'est pas couverte d'assez
belles bulles (*bubbles*) après qu'on l'a remuée (*stirred*).

[5] **avec vivacité**: *hastily*, pas *a bit sharply*, comme expliquent
certains.

Voyons, qu'est-ce qu'il vous faut pour vous rendre compte ?
. . . Quinze ou vingt gouttes, n'est-ce pas ? . . . mettons [1]
vingt gouttes. Le diable sera bien fin s'il vous attrape
avec vingt gouttes . . . D'ailleurs, pour prévenir [2] tout
5 accident, je vous dispense dorénavant de venir à l'église.
Vous direz l'office du soir dans la distillerie . . . Et maintenant, allez en paix, mon Révérend, et surtout . . . comptez
bien vos gouttes.

Hélas ! le pauvre Révérend eut beau compter ses gouttes,
10 le démon le tenait, et ne le lâcha plus.

C'est la distillerie qui entendit de singuliers offices !

Le jour, encore, tout allait bien. Le Père était assez
calme: il préparait ses réchauds, ses alambics, triait
soigneusement ses herbes, toutes herbes de Provence, fines,
15 grises, dentelées, brûlées de parfums et de soleil. Mais, le
soir, quand les simples étaient infusées [3] et que l'élixir
tiédissait dans de grandes bassines de cuivre rouge, le
martyre du pauvre homme commençait.

— . . . Dix-sept . . . dix-huit . . . dix-neuf . . . vingt ! . . .
20 Les gouttes tombaient du chalumeau dans le gobelet de
vermeil.[4] Ces vingt-là, le père les avalait d'un trait,
presque sans plaisir. Il n'y avait que la vingt et unième
qui lui faisait envie. Oh ! cette vingt et unième goutte ! . . .
Alors, pour échapper à la tentation, il allait s'agenouiller
25 tout au bout du laboratoire et s'abîmait dans ses patenôtres.[5] Mais de la liqueur encore chaude il montait
une petite fumée [6] toute chargée d'aromates, qui venait
rôder autour de lui et, bon gré mal gré, le ramenait vers les
bassines . . . La liqueur était d'un beau vert doré. Penché
30 dessus, les narines ouvertes, le père la remuait tout doucement avec son chalumeau, et dans les petites paillettes
étincelantes que roulait le flot d'émeraude, il lui semblait
voir les yeux de tante Bégon qui riaient et pétillaient en le
regardant.

[1] mettons: *let's say.*
[2] pour prévenir: *to forestall.*
[3] étaient infusées: avaient été trempées (*soaked*) dans la liqueur
chaude.
[4] le gobelet de vermeil: *the silver-gilt goblet* (*cup*).
[5] ses patenôtres: ses *pater noster*, ses prières.
[6] il montait une petite fumée: une petite fumée montait.

— Allons! encore une goutte!

Et de goutte en goutte, l'infortuné finissait par avoir son gobelet plein jusqu'au bord. Alors, à bout de forces, il se laissait tomber dans un grand fauteuil, et, le corps abandonné, la paupière à demi close, il dégustait son péché 5 par petits coups, en se disant tout bas avec un remords délicieux:

— Ah! je me damne [1]..., je me damne.

Le plus terrible, c'est qu'au fond de cet élixir diabolique, il retrouvait, par je ne sais quel sortilège, toutes les vilaines 10 chansons de tante Bégon: *Ce sont trois petites commères qui parlent de faire un banquet* ou: *Bergerette de maître* [2] *André s'en va-t-au bois* [3] *seulette*, et toujours la fameuse des Pères blancs [4]: *Patatin patatan*.

Pensez quelle confusion le lendemain, quand ses voisins 15 de cellule lui faisaient [5] d'un air malin:

— Eh! eh! Père Gaucher, vous aviez des cigales en tête,[6] hier soir en vous couchant.

Alors c'étaient des larmes, des désespoirs, et le jeûne, et le cilice, et la discipline. Mais rien ne pouvait [7] contre 20 le démon de l'élixir; et tous les soirs, à la même heure, la possession recommençait.

Pendant ce temps, les commandes pleuvaient à l'abbaye que c'était une bénédiction. Il en venait de Nîmes, d'Aix, d'Avignon, de Marseille. De jour en jour le couvent 25 prenait un petit air de manufacture. Il y avait des frères emballeurs, des frères étiqueteurs, d'autres pour les écritures, d'autres pour le camionnage; le service de Dieu y perdait bien par-ci par-là quelques coups de cloches, mais

---

[1] **je me damne** [dan]: je vais aller en enfer (*hell*).

[2] **maître**: fermier.

[3] **s'en va-t-au bois**: s'en va au bois; le-t-est une liaison d'illettré.

[4] **la fameuse des Pères blancs**: la fameuse chanson au sujet des Pères blancs.

[5] **lui faisaient**: lui disaient.

[6] **des cigales**: *locusts, cicadas*. La cigale est le symbole de la chanson, de la musique, de la vie gaie, imprévoyante (*improvident*); le mâle produit des notes stridentes (*shrill*) en faisant vibrer des membranes qu'il a sous l'abdomen. **Vous aviez des cigales en tête**: *you had chirping crickets (you had canaries) in your head.*

[7] **rien ne pouvait**: rien ne pouvait agir, *nothing availed.*

les pauvres gens du pays n'y perdaient rien, je vous en réponds.

Et donc, un beau dimanche matin, pendant que l'argentier lisait en plein chapitre son inventaire de fin d'année 5 et que les bons chanoines l'écoutaient les yeux brillants et le sourire aux lèvres, voilà le Père Gaucher qui se précipite au milieu de la conférence en criant:

— C'est fini. Je n'en fais plus. Rendez-moi mes vaches.

— Qu'est-ce qu'il y a donc, Père Gaucher? demanda le 10 prieur, qui se doutait bien un peu de ce qu'il y avait.

— Ce qu'il y a, Monseigneur? Il y a que je suis en train de me préparer une belle éternité de flammes et de coups de fourche. Il y a que je bois, que je bois comme un misérable.

15 — Mais je vous avais dit de compter vos gouttes.

— Ah! bien oui, compter mes gouttes! c'est par gobelets qu'il faudrait compter maintenant. Oui, mes Révérends, j'en suis là. Trois fioles par soirée. Vous comprenez bien que cela ne peut pas durer. Aussi, faites faire l'élixir par 20 qui vous voudrez. Que le feu de Dieu me brûle si je m'en mêle encore!

C'est le chapitre qui ne riait plus.

— Mais, malheureux, vous nous ruinez! criait l'argentier en agitant son grand-livre.

25 — Préférez-vous que je me damne?

Pour lors, le prieur se leva.

— Mes Révérends, dit-il en étendant sa belle main blanche où luisait l'anneau pastoral, il y a moyen de tout arranger. C'est le soir, n'est-ce pas, mon cher fils, que le 30 démon vous tente?

— Oui, monsieur le prieur, régulièrement tous les soirs. Aussi, maintenant, quand je vois arriver la nuit, j'en ai, sauf votre respect, les sueurs qui me prennent, comme l'âne de Capitou quand il voyait venir le bât.[1]

35 — Eh bien! rassurez-vous. Dorénavant, tous les soirs, à l'office, nous réciterons à votre intention l'oraison de saint

---

[1] **l'âne de Capitou:** l'âne du chapitre (des moines); Capitou est le mot provençal pour « chapitre »; la comparaison se rapporte à ce proverbe provençal: « Il est comme l'âne de Capitou; il fuit (*runs away*) en voyant venir le bât (*packsaddle*). »

Augustin, à laquelle l'indulgence plénière est attachée.
Avec cela, quoi qu'il arrive, vous êtes à couvert. C'est
l'absolution pendant le péché.

— Oh bien ! alors, merci, monsieur le prieur !

Et, sans en demander davantage, le Père Gaucher retourna à ses alambics, aussi léger qu'une alouette.

Effectivement, à partir de ce moment-là, tous les soirs, à
la fin des complies,[1] l'officiant ne manquait jamais de dire:

— Prions pour notre pauvre Père Gaucher, qui sacrifie
son âme aux intérêts de la communauté. *Oremus Do-*
mine[2] . . .

Et pendant que sur toutes ces capuches blanches, pro-
sternées dans l'ombre des nefs, l'oraison courait en frémissant comme une petite bise sur la neige, là-bas, tout au
bout du couvent, derrière le vitrage enflammé de la distillerie, on entendait le père Gaucher qui chantait à tue-
tête:

> Dans Paris il y a un Père blanc,
> Patatin, patatan, taraban, tarabin;
> Dans Paris il y a un Père blanc
> Qui fait danser des moinettes,
> Trin, trin, trin,[3] dans un jardin;
> Qui fait danser des . . .

. . . Ici le bon curé s'arrêta plein d'épouvante:
— Miséricorde ! si mes paroissiens m'entendaient !

---

[1] **Les complies** (*compline*) sont la dernière partie du service après
les vêpres (*vespers*).

[2] *Oremus Domine: Let us pray, O Lord.*

[3] **Trin, trin, trin:** mots qui ne veulent rien dire; ils ont été in-
troduits pour faire une sorte de rime (*rhyme*) à **jardin, tarabin.**

Alphonse Daudet

DE TOUS LES jolis dictons, proverbes ou adages, dont nos
paysans de Provence passementent[1] leurs discours, je
n'en sais pas un plus pittoresque ni plus singulier que
celui-ci. A quinze lieues autour de mon moulin, quand on
5 parle d'un homme rancunier, vindicatif, on dit: « Cet
homme-là! méfiez-vous! il est comme la mule[2] du Pape,
qui garde sept ans son coup de pied.»[3]

J'ai cherché bien longtemps d'où ce proverbe pouvait
venir, ce que c'était que cette mule papale et ce coup de
10 pied gardé pendant sept ans. Personne ici n'a pu me renseigner à ce sujet, pas même Francet Mamaï,[4] mon joueur
de fifre, qui connaît pourtant son légendaire provençal sur
le bout du doigt.[5] Francet pense, comme moi, qu'il y a
là-dessous quelque ancienne chronique du pays d'Avignon;
15 mais il n'en a jamais entendu parler autrement que par le
proverbe.

— Vous ne trouverez cela qu'à la bibliothèque des Cigales,[6] m'a dit le vieux fifre en riant.

L'idée m'a paru bonne, et comme la bibliothèque des
20 Cigales est à ma porte, je suis allé m'y enfermer pendant
huit jours.

C'est une bibliothèque merveilleuse, admirablement
montée, ouverte aux poètes jour et nuit, et desservie par de

[1] **passementent**: ornent, *adorn*. Passementer c'est orner de passe-
ments (*gold, silver or silk lace*).

[2] **la mule**: le français a deux mots pour **mule**; le mâle s'appelle **le
mulet** et la femelle **la mule**.

[3] **son coup de pied**: *her kick.*

[4] **Francet Mamaï** [frãsɛ mamai].

[5] **connaître sur le bout du doigt**: connaître sur le bout des doigts,
to have at one's finger tips.

[6] **la bibliothèque des Cigales**: *the Crickets' Library*, le grand livre
de la nature, *in the fields, outdoors.*

84

petits bibliothécaires à cymbales [1] qui vous font de la
musique tout le temps. J'ai passé là quelques journées
délicieuses, et, après une semaine de recherches — sur le
dos — j'ai fini par découvrir ce que je voulais, c'est-à-dire
l'histoire de ma mule et de ce fameux coup de pied gardé   5
pendant sept ans. Le conte en est joli quoique un peu naïf,
et je vais essayer de vous le dire tel que je l'ai lu hier matin
dans un manuscrit couleur du temps,[2] qui sentait bon la
lavande sèche et avait de grands fils de la Vierge pour
signets.[3]   10

Qui n'a pas vu Avignon du temps des Papes,[4] n'a rien vu.
Pour la gaieté, la vie, l'animation, le train des fêtes,[5] jamais
une ville pareille. C'étaient, du matin au soir, des proces-
sions, des pèlerinages, les rues jonchées de fleurs, tapissées
de hautes lices,[6] des arrivages[7] de cardinaux par le Rhône, 15
bannières au vent, galères pavoisées,[8] les soldats du Pape
qui chantaient du latin sur les places, les crécelles des frères

---

[1] **bibliothécaires à cymbales:** *librarians with cymbals.* Ces bibliothécaires sont les cigales dont les mâles portent des tambours
(*drums*) sur le ventre (*stomach*).

[2] **couleur du temps:** *the color of the weather.* Ce manuscrit
est la campagne (*the countryside*) dont la couleur change avec le
temps.

[3] **de grands fils** [fil] **de la Vierge pour signets** [sinɛ]: *long gossa-
mer threads for markers.* Les fils de la Vierge (*Virgin's Threads*) sont
appelés ainsi parce que les paysans disent qu'ils viennent de la
quenouille (*distaff*) de la Vierge.

[4] **Avignon du temps des Papes:** En 1309 le roi de France, Philippe
le Bel (*Philip the Fair*) était si fort que son protégé, le pape Clément V,
s'installa dans le palais de l'évêque à Avignon, dans le Comtat-
Venaissin qui appartint aux papes jusqu'en 1791. Ses successeurs
agrandirent et embellirent ce palais qui reste aujourd'hui un magnifique spécimen d'architecture militaire. C'est maintenant un
musée. A partir de 1378 il y eut le Grand Schisme [ʃism] (*Great
Schism*) avec deux papes, l'un à Avignon, l'autre à Rome, et en 1409
il y en eut un troisième; enfin, en 1414, Martin V fut élu seul pape et
resta à Rome.

[5] **le train des fêtes:** *the number and spirit of the festivals.*

[6] **tapissées de hautes lices:** *hung with expensive tapestries;* **haute
lice:** *high (vertical) warp.*

[7] **des arrivages:** *consignments.* L'arrivage est l'arrivée des mar-
chandises; le mot est ici humoristique (*humorous*).

[8] **galères pavoisées:** *galleys dressed (decked) with flags.*

quêteurs [1]; puis, du haut en bas des maisons qui se pres-
saient en bourdonnant autour du grand palais papal comme
des abeilles autour de leur ruche, c'était encore le tic tac
des métiers à dentelles, le va-et-vient des navettes tissant
5 l'or des chasubles,[2] les petits marteaux des ciseleurs de
burettes,[3] les tables d'harmonie qu'on ajustait chez les
luthiers, les cantiques des ourdisseuses [4]; par là-dessus le
bruit des cloches, et toujours quelques tambourins qu'on
entendait ronfler, là-bas, du côté du pont. Car chez nous,
10 quand le peuple est content, il faut qu'il danse, il faut
qu'il danse; et comme en ce temps-là les rues de la ville
étaient trop étroites pour la farandole,[5] fifres et tambourins
se postaient sur le pont d'Avignon, au vent frais du Rhône,
et jour et nuit l'on y dansait, l'on y dansait [6] . . . Ah !
15 l'heureux temps ! l'heureuse ville ! Des hallebardes qui ne
coupaient pas; des prisons d'État où l'on mettait le vin à
rafraîchir. Jamais de disette [7]; jamais de guerre. Voilà

---

[1] **les crécelles des frères quêteurs:** *the wooden rattles of the mendicant friars.*

[2] **navettes tissant l'or des chasubles:** *shuttles weaving in the gold
of the chasubles.* La chasuble est le manteau de soie ou de drap d'or
que porte le prêtre pour dire la messe.

[3] **ciseleurs de burettes:** *cruet chasers (carvers).*

[4] **les cantiques des ourdisseuses:** *the hymns (canticles) of the
women warpers.* Les ourdisseuses ourdissent, c'est-à-dire qu'elles
mettent parallèlement sur une machine les longs fils (*threads*), avant
le tissage (*weaving.*)

[5] **la farandole:** *the farandole.* La farandole est une danse provençale très animée que de nombreux danseurs exécutent en formant une
longue ligne et en se tenant par la main.

[6] **l'on y dansait:** Il faut ici rappeler la chanson populaire célèbre:

> Sur le pont d'Avignon,
> L'on y danse, l'on y danse,
> Sur le pont d'Avignon,
> L'on y danse tous en rond.

Ce vieux pont d'Avignon est comme le vieux pont de Londres de
Ma Mère l'Oie (*Mother Goose*), cassé; quelques arches ont été emportées par le Rhône. Il a été remplacé par un pont suspendu
(*suspension bridge*), détruit en 1944 par les bombardements américains, et aujourd'hui réparé.

[7] **Jamais de disette:** *there never were any shortages (never was any
dearth).*

comment les Papes du Comtat [1] savaient gouverner leur
peuple; voilà pourquoi leur peuple les a tant regrettés !

Il y en a un surtout, un bon vieux, qu'on appelait Boniface.[2] Oh ! celui-là, que de larmes on a versées en Avignon [3]
quand il est mort ! C'était un prince si aimable, si avenant ! 5
Il vous riait si bien [4] du haut de sa mule ! Et quand vous
passiez près de lui — fussiez-vous [5] un pauvre petit tireur
de garance [6] ou le grand viguier [7] de la ville — il vous
donnait sa bénédiction si poliment !   Un vrai pape
d'Yvetot,[8] mais d'un Yvetot de Provence, avec quelque 10
chose de fin dans le rire, un brin de marjolaine à sa barrette,[9] et pas la moindre Jeanneton.[10] La seule Jeanneton
qu'on lui ait jamais connue, à ce bon père, c'était sa vigne,

---

[1] **Comtat:** *Avignon County.*

[2] **Boniface:** il y a eu neuf papes appelés Boniface, mais aucun n'a
habité à Avignon.

[3] **en Avignon:** à Avignon. Autrefois on employait *en* devant un
nom de ville, surtout quand ce nom commençait par une voyelle; aujourd'hui il faut employer *à*.

[4] **Il vous riait si bien:** il riait si bien, *he laughed so heartily;* **vous**
n'est pas nécessaire; il est **explétif,** mais il rend la phrase plus
vivante.

[5] **fussiez-vous:** même si vous étiez, *even though you were.*

[6] **tireur de garance:** homme dont le métier (*occupation*) est d'arracher (*pull up*) la garance (*madder plants*), madder puller.   La
racine (*root*) de la garance donne une belle teinture (*dye*) rouge.

[7] **grand viguier** [vigje]; grand juge, *high judge.*

[8] **un vrai pape d'Yvetot** [ivto]: *a most debonair Pope.* Yvetot est
une petite ville de Normandie à 20 milles au nord-ouest de Rouen. Elle
a été rendue fameuse par une chanson de Béranger (1813) qui décrit
un roi d'Yvetot, sorte de *Old King Cole:*

> Il était un roi d'Yvetot,
> Peu connu dans l'histoire,
> Se levant tard, se couchant tôt,
> Dormant fort bien sans gloire;
> Et couronné par Jeanneton (*country waitress, sweetheart*)
> D'un simple bonnet de coton (*nightcap*).

Les seigneurs d'Yvetot ont porté le titre de « roi » du 14ᵉ au 16ᵉ
siècles.

[9] **un brin de marjolaine à sa barrette:** *a sprig of sweet marjoram
(sort of mint) in his biretta (square cap worn by Roman Catholic
clergymen).*

[10] **pas la moindre Jeanneton:** (voyez la chanson): *not even one
little Jane to love (one little love).*

— une petite vigne qu'il avait plantée lui-même, à trois
lieues d'Avignon, dans les myrtes de Châteauneuf.[1]

Tous les dimanches, en sortant de vêpres, le digne homme
allait lui faire sa cour; et quand il était là-haut, assis au
5 bon soleil, sa mule près de lui, ses cardinaux tout autour
étendus aux pieds des souches,[2] alors il faisait déboucher
un flacon de vin du cru,[3] — ce beau vin, couleur de rubis
qui s'est appelé depuis le châteauneuf-du-Pape, — et il le
dégustait par petits coups, en regardant sa vigne d'un air
10 attendri.   Puis, le flacon vidé, le jour tombant, il rentrait
joyeusement à la ville, suivi de tout son chapitre; et,
lorsqu'il passait sur le pont d'Avignon, au milieu des tambours et des farandoles, sa mule, mise en train par la
musique, prenait un petit amble sautillant,[4] tandis que
15 lui-même il marquait le pas de la danse avec sa barrette,
ce qui scandalisait fort ses cardinaux, mais faisait dire à
tout le peuple: « Ah ! le bon prince ! Ah ! le brave pape ! »

Après sa vigne de Châteauneuf, ce que le pape aimait
le plus au monde, c'était sa mule.   Le bonhomme en
20 raffolait de cette bête-là.   Tous les soirs avant de se coucher
il allait voir si son écurie était bien fermée, si rien ne
manquait dans sa mangeoire, et jamais il ne se serait levé
de table sans faire préparer sous ses yeux un grand bol de
vin à la française, avec beaucoup de sucre et d'aromates,
25 qu'il allait lui porter lui-même, malgré les observations de
ses cardinaux.   Il faut dire aussi que la bête en valait la
peine.   C'était une belle mule noire mouchetée de rouge,
le pied sûr, le poil luisant, la croupe large et pleine, portant
fièrement sa petite tête sèche toute harnachée de pompons,
30 de nœuds, de grelots d'argent, de bouffettes [5]; avec cela

[1] **Châteauneuf**: Châteauneuf-du-Pape, village au nord d'Avignon;
son château, aujourd'hui en ruines, était la résidence d'été des papes
d'Avignon; son vin est fameux.

[2] **souches**: souches de vigne, *vine stocks*.

[3] **vin du cru**: *wine from that vineyard, home-grown wine.*

[4] **prenait un petit amble sautillant**: *would fall into a little skipping
amble.* Un animal qui va l'amble (*m.*) se déplace en levant en même
temps les deux pattes du même côté.

[5] **tête sèche toute harnachée de pompons, de nœuds, de grelots
d'argent, de bouffettes**: *skinny head all rigged out with pompons,
bows, silver bells and rosettes* (*ribbon knots*).

douce comme un ange, l'œil naïf, et deux longues oreilles,
toujours en branle, qui lui donnaient l'air bon enfant.[1]
Tout Avignon la respectait, et, quand elle allait dans les
rues, il n'y avait pas de bonnes manières qu'on ne lui fît[2];
car chacun savait que c'était le meilleur moyen d'être bien   5
en cour, et qu'avec son air innocent, la mule du Pape en
avait mené plus d'un à la fortune, à preuve Tistet Védène
et sa prodigieuse aventure.

Ce Tistet Védène était, dans le principe, un effronté
galopin, que son père, Guy Védène, le sculpteur d'or, avait   10
été obligé de chasser de chez lui, parce qu'il ne voulait
rien faire et débauchait les apprentis. Pendant six mois,
on le vit traîner sa jaquette dans tous les ruisseaux[3]
d'Avignon, mais principalement du côté de la maison
papale; car le drôle avait depuis longtemps son idée sur la   15
mule du Pape, et vous allez voir que c'était quelque chose
de malin.

Un jour que Sa Sainteté se promenait toute seule sous
les remparts avec sa bête, voilà mon Tistet qui l'aborde,
et lui dit en joignant les mains d'un air d'admiration: 20

— Ah mon Dieu! grand Saint-Père, quelle brave mule
vous avez là! Laissez un peu que je la regarde. Ah! mon
Pape,[4] la belle mule! L'empereur d'Allemagne n'en a pas
une pareille.

Et il la caressait, et il lui parlait doucement comme à   25
une demoiselle:

— Venez çà,[5] mon bijou, mon trésor, ma perle fine.

Et le bon Pape, tout ému, se disait dans lui-même[6]:

— Quel bon petit garçonnet! Comme il est gentil avec
ma mule!   30

Et puis le lendemain savez-vous ce qui arriva? Tistet
Védène troqua sa vieille jaquette jaune contre une belle

---

[1] l'air bon enfant: *a good-natured look.*

[2] il n'y avait pas de bonnes manières qu'on ne lui fît: *every
civility was shown her.*

[3] traîner sa jaquette dans tous les ruisseaux: (*lit. to drag his smock
through the gutters*), *to gallivant all over the town.* On dit plutôt
« traîner ses savates (*old slippers*) ».

[4] mon Pape: votre Sainteté, *your Holiness.*

[5] Venez çà: venez ici.

[6] dans lui-même: en lui-même, *to himself.*

aube en dentelles, un camail de soie violette, des souliers
à boucles, et il entra dans la maîtrise du Pape, où jamais
avant lui on n'avait reçu que des fils de nobles et des
neveux de cardinaux.   Voilà ce que c'est que l'intrigue ! [1]
5 Mais Tistet ne s'en tint pas là.

Une fois au service du Pape, le drôle continua le jeu qui
lui avait si bien réussi.   Insolent avec tout le monde, il
n'avait d'attentions ni de prévenances que pour la mule, et
toujours on le rencontrait par les cours du palais avec une
10 poignée d'avoine ou une bottelée de sainfoin,[2] dont il
secouait gentiment les grappes roses en regardant le balcon
du Saint-Père, d'un air de dire: « Hein ! pour qui ça ? »
Tant et tant qu'à la fin le bon Pape, qui se sentait devenir
vieux, en arriva à lui laisser le soin de veiller sur l'écurie
15 et de porter à la mule son bol de vin à la française; ce qui
ne faisait pas rire les cardinaux.

Ni la mule non plus, cela ne la faisait pas rire.   Maintenant, à l'heure de son vin, elle voyait toujours arriver
chez elle cinq ou six petits clercs de maîtrise qui se four-
20 raient vite dans la paille avec leur camail et leurs dentelles;
puis, au bout d'un moment, une bonne odeur chaude de
caramel et d'aromates emplissait l'écurie, et Tistet Védène
apparaissait portant avec précaution le bol de vin à la
française.   Alors le martyre de la pauvre bête commençait.

25   Ce vin parfumé qu'elle aimait tant, qui lui tenait chaud,
qui lui mettait des ailes,[3] on avait la cruauté de le lui
apporter, là, dans sa mangeoire, de le lui faire respirer;
puis, quand elle en avait les narines pleines, passe, je t'ai
vu ![4]   La belle liqueur de flamme rose [5] s'en allait toute dans
30 le gosier de ces garnements.   Et encore, s'ils n'avaient fait
que lui voler son vin; mais c'étaient comme des diables,
tous ces petits clercs, quand ils avaient bu !   L'un lui
tirait les oreilles, l'autre la queue.   Quiquet [6] lui montait

[1] **Voilà ce que c'est que l'intrigue !:** that's what scheming can do !
[2] **une bottelée (une petite botte) de sainfoin:** *a bunch of pink-flowered hay.*
[3] **qui lui mettait des ailes:** qui lui donnait des ailes, *which gave (lent) her wings, which made her feel so light.*
[4] **passe, je t'ai vu !:** *hey presto ! presto change ! it was gone !*
[5] **de flamme rose:** couleur de flamme rose.
[6] **Quiquet** [kikɛ].

sur le dos, Béluguet lui essayait sa barrette, et pas un de
ces galopins ne songeait que d'un coup de reins ou d'une
ruade la brave bête aurait pu les envoyer tous dans l'étoile
polaire, et même plus loin. Mais non! On n'est pas pour
rien [1] la mule du Pape, la mule des bénédictions et des in- 5
dulgences. Les enfants avaient beau faire, elle ne se fâchait
pas; et ce n'était qu'à Tistet Védène qu'elle en voulait.
Celui-là, par exemple, quand elle le sentait derrière elle,
son sabot lui démangeait, et vraiment il y avait bien de
quoi. Ce vaurien de Tistet lui jouait de si vilains tours! 10
Il avait de si cruelles inventions après boire!

Est-ce qu'un jour il ne s'avisa pas de la faire monter
avec lui au clocheton de la maîtrise, là-haut, tout là-haut,
à la pointe du palais! Et ce que je vous dis là n'est pas un
conte, deux cent mille Provençaux l'ont vu. Vous figurez- 15
vous la terreur de cette malheureuse mule, lorsque, après
avoir tourné pendant une heure à l'aveuglette dans un
escalier en colimaçon et grimpé je ne sais combien de
marches, elle se trouva tout à coup sur une plate-forme
éblouissante de lumière, et qu'à mille pieds au-dessous 20
d'elle [2] elle aperçut tout un Avignon fantastique, les
baraques du marché pas plus grosses que des noisettes, les
soldats du Pape devant leur caserne comme des fourmis
rouges, et là-bas, sur un fil d'argent,[3] un petit pont micro-
scopique où l'on dansait, où l'on dansait. Ah! pauvre 25
bête! quelle panique! Du cri qu'elle en poussa, toutes les
vitres du palais tremblèrent.

— Qu'est ce qu'il y a? qu'est-ce qu'on lui fait? s'écria le
bon Pape en se précipitant sur son balcon.

Tistet Védène était déjà dans la cour, faisant mine de 30
pleurer et de s'arracher les cheveux:

— Ah! grand Saint-Père, ce qu'il y a! Il y a que votre
mule ... Mon Dieu! qu'allons-nous devenir? Il y a que
votre mule est montée dans le clocheton.

[1] **On n'est pas pour rien**: *it means something to be.*

[2] **mille pieds au-dessous d'elle**: *many many feet below.* Il ne faut
pas traduire « mille » littéralement ici; en réalité le donjon (*big
tower*) et le clocheton qui le couronne ont seulement 170 pieds de
haut.

[3] **sur un fil d'argent**: *across a silver thread.* Ce fil d'argent est le
Rhône qui a pourtant 600 pieds de large au vieux pont Saint-Bénézet.

— Tout seule ? ? ?

— Oui, grand Saint-Père, toute seule. Tenez ! regardez-la, là-haut. Voyez-vous le bout de ses oreilles qui passe ? On dirait deux hirondelles.

5   — Miséricorde ! fit le pauvre Pape en levant les yeux. Mais elle est donc devenue folle ! Mais elle va se tuer. Veux-tu bien descendre, malheureuse !

Pécaïre ! [1] elle n'aurait pas mieux demandé, elle, que de descendre; mais par où ? L'escalier, il n'y fallait pas
10 songer: ça se monte encore, ces choses-là; mais, à la descente, il y aurait de quoi se rompre cent fois les jambes.[2] Et la pauvre mule se désolait, et, tout en rôdant sur la plate-forme avec ses gros yeux pleins de vertige, elle pensait à Tistet Védène:

15   — Ah ! bandit, si j'en réchappe, quel coup de sabot demain matin !

Cette idée de coup de sabot lui redonnait un peu de cœur au ventre[3]; sans cela elle n'aurait pas pu se tenir.[4] Enfin on parvint à la tirer de là-haut; mais ce fut toute une
20 affaire. Il fallut la descendre avec un cric,[5] des cordes, une civière.[6] Et vous pensez quelle humiliation pour la mule d'un pape de se voir pendue à cette hauteur, nageant des pattes dans le vide comme un hanneton au bout d'un fil.[7] Et tout Avignon qui la regardait.

25   La malheureuse bête n'en dormit pas de la nuit. Il lui semblait toujours qu'elle tournait sur cette maudite plate-forme, avec les rires de la ville au-dessous; puis elle pensait

---

[1] **Pécaïre !** [pekair]: *Heaven knows!* exclamation de Provence et de la province voisine, le Languedoc.

[2] **les jambes:** *one's legs;* on dit plutôt **les pattes,** en parlant d'un animal.

[3] **lui redonnait un peu de cœur au ventre:** *put some courage inside of her again.*

[4] **elle n'aurait pas pu se tenir (debout):** *she would not have been able to stand (she was so dizzy!).*

[5] **un cric** [kri]: *jack;* **cric** est bien petit pour une opération pareille; sans doute a-t-on employé une grue (*derrick, crane*).

[6] **une civière:** *stretcher, litter.* Pour descendre les animaux on se sert plutôt d'une sangle (*sling*).

[7] **nageant des pattes dans le vide comme un hanneton** [antɔ̃] **au bout d'un fil:** *beating the air with her legs, like a June bug suspended from a string.*

à cet infâme Tistet Védène et au joli coup de sabot qu'elle
allait lui détacher le lendemain matin. Ah ! mes amis, quel
coup de sabot !   De Pampérigouste[1] on en verrait la
fumée. Or, pendant qu'on lui préparait cette belle réception à l'écurie, savez-vous ce que faisait Tistet Védène ?   5
Il descendait le Rhône en chantant sur une galère papale
et s'en allait à la cour de Naples avec la troupe de jeunes
nobles que la ville envoyait tous les ans près de la reine
Jeanne[2] pour s'exercer à la diplomatie et aux belles manières. Tistet n'était pas noble; mais le Pape tenait à le   10
récompenser des soins qu'il avait donnés à sa bête, et
principalement de l'activité qu'il venait de déployer
pendant la journée du sauvetage.

C'est la mule qui fut désappointée le lendemain !

— Ah ! le bandit ! il s'est douté de quelque chose ! pen-   15
sait-elle en secouant ses grelots avec fureur; mais c'est
égal, va, mauvais ![3] tu le retrouveras au retour, ton coup
de sabot; je te le garde !

Et elle le lui garda.

Après le départ de Tistet, la mule du Pape retrouva son   20
train de vie tranquille et ses allures[4] d'autrefois. Plus de
Quiquet, plus de Béluguet à l'écurie. Les beaux jours du
vin à la française étaient revenus, et avec eux la bonne
humeur, les longues siestes, et le petit pas de gavotte
quand elle passait sur le pont d'Avignon. Pourtant,   25
depuis son aventure, on lui marquait toujours un peu de
froideur dans la ville. Il y avait des chuchotements sur sa
route; les vieilles gens hochaient la tête, les enfants
riaient en se montrant le clocheton. Le bon Pape lui-
même n'avait plus autant de confiance en son amie, et,   30
lorsqu'il se laissait aller à faire un petit somme sur son dos,
le dimanche, en revenant de la vigne, il gardait toujours
cette arrière-pensée : « Si j'allais me réveiller là-haut, sur

---

[1] **Pampérigouste:** nom fictif d'une ville lointaine, sorte de
Shangri-La.

[2] **la reine Jeanne:** Jeanne Iʳᵉ de Naples (1343–1382) et comtesse
de Provence; elle vendit son comté d'Avignon au pape Clément VI,
en 1348.

[3] **mais c'est égal, va, mauvais !:** *but never mind, you scoundrel!*

[4] **ses allures:** ses habitudes, *her habits.*

la plate-forme ! » La mule voyait cela et elle en souffrait, sans rien dire; seulement, quand on prononçait le nom de Tistet Védène devant elle, ses longues oreilles frémissaient, et elle aiguisait avec un petit rire le fer de ses sabots sur le
5 pavé.

Sept ans se passèrent ainsi; puis, au bout de ces sept années, Tistet Védène revint de la cour de Naples. Son temps n'était pas encore fini là-bas; mais il avait appris que le premier moutardier du Pape [1] venait de mourir subitement
10 en Avignon, et, comme la place lui semblait bonne, il était arrivé en grande hâte pour se mettre sur les rangs.

Quand cet intrigant de Védène entra dans la salle du palais, le Saint-Père eut peine à le reconnaître, tant il avait grandi et pris du corps. [2] Il faut dire aussi que le bon Pape
15 s'était fait vieux de son côté, et qu'il n'y voyait pas bien sans besicles. [3]

Tistet ne s'intimida pas.

— Comment ! grand Saint-Père, vous ne me reconnaissez plus ? C'est moi, Tistet Védène !
20 — Védène ? . . .

— Mais oui, vous savez bien, celui qui portait le vin français à votre mule.

— Ah ! oui, oui, je me rappelle. Un bon petit garçonnet, ce Tistet Védène ! Et maintenant, qu'est-ce qu'il veut de
25 nous ?

— Oh ! peu de chose, grand Saint-Père. Je venais vous demander. A propos, est-ce que vous l'avez toujours, votre mule ? Et elle va bien ? Ah ! tant mieux ! Je venais vous demander la place du premier moutardier qui vient
30 de mourir.

— Premier moutardier, toi ! Mais tu es trop jeune. Quel âge as-tu donc ?

— Vingt ans deux mois, illustre pontife, juste cinq ans

---

[1] **le premier moutardier du Pape:** *the head mustard-maker to the Pope.* Le pape d'Avignon, Jean XXII, aimait beaucoup la moutarde, dit-on; il créa pour un de ses neveux la charge de premier moutardier. Il ne faut pourtant pas prendre l'expression au sérieux; **il se croit le premier moutardier du pape** veut dire: *he has a very good opinion of himself, he puts on airs.*

[2] **pris du corps:** grossi, *grown stout.*

[3] **besicles** *f.:* lunettes *f., glasses.*

de plus que votre mule. Ah! palme de Dieu,[1] la brave
bête! Si vous saviez comme je l'aimais cette mule-là!
comme je me suis langui d'elle[2] en Italie! Est-ce que
vous ne me la laisserez pas voir?

— Si, mon enfant, tu la verras, fit le bon Pape tout ému. 5
Et puisque tu l'aimes tant, cette brave bête, je ne veux
plus que tu vives loin d'elle. Dès ce jour, je t'attache à ma
personne en qualité de premier moutardier. Mes cardinaux crieront, mais tant pis! j'y suis habitué. Viens nous
trouver demain, à la sortie de vêpres, nous te remettrons 10
les insignes de ton grade en présence de notre chapitre, et
puis je te mènerai voir la mule, et tu viendras à la vigne
avec nous deux, hé! hé! Allons! va.

Si Tistet Védène était content en sortant de la grande
salle, avec quelle impatience il attendit la cérémonie du 15
lendemain, je n'ai pas besoin de vous le dire. Pourtant il
y avait dans le palais quelqu'un de plus heureux encore
et de plus impatient que lui: c'était la mule. Depuis le
retour de Védène jusqu'aux vêpres du jour suivant, la
terrible bête ne cessa de se bourrer d'avoine et de tirer au 20
mur[3] avec ses sabots de derrière. Elle aussi se préparait
pour la cérémonie.

Et donc, le lendemain, lorsque vêpres furent dites, Tistet
Védène fit son entrée dans la cour du palais papal. Tout
le haut clergé était là, les cardinaux en robes rouges, 25
l'avocat du diable[4] en velours noir, les abbés de couvent[5]
avec leurs petites mitres, les marguilliers de Saint-Agrico,[6]

[1] **palme de Dieu:** palme du martyre, mort glorieuse des martyrs
de la foi (*faith*). Il ne faut pas prendre cette expression littéralement;
traduire par: *Oh, heavens!* etc.

[2] **je me suis langui d'elle:** forme incorrecte pour: j'ai langui pour
elle. *I yearned (pined) for her, I missed her.*

[3] **de tirer au mur:** de donner (lancer) des coups dans le mur, *to
kick (lunge) at the wall.*

[4] **l'avocat du diable:** *the devil's advocate.* Ses fonctions étaient de
prouver que les candidats à la canonisation n'étaient pas dignes de
cet honneur.

[5] **les abbés de couvent:** *the abbots.* Ils se distinguent des **abbés de
paroisse,** *parish priests.*

[6] **les marguilliers** [margije] **de Saint-Agrico:** *the wardens of Saint-
Agrico* (ou plutôt Saint-Agricol, église gothique du 14e siècle, à
Avignon).

les camails violets de la maîtrise, le bas clergé aussi, les
soldats du Pape en grand uniforme, les trois confréries de
pénitents, les ermites du mont Ventoux [1] avec leurs mines
farouches et le petit clerc qui va derrière en portant la
5 clochette, les frères flagellants [2] nus jusqu'à la ceinture, les
sacristains fleuris en robes de juges,[3] tous, tous, jusqu'aux
donneurs d'eau bénite,[4] et celui qui allume, et celui qui
éteint [5] ..., il n'y en avait pas un qui manquât.   Ah !
c'était une belle ordination ! [6]   Des cloches, des pétards,
10 du soleil, de la musique, et toujours ces enragés de tambourins qui menaient la danse, là-bas, sur le pont
d'Avignon.

Quand Védène parut au milieu de l'assemblée, sa prestance et sa belle mine y firent courir un murmure d'ad-
15 miration.   C'était un magnifique Provençal, mais des
blonds,[7] avec de grands cheveux frisés au bout et une petite
barbe follette qui semblait prise aux copeaux [8] de fin
métal tombés du burin de son père, le sculpteur d'or.   Le

---

[1] Le **mont Ventoux** est la plus haute montagne des Alpes de
Provence (6310 pieds d'altitude, à 25 milles au nord-est d'Avignon).
Ventoux vient de **venteux**, *windy*.

[2] **les frères flagellants:** *the Flagellant brothers;* ils se flagellaient
(*scourged themselves*).

[3] **les sacristains fleuris en robes de juges:** cette partie de phrase
n'est pas claire.   Deux sens sont possibles pour **fleuris:** 1. à la
mine fleurie, *with florid faces: florid-faced sextons arrayed in judges'
robes.* 2. **fleuris:** ornés de fleurs, *bedecked with flowers.*   Comme
on voit plus d'hommes à la mine fleurie que d'hommes portant des
fleurs, et que les sacristains ont la réputation d'être de bons vivants
(*epicures*), le premier sens est plus probable.   Les robes des juges
importants sont rouges.

[4] **jusqu'aux donneurs d'eau bénite:** *down to those who offer holy
water;* ce sont des mendiants (*beggars*) qui espèrent ainsi recevoir
quelque argent.

[5] **celui qui éteint:** the one who puts out (**les chandelles,** *the
candles,* **les cierges,** *wax tapers*).

[6] **ordination:** *inauguration.*   L'ordination est la cérémonie par
laquelle on confère les ordres sacrés.   Tistet n'a pas été ordonné
prêtre, mais il a été **installé** comme premier moutardier.   Le mot
français devrait être plutôt: **inauguration, installation,** ou **cérémonie
d'entrée en fonctions.**

[7] **des blonds:** il faisait partie des blonds, il était blond.   La plupart des Provençaux sont bruns (*dark-haired, brunet*).

[8] **prises aux copeaux:** *taken (made) from the shavings.*

bruit courait que dans cette barbe blonde les doigts de la
reine Jeanne avaient quelquefois joué; et le sire de Védène[1]
avait bien, en effet, l'air glorieux [2] et le regard distrait des
hommes que les reines ont aimés.

Ce jour-là, pour faire honneur à sa nation, il avait
remplacé ses vêtements napolitains par une jaquette
bordée de rose à la Provençale, et sur son chaperon tremblait une grande plume d'ibis de Camargue.

Sitôt entré, le premier moutardier salua d'un air galant,
et se dirigea vers le haut perron, où le Pape l'attendait pour
lui remettre les insignes de son grade: la cuiller de buis
jaune et l'habit de safran. La mule était au bas de l'escalier, toute harnachée et prête à partir pour la vigne.
Quand il passa près d'elle, Tistet Védène eut un bon
sourire et s'arrêta pour lui donner deux ou trois petites
tapes amicales sur le dos, en regardant du coin de l'œil si
le Pape le voyait. La position était bonne. La mule prit
son élan:

— Tiens! attrape, bandit! Voilà sept ans que je te le
garde!

Et elle vous lui détacha un coup de sabot si terrible, si
terrible, que de Pampérigouste même on en vit la fumée,
un tourbillon de fumée blonde où voltigeait une plume
d'ibis; tout ce qui restait de l'infortuné Tistet Védène!

Les coups de pied de mule ne sont pas aussi foudroyants
d'ordinaire; mais celle-ci était une mule papale; et puis,
pensez donc! elle le lui gardait depuis sept ans. Il n'y a
pas de plus bel exemple de rancune ecclésiastique.

[1] le sire de Védène: milord de V.; expression humoristique.
Tistet est maintenant un grand personnage: premier moutardier!
[2] glorieux: *conceited*.

TARTARIN
tue un lion

Alphonse Daudet

Tartarin est un gros célibataire (bachelor) *de quarante-cinq ans. Il est le héros de la petite ville de Tarascon, car il a des muscles puissants, une barbe noire et, bien que vantard* (a boaster), *il est généreux et gai. Il s'ennuie cependant à Tarascon; n'a-t-il pas rêvé d'être un véritable héros, un tueur de lions? Il s'arme donc jusqu'aux dents et, à Marseille, prend le bateau pour Alger.*

Sur le bateau il rencontre un soi-disant (so-called) *prince du Monténégro et devient son ami. Le prince le guide dans Alger puis vers le désert, avec un chameau pour porter armes et bagages. Un soir que la petite caravane s'est arrêtée dans un petit bâtiment qui est une tombe arabe, le prince disparaît avec l'argent de Tartarin.*

ENFIN!

LE LENDEMAIN DE cette aventureuse et tragique soirée, lorsqu'au petit jour notre héros se réveilla, et qu'il eut acquis la certitude que le prince et le magot étaient réellement partis, partis sans retour; lorsqu'il se vit seul dans
5 cette petite tombe blanche,[1] trahi, volé, abandonné en pleine Algérie sauvage avec un chameau à bosse simple et quelque monnaie de poche pour toute ressource, alors, pour la première fois, le Tarasconnais [2] douta. Il douta du Monténégro,[3] il douta de l'amitié, il douta de la gloire, il douta

---

[1] **cette petite tombe blanche:** ce « marabout », ou tombeau de saint arabe, sorte de petite chapelle où Tartarin s'était réfugié pour la nuit.

[2] **le Tarasconnais:** l'homme de Tarascon, Tartarin.

[3] **Le Monténégro** (*Montenegro*), jusqu'en 1918 était un royaume indépendant au nord de l'Albanie; il s'est incorporé à la Yougoslavie en 1918. Le prince qui a volé l'argent de Tartarin était du Monténégro.

même des lions; et, comme le Christ à Gethsémani,[1] le
grand homme se prit à pleurer amèrement.

Or, tandis qu'il était là pensivement assis sur la porte du
marabout, sa tête dans ses deux mains, sa carabine entre ses
jambes, et le chameau qui le regardait, soudain le maquis [2] 5
d'en face s'écarte et Tartarin stupéfait voit paraître, à dix
pas devant lui, un lion gigantesque s'avançant la tête
haute et poussant des rugissements formidables qui font
trembler les murs du marabout tout chargés d'oripeaux et
jusqu'aux pantoufles [3] du saint dans leur niche.   10

Seul, le Tarasconnais ne trembla pas.

« Enfin ! » cria-t-il en bondissant, la crosse à l'épaule.
Pan !... pan ! pfft ! pfft ! C'était fait. Le lion avait deux
balles explosibles dans la tête. Pendant une minute, sur le
fond embrasé du ciel africain, ce fut un feu d'artifice épou- 15
vantable de cervelle en éclats, de sang fumant et de toison
rousse éparpillée. Puis tout retomba et Tartarin aperçut ... deux grands nègres furieux qui couraient sur lui, la
matraque en l'air. Les deux nègres de Miliana ! [4]

O misère ! c'était le lion apprivoisé, le pauvre aveugle du 20
couvent de Mohammed [5] que les balles tarasconnaises
venaient d'abattre.

Cette fois, par Mahom,[6] Tartarin l'échappa belle ! Ivres
de fureur fanatique, les deux nègres quêteurs l'auraient
sûrement mis en pièces, si le Dieu des chrétiens n'avait 25

---

[1] **Gethsémani** [ʒetsemani] (*Gethsemane*) est le village, près de
Jérusalem, avec le jardin des Oliviers où Jésus douta et pleura.

[2] **le maquis**: les buissons, *the bushes*. Le nom corse (*Corsican*)
maquis a été donné aux soldats de la Résistance, en France, pendant
l'occupation allemande (1940–1944), parce qu'ils se réfugiaient dans
des régions montagneuses pleines de buissons, difficiles à atteindre
pour l'ennemi.

[3] **jusqu'aux pantoufles**: même les pantoufles, *even the slippers*.

[4] **Miliana**: jolie ville de 12.000 habitants, à 75 milles au sud-ouest
d'Alger. Tartarin y avait vu ces deux nègres avec leur lion aveugle;
les gens déposaient leur aumône (*alms*) dans une assiette de bois que
le lion tenait dans sa gueule (*mouth*).

[5] **Le couvent de Mohammed,** selon la plaisanterie de Daudet, était
ce couvent où les moines apprivoisaient (*tamed*) des lions, puis les en-
voyaient quêter (*beg*) pour le couvent, accompagnés de frères quêteurs
(*mendicant friars*).

[6] **par Mahom !** [maɔ]: par Mahomet ! *by Golly!*

envoyé [1] à son aide un ange libérateur, le garde champêtre [2] de la commune d'Orléansville [3] arrivant, son sabre sous le bras, par un petit sentier.

La vue du képi municipal calma subitement la colère des nègres. Paisible et majestueux, l'homme à la plaque dressa procès-verbal de l'affaire,[4] fit charger sur le chameau ce qui restait du lion, ordonna aux plaignants comme au délinquant de le suivre, et se dirigea sur Orléansville, où le tout fut déposé au greffe.

Ce fut une longue et terrible procédure …

Avant tout il s'agissait de savoir si le lion avait été tué sur le territoire civil ou le territoire militaire. Dans le premier cas l'affaire regardait le tribunal de commerce; dans le second, Tartarin relevait du conseil de guerre, et, à ce mot de conseil de guerre, l'impressionnable Taras-connais se voyait déjà fusillé au pied des remparts, ou croupissant dans le fond d'un silo.

Le terrible, c'est que la délimitation des deux territoires est très vague en Algérie. Enfin, après un mois de courses, d'intrigues, de stations au soleil dans les cours des bureaux arabes,[5] il fut établi que, si d'une part le lion avait été tué sur le territoire militaire, d'autre part, Tartarin, lorsqu'il tira, se trouvait sur le territoire civil. L'affaire se jugea donc au civil, et notre héros en fut quitte pour *deux mille cinq cents francs* d'indemnité, sans les frais.[6]

Comment faire pour payer tout cela? Les quelques piastres échappées à la razzia du prince s'en étaient allées

---

[1] **si le Dieu des chrétiens n'avait envoyé:** remarquez l'omission de **pas** après la conjonction **si;** dans la conversation on ne fait pas cette omission: si le Dieu des chrétiens n'avait pas envoyé.

[2] **Le garde champêtre** (*rural policeman*) garde les champs.

[3] **Orléansville** [ɔrleɑ̃vil] est une ville de vingt mille habitants, à cent milles au sud-ouest d'Alger.

[4] **dressa procès-verbal de l'affaire:** écrivit les renseignements (*information*) concernant l'incident (noms, adresses, etc.).

[5] **Les bureaux arabes** étaient des bureaux qui ressemblaient un peu à nos bureaux de « gouvernement militaire » dans les régions occupées, Allemagne, Japon, etc.; des Français s'y occupaient des affaires arabes; ces bureaux ont été supprimés, car aujourd'hui les Arabes sont des citoyens français et s'administrent eux-mêmes.

[6] **sans les frais:** sans compter les frais, avec les frais en plus, *not including costs, plus the costs.*

depuis longtemps en papiers légaux et en absinthes judiciaires.[1]

Le malheureux tueur de lions fut donc réduit à vendre
la caisse d'armes au détail, carabine par carabine. Il
vendit les poignards, les criss malais,[2] les casse-tête. Un 5
épicier acheta les conserves alimentaires, un pharmacien,
ce qui restait du sparadrap. Les grandes bottes elles-
mêmes y passèrent [3] et suivirent la tente-abri perfectionnée
chez un marchand de bric-à-brac, qui les éleva à la hauteur
de curiosités cochinchinoises. Une fois tout payé, il ne 10
restait plus à Tartarin que la peau du lion et le chameau.
La peau, il l'emballa soigneusement et la dirigea sur
Tarascon, à l'adresse du brave commandant Bravida.
(Nous verrons tout à l'heure ce qu'il advint de cette fabu-
leuse dépouille.) Quant au chameau, il comptait s'en servir 15
pour regagner Alger, non pas en montant dessus, mais en
le vendant pour payer la diligence, ce qui est encore la
meilleure façon de voyager à chameau. Malheureusement
la bête était d'un placement difficile, et personne n'en offrit
un liard.   20

RETOUR A ALGER

Tartarin cependant voulait regagner Alger à toute force.
Aussi notre héros n'hésita pas: et navré, mais point abattu,
il entreprit de faire la route à pied, sans argent, par petites
journées.

En cette occurrence, le chameau ne l'abandonna pas. 25
Cet étrange animal s'était pris pour son maître d'une
tendresse inexplicable, et, le voyant sortir d'Orléansville,
se mit à marcher religieusement derrière lui, réglant son
pas sur le sien et ne le quittant pas d'une semelle.

Au premier moment, Tartarin trouva cela touchant; 30
cette fidélité, ce dévouement à toute épreuve lui allaient

---

[1] en absinthes judiciaires: en absinthes payées (offertes) aux
juges. L'absinthe est une sorte de cocktail vert, très fort, et si dangereux que depuis 1915 il est défendu d'en vendre en France.

[2] les criss malais: the Malay creeses; un criss est un poignard à
lame (blade) serpentine, employé par les Malais (Malays).

[3] y passèrent: allèrent par le même chemin (way), eurent le même
sort (fate).

au cœur, d'autant que la bête était commode et se nourrissait avec rien. Pourtant, au bout de quelques jours, le
Tarasconnais s'ennuya d'avoir perpétuellement sur les
talons ce compagnon mélancolique qui lui rappelait toutes
5 ses mésaventures; puis, l'aigreur s'en mêlant, il lui en
voulut de [1] son air triste, de sa bosse, de son allure d'oie
bridée.[2] Pour tout dire, il le prit en grippe et ne songea
plus qu'à s'en débarrasser; mais l'animal tenait bon.
Tartarin essaya de le perdre, le chameau le retrouva; il
10 essaya de courir, le chameau courut plus vite. Il lui criait:
« Va-t'en ! » en lui jetant des pierres. Le chameau s'arrêtait
et le regardait d'un air triste, puis, au bout d'un moment,
il se remettait en route et finissait toujours par le rattraper.
Tartarin dut se résigner.

15   Pourtant, lorsqu'après huit grands jours de marche, le
Tarasconnais poudreux, harassé, vit de loin étinceler dans
la verdure les premières terrasses blanches d'Alger, lorsqu'il
se trouva aux portes de la ville, sur l'avenue bruyante de
Mustapha, au milieu des zouaves,[3] des biskris,[4] des Ma-
20 honnaises,[5] tous grouillant autour de lui et le regardant
défiler avec son chameau, pour le coup la patience lui
échappa: « Non ! non ! » dit-il, « ce n'est pas possible; je
ne peux pas entrer dans Alger avec un animal pareil ! » Et,
profitant d'un encombrement de voitures, il fit un crochet
25 dans les champs et se jeta dans un fossé . . .

----

[1] **il lui en voulut de:** il fut fâché (*angry*) contre lui à cause de.

[2] **de son allure d'oie bridée:** of his bridled-goose (*silly*) gait. Une
oie bridée est une oie (*goose*) à qui l'on a passé une plume dans les
narines (*nostrils*) pour l'empêcher de traverser les haies (*hedges*);
cela lui donne un air ridicule.

[3] **Les zouaves** étaient autrefois des fantassins (*infantrymen*) arabes
incorporés dans l'armée française; aujourd'hui ces fantassins arabes
s'appellent des « tirailleurs », et les zouaves sont des blancs; il y en a
six régiments.

[4] **les biskris** sont les porteurs d'Alger, dont la plupart étaient, à
l'origine, de Biskra, ville pittoresque à la limite du Sahara, à 230
milles au sud-est d'Alger; beaucoup de gens qui craignent le froid vont
passer l'hiver à Biskra.

[5] **Les Mahonnaises** (*Mahonese*) sont des femmes originaires de
Port-Mahon, capitale de l'île Minorque, dans la Méditerranée, à 220
milles au nord d'Alger.

Au bout d'un moment, il vit au-dessus de sa tête, sur la chaussée de la route, le chameau qui filait à grandes enjambées, allongeant le cou d'un air anxieux.

Alors, soulagé d'un grand poids, le héros sortit de sa cachette, et rentra dans la ville par un sentier détourné.   5

TARASCON! TARASCON!

Dans Alger le pauvre Tartarin rencontre son ami Barbassou.
Barbassou est le capitaine du Zouave, *bateau sur lequel*
Tartarin a fait la traversée de Marseille à Alger. Tartarin
raconte ses mésaventures au capitaine; celui-ci a pitié de lui
et lui offre de le rapatrier pour rien.

... Tartarin de Tarascon ... n'a pas de bagages. Le voici qui descend de la rue de la Marine, par le petit marché plein de bananes et de pastèques, accompagné de son ami Barbassou. Le malheureux Tarasconnais a laissé sur la rive du Maure [1] sa caisse d'armes et ses illusions, et 10 maintenant il s'apprête à voguer vers Tarascon, les mains dans ses poches.[2] A peine vient-il de sauter dans la chaloupe du capitaine, qu'une bête essoufflée dégringole du haut de la place, et se précipite vers lui, en galopant. C'est le chameau, le chameau fidèle, qui, depuis vingt-quatre 15 heures, cherche son maître dans Alger.

Tartarin, en le voyant, change de couleur et feint de ne pas le connaître; mais le chameau s'acharne. Il frétille au long du quai. Il appelle son ami, et le regarde avec tendresse: « Emmène-moi, » semble dire son œil triste, « em- 20 mène-moi dans la barque, loin, bien loin de cette Arabie [3]

[1] **sur la rive du Maure:** *on the Moorish shores, in North Africa.* Le nom de Maures désignait autrefois tous les Arabes de l'Afrique du Nord; aujourd'hui il ne s'applique qu'aux indigènes (*natives*) de la Mauritanie (*Mauritania*), colonie française entre le Rio de Oro (à l'Espagne), au nord, et le Sénégal (à la France), au sud. Les habitants du Maroc (*Morocco*) ne s'appellent pas Maures, mais Marocains.

[2] **les mains dans ses poches:** les grammaires recommandent de dire « les mains dans les poches », mais cette règle est souvent violée, même par les meilleurs écrivains.

[3] **cette Arabie:** ce monde arabe, *this Arab world.* L'Arabie proprement dite (*proper*) est la péninsule du sud-ouest de l'Asie, dont la partie la plus importante est le royaume de Saudi-Arabia.

en carton peint, de cet Orient ridicule, plein de loco-
motives et de diligences, où — dromadaire déclassé —
je ne sais plus que devenir.... Ne nous quittons plus, ô
mon Tartarin.»

5   — Est-ce que ce chameau est à vous? demande le capitaine.

— Pas du tout! répond Tartarin, qui frémit à l'idée
d'entrer dans Tarascon avec cette escorte ridicule; et,
reniant impudemment le compagnon de ses infortunes, il
10 repousse du pied le sol algérien, et donne à la barque l'élan
du départ.   Le chameau flaire l'eau, allonge le cou, fait
craquer ses jointures [1] et, s'élançant derrière la barque à
corps perdu, il nage de conserve vers le *Zouave*, avec son
dos bombé, qui flotte comme une gourde, et son grand col,[2]
15 dressé sur l'eau en éperon de trirème.

Barque et chameau viennent ensemble se ranger aux
flancs du paquebot.

— A la fin, il me fait peine, ce dromadaire! dit le capitaine Barbassou tout ému.   J'ai envie de le prendre à mon
20 bord.   En arrivant à Marseille, j'en ferai hommage au
Jardin zoologique.

On hissa sur le pont, à grand renfort de palans et de
cordes, le chameau, alourdi par l'eau de mer; et le *Zouave*
se mit en route.

25 Les deux jours que dura la traversée, Tartarin les passa
tout seul dans sa cabine, non pas que la mer fût mauvaise..., mais le diable de chameau, dès que son maître
apparaissait sur le pont, avait autour de lui des empressements ridicules.   Vous n'avez jamais vu un chameau
30 afficher quelqu'un comme cela!

D'heure en heure, par les hublots de la cabine où il
mettait le nez quelquefois, Tartarin vit le bleu du ciel
algérien pâlir; puis, enfin, un matin, dans une brume
d'argent, il entendit avec bonheur chanter toutes les
35 cloches de Marseille.   On était arrivé; le *Zouave* jeta
l'ancre.

----

[1] **fait craquer ses jointures:** ses jointures craquent, *his joints cracked.*

[2] **col:** cou, *neck.*

Notre homme, qui n'avait pas de bagages, descendit
sans rien dire, traversa Marseille en hâte, craignant
toujours d'être suivi par le chameau, et ne respira que
lorsqu'il se vit installé dans un wagon de troisième classe,[1]
filant bon train sur Tarascon. Sécurité trompeuse ! A 5
peine à deux lieues de Marseille, voilà toutes les têtes aux
portières.[2] On crie, on s'étonne. Tartarin, à son tour,
regarde, et ... qu'aperçoit-il ? Le chameau, monsieur,
l'inévitable chameau, qui détalait sur les rails,[3] en pleine
Crau,[4] derrière le train, et lui tenant pied.[5] Tartarin, 10
consterné, se rencogna en fermant les yeux.

Après cette expédition désastreuse, il avait compté
rentrer chez lui incognito. Mais la présence de ce quadrupède encombrant rendait la chose impossible. Quelle
rentrée il allait faire, bon Dieu ! Pas le sou, pas de lions, 15
rien ... Un chameau !

« Tarascon ! ... Tarascon ! »

Il fallut descendre ...

O stupeur ! à peine la chéchia du héros apparut-elle dans
l'ouverture de la portière, qu'un grand cri: « Vive Tar- 20
tarin ! » fit trembler les voûtes vitrées de la gare.[6] — « Vive

---

[1] **un wagon de troisième classe:** *a third-class coach.* Il y a trois
classes dans les trains français.

[2] **portières:** les wagons français sont divisés en compartiments;
dans les vieux wagons il y a une porte avec un carreau (*pane, window*)
aux extrémités de chaque compartiment; dans les nouveaux wagons
il n'y a de portes qu'à chaque bout du wagon. Le voyageur monte
par une de ces portes, va dans un couloir (*corridor*) et, par une autre
porte, il pénètre dans un compartiment.

[3] **détalait sur les rails:** courait sur la voie (*track*).

[4] **La Crau** est une grande plaine désertique, couverte de cailloux
(*stones*) qui s'étend à l'est de l'estuaire du Rhône. Les Français y
avaient établi une base aérienne (*air base*) à Istres [istr]; elle a été
détruite en 1944 par l'aviation américaine, qui s'y est installée avec
les Anglais, et l'a beaucoup agrandie. Les Américains et les Anglais y
étaient encore en 1947. Istres est un aérodrome mondial.

[5] **lui tenant pied:** allant aussi vite que lui, *keeping up with it.*

[6] **La gare de Tarascon** a été endommagée par l'aviation américaine
en 1944, de même que l'église Sainte-Marthe, du 14e siècle, et les
ponts sur le Rhône; l'impressionnant château-forteresse du roi René
est intact.

Tartarin ! Vive le tueur de lions ! » Et des fanfares, des
chœurs d'orphéons éclatèrent. Tartarin se sentit mourir;
il croyait à une mystification. Mais non ! tout Tarascon
était là, chapeaux en l'air [1] et sympathique. Voilà le brave
5 commandant Bravida, l'armurier Costecalde, le président,[2]
le pharmacien, et tout le noble corps des chasseurs de
casquettes [3] qui se presse autour de son chef, et le porte en
triomphe tout le long des escaliers.

Singuliers effets du mirage ! la peau du lion aveugle, en-
10 voyée à Bravida, était cause de tout ce bruit. Avec cette
modeste fourrure, exposée au cercle, les Tarasconnais, et
derrière eux tout le Midi, s'étaient monté la tête. *Le
Sémaphore* [4] avait parlé. On avait inventé un drame. Ce
n'était plus un lion que Tartarin avait tué, c'étaient dix
15 lions, vingt lions, une marmelade de lions ! Aussi Tartarin, débarquant à Marseille, y était déjà illustre sans
le savoir, et un télégramme enthousiaste l'avait devancé
de deux heures dans sa ville natale.

Mais ce qui mit le comble à la joie populaire, ce fut
20 quand on vit un animal fantastique, couvert de poussière
et de sueur, apparaître derrière le héros, et descendre à
cloche-pied l'escalier de la gare. Tarascon crut un instant
sa Tarasque [5] revenue.

Tartarin rassura ses compatriotes.

25 « C'est mon chameau, » dit-il.

Et déjà sous l'influence du soleil tarasconnais, ce beau
soleil qui fait mentir ingénument, il ajouta, en caressant la
bosse du dromadaire:

« C'est une noble bête ! Elle m'a vu tuer tous mes lions. »

---

[1] **en l'air:** levés, *raised.*

[2] **le président du tribunal:** *the chief justice.*

[3] **chasseurs de casquettes:** comme il n'y avait pas beaucoup de
gibier (*game*) à Tarascon, les chasseurs s'amusaient à jeter leurs casquettes en l'air et à tirer dessus.

[4] *Le Sémaphore,* journal de Marseille; il n'existe plus.

[5] **La Tarasque** est un monstre fabuleux qui vivait près de Tarascon
et dévorait les gens. Dans une remise (*shed*) de Tarascon se trouve
un grand mannequin (*dummy*) représentant le monstre; on le sort
tous les ans à la Pentecôte et le jour de sainte Marthe (29 juillet),
car la légende dit que c'est sainte Marthe, sœur de Marie et de
Lazare, qui dompta (*tamed*) le monstre.

Là-dessus, il prit familièrement le bras du commandant, rouge de bonheur; et, suivi de son chameau, entouré des chasseurs de casquettes, acclamé par tout le peuple, il se dirigea paisiblement vers sa maison ... et, tout en marchant, il commença le récit de ses grandes chasses: 5

« Figurez-vous, disait-il, qu'un certain soir, en plein Sahara ... »

Honoré De Balzac

*Les * chouans [1] étaient les paysans de l'Ouest de la France, surtout de la Bretagne, qui, dès 1793 où le roi Louis XVI avait été guillotiné, s'étaient révoltés contre la République. Ils avaient pris le nom de « chouans » ou « chuins » parce qu'ils imitaient le cri de la chouette [2] pour se faire reconnaître, de loin, par leurs amis. La République envoya contre eux des soldats que l'on appela les « Bleus » à cause de la couleur de leur uniforme; ils trouvèrent parmi les Bretons des « collaborateurs » que l'on appela les Contre-Chouans. La guerre fut terrible jusqu'en 1795 où les Chouans furent écrasés à Savenay [3]; certains continuèrent la guerre par petites bandes jusqu'en 1800. C'est une de ces bandes que Balzac nous décrit dans son roman* Les Chouans; *elle est commandée par le marquis de Montauran, que l'on appelle le Gars [4]; elle opère dans la région de Fougères (25 milles au sud-est du Mont-Saint Michel). Le chef des Bleus est le colonel Hulot qui, par ordre du ministre de la police, Fouché, [5] doit obéir à une belle espionne, ancienne cantatrice à l'Opéra, Mlle Marie de Verneuil. L'histoire se complique lorsque le Gars tombe amoureux de sa belle ennemie, qui l'aime aussi. L'amour est la cause de bien des imprudences dramatiques. Le Gars a failli être fait prisonnier quand il est venu voir Marie dans la pauvre maison du chouan Galope-Chopine. [6] Il y a eu*

* See page 243.

[1] [ʃwã].

[2] barn owl.

[3] [savnɛ]. Savenay est une petite ville entre Nantes et Saint-Nazaire, près de l'embouchure de la Loire.

[4] [ga] the Fellow.

[5] Fouché fut célèbre par son intelligence et son manque de scrupules.

[6] Pour cacher leur identité les chouans s'étaient donné des noms pittoresques; Galope-Chopine veut dire « qui galope après les chopines (*pints, mugs*) de cidre », Boozer.

*bataille près de la maison; les chouans ne sont pas contents;
un traître a dû dire aux Bleus où se trouvaient le Gars et ses
hommes. Ils cherchent ce traître. Nous voici dans la maison
de Galope-Chopine après la bataille et la fuite du Gars.
Galope-Chopine est absent, mais il y a là sa femme Barbette
et son petit garçon âgé de huit ans. Barbette est inquiète
et ne peut dormir.*

Au jour, Barbette, qui n'avait pas dormi, poussa un cri
de joie en entendant retentir dans le lointain un bruit de
gros souliers ferrés qu'elle reconnut, et Galope-Chopine
montra bientôt sa mine renfrognée.

— Grâce à saint Labre [1] à qui j'ai promis un beau cierge, 5
le Gars a été sauvé! N'oublie pas que nous devons maintenant trois cierges au saint.

Puis Galope-Chopine saisit un pichet et l'avala tout
entier [2] sans reprendre haleine. Lorsque sa femme lui eut
servi sa soupe, l'eut débarrassé de sa canardière [3] et qu'il 10
se fut assis sur le banc de noyer, il dit en s'approchant du
feu: « Comment les Bleus et les Contre-Chouans sont-ils
donc venus ici ? On se battait à Florigny.[4] Quel diable a
pu leur dire que le Gars était chez nous ? car il n'y avait
que lui, sa belle garce [5] et nous qui le savions. »   15
La femme pâlit.

— Les Contre-Chouans m'ont persuadé qu'ils étaient des
gars de Saint-Georges,[6] répondit-elle en tremblant, et c'est
moi qui leur ai dit où était le Gars.

---

[1] **saint Labre:** saint Benoît Labre, chartreux (*Carthusian monk*)
qui punissait son corps en jeûnant (*by fasting*) et en ne le nettoyant
pas; né dans le Pas-de-Calais, mort à Rome (1748–1783).

[2] **et l'avala tout entier:** et en avala tout le contenu, *gulped down
the contents.* Les Bretons et les Normands boivent surtout du
cidre.

[3] **sa canardière:** son fusil à long canon (*barrel*), pour chasser les
canards (*ducks*), *his duck gun.*

[4] **Florigny:** village près de Fougères.

[5] **sa belle garce:** sa bonne amie, *his girl friend;* « garce » est l'ancien féminin de « gars », garçon; sauf dans quelques dialectes, le
mot signifie aujourd'hui « mégère » (*shrew*).

[6] **Saint-Georges:** paroisse (*parish*) près de Fougères; les églises
de Fougères s'appellent Saint-Sulpice, Saint-Léonard et de Bonabry.
Fougères est situé sur une colline de 450 pieds de hauteur.

Galope-Chopine pâlit à son tour, et laissa son écuelle sur le bord de la table.

— Je t'ai envoyé not'[1] gars pour te prévenir, reprit Barbette effrayée; il ne t'a pas rencontré.

5 Le Chouan se leva et frappa si violemment sa femme, qu'elle alla tomber pâle comme un mort sur le lit.

— Garce maudite, tu m'as tué, dit-il. Mais saisi d'épouvante, il prit sa femme dans ses bras:

— Barbette? s'écria-t-il, Barbette? Sainte Vierge! j'ai
10 eu la main trop lourde.

— Crois-tu, lui dit-elle en ouvrant les yeux, que Marche-à-Terre[2] vienne à le savoir?

— Le Gars répondit le Chouan, a dit de s'enquérir[3] d'où venait cette trahison.

15 — L'a-t-il dit à Marche-à-Terre?

— Pille-Miche[4] et Marche-à-Terre étaient à Florigny.

Barbette respira plus librement.

— S'ils touchent à un seul cheveu de ta tête, dit-elle, je rincerai leurs verres avec du vinaigre.[5]

20 — Ah! je n'ai plus faim, s'écria tristement Galope-Chopine.

Sa femme poussa devant lui un autre pichet plein; il n'y fit pas même attention. Deux grosses larmes sillonnèrent alors les joues de Barbette et humectèrent les rides de son
25 visage fané.

— Écoute, ma femme, il faudra demain matin amasser des fagots *au dret*[6] de Saint-Léonard, sur les rochers de Saint-Sulpice et y mettre le feu. C'est le signal convenu entre le Gars et le vieux recteur[7] de Saint-Georges qui
30 viendra lui dire une messe.

---

[1] **not'**: notre; dans la conversation, la plupart des gens prononcent [nɔt] plutôt que [nɔtr], devant une consonne.

[2] **Marche-à-Terre**: celui qui marche sur la terre, *Footslogger*.

[3] **s'enquérir**: faire une enquête (*inquiry*) pour savoir.

[4] **Pille-Miche**: celui qui pille (*loots, steals*) les miches (*loaves of bread*), *Breadthief*.

[5] **je rincerai leurs verres avec du vinaigre**: *I'll rinse their glasses in vinegar, I'll poison them*; la phrase plus courante est « je leur ferai boire le bouillon d'onze heures. »

[6] *au dret*: expression dialectale pour à **droite**, *to the right*.

[7] **recteur**: curé (*priest*) en Bretagne.

— Il ira donc à Fougères?

— Oui, chez sa belle garce. J'ai à courir aujourd'hui à cause de ça! Je crois bien qu'il va l'épouser et l'enlever, car il m'a dit d'aller louer des chevaux et de les égailler [1] sur la route de Saint-Malo.   5

Là-dessus, Galope-Chopine, fatigué, se coucha pour quelques heures et se remit en course.[2] Le lendemain matin il rentra après s'être soigneusement acquitté des commissions que le marquis lui avait confiées. En apprenant que Marche-à-Terre et Pille-Miche ne s'étaient pas présentés, il 10 dissipa les inquiétudes de sa femme, qui partit presque rassurée pour les roches de Saint-Sulpice, où, la veille, elle avait préparé sur le mamelon qui faisait face à Saint-Léonard quelques fagots couverts de givre. Elle emmena par la main son petit gars qui portait du feu [3] dans un sabot 15 cassé. A peine son fils et sa femme avaient-ils disparu derrière le toit du hangar, que Galope-Chopine entendit deux hommes sautant le dernier des échaliers en enfilade,[4] et insensiblement il vit à travers un brouillard assez épais des formes anguleuses se dessinant comme des ombres 20 indistinctes.

— C'est Pille-Miche et Marche-à-Terre, se dit-il mentalement.

Et il tressaillit. Les deux Chouans montrèrent dans la petite cour leurs visages ténébreux qui ressemblaient assez, 25 sous leurs grands chapeaux usés, à ces figures que des graveurs ont faites avec des paysages.[5]

— Bonjour, Galope-Chopine, dit gravement Marche-à-Terre.

— Bonjour, monsieur Marche-à-Terre, répondit humble- 30 ment le mari de Barbette. Voulez-vous entrer ici et vider quelques pichets? J'ai de la galette froide et du beurre fraîchement battu.

---

[1] de les **égailler** [egaje]: de les disperser, *to scatter them.*
[2] **se remit en course:** se remit à courir çà et là.
[3] **du feu:** de la braise allumée, *some live charcoal.*
[4] **échaliers en enfilade:** *line of stiles (steps to go over a fence).*
[5] Balzac pense sans doute aux gravures de Dürer, Callot, etc.

— Ce n'est pas de refus, mon cousin,[1] dit Pille-Miche.

Les deux Chouans entrèrent. Ce début n'avait rien
d'effrayant pour le maître du logis, qui s'empressa d'aller à
sa grosse tonne emplir trois pichets, pendant que Marche-à-
5 Terre et Pille-Miche, assis de chaque côté de la longue
table sur un des bancs luisants, se coupèrent des tranches
de galette et les garnirent d'un beurre gras et jaunâtre qui,
sous le couteau, laissait jaillir de petites bulles de lait.
Galope-Chopine posa les pichets pleins de cidre et cou-
10 ronnés de mousse devant ses hôtes, et les trois Chouans se
mirent à manger; mais, de temps en temps, le maître du
logis jetait un regard de côté sur Marche-à-Terre en s'em-
pressant de satisfaire sa soif.

— Donne-moi ta chinchoire,[2] dit Marche-à-Terre à Pille-
15 Miche.

Et, après en avoir secoué fortement plusieurs chinchées [3]
dans le creux de sa main, le Breton aspira son tabac en
homme qui voulait se préparer à quelque action grave.

— Il fait froid, dit Pille-Miche en se levant pour aller
20 fermer la partie supérieure de la porte.[4]

Le jour, terni par le brouillard, ne pénétra plus dans la
chambre que par la petite fenêtre, et n'éclaira que faiblement la chambre et les deux bancs; mais le feu y répandit
des lueurs rougeâtres. En ce moment, Galope-Chopine,
25 qui avait achevé de remplir une seconde fois les pichets de
ses hôtes, les mettait devant eux; mais ils refusèrent de
boire, jetèrent leurs larges chapeaux et prirent tout à coup
un air solennel. Leurs gestes et le regard par lequel ils se
consultèrent firent frissonner Galope-Chopine, qui crut
30 apercevoir du sang sous les bonnets de laine rouge dont ils
étaient coiffés.

[1] **mon cousin:** *cousin.* Les Bretons appellent « cousins » des gens
qui ne sont même pas parents (*related*) avec eux; d'où l'expression
« cousin à la mode de Bretagne », *no relation at all.*

[2] **ta chinchoire:** ta tabatière, *your snuffbox.* Le mot **chinchoire**
est dialectal.

[3] **chinchées:** prises, *pinches.*

[4] **la partie supérieure de la porte:** dans les villages français, beaucoup de portes extérieures, surtout celles des étables (*stables*), sont en
deux parties; elles sont coupées aux deux tiers (*thirds*) de leur hauteur.
Certains les appellent « portes bretonnes » en français, et en anglais,
Dutch doors.

— Apporte-nous ton couperet, dit Marche-à-Terre.

— Mais, monsieur Marche-à-Terre, qu'en voulez-vous donc faire ?

— Allons, cousin, tu le sais bien, dit Pille-Miche en serrant sa chinchoire que lui rendit Marche-à-Terre, tu es jugé.[1]

Les deux Chouans se levèrent ensemble en saisissant leurs carabines.

— Monsieur Marche-à-Terre, je n'ai *rin*[2] dit sur le Gars.

— Je te dis d'aller chercher ton couperet, répondit le Chouan.

Le malheureux Galope-Chopine heurta le bois grossier de la couche de son garçon, et trois pièces de cent sous[3] roulèrent sur le plancher ; Pille-Miche les ramassa.

— Oh ! oh ! les Bleus t'ont donné des pièces neuves, s'écria Marche-à-Terre.

— Aussi vrai que voilà l'image de saint Labre, reprit Galope-Chopine, je n'ai *rin* dit. Barbette a pris les Contre-Chouans pour les gars de Saint-Georges, voilà tout.

— Pourquoi parles-tu d'affaires à ta femme ? répondit brutalement Marche-à-Terre.

— D'ailleurs, cousin, nous ne te demandons pas de raisons, mais ton couperet. Tu es jugé.

A un signe de son compagnon, Pille-Miche l'aida à saisir la victime. En se trouvant entre les mains des deux Chouans, Galope-Chopine perdit toute force, tomba sur ses genoux, et leva vers ses bourreaux des mains désespérées :

— Mes bons amis, mon cousin, que voulez-vous que devienne mon petit gars ?

— J'en prendrai soin, dit Marche-à-Terre.

— Mes bons camarades, reprit Galope-Chopine devenu blême, je ne suis pas en état de mourir. Me laisserez-vous partir sans confession ? Vous avez le droit de prendre ma vie, mais non celui de me faire perdre la bienheureuse éternité.

[1] **tu es jugé:** tu es condamné à mort.
[2] *rin:* prononciation dialectale de **rien**, *nothing*.
[3] **Une pièce de cent sous** était alors comme un *silver dollar*.

— C'est juste, dit Marche-à-Terre en regardant Pille-Miche.

Les deux Chouans restèrent un moment dans le plus grand embarras et sans pouvoir résoudre ce cas de cons-
5 cience. Galope-Chopine écouta le moindre bruit causé par le vent, comme s'il eût conservé quelque espérance. Le son de la goutte de cidre qui tombait périodiquement du tonneau lui fit jeter un regard machinal sur la pièce [1] et soupirer tristement. Tout à coup Pille-Miche prit le patient
10 par un bras, l'entraîna dans un coin et lui dit:

— Confesse-moi tous tes péchés, je les redirai à un prêtre de la véritable Église, il me donnera l'absolution; et s'il y a des pénitences à faire, je les ferai pour toi.

Galope-Chopine obtint quelque répit par sa manière
15 d'accuser ses péchés; mais, malgré le nombre et les circonstances des crimes, il finit par atteindre au bout de son chapelet.

— Hélas! dit-il en terminant, après tout, mon cousin, puisque je te parle comme à un confesseur, je t'assure par
20 le saint nom de Dieu que je n'ai guère à me reprocher que d'avoir, par-ci par-là, un peu trop beurré mon pain,[2] et j'atteste saint Labre que voici au-dessus de la cheminée, que je n'ai rien dit sur le Gars. Non, mes bons amis, je n'ai pas trahi.

25 — Allons, c'est bon, cousin, relève-toi, tu t'entendras sur tout cela avec le bon Dieu, dans le temps comme dans le temps.[3]

— Mais laissez-moi dire un petit brin d'adieu [4] à Barbe.

— Allons, répondit Marche-à-Terre, si tu veux qu'on ne
30 t'en veuille pas plus qu'il ne faut,[5] comporte-toi en Breton, et finis promptement.[6]

---

[1] **la pièce:** la pièce de cidre, *the barrel of cider.*

[2] **d'avoir ... un peu trop beurré mon pain:** *to have been a little too keen on my own interest.*

[3] **dans le temps comme dans le temps:** dans tous les siècles des siècles, *for ever and ever.*

[4] **dire un petit brin d'adieu:** *to say a little word of farewell;* **brin** = *bit.*

[5] **si tu veux qu'on ne t'en veuille pas plus qu'il ne faut:** *if you don't want us to hold it against you any more than we can help.*

[6] **finis promptement** [prɔ̃tmã]: meurs sans plus faire de difficultés (*fuss*).

Les deux Chouans saisirent de nouveau Galope-Chopine, le couchèrent sur le banc, où il ne donna plus d'autres signes de résistance que ces mouvements convulsifs produits par l'instinct de l'animal; enfin il prononça [1] quelques hurlements sourds qui cessèrent aussitôt que le son lourd [2] du couperet eut retenti. La tête fut tranchée d'un seul coup. Marche-à-Terre prit cette tête par une touffe de cheveux, sortit de la chaumière, chercha et trouva dans le grossier chambranle de la porte un grand clou autour duquel il entortilla les cheveux qu'il tenait, et y laissa pendre cette tête sanglante, à laquelle il ne ferma seulement pas les yeux. Les deux Chouans se lavèrent les mains, sans aucune précipitation, dans une grande terrine pleine d'eau, reprirent leurs chapeaux, leurs carabines, et franchirent l'échalier en sifflant l'air de la ballade du capitaine. Pille-Miche entonna d'une voix enrouée, au bout du champ, ces strophes prises au hasard dans cette naïve chanson, dont les rustiques cadences furent emportées par le vent:

> A la première ville,
> Son amant [3] l'habille
> Tout en satin blanc.
>
> A la seconde ville,
> Son amant l'habille
> En or, en argent.
>
> Elle était si belle
> Qu'on lui tendait les voiles [4]
> Dans tout le régiment.

Cette mélodie devint insensiblement confuse à mesure que les deux Chouans s'éloignaient; mais le silence de la campagne était si profond que plusieurs notes parvinrent à l'oreille de Barbette, qui revenait alors au logis en tenant son petit gars par la main. Une paysanne n'entend jamais froidement ce chant, si populaire dans l'Ouest de la France;

---

[1] **il prononça**: il poussa, *he uttered, gave out.*
[2] **le son lourd**: *the thud.*
[3] **son amant**: *her lover,* le capitaine.
[4] **Qu'on lui tendait les voiles**: qu'on mettait des voiles (*sails*), des banderoles (*bunting*), des drapeaux (*flags*) sur son passage.

aussi Barbette commença-t-elle involontairement les premières strophes de la ballade:

Allons, partons, belle,
Partons pour la guerre,
5   Partons, il est temps.

Brave capitaine,
Que ça ne te fasse pas de peine,
Ma fille n'est pas pour toi.

Tu ne l'auras sur terre,
10   Tu ne l'auras sur mer,
Si ce n'est par [1] trahison.

Le père prend sa fille;
Il la déshabille
Et la jette à l'eau.

15   Capitaine, plus sage,
Se jette à la nage,
La ramène à bord.

Allons, partons, belle,
Partons pour la guerre,
20   Partons, il est temps.

A la première ville, etc.

Au moment où Barbette se retrouvait en chantant à la
reprise [2] de la ballade par où avait commencé Pille-Miche,
elle était arrivée dans sa cour; sa langue se glaça; elle resta
25 immobile, et un grand cri, soudain réprimé, sortit de sa
bouche béante.

— Qu'as-tu donc, ma chère mère ? demanda l'enfant.

— Marche tout seul, s'écria sourdement Barbette en lui
retirant la main et le poussant avec une incroyable rudesse;
30 tu n'as plus ni père ni mère.

L'enfant, qui se frottait l'épaule en criant, vit la tête
clouée, et son frais visage garda silencieusement la convulsion nerveuse que les pleurs donnent aux traits.   Il
ouvrit de grands yeux, regarda longtemps la tête de son
35 père avec un air stupide qui ne trahissait aucune émotion;

---

[1] **Si ce n'est par:** excepté par, *except through.*
[2] **à la reprise:** à l'endroit, *at the place;* **reprise:** répétition, *snatch,*
catch (*of song*).

puis sa figure, abrutie par l'ignorance, arriva jusqu'à
exprimer une curiosité sauvage. Tout à coup Barbette
reprit la main de son enfant, la serra violemment, et l'entraîna d'un pas rapide dans la maison. Pendant que Pille-
Miche et Marche-à-Terre couchaient Galope-Chopine sur 5
le banc, un de ses souliers était tombé sous son cou de
manière à se remplir de sang, et ce fut le premier objet que
vit sa veuve.

— Ote ton sabot, dit la mère à son fils. Mets ton pied là-
dedans. Bien. Souviens-toi toujours, s'écria-t-elle d'un 10
son de voix lugubre, du soulier de ton père, et ne t'en mets
jamais un aux pieds sans te rappeler celui qui était plein du
sang versé par les *Chuins*, et tue les *Chuins*.

En ce moment, elle agita sa tête par un mouvement si
convulsif, que les mèches de ses cheveux noirs retombèrent 15
sur son cou et donnèrent à sa figure une expression sinistre.

— J'atteste saint Labre, reprit-elle, que je te voue aux
Bleus. Tu seras soldat pour venger ton père. Tue, tue les
Chuins, et fais comme moi. Ah ! ils ont pris la tête de mon 20
homme, je vais donner celle du Gars aux Bleus.

Elle sauta d'un seul bond sur le lit, s'empara d'un petit
sac d'argent dans une cachette, reprit la main de son fils
étonné, l'entraîna violemment sans lui laisser le temps de
reprendre son sabot, et ils marchèrent tous deux d'un pas 25
rapide vers Fougères, sans que l'un ou l'autre retournât la
tête vers la chaumière qu'ils abandonnaient. Quand ils
arrivèrent sur le sommet des rochers de Saint-Sulpice,
Barbette attisa le feu des fagots, et son gars l'aida à les
couvrir de genêts verts chargés de givre, afin d'en rendre 30
la fumée plus forte.

— Ça durera plus que ton père, plus que moi et plus que
le Gars, dit Barbette d'un air farouche en montrant le feu
à son fils.

Balzac, *Les Chouans* (Scènes de la Vie Militaire), 1829. 35

*Sûre que les chouans la tueront, Barbette va trouver le colonel
Hulot à qui elle avait dit le secret du Gars, bien malgré elle, et
lui confie son fils. Le Gars, voyant la fumée, se rend à
Fougères, dans la maison de Mlle de Verneuil, avec un prêtre*

*et deux témoins; il épouse celle qu'il aime. Le lendemain
matin la maison est entourée par les Bleus. Pour sauver son
mari, la belle espionne met ses vêtements à lui et s'expose au
feu des Bleus; elle est tuée, et son mari aussi. Pille-Miche
deviendra un brigand et sera guillotiné dix ans plus tard;
quant à Marche-à-Terre, il reprendra sa vie de paysan et
finira paisiblement ses jours.*

LE SOLDAT
et la panthère

13

Honoré de Balzac

Balzac raconte l'histoire suivante à une femme.

LORS DE L'EXPÉDITION entreprise dans la Haute-Égypte [1]
par le général Desaix,[2] un soldat provençal, étant tombé au
pouvoir des Mograbins,[3] fut emmené par ces Arabes dans
les déserts situés au-delà des cataractes du Nil.[4] Afin de
mettre entre eux et l'armée française un espace suffisant 5
pour leur tranquillité, les Mograbins firent une marche
forcée, et ne s'arrêtèrent qu'à la nuit. Ils campèrent
autour d'un puits masqué par des palmiers, auprès desquels ils avaient précédemment enterré quelques provisions.
Ne supposant pas que l'idée de fuir pût venir à leur prison- 10
nier ils se contentèrent de lui attacher les mains, et s'en-
dormirent tous après avoir mangé quelques dattes et
donné de l'orge à leurs chevaux.

Quand le hardi Provençal vit ses ennemis hors d'état de
le surveiller, il se servit de ses dents pour s'emparer d'un 15
cimeterre, puis, s'aidant de ses genoux pour en fixer la lame,
il trancha les cordes qui lui ôtaient l'usage de ses mains [5]
et se trouva libre. Aussitôt il se saisit d'une carabine et

---

[1] la **Haute-Égypte**: *Upper Egypt.* Bonaparte entreprit (*under-
took*) une expédition en Égypte pour couper aux Anglais la route des
Indes. Il ne réussit pas (1798–1799).

[2] **Desaix** [dəze]: un des meilleurs généraux de la Révolution
française; il fut tué à la bataille de Marengo (Italie, 1800), à 32 ans.

[3] **Mograbins**: habitants du Maghreb, nom arabe de l'Afrique du
Nord, et signifiant « pays du couchant »: *sunset country.*

[4] **cataractes du Nil**: il y a six grandes cataractes du Nil; la plus
au sud est la sixième, qui se trouve au nord de Khartoum. L'armée
de Bonaparte n'est pas allée beaucoup plus au sud que le Caire
(*Cairo*).

[5] **qui lui ôtait l'usage de ses mains**: qui l'empêchait de se servir
de ses mains.

d'un poignard, se précautionna d'une provision [1] de dattes
sèches, d'un petit sac d'orge, de poudre et de balles;
ceignit un cimeterre, monta sur un cheval, et piqua vivement dans la direction où il supposa que devait être l'armée
5 française. Impatient de revoir un bivouac, il pressa tellement le coursier déjà fatigué, que le pauvre animal expira,
les flancs déchirés,[2] laissant le Français au milieu du
désert.

Après avoir marché pendant quelque temps dans le sable
10 avec tout le courage d'un forçat qui s'évade, le soldat fut
forcé de s'arrêter: le jour finissait. Malgré la beauté du
ciel pendant les nuits en Orient, il ne se sentit pas la force
de continuer son chemin. Il avait heureusement pu gagner
une éminence sur le haut de laquelle s'élançaient quelques
15 palmiers, dont les feuillages, aperçus depuis longtemps,
avaient réveillé dans son cœur les plus douces espérances.
Sa lassitude était si grande qu'il se coucha sur une pierre
de granit, capricieusement taillée en lit de camp, et s'y
endormit sans prendre aucune précaution pour sa défense
20 pendant son sommeil. Il avait fait le sacrifice de sa vie.
Sa dernière pensée fut même un regret. Il se repentait
déjà d'avoir quitté les Mograbins, dont la vie errante
commençait à lui sourire, depuis qu'il était loin d'eux et
sans secours. Il fut réveillé par le soleil, dont les impi-
25 toyables rayons, tombant d'aplomb sur le granit, y pro-
duisaient une chaleur intolérable ...

Quand, après avoir compté les palmiers, il jeta les yeux
autour de lui, le plus affreux désespoir fondit sur son âme.
Il voyait un océan sans bornes. Les sables noirâtres du
30 désert s'étendaient à perte de vue dans toutes les directions, et ils étincelaient comme une lame d'acier frappée
par une vive lumière ... Le Provençal serra le tronc d'un
des palmiers, comme si c'eût été le corps d'un ami; puis, à
l'abri de l'ombre grêle [3] et droite que l'arbre dessinait sur le

---

[1] **se précautionna d'une provision de:** eut la précaution de prendre
une provision de, se munit d'une provision de, *provided himself with.*
[2] **les flancs déchirés:** *his sides lacerated* (*by the spurs,* par les
éperons).
[3] **à l'abri de l'ombre grêle:** abrité du soleil par l'ombre grêle,
sheltered from the sun by the thin shadow.

granit, il pleura, s'assit et resta là, contemplant avec une
tristesse profonde la scène implacable qui s'offrait à ses
regards. Il cria ... Sa voix, perdue dans les cavités de
l'éminence, rendit au loin un son maigre qui ne réveilla
point d'écho; l'écho était dans son cœur: le Provençal 5
avait vingt-deux ans; il arma sa carabine.

— Il sera toujours bien temps![1] se dit-il en posant à
terre l'arme libératrice[2] ...

Il descendit le revers opposé à celui par lequel il était
monté, la veille, sur la colline. Sa joie fut grande en décou- 10
vrant une espèce de grotte, naturellement taillée dans les
immenses fragments de granit qui formaient la base de ce
monticule. Les débris d'une natte annonçaient que cet
asile avait jadis été habité. Puis, à quelques pas, il aperçut
des palmiers chargés de dattes. Alors l'instinct qui nous 15
attache à la vie se réveilla dans son cœur. Il espéra vivre
assez pour attendre le passage de quelques Mograbins, ou,
peut-être, entendrait-il bientôt le bruit des canons, car, en
ce moment, Bonaparte parcourait l'Égypte.

Ranimé par cette pensée, le Français abattit quelques 20
régimes de fruits mûrs sous le poids desquels les dattiers
semblaient fléchir ... Il passa subitement d'un sombre
désespoir à une joie presque folle. Il remonta sur le haut
de la colline, et s'occupa pendant le reste du jour à couper
un des palmiers inféconds qui, la veille, lui avaient servi de 25
toit. Un vague souvenir lui fit penser aux animaux du
désert; et prévoyant qu'ils pourraient venir boire à la
source perdue dans les sables et qui apparaissait au bas
des quartiers de roche, il résolut de se garantir de leurs
visites en mettant une barrière à la porte de son ermitage. 30
Malgré son ardeur, malgré les forces que lui donna la peur
d'être dévoré pendant son sommeil, il lui fut impossible
de couper le palmier en plusieurs morceaux dans cette
journée; mais il réussit à l'abattre ... Il dépouilla ce bel
arbre des larges et hautes feuilles vertes qui en sont le 35

---

[1] **Il sera toujours bien temps!**: *there'll be time enough, I have plenty
of time (before putting a bullet through my head*, avant de me tirer une
balle dans la tête).

[2] **l'arme libératrice**: l'arme qui mettrait fin à (qui le libérerait de)
ses misères, *the weapon which would put an end to his misery*.

poétique ornement, et s'en servit pour réparer la natte
sur laquelle il allait se coucher.

Fatigué par la chaleur et le travail, il s'endormit sous les
lambris rouges [1] de sa grotte humide. Au milieu de la nuit
5 son sommeil fut troublé par un bruit extraordinaire. Il se
dressa sur son séant, et le silence profond qui régnait lui
permit de reconnaître l'accent alternatif d'une respiration
dont la sauvage énergie ne pouvait appartenir à une
créature humaine. Une profonde peur, encore augmentée
10 par l'obscurité, par le silence et par les fantaisies [2] du réveil,
lui glaça le cœur. Il sentit même à peine la douloureuse
contraction de sa chevelure quand, à force de dilater les
pupilles de ses yeux, il aperçut dans l'ombre deux lueurs
faibles et jaunes. D'abord il attribua ces lumières à
15 quelque reflet de ses prunelles; mais bientôt, le vif éclat
de la nuit l'aidant par degrés à distinguer les objets qui se
trouvaient dans la grotte, il aperçut un énorme animal
couché à deux pas de lui. Était-ce un lion, un tigre ou un
crocodile?... Il endura le cruel supplice d'écouter, de
20 saisir les caprices de cette respiration, sans en rien perdre,
et sans oser se permettre le moindre mouvement. Une
odeur aussi forte que celle exhalée [3] par les renards, mais
plus pénétrante, ... remplissait la grotte; et quand le Provençal l'eut dégustée du nez, [4] sa terreur fut au comble,
25 car il ne pouvait plus révoquer en doute [5] l'existence du terrible compagnon dont l'antre royal lui servait de bivouac.

Bientôt les reflets de la lune qui se précipitait vers l'horizon, éclairant la tanière, firent insensiblement resplendir
la peau tachetée d'une panthère. Ce lion d'Égypte dormait,
30 roulé comme un gros chien, paisible possesseur d'une niche
somptueuse à la porte d'un hôtel; ses yeux, ouverts pendant
un moment, s'étaient refermés. Il avait la face tournée
vers le Français. Mille pensées confuses passèrent dans
l'âme du prisonnier de la panthère; d'abord il voulut la

---

[1] les lambris [lăbri] rouges: the red-paneled ceiling. Ces lambris
sont les pierres rouges à l'intérieur de la grotte.

[2] les fantaisies: les idées fantasques, les visions, *the fantasies.*

[3] celle exhalée: celle qui est exhalée.

[4] l'eut dégustée du nez: *had sampled it (checked it) with his nose.*

[5] révoquer en doute: mettre en doute, douter de, *question.*

tuer d'un coup de fusil, mais il s'aperçut qu'il n'avait pas
assez d'espace entre elle et lui pour l'ajuster; le canon
aurait dépassé l'animal. Et s'il l'éveillait? Cette hypothèse le rendit immobile ... Il mit la main deux fois sur
son cimeterre dans le dessein de trancher la tête de son   5
ennemi; mais la difficulté de couper un poil ras et dur
l'obligea de renoncer à ce hardi projet.

— La manquer? Ce serait mourir sûrement, pensa-t-il.

Il préféra les chances d'un combat, et résolut d'attendre
le jour. Et le jour ne se fit pas longtemps désirer. Le   10
Français put alors examiner la panthère; elle avait le
museau teint de sang.

— Elle a bien mangé, pensa-t-il sans s'inquiéter si le
festin avait été composé de chair humaine; elle n'aura pas
faim à son réveil.   15

C'était une femelle. La fourrure du ventre et des cuisses
étincelait de blancheur. Plusieurs petites taches, semblables à du velours, formaient de jolis bracelets autour
des pattes. La queue musculeuse était également blanche,
mais terminée par des anneaux noirs. Le dessus de la robe, 20
jaune comme de l'or mat, mais bien lisse et doux, portait
les mouchetures caractéristiques, nuancées en forme de
roses, qui servent à distinguer les panthères des autres
espèces de *felis*.[1] Cette tranquille et redoutable hôtesse
ronflait dans une pose aussi gracieuse que celle d'une chatte 25
couchée sur le coussin d'une ottomane. Ses sanglantes
pattes, nerveuses et bien armées,[2] étaient en avant de sa
tête qui reposait dessus, et de laquelle partaient ces barbes
rares et droites, semblables à des fils d'argent ...

Le Provençal sentait sa vue troublée par cet aspect 30
sinistre. La présence de la panthère, même endormie, lui
faisait éprouver l'effet que les yeux magnétiques du serpent
produisent, dit-on, sur le rossignol. Le courage du soldat
finit par s'évanouir un moment devant ce danger, tandis
qu'il se serait sans doute exalté sous la bouche des canons 35
vomissant la mitraille. Cependant une pensée intrépide
se fit jour en son âme ... Agissant comme les hommes qui,

---

[1] de *felis*: de félins, d'animaux du genre (*genus*) chat, *of felines*.
[2] bien **armées**: pourvues de fortes griffes, *provided with strong claws*.

poussés à bout par le malheur, arrivent à défier la mort et
s'offrent à ses coups, il vit sans s'en rendre compte une
tragédie dans cette aventure, et résolut d'y jouer son rôle
avec honneur, jusqu'à la dernière scène.

5   — Avant-hier les Arabes m'auraient peut-être tué, se
dit-il.

Se considérant comme mort, il attendit bravement, et
avec une inquiète curiosité, le réveil de son ennemi. Quand
le soleil parut, la panthère ouvrit subitement les yeux;
10 puis elle étendit violemment ses pattes, comme pour
dégourdir et dissiper des crampes. Enfin elle bâilla,
montrant ainsi l'épouvantable appareil de ses dents et sa
langue fourchue [1] aussi dure qu'une râpe . . .

Elle lécha le sang qui teignait ses pattes, son museau, et
15 se gratta la tête par des gestes réitérés, pleins de gentillesse.

— Bien ! Fais un petit bout de toilette, dit en lui-même
le Français qui retrouva sa gaieté en reprenant du courage;
nous allons nous souhaiter le bonjour.[2]

20 Et il saisit le petit poignard court dont il avait débarrassé les Mograbins.[3]

En ce moment, la panthère retourna la tête vers le
Français et le regarda fixement sans avancer. La rigidité
de ses yeux métalliques, et leur insupportable clarté, firent
25 tressaillir le Provençal, surtout quand la bête marcha vers
lui; mais il la contempla d'un air caressant, et, la guignant
comme pour la magnétiser, il la laissa venir près de lui;
puis . . . , il lui passa la main sur tout le corps, de la tête à
la queue, en irritant [4] avec ses ongles les flexibles vertèbres
30 qui partageaient le dos jaune de la panthère. La bête re-
dressa voluptueusement sa queue, ses yeux s'adoucirent;
et quand, pour la troisième fois, le Français accomplit cette

---

[1] **langue fourchue:** *divided (forked) tongue.* La langue de la
panthère n'est pas fourchue. Balzac fait parfois de graves erreurs; il
écrivait trop, et trop vite; peut-être a-t-il voulu écrire: **pointue,**
pointed.

[2] **nous allons nous souhaiter le bonjour:** *we're going to say hello
to each other.*

[3] **dont il avait débarrassé** (délesté) **les Mograbins:** qu'il avait
volé aux M., *of which he had relieved the M.*

[4] **irritant:** grattant, *scratching.*

flatterie intéressée, elle fit entendre un de ces ronrons par lesquels nos chats expriment leur plaisir; mais ce murmure partait d'un gosier si puissant et si profond qu'il retentir dans la grotte comme les derniers ronflements des orgues dans une église. Le Provençal, comprenant l'importance 5 de ses caresses, les redoubla . . . Quand il se crut sûr d'avoir éteint la férocité de sa capricieuse compagne, dont la faim avait été si heureusement assouvie la veille, il se leva et voulut sortir de la grotte. La panthère le laissa bien partir; mais, quand il eut gravi la colline, elle bondit avec la 10 légèreté des moineaux sautant d'une branche à une autre, et vint se frotter contre les jambes du soldat en faisant le gros dos à la manière des chattes. Puis, regardant son hôte d'un œil dont l'éclat était devenu moins inflexible, elle jeta ce cri sauvage que les naturalistes comparent au 15 bruit d'une scie [1] . . .

Le Français essaya de jouer avec les oreilles, de lui gratter fortement la tête avec ses ongles. Et, s'apercevant de ses succès, il lui chatouilla le crâne avec la pointe de son poignard, en épiant l'heure de la tuer; mais la dureté des 20 os le fit trembler de ne pas réussir . . .

Il songea soudain que, pour assassiner d'un seul coup cette farouche princesse, il fallait la poignarder dans la gorge; et il levait la lame, quand la panthère, rassasiée [2] sans doute, se coucha gracieusement à ses pieds en jetant 25 de temps en temps des regards où, malgré une rigueur native, se peignait confusément de la bienveillance. Le pauvre Provençal mangea ses dattes en s'appuyant sur un des palmiers; mais il lançait tour à tour un œil investigateur sur le désert pour y chercher des libérateurs, et sur 30 sa terrible compagne pour en épier la clémence incertaine. La panthère regardait l'endroit où les noyaux de dattes tombaient, chaque fois qu'il en jetait un, et ses yeux exprimaient alors une incroyable méfiance. Elle examinait le Français avec une prudence commerciale; mais cet 35 examen lui fut favorable, car lorsqu'il eut achevé son maigre repas, elle lui lécha les souliers, et, d'une langue

---

[1] ce bruit de scie s'appelle le grincement (*rasping, grating*).

[2] rassasiée: rassasiée de caresses, *who had had enough patting.*

rude et forte, elle en enleva miraculeusement la poussière
incrustée dans les plis.

— Mais quand elle aura faim ? pensa le Provençal ...

Il essaya d'aller et venir; la panthère le laissa libre, se
5 contentant de le suivre des yeux, ressemblant ainsi moins à
un chien fidèle qu'à un gros angora inquiet de tout, même
des mouvements de son maître. Quand il se retourna, il
aperçut du côté de la fontaine les restes de son cheval; la
panthère en avait traîné jusque-là le cadavre. Les deux
10 tiers environ étaient dévorés. Ce spectacle rassura le
Français. Il lui fut facile alors d'expliquer l'absence de la
panthère, et le respect qu'elle avait eu pour lui pendant son
sommeil.

Ce premier bonheur l'enhardissant à tenter l'avenir, il
15 conçut le fol espoir de faire bon ménage avec la panthère
pendant toute la journée, en ne négligeant aucun moyen
de l'apprivoiser et de se concilier ses bonnes grâces. Il
revint près d'elle et eut l'ineffable bonheur de lui voir
remuer la queue par un mouvement presque insensible. Il
20 s'assit alors sans crainte auprès d'elle, et ils se mirent à
jouer tous les deux. Il lui prit les pattes, le museau, lui
tournilla[1] les oreilles, la renversa sur le dos, et gratta fortement ses flancs chauds et soyeux. Elle se laissa faire, et
quand le soldat essaya de lui lisser le poil des pattes, elle
25 rentra soigneusement ses ongles recourbés comme des
damas.[2] Le Français, qui gardait une main sur son poignard, pensait encore à le plonger dans le ventre de la trop
confiante panthère; mais il craignit d'être immédiatement
étranglé dans la dernière convulsion qui l'agiterait. Et,
30 d'ailleurs, il entendit dans son cœur une sorte de remords
qui lui criait de respecter une créature inoffensive. Il lui
semblait avoir trouvé une amie dans ce désert sans bornes.
Il la nomma « Mignonne »[3] ...

Vers la fin de la journée il s'était familiarisé avec sa situa-
35 tion périlleuse, et il en aimait presque les angoisses. Enfin

[1] lui tournilla (tortilla) les oreilles: *he twiddled her ears.*

[2] ses ongles (griffes) recourbés: comme des damas [damas *or*
dama], *her claws curved like Damascus blades.* Damas (*Damascus*)
est une grande ville de Syrie.

[3] Mignonne: *Cutie.*

sa compagne avait fini par prendre l'habitude de le regarder quand il criait en voix de fausset: « *Mignonne!* » Au coucher du soleil, Mignonne fit entendre à plusieurs reprises un cri profond et mélancolique.

« Elle est bien élevée! pensa le gai soldat; elle dit ses 5 prières. » Mais cette plaisanterie mentale ne lui vint en l'esprit que quand il eut remarqué l'attitude pacifique dans laquelle restait sa camarade.

— Va, ma petite blonde, je te laisserai coucher la première, lui dit-il en comptant sur l'activité de ses jambes 10 pour s'évader au plus vite quand elle serait endormie, afin d'aller chercher un autre gîte pendant la nuit.

Le soldat attendit avec impatience l'heure de sa fuite, et, quand elle fut arrivée, il marcha vigoureusement dans la direction du Nil. Mais à peine eut-il fait un quart de 15 lieue dans les sables qu'il entendit la panthère bondissant derrière lui et jetant par intervalles ce cri de scie,[1] plus effrayant encore que le bruit de ses bonds.

— Allons! se dit-il, elle m'a pris en amitié ... En ce moment, le Français tomba dans un de ces sables mouvants 20 si redoutables pour les voyageurs, et d'où il est impossible de se sauver. En se sentant pris, il poussa un cri d'alarme. La panthère le saisit avec ses dents par le collet, et, sautant avec vigueur en arrière, elle le tira du gouffre comme par magie.   25

— Ah! Mignonne, s'écria le soldat en la caressant avec enthousiasme, c'est entre nous maintenant à la vie et à la mort. Mais pas de farces!

Et il revint sur ses pas.

Le désert fut dès lors comme peuplé. Il renfermait un 30 être auquel le Français pouvait parler, et dont la férocité s'était adoucie pour lui, sans qu'il s'expliquât les raisons de cette incroyable amitié. Quelque puissant que fût le désir du soldat de rester debout et sur ses gardes, il dormit. A son réveil, il ne vit plus Mignonne. Il monta sur la 35 colline, et, dans le lointain, il l'aperçut accourant par bonds, suivant l'habitude de ces animaux auxquels la course est interdite par l'extrême flexibilité de leur colonne vertébrale. Mignonne arriva, les babines sanglantes; elle

[1] **ce cri de scie**: *that rasping (saw-like) roar.*

reçut les caresses nécessaires que lui fit son compagnon, en
témoignant même par plusieurs ronrons graves combien elle
en était heureuse ...

Quelques jours se passèrent ainsi ... Soit que la volonté
5 du soldat, puissamment projetée, eût modifié le caractère
de sa compagne, soit qu'elle trouvât une nourriture
abondante grâce aux combats qui se livraient alors dans
ces déserts, elle respecta la vie du Français, qui finit par ne
plus s'en défier en la voyant si bien apprivoisée. Il em-
10 ployait la plus grande partie de son temps à dormir, mais il
était obligé de veiller, comme une araignée au sein de sa
toile, pour ne pas laisser échapper le moment de sa délivrance, si quelqu'un passait dans la sphère décrite par
l'horizon. Il avait sacrifié sa chemise pour en faire un
15 drapeau, arboré sur le haut d'un palmier dépouillé de feuillage. Conseillé par la nécessité, il sut trouver le moyen de
le garder déployé en le tendant avec des baguettes, car le
vent aurait pu ne pas l'agiter au moment où le voyageur
attendu regarderait dans le désert.

20 C'était pendant les longues heures où l'abandonnait
l'espérance qu'il s'amusait avec la panthère. Il avait fini
par connaître les différentes inflexions de sa voix, l'expression de ses regards; il avait étudié les caprices de toutes les
taches qui nuançaient l'or de sa robe ... Mais c'était
25 surtout quand elle folâtrait qu'il la contemplait complaisamment, et l'agilité, la jeunesse de ses mouvements, le
surprenaient toujours. Il admirait sa souplesse quand
elle se mettait à bondir, à ramper, à se glisser, à se fourrer,
à s'accrocher, se rouler, se blottir, s'élancer partout.
30 Quelque rapide que fût son élan, quelque glissant que fût
un bloc de granit, elle s'arrêtait tout court, au mot de
« Mignonne » ...

— Eh bien! me dit la femme [1] ..., comment deux personnes si bien faites pour se comprendre ont-elles fini ?
35   — Ah! voilà. Elles ont fini par un malentendu ...
Voici ce que le Provençal m'a dit:
— Je ne sais pas quel mal je lui ai fait, mais, un jour

[1] la femme: la femme à qui Balzac raconte cette histoire.

que je la caressais, elle se retourna comme si elle eût été
enragée; et, de ses dents aiguës, elle m'entama la cuisse,
faiblement sans doute. Moi, croyant qu'elle voulait me
dévorer, je lui plongeai mon poignard dans le cou. Elle
roula en jetant un cri qui me glaça le cœur; je la vis se   5
débattant en me regardant sans colère. J'aurais voulu
pour tout au monde, pour ma croix [1] que je n'avais pas encore, la rendre à la vie. C'était comme si j'eusse assassiné
une personne véritable. Et les soldats qui avaient vu mon
drapeau, et qui accoururent à mon secours, me trouvèrent 10
tout en larmes.

— Eh bien! monsieur, reprit-il après un moment de
silence, j'ai fait depuis la guerre en Allemagne, en Espagne,
en Russie, en France [2]; j'ai bien promené mon cadavre [3];
je n'ai rien vu de semblable au désert.[4] Ah! c'est que cela 15
est bien beau!

— Qu'y sentiez-vous? lui ai-je demandé.

— Oh! cela ne se dit pas,[5] jeune homme. D'ailleurs je
ne regrette pas toujours mon bouquet de palmiers et ma
panthère; il faut que je sois triste pour cela. Dans le 20
désert, voyez-vous, il y a tout et il n'y a rien.

— Mais encore,[6] expliquez-moi.

— Eh bien! reprit-il en laissant échapper un geste d'impatience, c'est Dieu sans les hommes.

Balzac, *Une Passion dans le Désert*   25
(Scènes de la Vie Militaire)

[1] **ma croix:** ma croix de la légion d'honneur.
[2] Ce vieux soldat a suivi Napoléon dans toutes ses campagnes
après celle d'Égypte.
[3] **j'ai bien promené mon cadavre:** *I've carried my carcass* (*old
bones*) *about a good deal.*
[4] **je n'ai rien vu de semblable au désert:** *I haven't seen anything
comparable to* (*anything like*) *the desert.*
[5] **cela ne se dit pas:** on ne peut pas décrire cela.
[6] **Mais encore:** *yes, but.*

LE JONGLEUR
de Notre-Dame

14

Anatole France

AU * TEMPS DU roi Louis,[1] il y avait en France un pauvre jongleur,[2] natif de Compiègne,[3] nommé Barnabé, qui allait par les villes, faisant des tours de force et d'adresse.

Les jours de foire, il étendait sur la place publique un
5 vieux tapis tout usé, et, après avoir attiré les enfants et les badauds par des propos plaisants qu'il tenait d'un très vieux jongleur et auxquels il ne changeait jamais rien, il prenait des attitudes qui n'étaient pas naturelles, et il mettait une assiette d'étain en équilibre sur son nez. La
10 foule le regardait d'abord avec indifférence.

Mais quand, se tenant sur les mains, la tête en bas, il jetait en l'air et rattrapait avec ses pieds six boules de cuivre qui brillaient au soleil, ou quand, se renversant jusqu'à ce que sa nuque touchât ses talons, il donnait à son
15 corps la forme d'une roue parfaite et jonglait, dans cette posture, avec douze couteaux, un murmure d'admiration s'élevait dans l'assistance et les pièces de monnaie pleuvaient sur le tapis.

Pourtant, comme la plupart de ceux qui vivent de leurs
20 talents, Barnabé de Compiègne avait grand peine à vivre.

Gagnant son pain à la sueur de son front, il portait plus que sa part des misères attachées à la faute d'Adam, notre père.[4]

* See page 246.
[1] **Louis:** Louis IX. Lui et Henri IV furent les meilleurs rois de France. Par ses vertus, Louis IX mérita le nom de saint Louis; il régna de 1226 à 1270.

[2] *Our Lady's Juggler.*

[3] **Compiègne:** jolie ville à 45 milles au nord de Paris. L'armistice de 1918 et la capitulation française de 1940 ont été signés à cinq milles à l'ouest de Compiègne, à Rethondes. Les Américains ont eu près de Compiègne une base aérienne de 1944 à 1946.

[4] **Adam, notre père:** « Tu gagneras ton pain à la sueur de ton front! » a dit Dieu à Adam en le chassant du Paradis Terrestre.

Encore [1] ne pouvait-il travailler autant qu'il aurait voulu. Pour montrer son beau savoir, comme aux arbres pour donner des fleurs et des fruits, il lui fallait la chaleur du soleil et la lumière du jour. Dans l'hiver,[2] il n'était plus qu'un arbre dépouillé de ses feuilles et quasi mort. La terre gelée était dure au jongleur. Et, comme la cigale dont parle Marie de France,[3] il souffrait du froid et de la faim dans la mauvaise saison. Mais, comme il avait le cœur simple, il prenait ses maux en patience.

Il n'avait jamais réfléchi à l'origine des richesses, ni à l'inégalité des conditions humaines. Il comptait [4] fermement que, si ce monde est mauvais, l'autre ne pourrait manquer d'être bon, et cette espérance le soutenait. Il n'imitait pas les baladins larrons et mécréants [5] qui ont vendu leur âme au diable. Il ne blasphémait jamais le nom de Dieu; il vivait honnêtement, et, bien qu'il n'eût pas de femme, il ne convoitait pas celle du voisin, parce que la femme est l'ennemie des hommes forts, comme il apparaît par l'histoire de Samson,[6] qui est rapportée dans l'Écriture.

A la vérité, il n'avait pas l'esprit tourné aux désirs charnels, et il lui en coûtait plus de renoncer aux brocs [7] qu'aux dames. Car, sans manquer à la sobriété, il aimait à boire quand il faisait chaud. C'était un homme de bien, craignant Dieu et très dévot à la sainte Vierge.

Il ne manquait jamais, quand il entrait dans une église, de s'agenouiller devant l'image de la Mère de Dieu, et de lui adresser cette prière:

[1] **Encore:** *even so.*

[2] **Dans l'hiver:** en hiver.

[3] **Marie de France:** femme poète du 13ᵉ siècle, auteur de *Lais* (*Lays*) et de *Fables*, dont une que La Fontaine a imitée sous le titre de *La Cigale et la Fourmi* (*The Cricket and the Ant*).

[4] **Il comptait:** il croyait, *he believed.*

[5] **les baladins larrons et mécréants:** *those thievish and miscreant merry-andrews* (*clowns*).

[6] **Samson** [sɑ̃sɔ̃]: l'homme fort qui vainquit les Philistins. Il dit à Dalila (*Delilah*), la femme qu'il aimait, qu'il était fort à cause de ses longs cheveux. Dalila confia ce secret aux Philistins, qui coupèrent les longs cheveux de Samson pendant son sommeil, l'emprisonnèrent et l'aveuglèrent (*blinded him*).

[7] **brocs** [bro]: pichets de vin, *pitchers* (*jugs*) *of wine.*

« Madame,[1] prenez soin de ma vie jusqu'à ce qu'il plaise
à Dieu que je meure, et quand je serai mort, faites-moi
avoir les joies du paradis. »

Or, un certain soir, après une journée de pluie, tandis
5 qu'il s'en allait, triste et courbé, portant sous son bras ses
boules et ses couteaux cachés dans son vieux tapis, et
cherchant quelque grange pour s'y coucher sans souper, il
vit sur la route un moine qui suivait le même chemin, et le
salua honnêtement. Comme ils marchaient du même pas,
10 ils se mirent à échanger des propos.

— Compagnon, dit le moine, d'où vient que vous êtes
habillé tout de vert ? Ne serait-ce point pour faire le personnage d'un fol [2] dans quelque mystère ? [3]

— Non point, mon Père, répondit Barnabé. Tel que
15 vous me voyez, je me nomme Barnabé, et je suis jongleur
de mon état.[4] Ce serait le plus bel état du monde si on y
mangeait tous les jours.[5]

— Ami Barnabé, reprit le moine, prenez garde à ce que
vous dites. Il n'y a pas de plus bel état que l'état monas-
20 tique. On y célèbre les louanges de Dieu, de la Vierge et
des saints, et la vie du religieux est un perpétuel cantique
au Seigneur.

Barnabé répondit:

— Mon Père, je confesse que j'ai parlé comme un
25 ignorant. Votre état ne se peut comparer au mien, et,
quoiqu'il y ait du mérite à danser en tenant au bout du nez
un denier en équilibre sur un bâton, ce mérite n'approche
pas du vôtre. Je voudrais bien comme vous, mon Père,
chanter tous les jours l'office, et spécialement l'office de
30 la très sainte Vierge, à qui j'ai voué une dévotion particu-

---

[1] **Madame:** *Blessed lady.*

[2] **pour faire le personnage d'un fol:** pour jouer le rôle d'un bouffon
(d'un fou), *to play the part of a jester.*

[3] **mystère:** *mystery play.* Les mystères étaient de très longues
pièces religieuses, mêlées de sérieux et de comique, au sujet des
Écritures, de la vie des saints, etc.; le plus célèbre est *Le vrai Mystère
de la Passion,* d'Arnould Gréban (15ᵉ siècle).

[4] **de mon état:** de mon métier, *by trade.*

[5] **si on y mangeait tous les jours:** s'il donnait le pain quotidien
(*daily*) à celui qui l'exerce, s'il nourrissait son homme, *if it provided
one with daily bread, if one could make a living out of it.*

lière. Je renoncerais bien volontiers à l'art dans lequel je suis connu, de Soissons à Beauvais,[1] dans plus de six cents villes et villages, pour embrasser la vie monastique.

Le moine fut touché de la simplicité du jongleur, et, comme il ne manquait pas de discernement, il reconnut en 5 Barnabé un de ces hommes de bonne volonté de qui Notre-Seigneur a dit: « Que la paix soit avec eux sur la terre ! »[2] C'est pourquoi il lui répondit:

— Ami Barnabé, venez avec moi, et je vous ferai entrer dans le couvent dont je suis prieur. Celui qui conduisit 10 Marie l'Égyptienne[3] dans le désert m'a mis sur votre chemin pour vous mener dans la voie du salut.

C'est ainsi que Barnabé devint moine. Dans le couvent où il fut reçu, les religieux célébraient à l'envi le culte de la sainte Vierge, et chacun employait à la servir tout le savoir 15 et toute l'habileté que Dieu lui avait donnés.

Le prieur, pour sa part, composait des livres qui traitaient, selon les règles de la scolastique, des vertus de la Mère de Dieu.

Le frère Maurice copiait, d'une main savante, ces traités 20 sur des feuilles de vélin.

Le frère Alexandre y peignait de fines miniatures. On y voyait la Reine du ciel,[4] assise sur le trône de Salomon,[5] au pied duquel veillent quatre lions; autour de sa tête nimbée voltigeaient sept colombes, qui sont les sept dons du 25 Saint-Esprit: dons de crainte, de piété, de science, de force, de conseil, d'intelligence et de sagesse. Elle avait pour compagnes six vierges aux cheveux d'or: l'Humilité, la Prudence, la Retraite, le Respect, la Virginité et l'Obéissance. 30

---

[1] de Soissons à Beauvais: il y a 65 milles entre ces deux villes.

[2] Que la paix soit avec eux sur la terre: *Peace on earth, good will toward men.* Cette parole a été dite par les anges, aux bergers, lors de la Nativité.

[3] Marie l'Égyptienne: C'était une prostituée d'Alexandrie, en Égypte, au 4ᵉ siècle. Elle eut une vision et, repentante, elle se retira dans un désert près du Jourdain (*Jordan River*); elle y fit pénitence (*penance*) pendant 47 ans. Elle a été canonisée.

[4] la Reine du ciel: la Vierge Marie.

[5] Salomon: *Solomon*, excellent roi d'Israël, fils de David; célèbre par sa sagesse (*wisdom*).

À ses pieds, deux petites figures nues et toutes blanches
se tenaient dans une attitude suppliante. C'étaient des
âmes qui imploraient, pour leur salut et non, certes, en vain,
sa toute-puissante intercession.

5   Le frère Alexandre représentait sur une autre page Ève
en regard de Marie, afin qu'on vît en même temps la faute
et la rédemption, la femme humiliée et la vierge exaltée.
On admirait encore dans ce livre le Puits des eaux vives,[1]
la Fontaine, le Lis, la Lune, le Soleil et le Jardin clos dont
10 il est parlé dans le *Cantique*,[2] la Porte du Ciel et la Cité de
Dieu, et c'étaient là des images [3] de la Vierge.

Le Frère Marbode était semblablement [4] un des plus
tendres enfants de Marie.

Il taillait sans cesse des images de pierre, en sorte qu'il
15 avait la barbe, les sourcils et les cheveux blancs de poussière, et que ses yeux étaient perpétuellement gonflés et
larmoyants; mais il était plein de force et de joie dans un
âge avancé, et, visiblement, la Reine du paradis protégeait
la vieillesse de son enfant.   Marbode la représentait
20 assise dans une chaire, le front ceint d'un nimbe à orbe
perlé.[5]

Parfois aussi il la figurait sous les traits d'un enfant plein
de grâce, et elle semblait dire: « Seigneur, vous êtes mon
Seigneur !» [6]

25 Il y avait aussi, dans le couvent, des poètes qui com-
posaient, en latin, des proses [7] et des hymnes en l'honneur
de la bienheureuse vierge Marie, et même il s'y trouvait

---

[1] le **Puits des eaux vives:** "a well of living (flowing) waters ":
Le Cantique des Cantiques, iv, 15.

[2] le **Cantique:** le Cantique des Cantiques, *Solomon's Song*. C'est
une des parties de l'Ancien Testament; elle est attribuée à Salomon.

[3] **images:** *symbols*.

[4] **semblablement:** de même, *likewise*.

[5] le **front ceint d'un nimbe à orbe perlé:** *her brow encircled with an
orb-shaped nimbus* (*halo*).

[6] *Deus meus es tu!* Psalmiste, 21, 11. Le Psalmiste est le roi
David.

[7] **des proses:** des morceaux en prose, pièces en prose.

un Picard qui mettait les miracles de Notre-Dame en
langue vulgaire [1] et en vers rimés.

Voyant un tel concours de louanges [2] et une si belle
moisson d'œuvres, Barnabé se lamentait de son ignorance
et de sa simplicité.   5

— Hélas, soupirait-il en se promenant seul dans le petit
jardin sans ombre du couvent, je suis bien malheureux de
ne pouvoir, comme mes frères, louer dignement la sainte
Mère de Dieu, à laquelle j'ai voué la tendresse de mon
cœur. Hélas ! hélas ! je suis un homme rude et sans art, et 10
je n'ai pour votre service, madame la Vierge, ni sermons
édifiants, ni traités bien divisés selon les règles, ni fines
peintures, ni statues exactement taillées, ni vers comptés
par pieds et marchant en mesure.[3] Je n'ai rien, hélas !

Il gémissait de la sorte et s'abandonnait à la tristesse. 15
Un soir que les moines se récréaient en conversant, il entendit l'un d'eux conter l'histoire d'un religieux qui ne
savait réciter autre chose qu'*Ave Maria*.[4] Ce religieux était
méprisé pour son ignorance; mais, étant mort, il lui sortit
de la bouche cinq roses en l'honneur des cinq lettres du nom 20
de Marie, et sa sainteté fut ainsi manifestée.

En écoutant ce récit, Barnabé admira une fois de plus la
bonté de la Vierge; mais il ne fut pas consolé par l'exemple
de cette mort bienheureuse, car son cœur était plein de
zèle et il voulait servir la gloire de sa dame qui est aux cieux. 25

Il en cherchait le moyen sans pouvoir le trouver et il
s'affligeait chaque jour davantage, quand un matin, s'étant
réveillé tout joyeux, il courut à la chapelle et y demeura seul
pendant plus d'une heure. Il y retourna l'après-dîner.[5]

[1] **en langue vulgaire:** dans la langue du peuple, *in the vulgar
tongue.* Le couvent de Barnabé se trouve dans la région Beauvais-
Soissons, c'est-à-dire dans la partie nord de la province appelée Ile-
de-France. La langue des gens de cette région est mêlée de picard,
dialecte de la province de Picardie, immédiatement au nord de
Beauvais. En picard, la fin du paragraphe serait « et même i s'y
trouvo (i avo là) in Picard qui metto ches miraques èd Noter-Dame
din l'lingache èd ches gins (des gens) et in vers rimés. »

[2] **concours de louanges:** peut aussi bien vouloir dire *amount of
praise* que *emulation (competition) in praise.*

[3] **marchant en mesure:** *moving with measured step.*

[4] **Ave Maria:** *Hail, Mary.*

[5] **l'après-dîner:** l'après-midi.

Et, à compter de ce moment, il allait chaque jour dans
cette chapelle, à l'heure où elle était déserte, et il y passait
une grande partie du temps que les autres moines con-
sacraient aux arts libéraux et aux arts mécaniques. Il
n'était plus triste et il ne gémissait plus.

Une conduite si singulière éveilla la curiosité des moines.

On se demandait, dans la communauté, pourquoi le frère
Barnabé faisait des retraites si fréquentes.

Le prieur, dont le devoir est de ne rien ignorer de la conduite de ses religieux, résolut d'observer Barnabé pendant
ses solitudes. Un jour donc que celui-ci était renfermé,
comme à son ordinaire, dans la chapelle, dom prieur vint,
accompagné de deux anciens du couvent, observer, à
travers les fentes de la porte, ce qui se passait à l'intérieur.

Ils virent Barnabé qui, devant l'autel de la sainte Vierge,
la tête en bas, les pieds en l'air, jonglait avec six boules de
cuivre et douze couteaux. Il faisait, en l'honneur de la
sainte Mère de Dieu, les tours qui lui avaient valu le plus
de louanges. Ne comprenant pas que cet homme simple
mettait ainsi son talent et son savoir au service de la sainte
Vierge, les deux anciens criaient au sacrilège.

Le prieur savait que Barnabé avait l'âme innocente;
mais il le croyait tombé en démence. Ils s'apprêtaient
tous trois à le tirer vivement de la chapelle, quand ils
virent la sainte Vierge descendre les degrés de l'autel
pour venir essuyer d'un pan de son manteau bleu la sueur
qui dégouttait du front de son jongleur.

Alors le prieur, se prosternant le visage contre la dalle,
récita ces paroles:

30   — Heureux les simples, car ils verront Dieu ![1]

— *Amen !* répondirent les anciens en baisant la terre.

---

[1] **Heureux les simples, car ils verront Dieu!**: *Blessed are the poor
in spirit, for they shall see God.*   (Évangile selon saint Mathieu,
Matthew, V.)

LA FARCE

15

Guy de Maupassant

...Oh! j'en * ai fait, j'en ai fait des farces, dans mon
existence. Et on m'en a fait aussi, morbleu! et de bien
bonnes... J'en veux aujourd'hui raconter une...

J'allais chasser, à l'automne, chez des amis, en un
château de Picardie. Mes amis étaient des farceurs, bien 5
entendu. Je ne veux pas connaître d'autres gens.

Quand j'arrivai on me fit une réception princière qui me
mit en défiance. On tira des coups de fusil [1]; on m'embrassa, on me cajola comme si on attendait de moi de
grands plaisirs; je me dis: « Attention, vieux furet,[2] on 10
prépare quelque chose. »

Pendant le dîner la gaieté fut excessive, trop grande.
Je pensais: « Voilà des gens qui s'amusent double,[3] et
sans raison apparente. Il faut qu'ils aient dans l'esprit
l'attente de quelque bon tour. C'est à moi qu'on le destine 15
assurément. Attention. »

Pendant toute la soirée on rit avec exagération. Je
sentais dans l'air une farce, comme le chien sent le gibier.
Mais quoi? J'étais en éveil, en inquiétude. Je ne laissais
passer ni un mot, ni une intention, ni un geste. Tout me 20
semblait suspect, jusqu'à [4] la figure des domestiques.

L'heure de se coucher sonna, et voilà qu'on se mit
à me reconduire à ma chambre, en procession. Pourquoi? On me cria bonsoir. J'entrai, je fermai ma porte,
et je demeurai debout, sans faire un pas, ma bougie à la 25
main.

---

* See page 248.

[1] **On tira des coups de fusil:** on tira des coups de fusil en l'air,
pour faire honneur à l'invité (*guest*).

[2] **vieux furet:** *old snoop;* un furet (*ferret*) est une sorte de belette
(*weasel*) dont on se sert pour chasser les lapins (*rabbits*).

[3] **qui s'amusent double:** *who are having double fun.*

[4] **jusqu'à:** même, *even.*

J'entendais rire et chuchoter dans le corridor. On
m'épiait sans doute. Et j'inspectais de l'œil les murs,
les meubles, le plafond, les tentures, le parquet. Je
n'aperçus rien de suspect. J'entendis marcher derrière
5 ma porte. On venait assurément regarder à la serrure.

Une idée me vint: « Ma lumière va peut-être s'éteindre
tout à coup et me laisser dans l'obscurité. » Alors j'al-
lumai toutes les bougies de la cheminée. Puis je regardai
encore autour de moi sans rien découvrir.

10 J'avançai à petits pas faisant le tour de l'appartement.
— Rien. — J'inspectai tous les objets l'un après l'autre.
— Rien. — Je m'approchai de la fenêtre. Les auvents,[1]
de gros auvents en bois plein,[2] étaient demeurés ouverts.
Je les fermai avec soin, puis je tirai les rideaux, d'énormes
15 rideaux de velours, et je plaçai une chaise devant, afin de
n'avoir rien à craindre du dehors.

Alors je m'assis avec précaution. Le fauteuil était
solide. Je n'osais pas me coucher. Cependant le temps
marchait. Et je finis par reconnaître que j'étais ridicule.
20 Si on m'espionnait, comme je le supposais, on devait, en
attendant le succès de la mystification préparée, rire
énormément de ma terreur.

Je résolus donc de me coucher. Mais le lit m'était particulièrement suspect. Je tirai sur les rideaux.[3] Ils sem-
25 blaient tenir. Là était le danger pourtant. J'allais peut-
être recevoir une douche glacée du ciel de lit, ou bien, à
peine étendu, m'enfoncer sous terre avec mon sommier.
Je cherchais en ma mémoire tous les souvenirs de farces
accomplies. Et je ne voulais pas être pris. Ah! mais
30 non! Ah! mais non!

Alors je m'avisai soudain d'une précaution que je
jugeai souveraine. Je saisis délicatement le bord du
matelas, et je le tirai vers moi avec douceur. Il vint,
suivi du drap et des couvertures. Je traînai tous ces objets
35 au beau milieu de la chambre, en face de la porte d'entrée.
Je refis là mon lit, le mieux que je pus, loin de la couche

---

[1] **Les auvents:** les volets, *the shutters;* le sens ordinaire de **auvent**
est *awning, penthouse.*

[2] **en bois plein:** *of solid wood, without any slats or opening.*

[3] **les rideaux:** les rideaux du lit, *the bed curtains.*

suspecte et de l'alcôve inquiétante. Puis, j'éteignis toutes
les lumières, et je revins à tâtons me glisser dans mes
draps.

Je demeurai au moins encore une heure éveillé, tressaillant au moindre bruit. Tout semblait calme dans le ₅
château. Je m'endormis.

J'ai dû dormir longtemps, et d'un profond sommeil; mais
soudain je fus réveillé en sursaut par la chute d'un corps
pesant abattu sur le mien, et, en même temps, je reçus sur
la figure, sur le cou, sur la poitrine un liquide brûlant qui ₁₀
me fit pousser un hurlement de douleur. Et un bruit
épouvantable comme si un buffet chargé de vaisselle se fût
écroulé m'entra dans les oreilles.

J'étouffais sous la masse tombée sur moi, et qui ne
remuait plus. Je tendis les mains, cherchant à reconnaître ₁₅
la nature de cet objet. Je rencontrai une figure, un nez,
des favoris. Alors, de toute ma force, je lançai un coup de
poing dans ce visage. Mais je reçus immédiatement une
grêle de gifles qui me firent sortir, d'un bond, de mes draps
trempés, et me sauver, en chemise, dans le corridor, dont ₂₀
j'apercevais la porte ouverte.

O stupeur! il faisait grand jour. On accourut au bruit
et on trouva, étendu sur mon lit, le valet de chambre
éperdu qui, m'apportant le thé du matin, avait rencontré
sur sa route ma couche improvisée, et m'était tombé sur le ₂₅
ventre en me versant, bien malgré lui, mon déjeuner sur la
figure.

Les précautions prises de bien fermer les auvents et de
me coucher au milieu de ma chambre m'avaient seuls fait
la farce redoutée.   ₃₀

Ah! on a ri, ce jour-là!

Guy de Maupassant,
Contes du Jour et de la Nuit, 1885

LA PARURE

16

Guy de Maupassant

C'ÉTAIT UNE DE ces jolies et charmantes filles, nées, comme par une erreur du destin, dans une famille d'employés. Elle n'avait pas de dot, pas d'espérances, aucun moyen d'être connue, comprise, aimée, épousée par un
5 homme riche et distingué; et elle se laissa marier avec un petit commis du Ministère de l'Instruction publique . . .

Elle souffrait sans cesse, se sentant née pour toutes les délicatesses et tous les luxes. Elle souffrait de la pauvreté de son logement, de la misère des murs, de l'usure des sièges,
10 de la laideur des étoffes . . .

Quand elle s'asseyait, pour dîner, devant la table ronde couverte d'une nappe de trois jours,[1] en face de son mari qui découvrait la soupière en déclarant d'un air enchanté: « Ah! le bon pot-au-feu! je ne sais rien de meilleur que
15 cela,» elle songeait aux dîners fins, aux argenteries reluisantes, aux tapisseries peuplant les murailles de personnages anciens et d'oiseaux étranges au milieu d'une forêt de féerie; elle songeait aux plats exquis servis en des vaisselles merveilleuses,[2] aux galanteries chuchotées et
20 écoutées avec un sourire de sphinx, tout en mangeant la chair rose d'une truite ou des ailes de gelinotte.

Elle n'avait pas de toilettes, pas de bijoux, rien. Et elle n'aimait que cela; elle se sentait faite pour cela. Elle eût tant désiré plaire, être enviée, être séduisante et recherchée!
25 Elle avait une amie riche, une camarade de couvent qu'elle ne voulait plus aller voir, tant elle souffrait en

---

[1] **une nappe de trois jours:** une nappe (*tablecloth*) qui était employée depuis trois jours.
[2] **plats exquis servis en des vaisselles merveilleuses:** *exquisite food served in marvelous dishes.*

revenant.   Et elle pleurait pendant des jours entiers, de chagrin, de regret, de désespoir et de détresse.

Or, un soir, son mari rentra, l'air glorieux, et tenant à la main une large enveloppe.

— Tiens, dit-il, voici quelque chose pour toi.   5

Elle déchira vivement le papier et en tira une carte imprimée qui portait ces mots:

« Le ministre de l'Instruction publique et Mme Georges Ramponneau prient M. et Mme Loisel de leur faire l'honneur de venir passer la soirée à l'hôtel du ministère, le 10 lundi 18 janvier. »

Au lieu d'être ravie, comme l'espérait son mari, elle jeta avec dépit l'invitation sur la table, murmurant:

— Que veux-tu que je fasse de cela ?

— Mais, ma chérie, je pensais que tu serais contente. 15 Tu ne sors jamais, et c'est une occasion, cela, une belle ! J'ai eu une peine infinie à l'obtenir.   Tout le monde en veut; c'est très recherché et on n'en donne pas beaucoup aux employés.   Tu verras là tout le monde officiel.

Elle le regardait d'un œil irrité, et elle déclara avec impa- 20 tience:

— Que veux-tu que je me mette sur le dos pour aller là ?

Il n'y avait pas songé; il balbutia:

— Mais la robe avec laquelle tu vas au théâtre.   Elle me semble très bien, à moi.   25

Il se tut, stupéfait, éperdu, en voyant que sa femme pleurait.   Deux grosses larmes descendaient lentement des coins des yeux vers les coins de la bouche; il bégaya:

— Qu'as-tu ? qu'as-tu ?

Mais, par un effort violent, elle avait dompté sa peine 30 et elle répondit d'une voix calme en essuyant ses joues humides:

— Rien.   Seulement je n'ai pas de toilette et par conséquent je ne peux aller à cette fête.   Donne ta carte à quelque collègue dont la femme sera mieux nippée que moi. 35

Il était désolé.   Il reprit:

— Voyons, Mathilde.   Combien cela coûterait-il, une toilette convenable, qui pourrait te servir encore en d'autres occasions, quelque chose de très simple ?

Elle réfléchit quelques secondes, établissant ses comptes et songeant aussi à la somme qu'elle pouvait demander sans s'attirer un refus immédiat et une exclamation effarée du commis économe.

5   Enfin, elle répondit en hésitant:

— Je ne sais pas au juste, mais il me semble qu'avec quatre cents francs [1] je pourrais arriver.

Il avait un peu pâli, car il réservait juste cette somme pour acheter un fusil et s'offrir des parties de chasse, l'été 10 suivant, dans la plaine de Nanterre,[2] avec quelques amis qui allaient tirer des alouettes, par là, le dimanche.

Il dit cependant:

— Soit. Je te donne quatre cents francs. Mais tâche d'avoir une belle robe.

15   Le jour de la fête approchait, et Mme Loisel semblait triste, inquiète, anxieuse. Sa toilette était prête cependant. Son mari lui dit un soir:

— Qu'as-tu? Voyons, tu es toute drôle depuis trois jours.

Et elle répondit:

20   — Cela m'ennuie de n'avoir pas un bijou, pas une pierre, rien à mettre sur moi. J'aurai l'air misère comme tout.[3] J'aimerais presque mieux ne pas aller à cette soirée.

Il reprit:

— Tu mettras des fleurs naturelles. C'est très chic en 25 cette saison-ci. Pour dix francs tu auras deux ou trois roses magnifiques.

Elle n'était point convaincue.

— Non, il n'y a rien de plus humiliant que d'avoir l'air pauvre au milieu de femmes riches.

30   Mais son mari s'écria:

— Que tu es bête! Va trouver ton amie Mme Forestier [4] et demande-lui de te prêter des bijoux. Tu es bien assez liée avec elle pour faire cela.

---

[1] **quatrê cents francs:** 8o dollars en ce temps-là.

[2] **Nanterre:** ville à trois milles à l'ouest de Paris, célèbre par ses pompiers (*firemen*); la plaine de Nanterre est maintenant toute bâtie (*built up*).

[3] **j'aurai l'air misère comme tout:** *I'll look frightfully poor.*

[4] **Forestier** [fɔrɛstje].

Elle poussa un cri de joie:

— C'est vrai. Je n'y avais point pensé.

Le lendemain, elle se rendit chez son amie et lui conta sa détresse.

Mme Forestier alla vers son armoire à glace, prit un large 5 coffret, l'apporta, l'ouvrit, et dit à Mme Loisel:

— Choisis, ma chère.

Elle vit d'abord des bracelets, puis un collier de perles, puis une croix vénitienne, or et pierreries, d'un admirable travail. Elle essayait les parures devant la glace, hésitait, 10 ne pouvait se décider à les quitter, à les rendre. Elle demandait toujours:

— Tu n'as plus rien d'autre?

— Mais si. Cherche. Je ne sais pas ce qui peut te plaire. 15

Tout à coup elle découvrit, dans une boîte de satin noir, une superbe rivière de diamants; et son cœur se mit à battre d'un désir immodéré. Ses mains tremblaient en la prenant. Elle l'attacha autour de sa gorge, sur sa robe montante, et demeura en extase devant elle-même. 20

Puis, elle demanda, hésitante, pleine d'angoisse:

— Peux-tu me prêter cela, rien que cela?

— Mais, oui, certainement.

Elle sauta au cou de son amie, l'embrassa avec emportement, puis s'enfuit avec son trésor. 25

Le jour de la fête arriva. Mme Loisel eut un succès.[1] Elle était plus jolie que toutes, élégante, gracieuse, souriante et folle de joie. Tous les hommes la regardaient, demandaient son nom, cherchaient à être présentés. Tous les attachés du cabinet voulaient valser avec elle. Le Mi- 30 nistre la remarqua.

Elle dansait avec ivresse, avec emportement, grisée par le plaisir, ne pensant plus à rien, dans le triomphe de sa beauté, dans la gloire de son succès, dans une sorte de nuage de bonheur fait de tous ces hommages, de toutes ces 35 admirations, de tous ces désirs éveillés, de cette victoire si complète et si douce au cœur des femmes.

---

[1] **elle eut un succès:** elle eut un succès fou, *she was a great success.*

Elle partit vers quatre heures du matin. Son mari, depuis minuit, dormait dans un petit salon désert avec trois
autres messieurs dont les femmes s'amusaient beaucoup.

5   Il lui jeta sur les épaules les vêtements qu'il avait apportés pour la sortie, modestes vêtements de la vie ordinaire, dont la pauvreté jurait avec l'élégance de la toilette
de bal. Elle le sentit et voulut s'enfuir pour ne pas être
remarquée par les autres femmes qui s'enveloppaient de
10 riches fourrures.

Loisel la retenait:

— Attends donc. Tu vas attraper froid dehors. Je vais
appeler un fiacre.

Mais elle ne l'écoutait point et descendait rapidement
15 l'escalier. Lorsqu'ils furent dans la rue, ils ne trouvèrent
pas de voiture; et ils se mirent à chercher, criant après
les cochers qu'ils voyaient passer de loin.

Ils descendaient vers la Seine, désespérés, grelottants.
Enfin ils trouvèrent sur le quai un de ces vieux coupés
20 noctambules qu'on ne voit dans Paris que la nuit venue,
comme s'ils eussent été honteux de leur misère pendant le
jour.

Il les ramena jusqu'à leur porte, rue des Martyrs,[1] et ils
remontèrent tristement chez eux. C'était fini, pour elle.
25 Et il songeait, lui, qu'il lui faudrait être au Ministère à dix
heures.

Elle ôta les vêtements dont elle s'était enveloppée les
épaules, devant la glace, afin de se voir encore une fois
dans sa gloire. Mais soudain elle poussa un cri. Elle
30 n'avait plus sa rivière autour du cou!

Son mari, à moitié dévêtu déjà, demanda:

— Qu'est-ce que tu as?

Elle se tourna vers lui, affolée:

— J'ai ... j'ai ... je n'ai plus la rivière de madame
35 Forestier.

Il se dressa, éperdu:

— Quoi! ... comment! ... Ce n'est pas possible!

---

[1] La rue des Martyrs, monte vers Montmartre, le « mont des
martyrs » chrétiens, dans la partie nord de Paris.

Et ils cherchèrent dans les plis de la robe, dans les plis du manteau, dans les poches, partout. Ils ne la trouvèrent point.

Il demandait:

— Tu es sûre que tu l'avais encore en quittant le bal? 5

— Oui, je l'ai touchée dans le vestibule du Ministère.

— Mais, si tu l'avais perdue dans la rue, nous l'aurions entendue tomber. Elle doit être dans le fiacre.

— Oui. C'est probable. As-tu pris le numéro?

— Non. Et toi, tu ne l'as pas regardé? 10

— Non.

Ils se contemplaient atterrés. Enfin Loisel se rhabilla.

— Je vais, dit-il, refaire tout le trajet que nous avons fait à pied, pour voir si je ne la retrouverai pas.

Et il sortit. Elle demeura en toilette de soirée, sans force 15 pour se coucher, abattue sur une chaise, sans feu, sans pensée.

Son mari rentra vers sept heures. Il n'avait rien trouvé.

Il se rendit à la Préfecture de police,[1] aux journaux, pour faire promettre une récompense,[2] aux compagnies de 20 petites voitures,[3] partout enfin où un soupçon d'espoir le poussait.

Elle attendit tout le jour, dans le même état d'effarement devant cet affreux désastre.

Loisel revint le soir, avec la figure creusée, pâlie; il 25 n'avait rien découvert.

— Il faut, dit-il, écrire à ton amie que tu as brisé la fermeture de sa rivière et que tu la fais réparer. Cela nous donnera le temps de nous retourner.

Elle écrivit sous sa dictée. 30

Au bout d'une semaine, ils avaient perdu toute espérance.

Et Loisel, vieilli de cinq ans, déclara:

---

[1] la **Préfecture de police**: *the Police Commissioner's headquarters;* elle est située au centre de Paris, près de la cathédrale Notre-Dame.

[2] **pour faire promettre une récompense**: pour mettre une annonce (*ad*) promettant une récompense.

[3] **de petites voitures**: de fiacres, *cabs;* les grandes voitures étaient les omnibus (*busses*) traînés (*pulled*) par des chevaux.

— Il faut aviser à remplacer ce bijou.

Ils prirent, le lendemain, la boîte qui l'avait renfermé,
et se rendirent chez le joaillier[1] dont le nom se trouvait
dedans. Il consulta ses livres:

5 — Ce n'est pas moi, madame, qui ai vendu cette rivière;
j'ai dû seulement fournir l'écrin.

Alors ils allèrent de bijoutier en bijoutier, cherchant
une parure pareille à l'autre, consultant leurs souvenirs,[2]
malades tous deux de chagrin et d'angoisse.

10 Ils trouvèrent, dans une boutique du Palais-Royal,[3] un
chapelet de diamants qui leur parut entièrement semblable
à celui qu'ils cherchaient. Il valait quarante mille francs.
On le leur laisserait à trente-six mille.[4]

Ils prièrent donc le joaillier de ne pas le vendre avant
15 trois jours. Et ils firent condition qu'on[5] le reprendrait,
pour trente-quatre mille francs, si le premier était retrouvé
avant la fin de février.

Loisel possédait dix-huit mille francs que lui avait
laissés son père. Il emprunterait le reste.

20 Il emprunta, demandant mille francs à l'un, cinq cents
à l'autre, cinq louis par-ci, trois louis par-là. Il fit des
billets, prit des engagements ruineux, eut affaire aux
usuriers, à toutes les races de prêteurs. Il compromit toute
la fin[6] de son existence, risqua sa signature sans savoir
25 même s'il pourrait y faire honneur, et, épouvanté par les
angoisses de l'avenir, par la noire misère qui allait s'abattre
sur lui, par la perspective de toutes les privations physiques

[1] joaillier [ʒwaje]: *jeweler;* ce mot anglais se traduit (*is translated*)
aussi par bijoutier; un joaillier s'occupe surtout de pierres précieuses,
et un bijoutier s'occupe d'objets en métaux précieux, montres
(*watches*), etc.

[2] consultant leurs souvenirs: essayant de se rappeler les détails
du collier.

[3] Le Palais-Royal est un palais bâti par le cardinal de Richelieu
qui l'a donné au roi Louis XIII (1636); il est situé près du Louvre,
au centre de Paris; derrière les bâtiments se trouve un jardin public
bordé d'arcades et de boutiques élégantes; dans l'aile gauche se
trouve le grand théâtre appelé la Comédie-Française.

[4] trente-six mille francs, c'est-à-dire 7,200 dollars en ce temps-là.

[5] ils firent condition qu': ils posèrent comme condition qu', ils
stipulèrent (*stipulated*) qu'.

[6] la fin: le reste, *the remainder.*

et de toutes les tortures morales,[1] il alla chercher la rivière
nouvelle, en déposant sur le comptoir du marchand trente-
six mille francs.

Quand Mme Loisel reporta la parure à Mme Forestier,
celle-ci lui dit, d'un air froissé: 5
— Tu aurais dû me la rendre plus tôt, car je pouvais en
avoir besoin.

Elle n'ouvrit pas l'écrin, ce que redoutait son amie.[2]
Si elle s'était aperçue de la substitution, qu'aurait-elle
pensé? qu'aurait-elle dit? Ne l'aurait-elle pas prise pour 10
une voleuse?

Mme Loisel connut la vie horrible des nécessiteux. Elle
prit son parti, d'ailleurs, tout d'un coup, héroïquement.
Il fallait payer cette dette effroyable. Elle paierait. On
renvoya la bonne; on changea de logement; on loua sous 15
les toits une mansarde.[3]

Elle connut[4] les gros travaux du ménage, les odieuses
besognes de la cuisine. Elle lava la vaisselle, usant ses
ongles roses sur les poteries grasses et le fond des casseroles.
Elle savonna le linge sale, les chemises et les torchons, 20
qu'elle faisait sécher sur une corde; elle descendit à la rue,
chaque matin, les ordures, et monta l'eau, s'arrêtant à
chaque étage pour souffler. Et, vêtue comme une femme
du peuple, elle alla chez le fruitier,[5] chez l'épicier, chez 25
le boucher, le panier au bras, marchandant, injuriée,
défendant sou à sou son misérable argent.

Il fallait chaque mois payer des billets, en renouveler
d'autres, obtenir du temps.

---

[1] **tortures morales:** *mental suffering.*

[2] **ce que redoutait son amie:** chose que son amie redoutait
(*dreaded*) qu'elle fît (*might do*).

[3] **on loua sous les toits une mansarde:** on loua une mansarde:
*they rented a few rooms in an attic (under a mansard (slanting)
roof).*

[4] **Elle connut:** elle fit connaissance avec, *she became acquainted
with.*

[5] **fruitier:** *fruit dealer, greengrocer.* En général, en France, les
magasins sont plus petits et plus spécialisés qu'en Amérique; on ne
vend pas de fruits et légumes (*vegetables*), ni de viande et de poisson
dans une épicerie (*grocery store*).

Le mari travaillait le soir à mettre au net les comptes d'un commerçant, et la nuit, souvent, il faisait de la copie à cinq sous la page.

Et cette vie dura dix ans.

5   Au bout de dix ans, ils avaient tout restitué, tout, avec le taux de l'usure, et l'accumulation des intérêts superposés.[1]

Mme Loisel semblait vieille, maintenant. Elle était devenue la femme forte, et dure, et rude, des ménages 10 pauvres.[2]   Mal peignée, avec les jupes de travers et les mains rouges, elle parlait haut, lavait à grande eau les planchers.   Mais parfois, lorsque son mari était au bureau, elle s'asseyait auprès de la fenêtre, et elle songeait à cette soirée d'autrefois, à ce bal, où elle avait été si belle et si 15 fêtée.

Que serait-il arrivé si elle n'avait point perdu cette parure?   Qui sait? qui sait?   Comme la vie est singulière, changeante!   Comme il faut peu de chose pour vous perdre ou vous sauver!

20   Or, un dimanche, comme elle était allée faire un tour aux Champs-Élysées [3] pour se délasser des besognes de la semaine, elle aperçut tout à coup une femme qui promenait un enfant.   C'était Mme Forestier, toujours jeune, toujours belle, toujours séduisante.

25   Mme Loisel se sentit émue.   Allait-elle lui parler?   Oui, certes.   Et maintenant qu'elle avait payé, elle lui dirait tout.   Pourquoi pas?

Elle s'approcha.

— Bonjour, Jeanne.

30   L'autre ne la reconnaissait point, s'étonnant d'être appelée ainsi familièrement par cette bourgeoise.   Elle balbutia:

— Mais . . . madame! . . . Je ne sais . . . Vous devez vous tromper.

---

[1] l'accumulation des intérêts superposés: les intérêts composés (*compound interest*).

[2] et dure, et rude, des ménages pauvres: *both hardworking and tough, typical of poor families.*

[3] **Les Champs-Élysées** [ʃɑ̃zelize]:   une des plus belles avenues du monde, à Paris, entre la Concorde et l'Étoile.

— Non. Je suis Mathilde Loisel.

Son amie poussa un cri:

— Oh! ma pauvre Mathilde, comme tu es changée!...

— Oui, j'ai eu des jours bien durs, depuis que je ne t'ai
vue; et bien des misères, et cela à cause de toi!   5

— De moi? Comment ça?

— Tu te rappelles bien cette rivière de diamants que tu
m'as prêtée pour aller à la fête du Ministère.

— Oui. Eh bien?

— Eh bien, je l'ai perdue.   10

— Comment![1] puisque tu me l'as rapportée.

— Je t'en ai rapporté une autre toute pareille. Et voilà
dix ans que nous la payons. Tu comprends que ça n'était
pas aisé pour nous, qui n'avions rien. Enfin c'est fini, et
je suis rudement contente.   15

Mme Forestier s'était arrêtée.

— Tu dis que tu as acheté une rivière de diamants pour
remplacer la mienne?

— Oui, tu ne t'en étais pas aperçue, hein? Elles étaient
bien pareilles.   20

Et elle souriait d'une joie orgueilleuse et naïve.

Mme Forestier, fort émue, lui prit les deux mains.

— Oh! ma pauvre Mathilde! Mais la mienne était
fausse. Elle valait au plus cinq cents francs!

Maupassant,   25
Contes du Jour et de la Nuit, 1885

[1] **Comment!:** Comment est-ce possible? *How could that be?*

Guy de Maupassant

LA NUIT TIÈDE descendait lentement.

Les femmes étaient restées dans le salon de la villa. Les hommes, assis ou à cheval sur les chaises du jardin, fumaient, devant la porte, en cercle autour d'une table ronde chargée de tasses et de petits verres.

Leurs cigares brillaient comme des yeux, dans l'ombre épaissie [1] de minute en minute. On venait de raconter un affreux accident arrivé la veille: deux hommes et trois femmes noyés sous les yeux des invités, en face,[2] dans la rivière.

10 Le général de G . . . prononça:

— Oui, ces choses-là sont émouvantes, mais elles ne sont pas horribles.

L'Horrible, ce vieux mot, veut dire beaucoup plus que terrible. Un affreux accident comme celui-là émeut, boule-

15 verse, effare: il n'affole pas. Pour qu'on éprouve l'horreur il faut plus que l'émotion de l'âme et plus que le spectacle d'un mort affreux, il faut, soit un frisson de mystère, soit une sensation d'épouvante anormale, hors nature. Un homme qui meurt, même dans les conditions les plus dra-

20 matiques, ne fait pas horreur; un champ de bataille n'est pas horrible; les crimes les plus vils sont rarement horribles.

Tenez, voici un exemple qui m'a fait comprendre ce qu'on peut entendre par l'horreur . . . L'histoire m'a été racontée par un des survivants de la mission Flatters,[3] un

25 tirailleur algérien.

---

[1] **l'ombre épaissie:** l'ombre qui s'épaississait, *the shadows which were getting darker and darker.*

[2] **en face:** en face de la maison, *across the way from the house.*

[3] **Flatters** [flatɛrs]: lieutenant-colonel français qui fut massacré par les indigènes (*natives*) du Sahara, avec la plupart des membres de sa mission (1881). Sa mission était de déterminer l'itinéraire possible d'un chemin de fer à travers le Sahara; ce chemin de fer n'a jamais été construit, mais quelques routes automobiles traversent aujourd'hui le Sahara.

Vous savez les détails de ce drame atroce. Il en est un cependant que vous ignorez peut-être.

Le colonel Flatters allait au Soudan[1] par le désert et traversait l'immense territoire des Touareg,[2] qui sont, dans tout cet océan de sable qui va de l'Atlantique à l'Égypte 5 et du Soudan à l'Algérie, des espèces de pirates comparables à ceux qui ravageaient les mers autrefois.

Les guides qui conduisaient la colonne appartenaient à la tribu des Chambaa, de Ouargla.[3]

Or, un jour on établit le camp en plein désert, et les 10 Arabes déclarèrent que, la source étant encore un peu loin, ils iraient chercher de l'eau avec tous les chameaux. Un seul homme prévint le colonel qu'il était trahi: Flatters n'en crut rien et accompagna le convoi avec les ingénieurs, les médecins et presque tous ses officiers. Ils furent 15 massacrés autour de la source, et tous les chameaux capturés.

Le capitaine du bureau arabe[4] de Ouargla, demeuré au camp, prit le commandement des survivants, spahis[5] et tirailleurs, et on commença la retraite, en abandonnant les 20 bagages et les vivres, faute de chameaux pour les porter. Ils se mirent donc en route dans cette solitude sans ombre et sans fin, sous le soleil dévorant qui les brûlait du matin au soir.

Une tribu vint faire sa soumission et apporta des dattes. 25 Elles étaient empoisonnées. Presque tous les Français moururent et, parmi eux, le dernier officier.

Il ne restait plus que quelques spahis, dont le maréchal des logis Pobéguin, plus des tirailleurs indigènes de la tribu de Chambaa. On avait encore deux chameaux. Ils 30 disparurent une nuit avec deux Arabes.

Alors les survivants comprirent qu'il allait falloir s'entre-dévorer, et, sitôt découverte la fuite des deux hommes avec

[1] **le Soudan** [sudã]: *Sudan*, partie centrale de l'Afrique, entre le Sahara, au nord, et l'équateur, au sud.

[2] **Touareg** [twarɛg]: *Tuareg*, indigènes (*natives*) du nord du Sahara.

[3] **Ouargla**: oasis (*f.*) à 400 milles au sud-est d'Alger.

[4] **bureau arabe**: *Arab Military Government*; voyez note 5, p. 100.

[5] **Un spahi** [spai] est un cavalier arabe (*Arab cavalryman*) de l'armée française.

les deux bêtes, ceux qui restaient se séparèrent et se mirent
à marcher un à un dans le sable mou, sous la flamme aiguë
du ciel, à plus d'une portée de fusil l'un de l'autre. Ils
allaient ainsi tout le jour, et, quand on atteignait une
5 source, chacun y venait boire à son tour, dès que le plus
proche isolé avait regagné sa distance. Ils allaient ainsi
tout le jour, soulevant de place en place, dans l'étendue
brûlée et plate, ces petites colonnes de poussière qui
indiquent de loin les marcheurs dans le désert.

10   Mais un matin, un des voyageurs brusquement obliqua,
se rapprochant de son voisin. Et tous s'arrêtèrent pour
regarder.

L'homme vers qui marchait le soldat affamé ne s'enfuit
pas, mais il s'aplatit par terre, il mit en joue celui qui
15 s'en venait. Quand il le crut à distance, il tira. L'autre
ne fut point touché et il continua d'avancer puis, épaulant
à son tour, il tua net son camarade.

Alors de tout l'horizon, les autres accoururent pour
chercher leur part. Et celui qui avait tué, dépeçant le
20 mort, le distribua. Et ils s'espacèrent de nouveau, ces
alliés irréconciliables, pour jusqu'au prochain meurtre qui
les rapprocherait. Pendant deux jours ils vécurent de
cette chair humaine partagée. Puis la famine étant revenue,
celui qui avait tué le premier tua de nouveau. Et de nou-
25 veau, comme un boucher, il coupa le cadavre et l'offrit à ses
compagnons, en ne conservant que sa portion.

Et ainsi continua cette retraite d'anthropophages.

Le dernier Français, Pobéguin, fut massacré au bord
d'un puits, la veille du jour où les secours arrivèrent.

30   Comprenez-vous maintenant ce que j'entends par
l'Horrible ?

Voilà ce que nous raconta, l'autre soir, le général
de G . . .

Guy de Maupassant,
Contes du Jour et de la Nuit

35

L'AVENTURE
de Walter Schnaffs

18

Guy de Maupassant

DEPUIS SON ENTRÉE en France avec l'armée d'invasion,[1]
Walter [2] Schnaffs se jugeait le plus malheureux des hommes.
Il était gros, marchait avec peine, soufflait beaucoup et
souffrait affreusement des pieds qu'il avait fort plats et
fort gras. Il était en outre pacifique et bienveillant, nulle-   5
ment magnanime ou sanguinaire, père de quatre enfants
qu'il adorait et marié avec une jeune femme blonde, dont
il regrettait désespérément chaque soir les tendresses, les
petits soins et les baisers. Il aimait se lever tard et se
coucher tôt, manger lentement de bonnes choses et boire 10
de la bière dans les brasseries. Il songeait en outre que
tout ce qui est doux dans l'existence disparaît avec la vie [3];
et il gardait au cœur une haine épouvantable, instinctive
et raisonnée en même temps, pour les canons, les fusils, les
revolvers et les sabres, mais surtout pour les baïonnettes, 15
se sentant incapable de manœuvrer assez vivement cette
arme rapide pour défendre son gros ventre.

Et quand il se couchait sur la terre, la nuit venue, roulé
dans son manteau à côté des camarades qui ronflaient, il
pensait longuement aux siens laissés là-bas et aux dangers 20
semés sur sa route: — S'il était tué, que deviendraient les
petits? Qui donc les nourrirait et les élèverait? A l'heure
même, ils n'étaient pas riches, malgré les dettes qu'il avait
contractées en partant pour leur laisser quelque argent.
Et Walter Schnaffs pleurait quelquefois.   25

Au commencement des batailles il se sentait dans les
jambes de telles faiblesses qu'il se serait laissé tomber

---

[1] l'armée d'invasion: l'armée allemande, qui envahit la France
le 4 août 1870.
[2] Walter [valtɛr].
[3] avec la vie: en même temps que la vie.

s'il n'avait songé que toute l'armée lui passerait sur le corps. Le sifflement des balles hérissait le poil sur sa peau.

Depuis des mois il vivait ainsi dans la terreur et dans l'angoisse.

5   Son corps d'armée s'avançait vers la Normandie [1]; et il fut un jour envoyé en reconnaissance avec un faible détachement qui devait simplement explorer une partie du pays et se replier ensuite. Tout semblait calme dans la campagne; rien n'indiquait une résistance préparée.

10   Or, les Prussiens descendaient avec tranquillité dans une petite vallée que coupaient des ravins profonds quand une fusillade violente les arrêta net, jetant bas une vingtaine des leurs; et une troupe de francs-tireurs, sortant brusquement d'un petit bois grand comme la main, s'élança 15 en avant, la baïonnette au fusil.[2]

Walter Schnaffs demeura d'abord immobile, tellement surpris et éperdu qu'il ne pensait même pas à fuir. Puis un désir fou de détaler le saisit; mais il songea aussitôt qu'il courait comme une tortue en comparaison des maigres 20 Français qui arrivaient en bondissant comme un troupeau de chèvres. Alors, apercevant à six pas devant lui un large fossé plein de broussailles couvertes de feuilles sèches, il y sauta à pieds joints, sans songer même à la profondeur, comme on saute d'un pont dans une rivière.

25   Il passa, à la façon d'une flèche, à travers une couche épaisse de lianes et de ronces aiguës qui lui déchirèrent la face et les mains, et il tomba lourdement assis sur un lit de pierres.

Levant aussitôt les yeux, il vit le ciel par le trou qu'il 30 avait fait. Ce trou révélateur le pouvait dénoncer,[3] et il se traîna avec précaution, à quatre pattes, au fond de cette ornière,[4] sous le toit de branchages enlacés, allant le plus

---

[1] En 1870–1871 les armées allemandes se sont avancées en Normandie jusqu'à la ligne Le Havre (non occupé)-Alençon.

[2] **la baïonnette au fusil:** baïonnette au canon, *with fixed bayonets.*

[3] **le pouvait dénoncer:** pouvait le dénoncer, *could betray him.*

[4] **cette ornière:** *this rut.* Le mot « ornière » n'est pas le mot juste (*apposite*) ici; cet endroit où Walter Schnaffs s'est réfugié est beaucoup plus large et profond qu'une ornière; c'est un ravin, un ravineau, une ravine, une cavée, un creux, un fond (*hollow*), un grand fossé (*ditch*).

vite possible, en s'éloignant du lieu du combat. Puis il
s'arrêta et s'assit de nouveau, tapi comme un lièvre au
milieu des hautes herbes sèches.

Il entendit pendant quelque temps encore des détonations, des cris et des plaintes. Puis les clameurs de la 5
lutte s'affaiblirent, cessèrent. Tout redevint muet et
calme.

Soudain quelque chose remua contre lui. Il eut un sursaut épouvantable. C'était un petit oiseau qui, s'étant
posé sur une branche, agitait des feuilles mortes. Pendant 10
près d'une heure, le cœur de Walter Schnaffs en battit à
grands coups pressés.

La nuit venait, emplissant d'ombre le ravin. Et le
soldat se mit à songer. Qu'allait-il faire? Qu'allait-il
devenir? Rejoindre son armée? Mais comment? Mais 15
par où? Et il lui faudrait recommencer l'horrible vie
d'angoisses, d'épouvantes, de fatigues et de souffrances
qu'il menait depuis le commencement de la guerre! Non!
Il ne se sentait plus ce courage! Il n'aurait plus l'énergie
qu'il fallait pour supporter les marches et affronter les 20
dangers de toutes les minutes.

Mais que faire? Il ne pouvait rester dans ce ravin et
s'y cacher jusqu'à la fin des hostilités. Non, certes. S'il
n'avait pas fallu manger, cette perspective ne l'aurait
pas trop atterré; mais il fallait manger, manger tous les 25
jours.

Et il se trouvait ainsi tout seul, en armes, en uniforme,
sur le territoire ennemi, loin de ceux qui le pouvaient défendre. Des frissons lui couraient sur la peau.

Soudain il pensa: « Si seulement j'étais prisonnier! » 30
Et son cœur frémit de désir, d'un désir violent, immodéré,
d'être prisonnier des Français. Prisonnier! Il serait
sauvé, nourri, logé, à l'abri des balles et des sabres, sans
appréhension possible, dans une bonne prison bien gardée.
Prisonnier! Quel rêve!
                                                    35
Et sa résolution fut prise immédiatement:

— Je vais me constituer prisonnier.

Il se leva, résolu à exécuter ce projet sans tarder d'une
minute. Mais il demeura immobile, assailli soudain par
des réflexions fâcheuses et par des terreurs nouvelles. 40

Où allait-il se constituer prisonnier? Comment? De quel côté? Et des images affreuses, des images de mort, se précipitèrent dans son âme.

Il allait courir des dangers terribles en s'aventurant seul,
5 avec son casque à pointe, par la campagne.

S'il rencontrait des paysans? Ces paysans, voyant un Prussien perdu, un Prussien sans défense, le tueraient comme un chien errant! Ils le massacreraient avec leurs fourches, leurs pioches, leurs faux, leurs pelles! Ils en
10 feraient une bouillie, une pâtée, avec l'acharnement des vaincus exaspérés.

S'il rencontrait des francs-tireurs? Ces francs-tireurs, des enragés sans loi ni discipline,[1] le fusilleraient pour s'amuser, pour passer une heure, histoire de rire en voyant
15 sa tête. Et il se croyait déjà appuyé contre un mur en face de douze canons de fusils, dont les petits trous[2] ronds et noirs semblaient le regarder.

S'il rencontrait l'armée française elle-même? Les hommes d'avant-garde le prendraient pour un éclaireur, pour
20 quelque hardi et malin troupier parti seul en reconnaissance, et ils lui tireraient dessus. Et il entendait déjà les détonations irrégulières des soldats couchés dans les broussailles, tandis que lui, debout au milieu d'un champ, s'affaissait, troué comme une écumoire par les balles qu'il
25 sentait entrer dans sa chair.

Il se rassit, désespéré. Sa situation lui paraissait sans issue.

La nuit était tout à fait venue, la nuit muette et noire. Il ne bougeait plus, tressaillant à tous les bruits inconnus
30 et légers qui passent dans les ténèbres. Un lapin, grattant au bord d'un terrier, faillit faire s'enfuir Walter Schnaffs. Les cris des chouettes lui déchiraient l'âme, le traversant de peurs soudaines,[3] douloureuses comme des blessures.

---

[1] Les **francs-tireurs** étaient appelés, en 1870, ce que pendant la dernière guerre on a appelé, dans les Balkans, des partisans, guerilleros (*guerillas*), et en France des maquisards ou F. F. I. (Forces Françaises de l'Intérieur); les Allemands les appelaient les terroristes.

[2] trous: *muzzles*.

[3] **le traversant de peurs soudaines:** *sending sudden fears through his body.*

Il écarquillait ses gros yeux pour tâcher de voir dans l'ombre; et il s'imaginait à tout moment entendre marcher près de lui.

Après d'interminables heures et des angoisses de damné, il aperçut, à travers son plafond de branchages, le ciel 5 qui devenait clair. Alors, un soulagement immense le pénétra; ses membres se détendirent, reposés soudain; son cœur s'apaisa; ses yeux se fermèrent. Il s'endormit.

Quand il se réveilla, le soleil lui parut arrivé à peu près au milieu du ciel [1]; il devait être midi. Aucun bruit 10 ne troublait la paix morne des champs; et Walter Schnaffs s'aperçut qu'il était atteint d'une faim aiguë.

Il bâillait, la bouche humide, à la pensée du saucisson, du bon saucisson des soldats; et son estomac lui faisait mal. 15

Il se leva, fit quelques pas, sentit que ses jambes étaient faibles, et se rassit pour réfléchir. Pendant deux ou trois heures encore, il établit le pour et le contre,[2] changeant à tout moment de résolution, combattu,[3] malheureux, tiraillé par les raisons les plus contraires. 20

Une idée lui parut enfin logique et pratique; c'était de guetter le passage d'un villageois seul, sans armes, et sans outils de travail dangereux, de courir au-devant de lui et de se remettre en ses mains en lui faisant bien comprendre qu'il se rendait. 25

Alors il ôta son casque, dont la pointe le pouvait trahir, et il sortit sa tête au bord de son trou, avec des précautions infinies.

Aucun être isolé ne se montrait à l'horizon. Là-bas, à droite, un petit village envoyait au ciel la fumée de ses 30 toits, la fumée des cuisines! Là-bas, à gauche, il apercevait, au bout des arbres d'une avenue, un grand château flanqué de tourelles.

Il attendit jusqu'au soir, souffrant affreusement, ne voyant rien que des vols de corbeaux, n'entendant rien 35 que les plaintes sourdes de ses entrailles.

[1] **au milieu du ciel:** au haut du ciel, au zénith.
[2] **il établit (pesa) le pour et le contre:** *he weighed the pros and cons.*
[3] **combattu:** l'âme en proie à de violents combats, *his heart torn by conflicting possibilities.*

Et la nuit encore tomba sur lui.

Il s'allongea au fond de sa retraite et il s'endormit d'un
sommeil fiévreux, hanté de cauchemars, d'un sommeil
d'homme affamé. L'aurore de nouveau se leva sur sa tête.
5 Il se remit en observation. Mais la campagne restait vide
comme la veille; et une peur nouvelle entrait dans l'esprit
de Walter Schnaffs, la peur de mourir de faim ! Il se voyait
étendu au fond de son trou, sur le dos, les yeux fermés.
Puis des bêtes, des petites bêtes de toute sorte s'ap-
10 prochaient de son cadavre et se mettaient à le manger,
l'attaquant partout à la fois, se glissant sous ses vêtements
pour mordre sa peau froide. Et un grand corbeau lui
piquait les yeux de son bec effilé.

Alors, il devint fou, s'imaginant qu'il allait s'évanouir
15 de faiblesse et ne plus pouvoir marcher. Et déjà, il s'ap-
prêtait à s'élancer vers le village, résolu à tout oser, à tout
braver, quand il aperçut trois paysans qui s'en allaient aux
champs avec leurs fourches sur l'épaule, et il replongea
dans sa cachette.

20 Mais, dès que le soir obscurcit la plaine, il sortit lentement du fossé, et se mit en route, courbé, craintif, le cœur
battant, vers le château lointain, préférant entrer là-
dedans plutôt qu'au village qui lui semblait redoutable
comme une tanière pleine de tigres.

25 Les fenêtres d'en bas brillaient. Une d'elles était même
ouverte; et une forte odeur de viande cuite s'en échappait,
une odeur qui pénétra brusquement dans le nez et jusqu'au
fond du ventre de Walter Schnaffs, qui le crispa, le fit
haleter, l'attirant irrésistiblement, lui jetant au cœur une
30 audace désespérée.

Et brusquement, sans réfléchir, il apparut, casqué, dans
le cadre de la fenêtre.

Huit domestiques dînaient autour d'une grande table.
Mais soudain une bonne demeura béante, laissant tomber
35 son verre, les yeux fixes. Tous les regards suivirent le
sien !

On aperçut l'ennemi !

Seigneur ! les Prussiens attaquaient le château !

Ce fut d'abord un cri, un seul cri, fait de huit cris poussés
40 sur huit tons différents, un cri d'épouvante horrible, puis

une levée tumultueuse, une bousculade, une mêlée, une
fuite éperdue vers la porte du fond. Les chaises tombaient,
les hommes renversaient les femmes et passaient dessus.
En deux secondes, la pièce fut vide, abandonnée, avec
la table couverte de mangeaille [1] en face de Walter Schnaffs   5
stupéfait, toujours debout dans sa fenêtre.

Après quelques instants d'hésitation, il enjamba le mur
d'appui [2] et s'avança vers les assiettes. Sa faim exaspérée
le faisait trembler comme un fiévreux; mais une terreur
le retenait, le paralysait encore. Il écouta. Toute la   10
maison semblait frémir; des portes se fermaient, des pas
rapides couraient sur le plancher du dessus. Le Prussien
inquiet tendait l'oreille à ces confuses rumeurs; puis il
entendit des bruits sourds comme si des corps fussent
tombés dans la terre molle, au pied des murs, des corps   15
humains sautant du premier étage.

Puis tout mouvement, toute agitation cessèrent, et le
grand château devint silencieux comme un tombeau.

Walter Schnaffs s'assit devant une assiette restée
intacte, et il se mit à manger. Il mangeait par grandes   20
bouchées comme s'il eût craint d'être interrompu trop
tôt, de n'en pouvoir engloutir assez. Il jetait à deux
mains les morceaux dans sa bouche ouverte comme une
trappe; et des paquets de nourriture lui descendaient
coup sur coup dans l'estomac, gonflant sa gorge en passant.   25
Parfois il s'interrompait, prêt à crever à la façon d'un
tuyau trop plein. Il prenait alors la cruche au cidre et se
déblayait l'œsophage comme on lave un conduit bouché.

Il vida toutes les assiettes, tous les plats et toutes les
bouteilles; puis, soûl de liquide et de mangeaille, abruti,   30
rouge, secoué par des hoquets, l'esprit troublé et la bouche
grasse,[3] il déboutonna son uniforme [4] pour souffler, inca-

---

[1] **mangeaille:** *nourishment, feed;* le mot « mangeaille » est familier
(*colloquial*) et s'applique à une nourriture (*food*) abondante mais peu
délicate; il n'est pourtant pas aussi fort que le mot anglais *grub*
(la boustifaille, la becquetance). Le mot « mangeaille » s'applique
aussi à la nourriture des poules (*chickens*) et lapins.

[2] **le mur d'appui:** le mur supportant l'appui de fenêtre (*window
sill*); **il enjamba l'appui de fenêtre:** *he climbed over the window sill.*

[3] **grasse:** *greasy.*

[4] **son uniforme:** sa tunique (*tunic, blouse*) et son pantalon.

pable d'ailleurs de faire un pas. Ses yeux se fermaient, ses
idées s'engourdissaient; il posa son front pesant dans ses
bras croisés sur la table, et il perdit doucement la notion
des choses et des faits.

5   Le dernier croissant [1] éclairait vaguement l'horizon au-
dessus des arbres du parc. C'était l'heure froide qui pré-
cède le jour.

Des ombres glissaient dans les fourrés, nombreuses et
muettes; et parfois, un rayon de lune faisait reluire dans
10 l'ombre une pointe d'acier.

Le château tranquille dressait sa grande silhouette noire.
Deux fenêtres seules brillaient encore au rez-de-chaussée.

Soudain, une voix tonnante hurla:

— En avant ! nom d'un nom ! [2] à l'assaut ! mes enfants !
15   Alors, en un instant, les portes, les contrevents et les
vitres s'enfoncèrent sous [3] un flot d'hommes qui s'élança,
brisa, creva tout, envahit la maison. En un instant cinquante soldats armés jusqu'aux cheveux, [4] bondirent dans
la cuisine où reposait pacifiquement Walter Schnaffs, et
20 lui posant sur la poitrine cinquante fusils chargés, le cul-
butèrent, le roulèrent, le saisirent, le lièrent des pieds à
la tête.

Il haletait d'ahurissement, trop abruti pour comprendre,
battu, crossé, [5] et fou de peur.

25   Et tout d'un coup, un gros militaire chamarré d'or lui
planta son pied sur le ventre en vociférant:

— Vous êtes mon prisonnier, rendez-vous !

Le Prussien n'entendit que ce seul mot [6] « prisonnier, »
et il gémit: « *Ya, ya, ya.* »

30   Il fut relevé, ficelé sur une chaise, et examiné avec une
vive curiosité par ses vainqueurs, qui soufflaient comme des
baleines. Plusieurs s'assirent, n'en pouvant plus d'émotion et de fatigue.

---

[1] **Le dernier croissant:** la lune à son dernier quartier (*quarter*).

[2] **nom d'un nom:** nom de nom! *for God's sake!*

[3] **s'enfoncèrent sous:** furent enfoncés (*smashed*) par.

[4] **armés jusqu'aux cheveux:** cette expression est rare, on dit plutôt
armés jusqu'aux dents: *armed to the teeth.*

[5] **crossé:** veut plutôt dire *hit with rifle stocks* que *insulted.*

[6] **n'entendit que ce seul mot:** *heard only this one word.*

Il souriait, lui, il souriait maintenant, sûr d'être enfin prisonnier !

Un autre officier entra et prononça:

— Mon colonel, les ennemis se sont enfuis; plusieurs semblent avoir été blessés. Nous restons maîtres de la place. 5

Le gros militaire qui s'essuyait le front vociféra: « Victoire ! »

Et il écrivit sur un petit agenda de commerce tiré de sa poche: 10

« Après une lutte acharnée, les Prussiens ont dû battre en retraite, emportant leurs morts et leurs blessés, qu'on évalue à cinquante hommes hors de combat. Plusieurs sont restés entre nos mains. »

Le jeune officier reprit: 15

— Quelles dispositions dois-je prendre, mon colonel ?

Le colonel répondit:

— Nous allons nous replier pour éviter un retour offensif avec de l'artillerie et des forces supérieures.

Et il donna l'ordre de repartir. 20

La colonne se reforma dans l'ombre, sous les murs du château, et se mit en mouvement, enveloppant de partout Walter Schnaffs garrotté, tenu par six guerriers le revolver au poing.

Des reconnaissances furent envoyées pour éclairer la 25 route. On avançait avec prudence, faisant halte de temps en temps.

Au jour levant, on arrivait à la sous-préfecture de La Roche-Oysel,[1] dont la garde nationale[2] avait accompli ce fait d'armes. 30

La population anxieuse et surexcitée attendait. Quand on aperçut le casque du prisonnier, des clameurs formida-

---

[1] la-sous-préfecture de La Roche-Oysel: *the sub-prefect town called* La Roche-Oysel; c'est un nom fictif (*fictitious*). Chacun des 89 départements de France, Corse et Algérie, est administré par un préfet; chaque département est divisé en un nombre variable **d'arrondissements,** dont chacun est administré par un sous-préfet. Préfets et sous-préfets sont nommés (*appointed*) par le gouvernement.

[2] La **garde nationale** a été supprimée en France après 1870; aujourd'hui une expédition comme celle-ci serait faite par une sorte de police nationale appelée la **garde mobile.**

bles éclatèrent. Les femmes levaient les bras; des vieilles pleuraient; un aïeul lança sa béquille au Prussien et blessa le nez d'un de ses gardiens.

Le colonel hurlait:

5   — Veillez à la sûreté du captif!

On parvint enfin à la maison de ville.[1] La prison fut ouverte, et Walter Schnaffs jeté dedans, libre de liens.

Deux cents hommes en armes montèrent la garde autour du bâtiment.

10   Alors, malgré des symptômes d'indigestion qui le tourmentaient depuis quelque temps, le Prussien, fou de joie, se mit à danser, à danser éperdument, en levant les bras et les jambes, à danser en poussant des rires frénétiques, jusqu'au moment où il tomba, épuisé au pied d'un mur.

15   Il était prisonnier! Sauvé!

C'est ainsi que le château de Champignet fut repris à l'ennemi après six heures seulement d'occupation.

Le colonel Ratier, marchand de drap, qui enleva cette affaire[2] à la tête des gardes nationaux de La Roche-Oysel,
20 fut décoré.[3]

Guy de Maupassant, *Contes de la Bécasse*, Librairie
Paul Ollendorff, Paris, 1883

[1] **la maison de ville**: l'hôtel de ville, la mairie, *the town hall*.

[2] **qui enleva cette affaire**: qui accomplit cet exploit (ce fait d'armes).

[3] **fut décoré**: fut décoré de la légion d'honneur (du ruban rouge).

LA MAISON
hantée

19

Émile Zola

Il y a près de deux ans, je * filais à bicyclette par un chemin désert, du côté d'Orgeval, au-dessus de Poissy,[1] lorsque la brusque apparition d'une propriété, au bord de la route, me surprit tellement, que je sautai de machine pour la mieux voir. 5

C'était sous le ciel gris de novembre, dans le vent froid qui balayait les feuilles mortes, une maison de briques, sans grand caractère, au milieu d'un vaste jardin, planté de vieux arbres. Mais ce qui la rendait extraordinaire, d'une étrangeté farouche qui serrait le cœur, c'était l'af- 10 freux abandon dans lequel elle se trouvait. Et, comme un vantail de la grille était arraché, comme un immense écriteau, déteint par les pluies, annonçait que la propriété était à vendre, j'entrai dans le jardin, cédant à une curiosité mêlée d'angoisse et de malaise. 15

Depuis trente ou quarante ans peut-être, la maison de- vait être inhabitée. Les briques des corniches et des encadrements, sous les hivers,[2] s'étaient disjointes, envahies de mousses et de lichens. Des lézardes coupaient la façade, pareilles à des rides précoces, sillonnant cette bâtisse 20 solide encore, mais dont on ne prenait plus aucun soin. En bas, les marches du perron, fendues par la gelée, barrées par des orties et par des ronces, étaient là comme un seuil de désolation et de mort. Et surtout, l'affreuse tristesse venait des fenêtres sans rideaux, nues et glauques, dont 25 les gamins avaient cassé les vitres à coups de pierres, toutes laissant voir le vide morne des pièces, ainsi que des yeux

* See page 252.
[1] **Orgeval** [ɔrʒəval], **au-dessus de Poissy:** Orgeval est un village; Poissy est une petite ville sur la Seine, à onze milles à l'ouest de Paris. Zola avait une maison de campagne près de là, à Médan.
[2] **sous les hivers:** sous l'effet des hivers.

éteints, restés grands ouverts sur un corps sans âme. Puis, à l'entour, le vaste jardin était une dévastation, l'ancien parterre à peine reconnaissable sous la poussée des herbes folles, les allées disparues, mangées par les plantes voraces,
5 les bosquets transformés en forêts vierges, une végétation sauvage de cimetière abandonné, dans l'ombre humide des grands arbres séculaires, dont le vent d'automne, ce jour-là, hurlant tristement sa plainte, emportait les dernières feuilles.

10 Longtemps, je m'oubliai là, au milieu de cette plainte désespérée qui sortait des choses, le cœur troublé d'une peur sourde, d'une détresse grandissante, retenu pourtant par une compassion ardente, un besoin de savoir et de sympathiser avec tout ce que je sentais, autour de moi, de
15 misère et de douleur. Et, lorsque je me fus décidé à sortir, ayant aperçu de l'autre côté de la route, à la fourche de deux chemins, une façon d'auberge,[1] une masure où l'on donnait à boire, j'entrai, résolu à faire causer les gens du pays.

20 Il n'y avait là qu'une vieille femme, qui me servit en geignant un verre de bière. Elle se plaignait d'être établie sur ce chemin écarté, où il ne passait pas deux cyclistes par jour. Elle parlait indéfiniment, contait son histoire, disait qu'elle se nommait la mère Toussaint, qu'elle était
25 venue de Vernon[2] avec son homme pour prendre cette auberge, que d'abord les choses[3] n'avaient pas mal marché, mais que tout allait de mal en pis depuis qu'elle était veuve. Et, après son flot de paroles, lorsque je me mis à l'interroger sur la propriété voisine, elle devint tout
30 d'un coup circonspecte, me regardant d'un air méfiant, comme si je voulais lui arracher des secrets redoutables.

— Ah! oui, la Sauvagière, la maison hantée, comme on dit dans le pays. Moi je ne sais rien, monsieur. Ce n'est pas de mon temps; il n'y aura que trente ans à Pâques
35 que je suis ici, et ces choses-là remontent à quarante ans bientôt. Quand nous sommes venus, la maison était à peu près dans l'état où vous la voyez. Les étés passent, les

---

[1] **une façon d'auberge:** une sorte d'auberge (*of inn*).
[2] **Vernon:** ville sur la Seine, entre Paris et Rouen.
[3] **les choses:** les affaires, *business*.

hivers passent, et rien ne bouge, si ce n'est [1] les pierres qui
tombent.

— Mais enfin, demandai-je, pourquoi ne la vend-on pas,
puisqu'elle est à vendre?

— Ah! pourquoi? Est-ce que je sais? On dit tant de 5
choses.

Sans doute, je finissais par lui inspirer confiance. Puis,
elle brûlait de me les répéter ces choses qu'on disait. Elle
me conta, pour commencer, que pas une des filles du village
voisin n'aurait osé entrer à la Sauvagière, après le cré- 10
puscule, parce que le bruit courait qu'une pauvre âme y
revenait la nuit. Et, comme je m'étonnais que, si près de
Paris, une pareille histoire pût encore trouver quelque
créance, elle haussa les épaules, voulut d'abord faire l'âme
forte,[2] laissa voir ensuite sa terreur inavouée. 15

— Il y a pourtant des faits, monsieur. Pourquoi ne
vend-on pas? J'en ai vu venir, des acquéreurs, et tous s'en
sont allés plus vite qu'ils ne sont venus; jamais on n'en a
vu reparaître un seul. Eh bien! ce qui est certain, c'est
que, dès qu'un visiteur ose se risquer dans la maison, il 20
s'y passe des choses extraordinaires: les portes battent, se
referment toutes seules avec fracas, comme si un vent
terrible soufflait; des cris, des gémissements, des sanglots
montent des caves; et, si l'on s'entête, une voix déchirante
jette ce cri continu: Angeline! Angeline! Angeline! dans 25
un appel d'une telle douleur qu'on en a les os glacés. Je
vous répète que c'est prouvé; personne ne vous dira le
contraire.

J'avoue que je commençais à me passionner, pris moi-
même d'un petit frisson froid sous la peau. 30

— Et cette Angeline, qui est-ce donc?

— Ah! monsieur, il faudrait tout vous conter. Encore
un coup,[3] moi, je ne sais rien.

Cependant, elle finit par me tout dire. Il y avait quarante ans, vers 1858, au moment où le Second Empire, 35

---

[1] **si ce n'est:** excepté.
[2] **faire l'âme forte:** faire croire qu'elle avait l'âme forte, qu'elle
n'avait pas peur, *to show that she was brave;* un « esprit fort » (*free-
thinker*) n'est pas superstitieux.
[3] **Encore un coup:** encore une fois, *I repeat.*

triomphant,[1] était en continuelle fête, M. de G . . ., qui
occupait une fonction aux Tuileries,[2] perdit sa femme, dont
il avait une fillette d'une dizaine d'années, Angeline, un
miracle de beauté, vivant portrait de sa mère. Deux ans
5 plus tard, M. de G . . . se remariait, épousait une autre
beauté célèbre, veuve d'un général. Et l'on prétendait
que, dès ces secondes noces, une atroce jalousie était née
entre Angeline et sa belle-mère: l'une frappée au cœur de
voir sa mère déjà oubliée, remplacée si vite au foyer par
10 cette étrangère; l'autre, obsédée, affolée d'avoir toujours
devant elle ce vivant portrait d'une femme qu'elle craignait de ne pouvoir faire oublier. La Sauvagière appartenait à la nouvelle Mme de G . . ., et là, un soir, en voyant le
père embrasser sa fille, elle aurait,[3] dans sa démence jalouse,
15 frappé l'enfant d'un tel coup, que la pauvre petite serait
tombée morte, la nuque brisée. Puis, le reste devenait
effroyable: le père éperdu consentant à enterrer lui-même
sa fille dans une cave de la maison, pour sauver la meurtrière; le petit corps restant là enfoui durant des années,
20 tandis qu'on disait la fillette chez une tante; les hurlements
d'un chien, qui s'acharnait à gratter le sol, faisant enfin
découvrir le crime, dont les Tuileries [4] s'étaient empressées
d'étouffer le scandale. Aujourd'hui, M. et Mme de G . . .
étaient morts, et Angeline revenait encore chaque nuit,
25 aux appels de la voix lamentable qui l'appelait, de l'au-delà
des ténèbres.

— Personne ne me démentira, conclut la mère Toussaint.
Tout cela est aussi vrai que deux et deux font quatre.

Je l'avais écoutée, effaré, choqué par des invraisem-
30 blances, mais conquis cependant par l'étrangeté violente

[1] le Second Empire, triomphant: les armées de Napoléon III et les
Anglais avaient battu les Russes en Crimée (1854–1856); en France
la situation économique était fort prospère.

[2] Les Tuileries étaient le palais de Napoléon III; il avait été
commencé en 1564 par Catherine de Médicis, veuve de Henri II, sur
l'emplacement d'anciennes tuileries (tileworks), à l'ouest du palais
du Louvre. Le palais des Tuileries a été détruit pendant la guerre
civile (Commune) de Paris, en 1871; sur son emplacement a été créé
un beau parc appelé le jardin des Tuileries, entre le Louvre et la
Concorde.

[3] elle aurait: she probably had; conditionnel de probabilité.

[4] les Tuileries: le gouvernement des Tuileries, de Napoléon III.

et sombre du drame. Ce M. de G . . ., j'en avais entendu parler; je croyais savoir qu'en effet il s'était remarié et qu'une douleur de famille avait assombri sa vie. Était-ce donc vrai ? Quelle histoire tragique et attendrissante, toutes les passions humaines remuées, exaspérées jusqu'à 5 la démence, le crime passionnel le plus terrifiant qu'on pût voir, une fillette belle comme le jour, adorée, et tuée par la marâtre, et ensevelie par le père dans un coin de cave ! C'était trop beau d'émotion et d'horreur. J'allais questionner encore, discuter. Puis, je me demandai à quoi 10 bon ? Pourquoi ne pas emporter, dans sa fleur d'imagination populaire, ce conte effroyable ?

Comme je remontais à bicyclette, je jetai un dernier coup d'œil sur la Sauvagière. La nuit tombait; la maison en détresse me regardait de ses fenêtres vides et troubles, 15 pareilles à des yeux de morte, pendant que le vent d'automne se lamentait dans les vieux arbres.

*   *   *

Pourquoi cette histoire se fixa-t-elle dans mon crâne, jusqu'à devenir une obsession, un véritable tourment ? C'est là un de ces problèmes intellectuels difficiles à 20 résoudre. J'avais beau me dire que de pareilles légendes courent la campagne,[1] que celle-ci ne présentait en somme aucun intérêt direct pour moi. Malgré tout, l'enfant morte me hantait, cette Angeline délicieuse et tragique, qu'une voix éplorée appelait chaque nuit, depuis quarante ans, 25 à travers les pièces vides de la maison abandonnée.

Et, pendant les deux premiers mois de l'hiver, je fis des recherches. Évidemment, si peu qu'une telle disparition, une aventure à ce point dramatique, eût transpiré au dehors, les journaux du temps avaient dû en parler. Je 30 fouillai les collections à la Bibliothèque Nationale,[2] sans rien découvrir, pas une ligne ayant trait à une semblable

---

[1] **courent la campagne:** courent les rues, *are very common, are common talk.*

[2] **la Bibliothèque Nationale:** probablement la plus importante bibliothèque (*library*) du monde par la valeur et le nombre de ses livres (environ 3 millions) et manuscrits (plus de 100.000); elle est située au centre de Paris, rue de Richelieu.

histoire. Puis, j'interrogeai les contemporains, des hommes des Tuileries: aucun ne put me répondre nettement;
je n'obtins que des renseignements contradictoires, si bien
que j'avais abandonné tout espoir d'arriver à la vérité,
5 sans cesser d'être en proie au tourment du mystère, lorsqu'un hasard me mit, un matin, sur une piste nouvelle.

J'allais toutes les deux ou trois semaines, rendre une
visite de bonne confraternité, de tendresse et d'admiration,
au vieux poète V . . ., qui est mort en avril dernier, à près
10 de soixante-dix ans. Depuis de longues années déjà, une
paralysie des jambes le tenait cloué sur un fauteuil dans
son petit cabinet de travail de la rue d'Assas,[1] dont la
fenêtre donnait sur le jardin du Luxembourg. Il achevait
là très doucement[2] une vie de rêve, n'ayant vécu que
15 d'imagination, s'étant fait à lui-même l'idéal palais où il
avait, loin du réel, aimé et souffert . . . On ne pouvait dire
qu'il mentait toujours. Mais la vérité était qu'il inventait
sans cesse, de sorte qu'on ne savait jamais au juste où la
réalité cessait pour lui, et où commençait le songe. C'était
20 un bien charmant vieillard, depuis longtemps hors de la
vie, dont la conversation m'émotionnait[3] souvent comme
une révélation discrète et vague de l'inconnu.

Ce jour-là, je causais donc avec lui, près de la fenêtre,
dans l'étroite pièce que chauffait toujours un feu ardent.
25 Dehors, la gelée était terrible; le jardin du Luxembourg
s'étendait blanc de neige, déroulant un vaste horizon de
candeur[4] immaculée. Et je ne sais comment j'en vins à lui
parler de la Sauvagière, de cette histoire qui me préoccu-
pait encore: le père remarié, la marâtre jalouse de la
30 fillette, vivant portrait de sa mère, puis l'ensevelissement
au fond de la cave. Il m'avait écouté avec le tranquille
sourire qu'il gardait même dans la tristesse. Un silence
s'était fait; son pâle regard bleu se perdit au loin, dans
l'immensité blanche du Luxembourg, tandis qu'une ombre
35 de rêve, émanée de lui, semblait l'entourer d'un frisson
léger.

[1] **d'Assas** [dasas].
[2] **doucement:** paisiblement, *peacefully.*
[3] **m'émotionnait:** m'émouvait, *moved (thrilled) me.*
[4] **candeur:** blancheur, *whiteness.*

— J'ai beaucoup connu M. de G ... dit-il lentement.
J'ai connu sa première femme, d'une beauté surhumaine;
j'ai connu la seconde, non moins prodigieusement belle; et
je les ai même passionnément aimées toutes les deux, sans
jamais le dire. J'ai connu Angeline, qui était plus belle
encore, que tous les hommes auraient adorée à genoux.
Mais les choses ne se sont pas tout à fait passées comme
vous le dites.

Ce fut pour moi une grosse émotion. Était-ce donc la
vérité inattendue, dont je désespérais? Allais-je tout
savoir? D'abord, je ne me méfiai pas et je lui dis:

— Ah! mon ami, quel service vous me rendrez! Enfin
ma pauvre tête va pouvoir se calmer. Parlez vite, dites-
moi tout.

Mais il ne m'écoutait pas, ses regards restaient perdus
au loin. Puis il parla d'une voix de songe, comme s'il eût
créé les êtres et les choses, au fur et à mesure qu'il les
évoquait.

— Angeline était, à douze ans, une âme où tout l'amour
de la femme avait déjà fleuri, avec ses emportements de
joie et de douleur. Ce fut elle qui tomba éperdument
jalouse de l'épouse nouvelle, qu'elle voyait chaque jour aux
bras de son père. Elle en souffrait comme d'une trahison
affreuse; ce n'était plus sa mère seule que le nouveau
couple insultait, c'était elle-même qu'il torturait, dont il
déchirait le cœur. Chaque nuit, elle entendait sa mère qui
l'appelait de son tombeau; et, une nuit, pour la rejoindre,
souffrant trop, mourant de trop d'amour, cette fillette de
douze ans s'enfonça un couteau dans le cœur.

Je jetai un cri.

— Grand Dieu! est-ce possible?

— Quelle épouvante et quelle horreur, continua-t-il sans
m'entendre, lorsque, le lendemain, M. et Mme de G ...
trouvèrent Angeline dans son petit lit, avec ce couteau
jusqu'au manche, en pleine poitrine! Ils étaient à la
veille de partir pour l'Italie; il n'y avait même plus là
qu'une vieille femme de chambre qui avait élevé l'enfant.
Dans leur terreur qu'on pût les accuser d'un crime, ils se
firent aider par elle; ils enterrèrent en effet le petit corps,
mais en un coin de la serre qui est derrière la maison, au

pied d'un oranger géant. Et on l'y trouva, le jour où, les
parents morts, la vieille bonne conta cette histoire.

Des doutes m'étaient venus; je l'examinais, pris d'inquiétude, me demandant s'il n'inventait pas.

5   — Mais, lui demandai-je, croyez-vous donc aussi
qu'Angeline puisse revenir chaque nuit, au cri déchirant
de la voix mystérieuse qui l'appelle ?

Cette fois il me regarda; il se remit à sourire d'un air
indulgent.

10   — Revenir, mon ami, eh ! tout le monde revient. Pourquoi ne voulez-vous pas [1] que l'âme de la chère petite morte
habite encore les lieux où elle a aimé et souffert ? Si l'on
entend une voix qui l'appelle, c'est que la vie n'a pas encore
recommencé pour elle, et elle recommencera, soyez-en sûr,
15 car tout recommence; rien ne se perd, pas plus l'amour que
la beauté. Angeline ! Angeline ! Angeline ! et elle renaîtra
dans le soleil et dans les fleurs.

Décidément, ni la conviction [2] ni le calme ne se faisaient
en moi. Mon vieil ami V . . ., le poète-enfant,[3] ne m'avait
20 même apporté que plus de trouble. Il inventait sûrement.
Cependant, comme tous les voyants, peut-être devinait-il ? [4]

— C'est bien vrai, tout ce que vous me racontez là ?
osai-je lui demander en riant.

25 Il s'égaya doucement à son tour.

— Mais, certainement, c'est vrai. Est-ce que tout l'infini n'est pas vrai ?

Ce fut la dernière fois que je le vis, ayant dû m'absenter
de Paris, quelque temps après. Je le revois encore, avec
30 son regard songeur, perdu sur les nappes blanches du
Luxembourg, si tranquille dans la certitude de son rêve
sans fin; tandis que moi, le besoin de fixer à jamais la
vérité, toujours fuyante, me dévore.

*   *   *

[1] **Pourquoi ne voulez-vous pas ?:** pourquoi ne voulez-vous pas
croire (*believe*) ? pourquoi ne serait-il pas possible ?

[2] **la conviction:** la certitude.

[3] **le poète-enfant:** *the poet with the soul of a child.*

[4] **devinait-il ?** devinait-il juste ? *he guessed right, he sensed the truth.*

Dix-huit mois se passèrent. J'avais dû voyager; de grands soucis et de grandes joies avaient passionné ma vie, dans le coup de tempête[1] qui nous emporte tous à l'inconnu. Mais, toujours, à certaines heures, j'entendais venir de loin et passer en moi le cri désolé: Angeline! Angeline! Angeline! Et je restai tremblant, repris de doute, torturé par le besoin de savoir. Je ne pouvais oublier; il n'est d'autre enfer[2] pour moi que l'incertitude.

Je ne puis dire comment, par une admirable soirée de juin, je me retrouvai à bicyclette dans le chemin écarté de la Sauvagière. Avais-je formellement[3] voulu la revoir? était-ce un simple instinct qui m'avait fait quitter la grande route pour me diriger de ce côté?[4] Il était près de huit heures; mais le ciel, à ces plus longs jours de l'année, rayonnait encore d'un coucher d'astre[5] triomphal, sans un nuage, tout un infini d'or et d'azur. Et quel air léger et délicieux, quelle bonne odeur d'arbres et d'herbages, quelle tendre allégresse dans la paix immense des champs!

Comme la première fois, devant la Sauvagière, la stupeur me fit sauter de machine. J'hésitai un instant; ce n'était plus la même propriété. Une belle grille neuve luisait au soleil couchant; on avait relevé les murs de clôture, et la maison, que je voyais à peine parmi les arbres, me semblait avoir repris une gaieté riante de jeunesse. Était-ce donc la résurrection annoncée? Angeline était-elle revenue à la vie, aux appels de la voix lointaine?

J'étais resté sur la route, saisi,[6] regardant, lorsqu'un pas traînard,[7] près de moi, me fit tressaillir. C'était la mère Toussaint, qui ramenait sa vache d'une luzerne[8] voisine.

— Ils n'ont donc pas eu peur, ceux-là? dis-je, en désignant la maison du geste.

---

[1] **le coup de tempête:** la rafale, *the gale*.

[2] **il n'est d'autre enfer:** il n'y a pas de plus grand enfer (*hell, torment*).

[3] **formellement:** absolument.

[4] **pour me diriger de ce côté:** pour prendre cette direction, pour venir par ici (*this way*).

[5] **d'astre:** de soleil.

[6] **saisi:** saisi d'étonnement, *startled*.

[7] **traînard:** traînant, *shuffling*.

[8] **d'une luzerne:** d'un champ de luzerne, *from an alfalfa field*.

Elle me reconnut; elle arrêta sa bête.

— Ah ! monsieur, il y a des gens qui marcheraient sur le
bon Dieu. Voici plus d'un an déjà que la propriété a été
achetée. Mais c'est un peintre qui a fait ce coup-là, le
5 peintre B . . ., et vous savez, ces artistes, c'est capable de
tout.

Puis, elle emmena sa vache, en ajoutant, avec un hochement de tête:

— Enfin, faudra voir [1] comment ça tourne.[2]

10 Le peintre B . . ., le délicat et ingénieux artiste qui avait
peint tant d'aimables Parisiennes ! Je le connaissais un
peu; nous échangions des poignées de main, dans les
théâtres, dans les salles d'exposition, partout où l'on se
rencontre. Et, brusquement, une irrésistible envie me
15 prit d'entrer, de me confesser à lui, de le supplier de me dire
ce qu'il savait de vérité, sur cette Sauvagière dont l'inconnu m'obsédait. Et, sans raisonner, sans m'arrêter à
mon costume poussiéreux de cycliste, que l'usage commence à tolérer d'ailleurs, je roulai ma bicyclette jusqu'au
20 tronc moussu d'un vieil arbre. Au tintement clair de la
sonnette, dont le ressort battait à la grille, un domestique
vint, à qui je remis ma carte, et qui me laissa un instant
dans le jardin.

Ma surprise grandit encore, lorsque je jetai un regard
25 autour de moi. On avait réparé la façade; plus de lézardes, plus de briques disjointes; le perron, garni de
roses, était redevenu un seuil de bienvenue joyeuse; et
les fenêtres vivantes riaient maintenant, disaient la joie
intérieure, derrière la blancheur de leurs rideaux. Puis,
30 c'était le jardin débarrassé de ses orties et de ses ronces,
le parterre reparu, comme un grand bouquet odorant, les
vieux arbres rajeunis, dans leur paix séculaire, par la
pluie d'or d'un soleil printanier.

Quand le domestique reparut, il m'introduisit dans un
35 salon, en me disant que monsieur était allé au village
voisin, mais qu'il ne tarderait pas à rentrer. J'aurais
attendu des heures; je pris patience en examinant d'abord

---

[1] **faudra voir:** il faudra voir, *we'll see;* omission de l'impersonnel
« il » dans le style familier.

[2] **comment ça tourne:** comment les choses vont tourner (*turn out*).

la pièce où je me trouvais, installée luxueusement avec des
tapis épais, des rideaux et des portières de cretonne, appareillés au [1] vaste divan et aux fauteuils profonds. Ces
tentures étaient même si amples que je fus étonné de la
brusque tombée du jour. Puis, la nuit se fit presque com- 5
plète. Je ne sais combien de temps je dus rester là; on
m'avait oublié, sans même apporter de lampe. Assis dans
l'ombre, je m'étais mis à revivre toute l'histoire tragique,
m'abandonnant au rêve. Angeline avait-elle été as-
sassinée? s'était-elle enfoncé elle-même un couteau en 10
plein cœur? Et, je l'avoue, dans cette maison hantée,
redevenue noire, la peur me prit, une peur qui ne fut qu'un
léger malaise, qu'un petit frisson à fleur de peau, puis qui
s'exaspéra, qui me glaça tout entier, dans une folie d'épouvante. 15

D'abord il me sembla que des bruits vagues erraient
quelque part. C'était dans les profondeurs des caves sans
doute: des plaintes sourdes, des sanglots étouffés, des pas
lourds de fantôme. Ensuite, cela monta, se rapprocha,
toute la maison obscure me parut se remplir de cette 20
détresse effroyable. Et, tout à coup, le terrible appel
retentit: Angeline! Angeline! Angeline! avec une telle
force croissante, que je crus en sentir passer le souffle froid
sur ma face. Une porte du salon s'ouvrit violemment,
Angeline entra, traversa la pièce sans me voir. Je la 25
reconnus, dans le coup de lumière qui était entré avec elle,
du vestibule éclairé. C'était bien la petite morte de douze
ans, d'une beauté miraculeuse, avec ses admirables cheveux
blonds sur les épaules, vêtue de blanc, toute blanche de la
terre d'où elle revenait chaque nuit. Elle passa muette, 30
éperdue, disparut par une autre porte, tandis que de
nouveau le cri reprenait, plus lointain: Angeline! Angeline! Angeline! Et je restai debout, la sueur au front, dans
une horreur qui hérissait tout le poil de mon corps, sous le
vent de terreur venu du mystère. 35

Presque aussitôt, je crois, au moment où le domestique
apportait enfin une lampe, j'eus conscience que le peintre
B... était là et qu'il me serrait la main, en s'excusant de
s'être si longtemps fait attendre. Je n'eus pas de faux

---

[1] **appareillés au:** assortis au, *matching the.*

amour-propre, je lui contai tout de suite mon histoire, encore frémissant. Et avec quel étonnement d'abord il
m'écouta, et avec quels bons rires ensuite il s'empressa de
me rassurer !

5 — Vous ignoriez sans doute, mon cher, que je suis un
cousin de la seconde Mme de G ... La pauvre femme !
l'accuser du meurtre de cette enfant, qui l'a aimée et qui l'a
pleurée autant que le père ! Car la seule chose vraie, c'est
en effet que la pauvre petite est morte ici, non de sa propre
10 main, grand Dieu ! mais d'une brusque fièvre, dans un tel
coup de foudre, que les parents, ayant pris cette maison en
horreur, n'ont jamais voulu y revenir. Cela explique
qu'elle soit restée inhabitée de leur vivant. Après leur
mort, il y a eu d'interminables procès, qui en ont empêché
15 la vente. Je la désirais, je l'ai guettée pendant de longues
années, et je vous assure que nous n'y avons encore vu
aucun revenant.

Le petit frisson me reprit, je balbutiai:
— Mais Angeline, je viens de la voir, là à l'instant.
20 La voix terrible l'appelait, et elle a passé par là, elle a
traversé cette pièce.

Il me regardait, effaré, croyant que je perdais la raison.
Puis, tout à coup, il éclata de son rire sonore d'homme
heureux.

25 — C'est ma fille que vous venez de voir. Elle a eu
justement [1] pour parrain M. de G ..., qui lui a donné, par
une dévotion du souvenir,[2] ce nom d'Angeline; et, sa mère
l'ayant sans doute appelée tout à l'heure, elle aura passé [3]
par cette pièce.

30 Lui-même ouvrit une porte, jeta de nouveau l'appel:
— Angeline ! Angeline ! Angeline !

L'enfant revint, mais vivante, mais vibrante de gaieté.
C'était elle, avec sa robe blanche, avec ses admirables
cheveux blonds sur les épaules, et si belle, si rayonnante
35 d'espoir, qu'elle était comme tout un printemps qui portait
en bouton la promesse d'amour, le long bonheur d'une
existence.

[1] Elle a eu justement: *it so happened that she had.*
[2] par une dévotion du souvenir: du souvenir de sa fille.
[3] elle aura passé: elle a probablement passé.

Ah! chère revenante, l'enfant nouvelle qui renaissait de l'enfant morte! La mort était vaincue. Mon vieil ami, le poète V..., ne mentait pas: rien ne se perd; tout recommence, la beauté comme l'amour. La voix des mères les appelle, ces fillettes d'aujourd'hui, ces amoureuses de demain, et elles revivent sous le soleil et parmi les fleurs. C'était de ce réveil de l'enfant que la maison se trouvait hantée, la maison aujourd'hui redevenue jeune et heureuse, dans la joie enfin retrouvée de l'éternelle vie.

Émile Zola, *Contes et Nouvelles*,
Eugène Fasquelle, Paris

Georges Duhamel

Justin * *demande à son camarade Laurent Pasquier de lui raconter l'histoire de la hache.*

— ALORS, TU ME disais: la hache? Cette histoire de hache? « Pas un mot de la hache! Pas même une allusion! » Sais-tu que c'est effrayant!... Sais-tu que c'est tragique!

5   Laurent riait de bon cœur.

— Non, dit-il. C'est seulement un peu ridicule, comme tout ce qui concerne mon inestimable famille ... Je t'ai dit que, maintenant, la grande lubie de mon père, c'est pour les inventions. Il exerce toujours la médecine et même il
10 en tire subsistance, tant bien que mal; mais toute sa puissance de rêverie, qui n'est pas trop misérable, est tournée vers les inventions ...

» Papa ne fait plus un pas sans rêver d'un appareil, il n'emploie plus un objet sans songer à l'améliorer. Parfois
15 il regarde sa cuiller, le moutardier, l'encrier, la brosse à ongles, oui, l'un quelconque de ces ustensiles que l'on pourrait croire inventés définitivement, pour jusqu'à la fin du monde, il les regarde en rêvassant et maman, aussitôt, remue la tête, pousse des soupirs d'angoisse et se tourne
20 vers nous comme pour crier au secours ...

» Sais-tu, Justin, que ce qu'il avait inventé pour empêcher les accidents de chemin de fer, eh bien! ce n'était pas si mal. Non. Je dois aussi te dire qu'aucun des brevets de mon père n'est encore exploité régulièrement. Ça ne
25 lui fait rien, pourvu qu'il invente et qu'il dépose.[1] Quant à son invention de nettoyage des tapis par aspiration ...

---

* See page 254.

[1] qu'il **dépose**: qu'il dépose (*registers*) son explication d'invention au bureau des brevets (*patent office*).

— Ah ! soupira Justin, levant les bras au ciel, je ne connaîtrai jamais l'histoire de la hache.

— Cette invention pour aspirer la poussière des tapis, elle me semble paradoxale, et pourtant, il est possible que des gens plus avisés ... Imagine un appareil à faire le vide. Le plus simple, assurément, c'est la trompe à eau.[1] Tu connais le système. Père, en me rendant visite, un jour, au laboratoire, a vu la trompe à eau. Il a tout de suite louché dessus. Huit jours plus tard, il commençait des expériences, chez lui, là-bas, rue d'Alésia,[2] dans leur ancien appartement. Le débit du robinet était sans doute un peu faible. Papa a fait venir les plombiers. Beaucoup de gâchis, évidemment. Depuis les inventions, maman y est habituée. Elle passe toutes ses journées à nettoyer, à essuyer, parfois même à éteindre les commencements d'incendie. Papa fait donc installer deux robinets considérables qui débitaient à merveille. Il reprend ses expériences et ça dure au moins quinze jours. Les locataires s'étonnaient un peu parce que les conduites chantaient, ronflaient. Enfin[3] ce boucan que fait l'eau dans les maisons, à Paris. Un jour, on sonne, à la fin de l'après-midi. Maman va ouvrir la porte et dit: « Vous désirez voir le docteur ? » — « Non, répond le visiteur. Je suis le propriétaire. »

— Alors, dit Justin, l'air attentif, c'est encore une histoire de propriétaire ?

— Toujours ! On ne saurait imaginer la haine de papa pour la race des propriétaires ...

— Et que dit le propriétaire ?

— Il dit qu'il veut voir papa. Mais papa, qui travaille, ne consent pas à paraître. Maman, qui commence à trembler, s'efforce de calmer le propriétaire. Le propriétaire exprime à haute voix, sur le palier de l'étage, toutes sortes de doléances touchant la consommation d'eau. Et ça dure

[1] **trompe à eau:** trompe à vide (*vacuum*) par l'eau, *Bunsen aspirator pump.* La trompe à eau est une machine pneumatique qui fait le vide par l'écoulement (*flowing away*) de l'eau.

[2] **La rue d'Alésia** se trouve dans la partie sud de Paris, près de la porte d'Orléans.

[3] **Enfin:** bref, *in short.*

au moins dix minutes. Et maman devine que papa s'agite,
dans la chambre aux inventions, et le propriétaire discute,
calcule,[1] raisonne. Ça ne finit plus.[2] Et soudain, père
vient de pousser la porte. C'est lui! Le voilà sur le
5 palier. Maman ne peut retenir un cri d'horreur. Père
a une hache à la main. Comprends. Jamais papa, même
dans les pires débordements, jamais papa n'avait encore
immolé de propriétaire.

— Tu me donnes froid dans le dos.

10 — Attends encore une seconde. Papa montre la hache
avec un geste justicier. Il parle. Il consent à prononcer la
sentence. Il dit: « Vous vous plaignez de l'eau, monsieur;
vous vous plaignez pour peu de chose. Vous allez maintenant vous plaindre pour quelque chose de sérieux! »
15 Là-dessus, papa brandit la hache et il en donne, à toute
volée, un coup dans la canalisation, dans la colonne montante qui passe là, contre le mur. Une trombe d'eau jaillit.
Papa se range tranquillement, chasse[3] quelques gouttes
de liquide égarées sur les revers de sa jaquette et déclare:
20 « Maintenant, vous pouvez crier. » Le propriétaire ne s'en
fait pas faute de crier. La maison est en rumeur, bientôt
en révolution. L'eau dégringole en cataractes dans la
cage de l'escalier. Le propriétaire est pâle. Papa tire sur
ses moustaches. Maman crie comme une folle. Deux ou
25 trois minutes encore et l'on entend les pompiers qu'on est
allé prévenir. L'eau descend, les pompiers grimpent, des
lamentations s'échappent de toutes les portes. Enfin, le
tableau connu,[4] l'atmosphère de catastrophe, ce que
Joseph[5] appelle « du papa tout pur, de l'essence de papa. »[6]
30 C'est tout, je t'en donne ma parole.

— Oh! dit Justin, je trouve ça très suffisant.

— Une fois de plus, il a fallu déménager. Et c'est pour
ça qu'ils sont en train de s'installer dans ce faubourg

[1] **calcule:** calcule (*figures out*) la consommation d'eau et son prix.
[2] **Ça ne finit plus:** ça n'en finit plus (pas), *there is no end to it, the discussion drags on forever.*
[3] **chasse:** *brushes off.*
[4] **le tableau connu:** *the usual picture.*
[5] Joseph est le frère aîné de Laurent Pasquier qui raconte cette histoire.
[6] *"just like dad, dad all over."*

Saint-Antoine.[1] Il paraît qu'il vaut mieux ne pas parler devant papa de cette histoire de hache. Il paraît que ça l'indispose.

Justin se prit à rire.

— Oui, disait-il en serrant le bras de Laurent, oui, c'est un père malcommode,[2] mais il n'est pas ennuyeux. Il est même divertissant. Avoue qu'il a de l'imprévu.

— Nous en reparlerons un jour, fit Laurent, le sourcil en bataille. Nous en reparlerons s'il devient ton beau-père.[3]

Georges Duhamel, *Chronique des Pasquier*, volume IV, *La Nuit de la Saint-Jean*, pp. 115–124, Mercure de France, Paris, 1935

[1] **faubourg Saint-Antoine**: *Saint-Antoine district*; il est situé dans la partie est de Paris, entre la place de la Bastille et la place de la Nation; **faubourg** signifiait autrefois « *suburb,* » mais maintenant beaucoup de faubourgs font partie de la ville; ils sont devenus des « quartiers » (*quarters, districts*). C'est le cas pour le faubourg Saint-Antoine.

[2] **malcommode**: peu commode, *hard to get along with.*

[3] Justin aime la pianiste Cécile, sœur de Laurent.

COMMENT VAINCRE
la timidité

Georges Duhamel

Les deux frères, Joseph et Laurent, font une petite enquête sur leur père, l'extraordinaire docteur Pasquier qui, secrètement, vient d'installer un « institut » pour vaincre la timidité. Ils arrivent à cet institut sous prétexte de demander une consultation. Une jeune fille les fait entrer au salon d'attente.

Tout de suite l'attention de Laurent fut attirée par une brochure dont plusieurs exemplaires étaient éparpillés sur la table. Il en saisit un et lut:

> Professeur Guillaume de Nesles [1]
> Docteur en Médecine
> Le Secret du Prestige Personnel

En sous-titre, on voyait encore:

> Devenez Puissants et Riches.
> Comment s'y Prendre pour Réussir dans la Vie.
> La Timidité n'est qu'une Maladie.
> L'Avenir est [2] aux Audacieux.

Entre [3] les brochures, foisonnaient des prospectus sur lesquels Laurent vit ces mots, en caractères gros d'un pouce:

> LA TIMIDITÉ VAINCUE.
> TRAITEMENT EN DIX SÉANCES
> PAR UN PROFESSEUR MÉDECIN.

— Ah! murmura Laurent tout bas. Je me doutais que c'était grave. Je me doutais que c'était encore une catastrophe.

---

[1] **Nesles** [nɛl].
[2] **est:** appartient, *belongs.*
[3] **entre:** parmi, *among.*

Joseph haussa les épaules et répondit, dans un souffle:

— On ne sait pas.[1] Tiens-toi tranquille.

A ce moment une porte s'ouvrit et le Dʳ Pasquier parut. Il était vêtu d'une blouse blanche, pincée à la taille et fort bien coupée . . .

— Ah! bien, dit-il avec enjouement, deux clients d'un seul coup, voilà ce que j'appelle une chance. Alors, mes enfants, vous souffrez de timidité? Parole! c'est une intéressante nouvelle. Et vous voulez peut-être une leçon?

— Allons, papa, fit Joseph, trêve de plaisanteries, veux-tu?

— Mon cher, si nous ne plaisantions pas un peu, je me demande ce que nous pourrions faire, car je ne vois vraiment pas ce que vous venez chercher ici.

— Mais, papa, nous venons te voir, le plus simplement du monde.

— En ce cas, mes chers garçons, passez dans mon cabinet. Je m'en voudrais de mettre ma dactylographe au courant de nos petites histoires. Allons, entrez tous les deux.

Le docteur, soulevant la portière d'une main, poussa Joseph et Laurent dans la pièce assez spacieuse et parcimonieusement meublée qu'il venait d'appeler son cabinet.

— Asseyez-vous, dit-il avec un de ces longs soupirs musicaux qui préludaient jadis à toutes les chamailles du clan.[2] Asseyez-vous. Si vous avez l'intention de me faire, une fois de plus, une scène de famille, ce que vous admettrez que je trouve extravagant, nous devons commencer assis, ce qui nous permettra de nous lever dans les grands mouvements oratoires.

— Papa, bredouilla Laurent, nous ne sommes pas venus pour te faire une scène, mais seulement pour savoir, seulement pour comprendre.

— Toi, mon cher, trancha le docteur, tu pourrais t'inscrire pour un traitement complet dans mon institut, car tu ne me sembles pas encore avoir vaincu ta timidité naturelle. Articule, articule, mon garçon. Tu ne sais

---

[1] **On ne sait pas:** *we don't know, you can't tell.*

[2] **les chamailles du clan:** les chamailleries (*wranglings, quarrels*) de la famille.

même pas très bien dire papa. Tu retires à la consonne *p*
une grande part de sa force explosive. P... P... Serre
les lèvres, puis desserre-les brusquement.

— Soyons sérieux, dit Joseph. Nous sommes venus...

5   — Oh! je le vois, je le vois. Vous êtes venus non pas
exactement pour me surveiller, mais pour savoir ce que je
fais dans cette rue d'Amsterdam.[1] Vous avez pensé que
j'avais imaginé ce que vous appelez sans doute une nouvelle folie, et vous êtes venus, comme vous le dites, mettre [2]
10 dans mes petites affaires un nez filial, respectable et
bourgeois. Et vous pensez peut-être que votre père pourrait manigancer quelque chose d'un peu déshonorant, et
vous n'êtes pas très tranquilles. Eh bien! mes chers
garçons, permettez-moi de vous déclarer que vous me
15 faites rire.

Le Dr Pasquier se prit à marcher de long en large, les
mains glissées dans la ceinture de sa blouse, tous les poils
de sa moustache hérissés maintenant et mobiles comme
des pattes d'araignée. Il grondait:

20   — C'est à croire que vous n'avez qu'une pensée: m'empêcher de vivre ma vie et de courir ma chance. Je veux
surmonter les premiers obstacles. Je veux gagner de
l'argent, m'entendez-vous? Après, on saura qui je suis et
je donnerai toute ma mesure.

25   — L'an dernier, dit Joseph, tu voulais écrire des livres,
devenir un grand homme de lettres. Tu as même publié
un roman.

— Mon cher, je me suis fait rouler par une espèce de
pirate. A vrai dire, il a tenté de me rouler mais il n'y a pas
30 complètement réussi. Pour briller dans les lettres, il faut
d'abord être riche, donner des dîners, des soupers, recevoir
des danseuses, des princes et des diplomates, se présenter
chez les éditeurs [3] dans des calèches à deux chevaux, enfin
jeter l'argent par les fenêtres. Vois Sardou,[4] avec ses

---

[1] La rue d'Amsterdam est située dans la partie nord-ouest de
Paris, entre la gare Saint-Lazare et la place Clichy.

[2] mettre: *to poke.*

[3] éditeurs: *publishers.*

[4] Sardou: Victorien Sardou (1831–1908), auteur de comédies et de
pièces (*plays*) dramatiques (*Madame Sans-Gêne, la Tosca*).

palais, ses domaines, sa valetaille. Vois Rostand,[1] qui vit
comme un nabab. Pense à Bataille,[2] cet anémique; il
paraît qu'il fait, à table, asseoir ses invités sur des fauteuils
de marbre blanc, ce qui doit leur donner des rhumes, s'ils
ont la poitrine sensible. Tous ces gaillards-là, mon cher, 5
ils ont réussi dans les lettres parce qu'ils avaient de l'argent.
Voilà! Pour gagner de l'argent, il faut commencer par en
avoir, et ce n'est pas toi, Joseph, qui me diras le contraire.

— D'accord, mais . . .

— Mon garçon, il n'y a pas de mais. J'ai donc[3] trouvé 10
une idée. Ce ne sont pas les idées qui me manquent à moi.

— Et tu vas abandonner la carrière littéraire?

— Du tout![4] Je vais gagner d'abord de l'argent, faire
une petite fortune et me lancer de nouveau dans la carrière
littéraire, avec des munitions.[5] Ne croyez pas que je n'aie 15
pas l'esprit de suite. Je l'ai, au suprême degré. Pour écrire
mon second livre, il me faut voyager un peu. Si! la docu-
mentation directe! J'ai l'esprit de suite. A ma place, il y
a des gens qui seraient découragés. Eh bien! moi c'est
tout le contraire: plus je rencontre d'obstacles et plus j'ai 20
besoin de sauter.[6] J'ai donc trouvé une idée.

Le docteur s'arrêta devant ses fils, caressa d'une main
rêveuse son menton soigneusement rasé, baissa la voix et
poursuivit avec une espèce de jubilation:

— Une belle idée, je vous assure. Si seulement j'avais 25
eu des fonds! Si j'avais pu m'installer boulevard Haussmann[7] ou même aux Champs-Élysées, dans une maison
avec ascenseur et tapis de luxe! Si j'avais pu m'acheter un
mobilier moderne avec bureau américain,[8] si j'avais eu le

---

[1] **Rostand:** Edmond Rostand [rɔstɑ̄] (1868–1918), auteur de
drames brillants, en vers: *Cyrano de Bergerac, l'Aiglon,* etc.

[2] **Bataille:** Henry Bataille (1872–1922), auteur de comédies
psychologiques.

[3] **donc:** *so, now.*

[4] **Du tout!:** pas du tout!

[5] **des munitions:** de l'argent, *funds.*

[6] **de sauter:** de sauter au-dessus d'eux, *to clear them.*

[7] Le boulevard Haussmann traverse un quartier riche de Paris,
juste au nord de l'Opéra; son nom est celui du préfet de la Seine,
Haussmann (1809–1891), qui a fait ouvrir ce boulevard et plusieurs
autres belles avenues de Paris.

[8] **bureau américain:** *roll-top desk.*

téléphone, si j'avais eu les moyens de faire de la publicité,
beaucoup plus que je n'en fais.

M. Pasquier partait en rêverie. Laurent dit à mi-voix:
— Tu es docteur en médecine. Il me semble que la
5 dignité de la science . . .

— Ta ta ta ! s'écria M. Pasquier. Mon pauvre Laurent,
tu ne sais pas ce que tu dis. T'imagines-tu, par hasard,
que je fais du charlatanisme, que je pense uniquement à
l'argent ? Mon garçon, tu me connais mal. J'ai travaillé
10 la question. J'ai mis au point une méthode. Ce que je
fais est aussi scientifique et souvent même plus sérieux que
ce que font les autres professeurs, à la Sorbonne,[1] par
exemple.

— Alors, papa, pourquoi ne pas conserver ton . . .
15 — Non, Laurent, grogna Joseph. Laisse-le parler, pour
une fois. Ce qu'il dit n'est pas si mal.

— Pourquoi, reprit obstinément Laurent, pourquoi ne
pas conserver ton vrai nom et donner à tout cela un
caractère . . . enfin, un caractère . . .
20 — Mon cher, dit le docteur avec un sourire angélique, je
l'ai fait par égard pour vous, pour me sentir plus libre dans
mes entournures. J'avais d'abord pensé m'appeler Pasquier de Nesles. Vous auriez peut-être crié. J'ai mis
Professeur de Nesles, car je ne peux pas vous cacher que la
25 particule a du charme, du cachet, de la tenue . . . Entrez !
Que voulez-vous, mademoiselle ?

La jeune fille à jupe entravée que le docteur nommait sa
dactylographe venait de se montrer dans l'ouverture d'une
porte.
30 — Monsieur le Professeur, disait-elle, il y a quelqu'un
au salon.

— Est-ce pour une consultation ?

— Oui, c'est un jeune homme de vingt-cinq à trente ans.
Il dit qu'il a lu l'annonce.
35 Le docteur se recueillit une seconde et soudain prononça,
l'œil brillant:

— Veuillez, mademoiselle, donner des blouses à ces

---

[1] **la Sorbonne:** grand bâtiment où se trouvent les facultés (*schools*)
des lettres et des sciences de l'université de Paris; il est situé au
centre de Paris, non loin de la rive (*bank*) gauche de la Seine.

messieurs, qui sont de mes connaissances. Vous allez, tous
les deux, prendre des blouses et vous asseoir ici et là. Vous
aurez l'air de tenir un carnet de notes, de rédiger une
ordonnance, de mettre les fiches à jour ou même d'être mes
élèves. Ah! vous avez voulu voir! Eh bien! vous allez 5
voir que je n'ai rien à cacher. Faites entrer ce jeune
homme.

Joseph et Laurent enfilèrent des blouses et se postèrent
aux deux extrémités du bureau. La jeune dactylographe
revenait, poussant devant elle un garçon au poil doré,[1] 10
au visage frais, couvert de taches de rousseur.

— Asseyez-vous, fit le professeur.

Le jeune homme s'assit sur une chaise, au milieu de la
pièce. La dactylographe se retirait discrètement.

— Ces messieurs sont mes assistants ordinaires, dit en- 15
core le professeur. Bien. Asseyez-vous mieux que cela.
Sur les deux fesses, monsieur, c'est essentiel. Comment
vous appelez-vous? Répétez. Répétez encore. Le
premier principe est de savoir dire son nom. Je n'ai pas
très bien compris. Vous avez dit Jules Baubiache? 20

— Oui, monsieur, Jules Baubiache.

— Cela ne dépend pas de vous, mais ce n'est pas un nom
favorable pour une personne timide. C'est un nom qui ne
vous aide pas. Jules est un prénom malheureux. Il a été
porté par César, c'est entendu, mais il . . . faudra changer 25
cela. Rien ne vous empêche de vous appeler César Baubiache, par exemple. Et Baubiache, qui est un peu ridicule,
devient aussitôt truculent et gaillard. Bien. Quelle est
votre profession?

Le jeune homme baissa la tête une seconde, comme pour 30
prendre de l'élan, et dit encore:

— Employé de banque.

— Oui. Et vous voulez suivre un traitement contre la
timidité?

— C'est-à-dire que . . . oui, parfaitement . . . 35

Le jeune homme n'était pas bègue, mais il semblait, de
temps en temps, s'arrêter devant certains mots avec un
véritable découragement, reculer et bondir à l'aventure.

— Le traitement, dit M. Pasquier, est un traitement

[1] **au poil doré:** à la moustache et aux cheveux blonds.

méthodique et il comprend trois parties. La première
partie comporte des exercices pratiques, soit, en tout, dix
leçons que je vous donnerai moi-même. La seconde partie
consiste en la lecture d'un ouvrage dont je suis l'auteur,
5 ouvrage qui concerne le prestige personnel, ses raisons, ses
différentes modalités. Enfin le tout est complété par une
médication spéciale, administrée sous forme de pilules et
de vin fortifiant, car la timidité n'est qu'une maladie et
doit être attaquée par tous les moyens thérapeutiques. La
10 secrétaire vous a dit les conditions du traitement. Si nous
sommes d'accord, nous allons commencer tout de suite.

Le jeune homme remua la tête avec énergie, deux ou
trois fois. Il faisait de nombreux efforts pour déglutir la
salive qui lui remplissait la bouche, et ses mains, posées à
15 plat sur ses genoux, tremblaient visiblement.

— Monsieur Baubiache, dit le docteur, la première leçon
concerne l'entrée en matière, le salut,[1] la poignée de main,
les propos initiaux.[2] Vous allez me faire le plaisir de sortir
de cette pièce. Ramassez d'abord votre chapeau. Vous
20 allez sortir de cette pièce et faire une entrée convenable.
Vous frappez. Je réponds. Vous pénétrez dans la pièce et
vous vous présentez. Bien. Bien. Oui. Entrez !

Le jeune homme, suivant les indications du maître, après
être sorti dans le couloir venait d'entr'ouvrir la porte. Le
25 docteur, planté au milieu de la chambre, une règle à la
main, donnait des ordres avec des gestes de dompteur:

— Bien, bien, ou plutôt, pas trop mal. Le chapeau, un
peu plus de côté. Pas sur l'oreille, mais un peu de côté.
Alors, vous entrez. Faites, je vous prie, quatre pas nets et
30 résolus. Recommencez. Tendez le jarret, monsieur. Bien.
Et souriez. Quand je dis souriez, cela ne veut pas dire:
ouvrez la bouche. Cela veut dire ayez l'air aimable, avenant, rayonnant. Bien. Pas trop, pas trop. Arrondissez
le bras et tendez-moi la main. Attention ! largement ou-
35 verte, la main. Vous ne transpirez pas de la paume.
C'est une chance. Les timides, souvent, transpirent de la
paume. Et c'est peut-être même ça qui finit par les rendre
timides. Serrez la main que je vous tends. Ne craignez

---

[1] le salut: *bowing, the bow.*
[2] les propos (*words*) initiaux: *the greetings.*

pas de me faire un peu de mal. Que tout cela respire la franchise, la spontanéité, la force naturelle. Bon. Vous venez de faire une entrée cordiale. Vous allez maintenant faire une entrée résolue et même conquérante. Attendez toutefois que j'aie crié: « entrez! » et pénétrez dans la 5 pièce d'un mouvement vif. Un tout petit peu plus de bruit avec vos talons! Bien. Maintenant, faites deux ou trois fois « hum! » Non, non, vous avez l'air d'un asthmatique. Faites « hum! » comme quelqu'un qui désire affermir sa voix. Portez le pied droit en avant et donnez, 10 discrètement mais fermement, deux ou trois petits coups de genou,[1] comme vous allez voir que je fais.

Le docteur lança trois ou quatre « hum! » éclatants et tendit nerveusement [2] le jarret.

— Tout cela n'est pas trop mal. Maintenant élevez la 15 voix et présentez, par exemple, une offre de service.

Le jeune homme pâlit un peu, eut deux ou trois mouvements de déglutition et murmura quelques paroles indistinctes:

— Monsieur, je voudrais . . . pour une place . . . 20

— Ah non! disait le docteur. Ça ne va plus du tout. Pour les gestes, c'est passable, encore qu'il y ait bien à redire. Mais pour l'élocution, tout est à recommencer. D'abord, pas de postillons, vous m'entendez. Crachez délicatement dans votre mouchoir avant de commencer 25 l'entretien. Les postillons sont très défavorables aux entretiens intimes. Ensuite, du montant, du mordant, de l'attaque. Pour faciliter les choses, je vais, et de manière tout à fait exceptionnelle, vous mettre aux exercices de la quatrième leçon, aux exercices de l'algarade. Comprenez 30 bien ce que je veux dire, monsieur; vous allez me faire des reproches, me dire des choses très désagréables. En un mot, monsieur, vous allez m'engueuler. Simplement pour développer en vous les vertus agressives, l'élocution de combat. 35

— Mais, dit le jeune homme devenu soudain cramoisi.

---

[1] donnez . . . deux ou trois petits coups de genou: pliez (bend) le genou deux ou trois fois.
[2] nerveusement: énergiquement.

— Mon cher ami, ne craignez rien; vous entendez [1] bien
que ce n'est là qu'une diction destinée à développer chez
vous des dispositions martiales dont vous me semblez tout
à fait dépourvu.   Allons, n'ayez pas peur.   Supposez que
5 je viens de vous refuser une place que vous sollicitiez et
tâchez de m'intimider à mon tour.   Songez qu'ici comme en
toute chose, la meilleure façon de vaincre votre timidité
naturelle c'est d'intimider l'adversaire ou, si vous préférez,
le partenaire.   Voilà !   Je suis assis dans mon fauteuil de
10 bureau et j'attends votre attaque.

Le jeune homme tourna deux ou trois fois son chapeau
entre ses doigts frémissants.   Il faisait de grands efforts
pour dominer son trouble et il balbutia d'une voix blanche:

— Vous m'aviez promis une place . . .   C'est pas bien . . .
15 J'espérais heu [2] . . . heu . . . que vous pourriez penser à
moi . . . Non, c'est vraiment fâcheux.

Le Dr Pasquier bondit hors de sa cathèdre.[3]   Il riait et
frappait ses mains l'une contre l'autre.[4]

— Ce n'est pas ça du tout.   Permettez-moi de vous
20 donner le ton, le mouvement et même des indications
vocabulaires.[5]   Asseyez-vous à votre tour et maintenant
prenez de la graine.   Je commence: « Mossieu,[6] j'ai fait à
la maison que vous dirigez l'honneur de solliciter une place
parmi ses collaborateurs.   A cette demande, mossieu, vous
25 avez pensé d'abord pouvoir répondre par un silence inconvenant, puis à la suite d'une démarche plus pressante,
par ce qu'on appelle une fin de non recevoir.   Eh bien !
mossieu, sachez que je me félicite de ne pas entrer dans une
maison qui jouit sur la place de Paris d'une réputation
30 désastreuse.[7]   Sachez que je me félicite particulièrement
de n'avoir pas à saluer comme mon chef direct et personnel quelqu'un que je tiens pour un voyou et pour un

----

[1] **vous entendez:** vous comprenez.

[2] **heu . . . :** *er . . .*

[3] **sa cathèdre:** son fauteuil.

[4] **frappait ses mains l'une contre l'autre:** battait des mains,
applaudissait, *clapped hands.*

[5] **vocabulaires:** au sujet des mots.

[6] **Mossieu:** forme ironique de « monsieur », *Mister.*

[7] **qui jouit sur la place de Paris d'une réputation désastreuse.**
which has such a vile reputation in Parisian buisness circles.

mufle, car vous êtes un mufle, mossieu, et je pourrais en
dire encore bien davantage, mossieu. »

Ici, le Dr Pasquier s'arrêta soudainement, baissa la voix,
fit un sourire, ressaisit son sang-froid avec une merveilleuse
aisance et dit en pirouettant: 5

— ... Allons, du courage, mon cher !

Le jeune homme se leva, cracha dans son mouchoir, fit
deux pas en avant, jeta son chapeau par terre et dit en
devenant soudain tout pâle:

— Vous m'aviez promis une place. Vous ne me l'avez 10
pas donnée. Vous êtes un sale type, un voleur, un escroc,
un apache. Je ne sais ... je ne sais ... je ne sais pas ce
qui me retient [1] ...

— Halte-là ! cria le docteur en levant une main autoritaire. Halte-là, c'est beaucoup mieux. Mais ne vous em- 15
ballez pas. J'ai remarqué déjà qu'avec les novices le
quatrième exercice est un peu périlleux. Méfiez-vous
aussi du mot de voleur. Il n'est pas sans conséquence.
Dites par exemple: « Je pourrais vous appeler voleur, mais
je ne le fais pas »; comme cela vous restez irréprochable au 20
regard de la justice. Ah ! vous êtes un vrai timide: vous
devenez tout de suite violent. Je vais, à cause de cette
disposition, vous prescrire, pour commencer, l'ordonnance
n° 2. Celle qui ne contient pas de noix vomique.[2] Pouvez-
vous revenir dès demain ? 25

— Oui, monsieur le Professeur.

— Tant mieux; nous passerons très vite à des exercices
plus nuancés. La sixième et la septième leçons concernent
les relations avec les femmes. J'entends les relations so-
ciales et courantes ... La dernière leçon est consacrée au 30
départ, je veux dire à l'art si particulier de sortir d'une
pièce, de faire ses adieux ... Vous verrez, c'est passionnant. Je ne vous cacherai pas que le début est assez
heureux.[3] Soyez tranquille: vous n'êtes pas incurable.

---

[1] **ce qui me retient:** ce qui me retient de vous fiche ma main sur
la figure (*to punch your nose*).

[2] **noix vomique:** *nux vomica;* elle stimule l'estomac et le système
nerveux.

[3] **le début est assez heureux:** vous avez fait un assez heureux
(*auspicious*) début.

Ma dactylographe va vous remettre l'exemplaire de la brochure, l'exemplaire qui vous est destiné. Pour les honoraires, c'est également à la dactylographe que vous aurez affaire. Avouez que vous vous sentez déjà beaucoup
5 plus à l'aise.

Le jeune homme éclata de rire.

— C'est pourtant vrai, dit-il, c'est pourtant vrai que je suis mieux.

Le docteur posa sur l'épaule du jeune homme une main
10 paternelle et dit:

— J'en ai vu de cent fois plus difficiles que vous et qui, aujourd'hui, entrent dans le cabinet d'un ministre aussi tranquillement que chez le marchand de tabac. A demain, monsieur Baubiache. Balancez légèrement votre chapeau
15 de la main gauche; mettez une demi-seconde votre main droite dans la poche du pantalon. Retirez-la sans brusquerie et tendez-la moi, d'une manière souple et détachée, comme vous me voyez faire à moi-même. Du chic, de la simplicité. Allons, ce n'est pas mal. Au revoir.

20 Le jeune client parti, le docteur gagna sans rien dire un lavabo logé dans le fond de la pièce et commença de se laver les mains. Comme Joseph et Laurent ne soufflaient pas mot, le docteur se prit à chantonner d'une voix légère . . .

25 Il se retourna prestement, saisit la serviette éponge pour s'essuyer les mains et dit avec modestie:

— Les timides! Je commence à les connaître. Il y en a qui sont incurables, même par la méthode des exercices. Ce sont les sadiques de la timidité. Ils doivent y prendre
30 plaisir. D'autres sont de faux timides. Une leçon, deux leçons, et ils deviennent comme des lions. Vous ne dites rien, mes garçons.

— J'écoute, fit Joseph, bourru.[1] Je ne pense pas, en tout cas, que ce n'est pas intéressant.

35 — Et quant à toi, Laurent, poursuivit le docteur, tu juges sûrement que tout cela ce n'est pas très scientifique.

Laurent secoua les épaules avec mauvaise humeur.

---

[1] **bourru**: d'un ton bourru, *churlishly.*

— Je trouve que, pour un médecin, pour un médecin
véritable, c'est un peu de la comédie.

Le docteur leva les bras.

— Mon cher, c'est de la comédie au même titre que tout
le reste de la science. Sache-le, pourtant, mon garçon, je 5
me donne beaucoup plus de mal, je dépense beaucoup plus
de nerf, je mets beaucoup plus de moi-même que le confrère du coin qui monte chez son patient, fait une piqûre et
écrit au galop trois lignes d'ordonnance. Reviens, dans
huit jours, observer ce petit bonhomme, et tu m'en diras 10
des nouvelles. Tu remarqueras le changement. Tu verras
son œil, tu verras son jarret et tu crieras au miracle. Il faut
savoir qu'avec les femmes, j'entends avec les timides du
sexe féminin, le traitement est difficile et beaucoup plus
chanceux. Il y en a qui sont améliorées en une seule leçon 15
et qui réussissent tout de suite l'exercice de l'algarade, pour
peu qu'on leur tende la perche.

Joseph retirait sa blouse, puis il se prit à marcher en
baissant la tête et en fronçant les sourcils.

— En somme, papa, disait-il, tu parles de l'influence 20
personnelle, du moyen de réussir. A t'entendre, on pourrait croire ...

M. Pasquier allongea le bras posément:

— Attends ! Attends ! souffla-t-il. Tu vas dire une rosserie, peut-être même une bêtise. Tu vas dire que je pré- 25
tends enseigner aux autres une méthode pour arriver, et
que je pourrais commencer par me l'enseigner à moi-même.
Tu vois que je ne devine pas trop mal les pensées de mon
fils Joseph. Veuille comprendre, mon garçon, que je n'ai
pas encore réussi, mais que ma méthode est d'hier, que je 30
commence à l'appliquer pour mon propre compte et que
j'ai l'avenir devant moi ... A part ça, mes garçons, vous
avez l'air, tous les deux, terriblement empaillés. Vous
êtes venus pour voir. Ce n'était pas d'une discrétion
exemplaire. N'importe, vous avez vu. Je vais même vous 35
prier de me laisser à mon travail, car j'espère [1] un autre
client et je viens d'entendre sonner. Allons ! Adieu ! Et
sans rancune. Joseph, mon cher, une poignée de main plus

---

[1] J'espère: j'attends, *I am expecting.*

large, puisque tu as aussi la chance de ne pas transpirer des
paumes. Et toi, Laurent, un sourire, quelque chose de
gracieux. Il faudra que tu viennes un jour, pour la dixième
leçon. Ça ne te fera pas de mal et je te la donnerai gratis.

5 Georges Duhamel, *Chronique des Pasquier*, volume VIII,
   Le Combat contre les Ombres, pp. 32–48, Mercure de
   France, Paris, 1939
   Cet extrait et le précédent sont reproduits avec l'autorisa-
   tion de M. Georges Duhamel.

François Mauriac

Un vieil * avocat, « cœur dévoré par la haine et par l'avarice »,
tient un cahier où il note ses observations et ses pensées. Ce
cahier est destiné à sa femme, qu'il hait.

MA HAINE EST née, peu à peu, à mesure que je me rendais
mieux compte de ton indifférence à mon égard, et que rien
n'existait à tes yeux hors ces petits êtres vagissants,
hurleurs et avides.[1] Tu ne t'apercevais même pas qu'à
moins de trente ans j'étais devenu un avocat d'affaires 5
surmené, et salué déjà comme un jeune maître dans ce
barreau,[2] le plus illustre de France après celui de Paris.
A partir de l'affaire Villenave (1893) je me révélai en outre
comme un grand avocat d'assises (il est très rare d'exceller
dans les deux genres) et tu fus la seule à ne pas te rendre 10
compte du retentissement universel de ma plaidoirie. Ce
fut aussi l'année où notre mésentente devint une guerre
ouverte.

Cette fameuse affaire Villenave, si elle consacra mon
triomphe, resserra l'étau qui m'étouffait: peut-être 15
m'était-il resté quelque espoir; elle m'apporta la preuve
que je n'existais pas à tes yeux.

Ces Villenave — te rappelles-tu seulement leur histoire ?
— après vingt ans de mariage, s'aimaient d'un amour qui
était passé en proverbe. On disait: « unis comme les 20
Villenave ». Ils vivaient avec un fils unique, âgé d'une
quinzaine d'années, dans leur château d'Ornon, aux portes
de la ville, recevaient peu, se suffisaient l'un à l'autre:
« Un amour comme on en voit dans les livres », disait ta
mère, dans une de ces phrases toutes faites dont sa petite- 25

---

* See page 257.
[1] Il s'agit de leurs enfants, quand ceux-ci étaient tout petits.
[2] **ce barreau:** le barreau de Bordeaux, *the Bordeaux Bar Associ-*
ation.

fille Geneviève a hérité le secret. Je jurerais que tu as
tout oublié de ce drame. Si je te le raconte, tu vas te
moquer de moi comme lorsque je rappelais, à table, le
souvenir de mes examens et de mes concours; mais tant
5 pis !

Un matin, le domestique qui faisait les pièces du bas
entend un coup de revolver au premier étage, un cri
d'angoisse; il se précipite; la chambre de ses maîtres est
fermée. Il surprend des voix basses, un sourd remue-
10 ménage, des pas précipités dans le cabinet de toilette. Au
bout d'un instant, comme il agitait toujours le loquet, la
porte s'ouvrit. Villenave était étendu sur le lit, en chemise,
couvert de sang. Madame de Villenave, les cheveux défaits, vêtue d'une robe de chambre, se tenait debout au
15 pied du lit, un revolver à la main. Elle dit: « J'ai blessé
Monsieur de Villenave; ramenez en hâte le médecin, le
chirurgien et le commissaire de police. Je ne bouge pas
d'ici. » On ne put rien obtenir d'elle que cet aveu: « J'ai
blessé mon mari », ce qui fut confirmé par Monsieur de
20 Villenave dès qu'il fut en état de parler. Lui-même se
refusa à tout autre renseignement.

L'accusée ne voulut pas choisir d'avocat. Gendre d'un
de leurs amis, je fus commis d'office pour sa défense, mais
dans mes quotidiennes visites à la prison je ne tirai rien de
25 cette obstinée. Les histoires les plus absurdes couraient la
ville à son sujet; pour moi, dès le premier jour, je ne doutai
pas de son innocence: elle se chargeait elle-même, et le
mari qui la chérissait acceptait qu'elle s'accusât. Ah ! le
flair des hommes qui ne sont pas aimés, pour dépister la
30 passion chez autrui ! L'amour conjugal possédait entièrement cette femme. Elle n'avait pas tiré sur son mari . . .
Personne n'était entré dans la maison depuis la veille. Il
n'y avait aucun habitué qui fréquentât chez eux; enfin je
ne vais tout de même pas te rapporter cette vieille his-
35 toire.

Jusqu'au matin du jour où je devais plaider, j'avais
décidé de m'en tenir à une attitude négative et de montrer
seulement que Madame de Villenave ne pouvait pas avoir
commis le crime dont elle s'accusait. Ce fut, à la dernière
40 minute, la déposition du jeune Yves, son fils, ou plutôt

(car elle fut insignifiante et n'apporta aucune lumière) le regard suppliant et impérieux dont le couvait sa mère, jusqu'à ce qu'il eût quitté la barre des témoins, et l'espèce de soulagement qu'elle manifesta alors: voilà ce qui déchira soudain le voile. Je dénonçai le fils, cet adolescent malade, jaloux de son père trop aimé. Je me jetai, avec une logique passionnée, dans cette improvisation où le professeur F. a, de son propre aveu, trouvé en germe l'essentiel de son système, et qui a renouvelé à la fois la psychologie de l'adolescence et la thérapeutique de ses névroses.

Si je rappelle ce souvenir, ma chère Isa, ce n'est pas que je cède à l'espérance de susciter, après quarante ans, une admiration que tu n'as pas ressentie au moment de ma victoire, et lorsque les journaux des deux mondes publièrent mon portrait. Mais en même temps que ton indifférence, dans cette heure solennelle de ma carrière, me donnait la mesure de mon abandon et de ma solitude, j'avais eu pendant des semaines, sous les yeux, j'avais tenu entre les quatre murs d'une cellule cette femme qui se sacrifiait, bien moins pour sauver son propre enfant, que pour sauver le fils de son mari, l'héritier de son nom. C'était lui, la victime, qui l'avait suppliée: « Accuse-toi ».

Elle avait porté l'amour jusqu'à cette extrémité de faire croire au monde qu'elle était une criminelle, qu'elle était l'assassin de l'homme qu'elle aimait uniquement. L'amour conjugal, non l'amour maternel, l'avait poussée. (Et la suite l'a bien prouvé: elle s'est séparée de son fils et sous divers prétextes a vécu toujours éloignée de lui). J'aurais pu être un homme aimé comme l'était Villenave. Je l'ai beaucoup vu, lui aussi, au moment de l'affaire. Qu'avait-il de plus que moi ? Assez beau, racé, sans doute, mais il ne devait pas être très intelligent. Son attitude hostile à mon égard, après le procès, l'a prouvé. Et moi je possédais une espèce de génie. Si j'avais eu, à ce moment, une femme qui m'eût aimé, jusqu'où ne serais-je pas monté ? On ne peut tout seul garder la foi en soi-même. Il faut que nous ayons un témoin de notre force: quelqu'un qui marque les coups, qui compte les points, qui nous couronne au jour de la récompense, — comme autrefois, à la distribution des

prix,[1] chargé de livres, je cherchais des yeux maman dans
la foule; et au son d'une musique militaire elle déposait
des lauriers d'or sur ma tête frais tondue.[2]

François Mauriac, *Le Nœud de Vipères*, Bernard Grasset,
5   Paris, 1932, pp. 87–92.
Reproduit avec l'autorisation de M. François Mauriac.

[1] **la distribution des prix:** *prize giving, prize day.* La distribution
des prix est la cérémonie, à la fin de l'année scolaire, où les meilleurs
élèves de chaque classe (et pas seulement les élèves de dernière année)
reçoivent des prix: livres, livrets de caisse d'épargne (*savings bank
books*), etc.

[2] **elle déposait des lauriers d'or sur ma tête frais tondue:** *she laid a
crown of golden laurels on my freshly cropped head.* A la distribution
des prix, les autorités mettent des couronnes de papier (vertes ou
dorées) sur la tête des meilleurs élèves; c'est une habitude qui vient
de l'ancienne Grèce et de Rome.

LES BONS
voisins

23

Louis Aragon

ÇA S'EST * PASSÉ comme au cinéma. Ces messieurs [1] sont
entrés d'un seul coup d'épaule.[2] Sauf que [3] chez moi il n'y
a pas de porte tournante, et que [4] huit bonshommes à la fois
dans notre deuxième au-dessus,[5] on manque un peu d'air.
Et en été, pensez donc! Nous allions nous mettre à table   5
— on dîne tôt pour économiser l'électricité — et Pauline [6]
m'a crié de la cuisine de les mettre à la porte, que tout
allait être froid. Ça les a fait bien rigoler.[7] Pauline est
arrivée avec la soupe, et c'est tout juste si elle ne l'a pas
laissé tomber de saisissement.[8] Notre chez nous n'est ni 10
bien grand, ni très luxueux, mais on tient à ses affaires; ce
qu'on a depuis longtemps vous raconte toute sorte d'histoires. Nous avons plus de souvenirs que de meubles,
quoi.[9]

Huit. Leur patron était le gros, qui rejetait son borsa- 15
lino [10] beige en arrière pour mieux se gratter les tempes.

---

* See page 259.

[1] **Ces messieurs:** *those fine gentlemen.* L'expression est ironique
ici. Pendant l'occupation, les collaborateurs français appelaient les
Allemands « ces messieurs ».

[2] **sont entrés d'un seul coup d'épaule:** *crashed in like one man,
shoulders first.*

[3] **Sauf que:** je dois vous dire que.

[4] **et que:** et qu'avec.

[5] **notre deuxième au-dessus:** notre deuxième au-dessus de l'en-
tresol, *our apartment on the third floor, above the mezzanine.*

[6] Pauline est la femme du vieux monsieur qui raconte cette histoire.

[7] **Ça les a fait bien rigoler:** *that made them laugh heartily.*

[8] **c'est tout juste si elle ne l'a pas laissé tomber de saisissement:**
she all but dropped it from fright.

[9] **quoi!:** enfin, en un mot, *in short, in a word.*

[10] **borsalino:** chapeau de feutre (*felt*) à larges bords (*brims*), *ten-
gallon hat*

Il y avait un très maigre avec des grandes mains; on aurait
dit des pinces de homard [1] : ça [2] s'avançait vers tout comme
pour tout prendre.   Les autres, ils étaient comme sur les
images,[3] pas difficiles.[4]   En moins de deux,[5] tout était sens
5 dessus dessous.   Pendant que je m'expliquais avec le gros,
que je protestais, me rappelant qu'ils doivent vous présenter un papier, un ordre,[6] quoi !   Ça aussi, ça les a fait
bien rigoler.   Paraît que [7] ça n'est plus comme ça de nos
jours.   Pauline avait d'abord crié à cause de son dessus de
10 lit.   Ah ! il avait vite volé en l'air, le dessus de lit !   C'est
inouï cette façon qu'ils ont de tortiller les draps comme un
mouchoir sale; et déjà il y avait un bonhomme dans le
buffet, l'autre dans l'armoire à glace; les papiers volaient,
une boîte à épingles était renversée par terre; ils regar-
15 daient sous les chaises, enfonçant de grandes aiguilles dans
le capitonnage.   Deux ou trois [8] qui ne faisaient rien qu'encombrer.   Puis, grossiers.

    Quand le maigriot a appelé Pauline *la Mémère*,[9] j'ai
éclaté: « Ah ! permettez, permettez.»[10]   C'est ça encore
20 qui les a fait rire.   Dans l'ensemble, ils étaient hilares.
Celui qui me fouillait — parce qu'il y en avait un qui me
fouillait — secoua mon portefeuille, en faisant dégringoler
dix petits papiers inutiles que je n'avais pas l'énergie de
mettre au panier, une carte de savon; il m'interrogeait sur
25 tout, voulait à toute force que mon trousseau de clés eût des
usages que j'ignorais.   Le gros s'était emparé du classe-
lettres orné de coquillages que nous avons rapporté du

---

    [1] **des pinces de homard:** *lobster claws.*

    [2] **ça:** elles, dans le style familier.

    [3] les images représentant des scènes pareilles.

    [4] **pas difficiles:** *not choosey;* ils ne prenaient pas les choses avec
des pincettes, avec des pinces, comme le maigre; **prendre des choses
avec des pincettes,** littéralement *to take things with fire tongs*, penser
que ces choses ne sont pas dignes d'être prises avec les doigts (*fit to
touch*).

    [5] **en moins de deux:** en moins de deux secondes, *in two shakes.*

    [6] **un ordre:** cet ordre s'appelle mandat (ou ordre) de perquisition:
search warrant.

    [7] **Paraît que:** il paraît que, *it seems that.*

    [8] **Deux ou trois:** il y en avait deux ou trois.

    [9] **la Mémère:** *Fatty, or Old woman.*

    [10] **permettez:** *allow me, wait a minute!*

Tréport,[1] et il lisait les notes de la blanchisseuse, les lettres
d'Alfred,[2] et il fallait lui dire qui étaient les gens sur les
photographies.

J'étais incapable, dans le groupe pris à Meudon,[3] trois
ans avant la guerre,[4] de dire qui était le type qui se trouvait   5
derrière le cousin Maurice; un gaillard avec une envie sur
la joue, un ami des Picherelle, je crois bien, mais c'était
tout ce que je savais. Ça lui parut suspect, au gros, et il
commença d'embêter Pauline avec cette histoire; pour
essayer de nous faire couper. Pauline, comme toujours, me 10
contredisait: « Un ami des Picherelle? Qu'est-ce que
c'est que cette idée? C'était l'amoureux de Mlle Janeau,
la corsetière. » J'ai eu le malheur de dire que l'ami de
Mlle Janeau était blond et que celui-là était brun. Quand
on commence à discuter de la couleur des cheveux . . . Le 15
gros s'intéressait à notre dispute: « Là, là, disait-il, mettez-
vous d'accord. »   Moi, ça me flanquait hors de moi.[5]
Qu'est-ce que ça pouvait lui faire que ce fût l'ami de la
Janeau ou bien . . . ? « Vous bilez pas,[6] qu'il me disait, c'est
mes oignons. »[7] Et il se tripotait le borsalino. Ceux qui 20
encombraient la pièce à ne rien faire avaient l'air d'un jeu
de quilles. Cette chaleur !

A la fin, je le lui dis: quand on est chez des gens, on
enlève son chapeau. Ça suffit déjà de tout mettre en l'air.
Pauline criait. Ses taies d'oreiller qu'il lui dépliait mainte- 25
nant ! Sûr qu'il faudrait tout donner à laver, après leurs
pattes sales [8] . . . Le maigriot siffla d'un air menaçant:

---

[1] **Le Tréport:** petite ville avec une belle plage (*beach*) sur la
Manche, à 20 milles au nord-est de Dieppe.

[2] Alfred est le fils de ce vieux ménage (*couple*).

[3] **Meudon:** ville à deux milles au sud-ouest de Paris; 20.000
habitants. On appelle Rabelais « le joyeux curé de Meudon ».

[4] **trois ans avant la guerre:** en 1936. L'Angleterre et la France
ont déclaré la guerre à l'Allemagne le 3 septembre 1939.

[5] **ça me flanquait hors de moi:** forme familière de **ça me mettait
hors de moi,** *I was beside myself with rage.*

[6] **Vous bilez pas:** ne vous faites pas de bile (de souci), *don't
worry.*

[7] **c'est mes oignons:** argot (*slang*) pour **c'est mon affaire,** *that's
my business, that's my headache;* **un oignon** [ɔɲɔ̃]: *onion.*

[8] **après leurs pattes sales:** après le contact de leurs pattes sales
(*dirty paws*).

«La grosse, dit-il, — et j'en fus pour mon geste de protestation,[1] — tâchez à voir d'être polie!»[2] Un comble.

Il y en avait un, trapu, avec une moustache rousse; ça
devait être un vicieux; il ne s'intéressait qu'à la machine à
5 coudre, mais alors.[3] Il avait ouvert le tiroir, tout répandu
par terre, vidé les navettes, débobiné le fil, la soie de toutes
les petites bobines, examiné avec une curiosité exorbitante
chaque bout d'acier, chaque truc qui sert à faire le plissé
ou je ne sais pas trop,[4] enfin tous ces fourbis [5] que Pauline
10 considère comme plus précieux que tout dans la maison.
Et puis, il vous les envoyait dinguer [6] par-dessus son
épaule. Ça tombait où ça pouvait. Même que ça fit une
dispute avec l'un de ses collègues qui avait reçu un machin
quelconque [7] dans le cou. Alors, j'ai dit: « Messieurs,
15 messieurs! » et, cette fois, ça ne les a pas fait rigoler du
tout, et ils sont tombés tous les deux sur moi à me poser
des questions sur le gouvernement.

Moi, je ne pouvais pas leur répondre à cause des cris de
Pauline qui se débattait avec un grand diable, lui arrachant
20 notre photo en mariés, celle qui a un cadre d'argent.
Quand les petites cuillers ont valsé du tiroir du buffet, ça
m'a encore couvert la parole. A la fin, je leur ai montré le
portrait du Maréchal,[8] qui est à la place d'honneur sur la
cheminée, celui où il caresse un chien (le portrait de famille,

---

[1] **j'en fus pour mon geste de protestation:** *my gesture of protest was
of no avail.*

[2] **tâchez à voir d'être polie:** forme incorrecte pour: **tâchez d'être
polie,** *can't you be polite?*

[3] **mais alors:** mais alors il s'y intéressait prodigieusement.

[4] **ou je ne sais pas trop:** ou quelque chose comme ça.

[5] **un fourbi:** un truc, un machin, *contraption, gadget, thing.*

[6] **il vous les envoyait dinguer** [dɛ̃ge]: il les lançait, *he chucked
them.*

[7] **un machin quelconque:** *something or other.*

[8] **du Maréchal:** du maréchal Pétain. Henri-Philippe Pétain, né en
1856, nommé maréchal de France pour sa défense de Verdun en 1916,
est un des grands responsables de la faiblesse de l'armée française en
1940. Par haine du communisme il a découragé ceux des Français
qui voulaient résister à Hitler. Chef de l'État français, de juin 1940
à août 1944. Condamné à la prison perpétuelle, il a d'abord été
emprisonné dans les Pyrénées, puis à l'île d'Yeu (dans l'Atlantique,
50 milles au sud-ouest de Nantes) où il est encore (1947) à l'âge de
quatre-vingt-onze ans.

comme dit Alfred), mais ça ne les a pas adoucis pour un
centime.   Le gros a ricané et déclaré, sur un ton péremptoire: « Nature ! trop facile,[1] mon gaillard.   Ils en ont tous
chez eux, ces bougres-là. »[2]   Et les autres ont opiné du
bonnet.   On voyait qu'ils en avaient l'expérience.

« Mais de quoi nous accuse-t-on ? » pleurnichait Pauline.
Le gros la regarda à vous faire frémir:
« On ne vous accuse pas, Madame, dit-il, on vous soup-
çonne; c'est pire. »
Et ça devait être pire, en effet.   Le maigriot malaxait le
coussin en tapisserie que ma belle-sœur Michaud a fait
quand elle est devenue aveugle, et il poussa un cri de
satisfaction:
« Qu'est-ce que je disais ! »
Je ne sais pas ce qu'il disait, mais ce que je sais, c'est
qu'il s'est mis à arracher la tapisserie au petit point, et à
répandre les plumes, qui volaient autour de lui.   Après, il a
affirmé qu'il avait senti dedans quelque chose de dur.
Peut-être qu'il l'avait senti, mais il ne l'avait pas trouvé.
Pauline hurlait.   Le maigriot eut le toupet de lui mettre sa
pince de homard sur la bouche, et qu'est-ce que je me suis
fait passer,[3] quand j'ai protesté !   Remarquez que j'ai
soixante-deux ans, que je sais me tenir, et que je respecte
la justice de mon pays, mais enfin, quand on touche aux
dames . . .
« Vous mettez pas en nage, »[4] me conseilla le rouquin.
Le fait est qu'on étouffait.
Deux des inspecteurs s'étaient assis à table et mangeaient
la soupe.   Ils s'étaient versé du vin.   Ils trinquaient.
Comme je le faisais remarquer au gros, il me dit:
« Ne cherchez pas à détourner la question. »
J'aurais bien été en peine.   Quelle question ?   Je me
creusais la tête pour savoir ce qui nous valait cette visite:
sûrement une lettre anonyme.   Les gens sont si mauvais

---

[1] **Nature ! trop facile:**   naturellement ! c'est trop facile, c'est un
procédé (*trick*) trop facile, *naturally! that's too easy.*

[2] **ces bougres-là:** ces types-là, ces gens de la Résistance, *those guys.*

[3] **qu'est-ce que je me suis fait passer !:** *what a bawling out I got !*

[4] **Vous mettez pas en nage !:** ne vous mettez pas en nage; ne vous
agitez pas, vous allez vous mettre en sueur, *don't get in a sweat.*

de nos jours ! Mais enfin qu'est-ce qu'elle pouvait bien dire
cette lettre anonyme ?

Pauline avait voulu s'asseoir sur le pouf. Mais alors le
maigriot, pris de soupçons, s'était jeté sur le pouf, l'avait
5 retiré de sous elle, en arrachait les franges, en sondait la
profondeur. Un autre l'empêcha d'ouvrir la fenêtre,
malgré la chaleur. Des fois qu'[1] elle aurait voulu ameuter
les voisins.

« Allez-vous me dire, enfin, messieurs, ce qui nous vaut
10 l'honneur ?

— L'honneur, l'honneur ? Vous vous payez ma fiole ? »[2]
Je voulais bien reconnaître que j'étais allé fort[3]: la
visite de ces messieurs n'était pas précisément un honneur,
mais . . .

15 « Mais quoi ? dit le gros, en s'asseyant dans mon fauteuil
Voltaire,[4] le rouge et brun, comme si tout cela l'avait
épuisé. Vous m'agacez à la fin avec vos formules hypocrites, vos si, vos mais, vos que. Est-ce que c'est vous qui
allez m'interroger, peut-être ? Le monde renversé, Pfef-
20 fer. »

Le maigriot se retourna; il était tout occupé à démonter
la pendule, ma belle pendule, avec le mécanisme apparent,
qui marche cent jours. Il faudra la faire entièrement réviser, c'est sûr.

25 « Quoi donc, patron ? » demanda-t-il.

L'autre soupira:

« Pfeffer, est-ce que c'est moi qui vais interroger Monsieur, ou c'est Monsieur qui va m'interroger ? Qu'en
pensez-vous, Pfeffer ? »

30 Pfeffer leva les sourcils d'un air de grande perplexité:

« Je me le demande.

— Eh bien, ça a assez duré ! Où caches-tu[5] le matériel ?

---

[1] **des fois qu'**: incorrect pour **au cas où.**

[2] **Vous vous payez ma fiole ?**: argot pour « Vous vous moquez de
moi ? » *Are you trying to make a fool of me?*

[3] **j'étais allé fort**: j'avais exagéré, *I had gone (carried it) too far,
I had put it on a bit thick.*

[4] **fauteuil Voltaire**: grand fauteuil (*armchair*) dont le siège (*seat*)
est bas, et le dos élevé (*high-backed chair*). C'était le fauteuil préféré de Voltaire, le grand écrivain libre penseur du 18e siècle.

[5] Notez le changement du « vous » au « tu », très impoli ici.

dis-nous où tu caches le matériel, et un peu plus vite
que ça !

— Quel matériel ? »

Je jure que je n'avais pas la moindre idée de quel matériel
il voulait parler, mais ça lui parut d'une mauvaise foi 5
insigne, et il ne me l'envoya pas dire.[1] Sur quoi, il sembla
changer d'idée et, à brûle-pourpoint, il me demanda:

« Qu'est-ce que tu penses de la politique du président
Laval ? »[2]

Ce que je pensais de la politique ? Il paraît qu'il aurait 10
fallu répondre sans réfléchir, que de réfléchir prouvait que
j'en pensais pis que pendre.

« Ah ! pardon, dis-je, c'est vous qui le dites. »

L'autre haussait les épaules:

« Pas même le courage de ses opinions. »   15

J'essayai de lui expliquer que j'avais été surpris par sa
question. Personne ne m'avait jamais demandé . . .

« Ça donne idée, triompha l'homme au borsalino, des
gens que vous fréquentez ! »

Le maigriot approuva d'un son qui faisait à peu près 20
Houimph. Et c'était peine perdue que d'essayer de se
disculper.

Je voulais dire que je ne pensais rien de la politique du
président Laval, pas plus que de la politique de tout autre
président. Il y a des gens qui s'occupent de ces choses-là, 25
moi pas. Si on met un homme à la tête du gouvernement,
il doit pour cela y avoir des raisons. Comme je ne les vois
pas, ces raisons, comment, à plus forte raison, voulez-vous
que je juge de sa politique ? S'il fait cette politique là, c'est
sans doute pour cela qu'on l'a mis où il est; alors . . . Bien 30
sûr, je n'ai pas pu expliquer ça au gros, qui ne m'écoutait
pas, et qui ne semblait guère me poser des questions que
pour le plaisir de se les entendre prononcer.

[1] **il ne me l'envoya pas dire:** il me le dit carrément (bien en face),
he told me so to my face (in no uncertain terms).

[2] **Laval:** Pierre Laval (1883–1945) le premier des collaborateurs
de France. Président du Conseil en 1931 et en 1935. Sous le régime
de Pétain (1940–1944), surtout de 1942 à 1944, Laval fut vraiment,
avec l'appui (*support*) des Nazis, le maître de la France. Il fut
condamné à mort, et fusillé à la prison de Fresnes (5 milles au sud
de Paris), octobre 1945.

Tous les vêtements de Pauline, et les miens, gisaient par
terre. Le trapu à moustache rousse était monté sur une
chaise et farfouillait dans les cartons au-dessus de l'armoire [1] d'où il ressortait de vieilles fleurs artificielles, un
5 tablier noir qui avait servi à Alfred à la maternelle,[2] des
chiffons de toute sorte. La pièce avait bonne mine.[3] Les
deux affamés égouttaient la soupière et l'un d'eux cria:

« Et le second service ? »

Alors, ça,[4] la rigolade était complète. Quand elle se
10 calma un peu, le gros ramena son borsalino jusque sur les
sourcils:

« Vous écoutez les radios étrangères, à ce qu'il paraît ? »

Voilà ! Qu'est-ce que je disais ?: une lettre anonyme, ça
15 ne pouvait être qu'une lettre anonyme.

« Moi, dis-je, dans l'innocence de mon cœur, mais je
n'écoute même pas la Radio Nationale.[5]

— Ah ! vous n'écoutez pas la Radio Nationale ? Notez,
Pfeffer, que Monsieur a le front de se vanter de ce qu'il
20 n'écoute pas la Radio Nationale.

— Mais . . .

— Il n'y a pas de mais. Et pourquoi n'écoutez-vous pas
la Radio Nationale et écoutez-vous les radios étrangères ?
Vous les trouvez plus intéressantes ? Mieux renseignées
25 peut-être ? Mieux faites, qui sait ? Quel toupet !

— Avec quoi voulez-vous que je l'écoute, la Radio
Nationale ? arrivai-je à dire.

— Avec quoi ? Ah ! ne faites pas l'imbécile, mon gaillard.
Avec quoi ? Bien, pas avec les doigts de pied, peut-être.
30 Avec votre poste.

— Mais je n'ai pas de doigts de pied. »

Ça m'était parti, il faut bien le comprendre, dans le

---

[1] l'armoire: l'armoire à glace, *the linen cabinet with a mirror
door.*

[2] la maternelle: l'école maternelle, *the kindergarten.*

[3] La pièce avait bonne mine: *the room looked tidy indeed, looked a
sight.*

[4] Alors, ça: là-dessus, *thereupon.*

[5] la Radio Nationale: *the government-sponsored radio station, the
Vichy Radio.*

feu [1]; je voulais dire, je n'ai pas de poste.   Ça fit un de ces raffûts !

« Dites donc, le petit vieux, vous faites de l'esprit ? Si je vous prenais au mot, et que [2] j'y allais voir,[3] si vous n'avez pas de doigts de pied ? »   5

Je rougis très fort, et je m'excusai de mon mieux. Mais, c'est vrai, ces messieurs me bousculaient; je ne sais plus ce que je disais; j'avais voulu dire que je n'avais pas de poste, alors comment voulait-on que j'écoute la Radio Na-tionale ?   10

— Évidemment. Si vous n'avez pas de poste . . . Mais c'est à voir si vous n'avez pas de poste, et comment, si vous n'avez pas de poste, écoutez-vous donc les radios étran-gères ?

— Eh bien, justement, je vous demande . . .   15

— Vous me demandez ? Pfeffer, il me demande ! Le monde renversé. Qui est-ce qui interroge l'autre ? Tâchez d'être correct. Alors, comment est-ce que vous prenez les radios étrangères ?

— Mais je ne les prends pas.   20

Le gros siffla longuement:

— Voyez-vous ça ? Vous ne les prenez pas. Tous disent la même chose. Vous auriez pu avoir un peu d'imagina-tion.

— Mais je n'ai pas besoin d'imagination.   25

— On a toujours besoin d'imagination. Surtout dans la situation où vous vous êtes mis.

— Mais dans quelle situation ?

— Voulez-vous comprendre que c'est moi qui vous in-terroge ? Avancez, Madame. »   30

Le nommé Pfeffer poussa Pauline à côté de moi. Les silencieux encombraient toujours la pièce, comme des candélabres. Je voulais lui dire de ne pas se troubler, que tout allait s'expliquer, que c'était une lettre anonyme. Mais Pfeffer me mit sa pince de homard sur la bouche, et 35 d'un air menaçant:

[1] **dans le feu:** dans le feu de la discussion, *in the excitement of the discussion.*

[2] **et que:** incorrect pour **et si.**

[3] **j'y allais voir:** *I made sure.*

— Pas de ça, Lisette ! [1] Il n'est pas permis de se consulter.

Là-dessus, le rouquin, qui trifouillait les rideaux de la
fenêtre depuis un moment, en décrocha un qui dégringola,
5 lamentable.

Le gros recommençait à tracasser Pauline, maintenant,
avec la Radio Nationale, les radios étrangères. Comme
elle jurait que nous n'avions pas de poste, il s'écria:

— Vous dites ça parce que vous avez entendu votre mari
10 le dire.

J'essayais d'expliquer que ça aurait été bien la première
fois en trente-cinq ans de mariage; on [2] ne prêtait aucune
attention à mes paroles.

— Vous voyez bien, s'exclamait Pauline, que nous
15 n'avons pas de poste.

Le borsalino reprit sa place sur la nuque rougeaude,
découvrant un début de calvitie suante. Le gros leva son
index droit:

— Un peu de logique, Madame, un peu de logique.
20 Comment voulez-vous que je voie *bien* [3] quelque chose qui
n'est pas là ? C'est toujours comme ça avec les femmes,
Pfeffer. Il y a deux choses qu'il ne faut pas demander aux
femmes: de la logique et l'heure qu'il est.

— Surtout que vous avez démoli la pendule. »

25   C'était bien vrai, mais je frémis de l'audace de Pauline.
Je l'admirai. Il y a trente-cinq ans que je l'admire et
qu'elle m'agace.

— Madame, prenez garde aux mots que vous employez.
Démoli la pendule, c'est vite dit.

30   — Vite fait aussi.

— Mais il faudrait le prouver. Est-ce que je sais si elle
marchait, cette pendule ? Dans laquelle vous avez peut-
être caché des tracts.

— Comment voulez-vous y cacher des choses, puisqu'on
35 voit tout à travers la glace ?

---

[1] **Pas de ça, Lisette !:** *You can't do that!*

[2] **on:** elle, Pauline, ma femme.

[3] **bien:** clairement, *clearly.* L'inspecteur de police ergote (*quibbles*)
sur le mot **bien** de « Vous voyez bien » (quatre lignes au-dessus) qui
n'est pas aussi accentué (*emphatic*).

— Voilà qui est bien subtil, chère Madame, bien subtil, et vous ne nous avez pas habitués à des remarques aussi pertinentes. »

Pauline se fâcha; elle avait cru qu'il disait qu'elle était impertinente; je dus m'en mêler, dire à Pauline qu'elle se 5 mettait dans son tort, alors que pourtant nous n'avions rien à nous reprocher. Alors Pauline piqua une colère contre moi. Ça n'arrangeait rien.

— Tout de même, reprit le gros, si nous en revenions à ces radios étrangères? Vous prétendez donc que vous ne 10 les écoutez pas parce que vous n'avez pas de poste? »

Ça me paraissait lumineux. A lui, pas.

— On dit « je n'ai pas de poste », et on croit avoir tout dit. Mais...

Et ici il fit avancer le fauteuil Voltaire et se pencha en 15 avant, les deux mains sur ses cuisses.

Je vis qu'il portait une chaînette d'or au poignet gauche:

— Mais, pourriez-vous me prouver que vous n'avez pas de poste?   20

— Regardez vous-même.

— Ce n'est pas à moi, proféra-t-il avec solennité, d'apporter la preuve, mais à vous et à vous.

Son index pointait vers moi, puis vers Pauline.

— Il ne manquerait plus que ça que je dusse apporter la 25 preuve de ce que vous n'avez pas de radio! Est-ce que je sais, moi, si vous avez ou non une radio? Vous me direz que je n'en vois pas ici. Est-ce une raison? D'abord, je n'ai pas tout regardé ici.

Il eut, sur le grand saccage de notre logis, un coup d'œil 30 circulaire.

— Mes hommes, ajouta-t-il en souriant, n'ont fait qu'un examen très superficiel des lieux. Rien dans la cuisine, Petitpont?

Petitpont et un autre dans la cuisine, les deux affamés de 35 tantôt, fouillaient les tiroirs. Ils répondirent en chœur:

« Non, patron », avec la bouche pleine.

Je ne sais ce qu'ils avaient pu dénicher, par le temps qui court, mais Pauline me cache toujours des provisions qu'elle fait on se demande comment.   40

— Et alors, qu'est-ce que ça prouve ? continua le gros.
Votre poste peut être ailleurs, en réparation. Vous avez
été prévenus; vous l'aurez fait filer. D'ailleurs, je ne vous
ai pas trouvé bien surpris de notre visite; vous aviez
5 préparé vos réponses, votre défense.

— Je vous jure ...

— Ne jurez pas. Ce n'est pas joli. On s'en repent toujours. Enfin, reconnaissez que vous écoutez les radios
étrangères, que nous ne perdions pas notre temps, et vous
10 le vôtre. »

Il était jovial et conciliant, soudain.

« Entre nous, ce n'est pas un bien grand crime que
d'écouter les radios étrangères; tout le monde le fait.
Nous le savons bien. Moi qui vous parle ...; et puis, c'est
15 compréhensible, c'est plus intéressant que la Radio
Nationale. »

Mais j'étais buté:

— Je n'en sais rien, puisque je n'écoute pas la Radio
Nationale.

20 Il leva les bras au ciel:

— A quoi bon se guinder comme ça entre nous ? Cette
guerre est trop longue aussi; on s'ennuie, je comprends ça.
Alors, une fois, par hasard, comme on est à son poste ...

— Mais puisque je n'ai pas de poste !

25 — Ne m'interrompez pas tout le temps: c'est désobligeant. Une fois, comme on est à son poste, on tourne le
bouton; on tombe sur le brouillage, on essaie de l'éliminer,
on entend mal, on veut entendre mieux. Oh ! ce n'est
pas par méchanceté: par jeu, par sport. On n'est pas un
30 conspirateur parce qu'on écoute les radios étrangères, sans
ça il faudrait croire que toute la France conspire. C'est
bien un peu vrai du reste. Mais enfin ce n'est pas si grave
que tout ça; on écoute un peu, on conspire un peu. On
n'a pas mauvaise intention. Alors, vous avouez ?

35 Comme je faisais non de la tête, le ton changea, menaçant:

— Vous refusez de reconnaître les faits ? Bon, bon.
Nous suivrons cette affaire. Après cette façon louvoyante
que vous avez eue de parler du président Laval.

40 — Ah ! mais permettez.

— Je ne permets rien ! On a trop permis. C'est ce qui
fait que nous en sommes où nous en sommes. Des gens qui
parlent mal du président Laval, ça c'est un test. Vous ne
savez pas, probablement, ce que c'est qu'un test.

Il eut un geste de lassitude, de découragement. J'aurais 5
su ce que c'était qu'un test, que je n'aurais pas eu [1] le
loisir de le lui expliquer. Il parlait pour Pfeffer maintenant:

— Voyez-vous, Pfeffer, quand vous serez dans la
carrière [2] depuis aussi longtemps que moi, vous éprouverez 10
parfois un sentiment de fatigue à l'idée des gens que nous
sommes amenés à fréquenter, à coudoyer dans notre métier.
Intellectuellement parlant. Ah là là ! Un monde assez
mêlé. Il faut tout le temps se mettre à leur portée, surveiller ses mots, choisir son vocabulaire. Comment 15
voulez-vous que les choses aillent bien ? Et avec une
langue qui est un modèle de clarté et de simplicité. Songez
qu'en allemand . . ., tenez, en allemand, à ce qu'il paraît, —
c'est cet officier de la Feldgendarmerie [3] qui me le disait
l'autre jour, — il y a des mots de soixante, soixante-dix 20
lettres; alors, vous imaginez. Et déjà, voyez-moi ces
benêts-là, rien qu'avec un petit mot français de quatre
lettres, comme test.

Il s'interrompit, et sembla en proie à un doute grave:

— Je ne me trompe pas, Pfeffer, quatre lettres; t, e, s, t; 25
ça ne prend pas d'e muet au bout, test, teste, test ? Non,
je crois que ça n'a que quatre lettres.

Ici, il regarda son subordonné avec un air de mépris
mêlé d'indulgence:

— Quatre lettres, Pfeffer. Mais j'attendais au moins 30
que vous me fassiez une remarque. Un petit mot français
de quatre lettres, ça ne vous dit rien ?

Pfeffer marqua sur tout son visage une grande inquiétude. Qu'est-ce que le patron voulait dire? Un mot
de quatre lettres ? Il ne savait pas s'il fallait rire; il in- 35

---

[1] **j'aurais su . . ., que je n'aurais pas eu:** même si j'avais su . . ., je
n'aurais pas eu.

[2] **dans la carrière:** dans notre profession, celle d'inspecteur de
police.

[3] **Feldgendarmerie:** sorte de *State police.*

terrogea du regard ses collègues, ceux qui faisaient les quilles. Ils ne l'aidèrent pas.

— Un petit mot *français*, Pfeffer; vous êtes un ignorant. Ce n'est pas un mot français; c'est un mot anglais, Pfeffer; 5 un mot anglais. Oh, ne prenez pas l'air prude comme ça; on peut employer un mot anglais de nos jours, sans être anglophile pour ça. Par exemple le mot *trust*. Eh bien, c'est un mot anglais, et puis, tout de même, c'est du vocabulaire de la Révolution nationale. Il faut les nommer 10 pour les combattre. Les trusts, pas les tests, bien sûr; vous êtes stupide.

Pauline eut l'imprudence de lui couper la parole. C'est son genre; je le lui dis toujours, mais elle ne m'écoute pas.

15 — En fait de trust, dit-elle, est-ce que vous n'allez pas décamper ?

Il faut reconnaître que c'était très incorrect, et puis que ça n'avait ni queue ni tête. Le gros, et Pfeffer, se mirent à tempêter. Je tâchai d'intervenir:

20 — Pauline est comme ça, monsieur l'inspecteur; ça fait trente-cinq ans.[1]

— Eh bien, glapit-il, si vous la supportez depuis trente-cinq ans, moi ça ne durerait pas trente-cinq minutes.

Là-dessus, ceux qui fourrageaient dans la cuisine ap- 25 parurent avec la bouteille d'huile. Petitpont exultait:

— Vous voyez, patron; marché noir. Il y a près d'un litre d'huile.

Pauline se défendit:

— C'est une bouteille,[2] et regardez le culot qu'elle a.[3] 30 C'est la ration de juillet.

Le gros ne voulait rien entendre:

— Marché noir, marché noir. Ils écoutent les radios étrangères et achètent de l'huile au marché noir.

Là, je me mis de la partie. C'était trop absurde. Je ne 35 le disais pas, remarquez bien, parce que je commençais à

---

[1] **ça fait trente-cinq ans:** il y a trente-cinq ans qu'elle est comme ça.

[2] **une bouteille:** c'est-à-dire les trois quarts d'un litre.

[3] **regardez le culot qu'elle a:** regardez comme elle est culottée (*old and dirty*).

comprendre que ça n'aurait rien arrangé. Le gros agitait les bras:

— Je confisque, je confisque; quand le pays manque de matières grasses; votre compte est bon. » [1]

Çà, Pauline était effondrée. Son huile, vous comprenez.

— Et puis, en voilà assez, cria le gros. Conspirez si vous voulez, mais n'affamez pas le pauvre monde. Tant qu'il y aura des gens comme vous, la France ne se redressera pas. »

A nouveau, il eut ce changement de ton qui m'avait déjà étonné.

— Allons, vous me direz bien qui vous a vendu cette huile.

— Naturellement, fit Pauline, c'est Mme Delavignette, notre épicière.

— Dans la rue?

— Bien sûr, à côté. C'est tout naturel. Puisque c'est notre épicière.

— Et combien vous l'a-t-elle vendue?

— Ma foi, je ne sais pas, le prix quoi, le prix...

— Huit cents francs le litre, hein?

— Vous n'êtes pas fou? Oh! pardon, monsieur l'inspecteur.

Enfin, encore un quiproquo sans nom. Ils avaient empilé un tas de choses sur la table à écrire, dont ils avaient jeté le tapis par terre; mon vieil agenda, les quittances du gaz, la bouteille d'huile, un livre de détectives [2] qui leur avait paru louche parce qu'il s'appelait *Le Crime de Vichy*, enfin des bricoles; et l'un de ceux qui ne parlaient pas suait sang et eau, à côté de leur butin, à rédiger un procès-verbal de perquisition qu'ils me présentèrent à signer. Moi, je voulais lire avant de signer. Il paraît que ça aussi ça ne se fait pas. Enfin, j'ai signé pour en avoir la paix. L'un des silencieux s'essuyait les souliers avec le tapis de table. Le gros a pris le papier et a soufflé sur la signature. Puis il l'a écarté un peu comme pour lire. Il a lu ma si-

---

[1] **votre compte est bon:** *you're in for it, you'll catch it (you'll go to jail).*

[2] **un livre de détectives:** un roman policier, *a detective story.*

gnature. Il a froncé le sourcil. Il a rapproché le papier de
ses yeux, puis l'a écarté de nouveau. Il a éclaté.

— Qu'est-ce que c'est que cette plaisanterie ? Comment
avez-vous signé ?

5 Je courbai légèrement le dos.

— De mon nom, dis-je. C'est mon nom, malheureusement.

— Comment, malheureusement ? Vous prétendez vous
nommer . . .

10 — Pétain . . ., mais Robert, moi, Robert Pétain.[1] Oui,
ça me fait un peu tort dans le quartier. Mais je n'y peux
rien, c'est mon nom. Oh ! nous ne sommes pas parents. »

L'inspecteur écumait. Qu'est-ce que j'ai pris ! Enfin,
15 j'ai sorti mes papiers, je lui ai montré que je ne me moquais
pas de lui, que je m'appelais bien comme ça, et mon père
aussi, le pauvre digne homme. Si on avait su, on aurait
changé de nom. Mais pour mon père, quand il était jeune,
c'était un nom comme un autre.

20 — En voilà assez !

Le borsalino se rabattait sur les yeux.

— Vos plaisanteries sont déplacées. Mais si vous vous
appelez comme vous dites, alors qui est-ce qui s'appelle
Sellières, Simon Sellières ? Pas vous, vous prétendez ; pas
25 vous ? C'est bien ennuyeux. Vous ne vous trompez pas ?
Nous devions perquisitionner chez un certain Sellières
Simon. Voyons, c'est le combien, ici ?

— Le combien ?

— Je veux dire, dans la rue, le numéro.

30 — Le dix-huit.

— Maladie ! c'est au seize qu'il habite, ce Sellières.

Là-dessus, Pauline, comme toujours, crut qu'elle pouvait
reprendre du poil de la bête ; et elle commença à
crier:

35 — Ah ! par exemple, vous ne savez pas compter jusqu'à
dix-huit et vous venez embouscailler[2] les gens chez
eux !

---

[1] Le maréchal s'appelait Henri-Philippe Pétain.
[2] **embouscailler:** embêter, *bother*.

Encore une fois, ça n'avait ni queue ni tête, car les maisons ça ne se compte pas de un à dix-huit, mais de deux en deux, et puis ce ne serait pas une raison parce qu'on sait compter jusqu'à dix-huit pour avoir le droit d'embouscailler son monde.[1] Le gros ne le lui envoya pas dire:

— D'ailleurs, ajouta-t-il, vous avez signé le procès-verbal et l'affaire suivra son cours.»

J'eus beau protester, dire que si j'avais su je n'aurais pas signé; j'avais signé et j'avais signé.

— Bien attrapé,[2] dit Pauline, tu n'en fais jamais d'autres.

— En moins de deux, le borsalino [3] avait rassemblé son jeu de quilles.[4]

Ils partirent comme ils étaient venus, d'un coup d'épaule. Mais avec, en plus, l'huile, les notes de gaz et le procès-verbal, sans parler de quelques petits-beurres raflés en dernière minute. Le maigriot, sortant le premier, se retourna, le bouton de porte dans sa pince de homard, et dit simplement à notre intention: « Houimph », et ce fut leur dernier mot.

Bien. La maison avait bonne mine. Quel capharnaüm ! Le piteux, c'étaient surtout les plumes du coussin et le rideau décroché. Je jetai un œil de regret sur le litre vide (on n'aura plus de vin avant mardi), et la soupe mangée.

Pauline ne décolérait pas. Tout était de ma faute.[5] Qu'est-ce que j'entendis comme noms d'oiseaux ![6] Le pis, c'était cette histoire du prétendu amoureux de la corsetière.

— Comment, du prétendu, Pauline ?

---

[1] **son monde:** les gens, *people.*

[2] **Bien attrapé:** tu es bien attrapé, tant pis pour toi, *serves you right!*

[3] **le borsalino:** l'homme au borsalino, *the man with the ten-gallon hat.*

[4] **son jeu de quilles:** ses hommes qui se tenaient dans l'appartement, comme un jeu de quilles (*set of skittles*).

[5] **Tout était de ma faute:** familier pour **tout était ma faute,** *it was all my fault.*

[6] **comme noms d'oiseaux:** comme insultes, *in the way of abuse!*

Elle dit que naturellement c'était cet ami des Picherelle, mais qu'est-ce que j'avais eu besoin de mêler les Picherelle à cette affaire, de les nommer devant la police ? Pourquoi est-ce que je ne les aurais pas nommés ? Je ne voyais
5 pas ...

— Tu sais bien, dit-elle; ne te fais pas plus bête que tu n'es; leur fils est chez de Gaulle.[1]

— Oh bien ! ils ne pouvaient pas voir ça sur cette vieille photo. D'ailleurs, ce n'était qu'un ami à eux, qui a été
10 écrasé, si je me souviens bien, à moins qu'il n'ait chopé [2] une pneumonie.

Tout d'un coup, qu'est-ce qu'elle avait, Pauline ? Elle ne s'intéressait plus du tout aux Picherelle, ni à la corsetière. J'allais ouvrir la fenêtre, histoire d'aérer [3]; elle
15 m'en empêcha.

— Laisse la fenêtre, viens vite ! cria-t-elle.

Et elle se précipita dans la cuisine, vers le mur du fond. Je regardai l'heure. Bon Dieu, c'était vrai. Alors, à côté du fourneau à gaz, nous nous installâmes, l'oreille aux
20 aguets. On entendait, dans l'appartement à côté, la voix qui hurlait à toute gueule [4]:

« Aujourd'hui, 753e jour de la LUTTE du peuple français pour sa libération [5] . . . »

Pauline eut un geste de fureur:

---

[1] **chez de Gaulle**: avec les forces (*armed forces*) du général de Gaulle, en Grande-Bretagne. Cette histoire se passe en juillet 1942. Le général Charles de Gaulle, né à Lille en 1890, est maintenant (1947) un simple citoyen (*private citizen*) français, après avoir été, depuis 1940, le chef de la résistance française, et, depuis la libération de l'Afrique du Nord, le chef du gouvernement provisoire (*provisional*). Il a démissionné en janvier 1946 à cause de l'opposition communiste à son gouvernement. Il est le chef moral du mouvement anticommuniste en France.

[2] **chopé**: attrapé, *caught*.

[3] **histoire d'aérer**: juste pour faire entrer de l'air frais, *just to let in some fresh air.*

[4] **qui hurlait à toute gueule**: *blaring.*

[5] Cette radio était la B. B. C. (*British Broadcasting Corporation*) de Londres, ou la Voix de l'Amérique. La résistance française a commencé à Londres par le discours de de Gaulle le 18 juin 1940. Le 753e jour de la lutte était donc le 13 juillet 1942. Laval était revenu au pouvoir en avril 1942.

« Les canailles, dit-elle, ils nous auront fait rater les informations ! » [1]

Louis Aragon, *Servitude et Grandeur des Français*, La Bibliothèque Française, Paris, 1945.
Reproduit avec l'autorisation de M. Louis Aragon et de Duell, Sloane and Pearce, Publishers, New York. 5

[1] **ils nous auront fait rater les informations:** *they almost made us miss the news!*

NOTES BIOGRAPHIQUES
ET CRITIQUES ET
QUESTIONNAIRES

FRANÇOIS RABELAIS
(1494-1553)

Rabelais est, par la date, le premier des grands romanciers français; par la qualité de son œuvre il n'est pas loin de la première place dans la littérature française et même dans celle du monde.

Fils d'un avocat de Touraine, Rabelais fit d'excellentes études classiques. Il devint moine, puis prêtre, puis médecin et secrétaire d'un cardinal.

Il occupa ses loisirs à composer le premier roman-fleuve (*cyclic novel*), cinq livres racontant les aventures d'une dynastie de géants, Grandgousier, Gargantua et Pantagruel. Elles sont, mais avec plus d'intellectualisme, dans le genre de celles de Paul Bunyan et aussi de John Henry, le géant noir de la légende du Sud. Vous vous rappelez?: quand John Henry est né, le Mississipi a reculé de (*backed up*) deux cent cinquante pieds; le second jour de sa vie, le bébé de six pieds a mis une combinaison (*overalls*), a pris un pic et est allé au travail. Gargantua, lui, est né en criant « A boire! » Il avait dix-huit mentons (*chins*) et tous les jours il buvait le lait de dix-sept mille neuf cent treize vaches!

A travers l'exagération souvent amusante, il est facile de découvrir le réalisme — parfois grossier — le bon sens, une philosophie saine de la vie, avec une grande soif de savoir, de raison, de justice sociale et de liberté accompagnée de tolérance.

La langue de Rabelais est le français d'il y a plus de quatre cents ans; bien qu'elle ne soit pas excessivement difficile, il est indispensable d'en moderniser l'orthographe et quelques constructions pour un livre comme celui-ci. C'est ce qui a été fait.

1. LES MOUTONS A LA MER
(*pages 1-3*)

1. Où le bateau de Panurge s'est-il arrêté? 2. Que dit-on, quand on boit à la santé de quelqu'un?

3. Qu'est-ce que Panurge a crié au marchand, après avoir bu à sa santé ? 4. Qu'est-ce que le marchand a répondu ? 5. Pourquoi le marchand n'aurait-il pas dû répondre de la sorte ? 6. Comment était le marchand, physiquement ? 7. Répétez, à votre façon, ce que le marchand a dit à propos de la balance. 8. Qu'est-ce qu'on fait avec la laine des moutons ? 9. Et avec leur peau ? 10. Et avec leurs boyaux ?

11. Comment Panurge a-t-il dit qu'il paierait ? 12. Nommez quelques morceaux de viande de mouton. 13. Pourquoi les Dardanelles s'appelaient-ils autrefois l'Hellespont ? 14. Racontez l'histoire du bélier qui a donné la « toison d'or ». 15. Pourquoi Panurge a-t-il appelé le marchand « pédant » ? 16. Qui a arrêté la discussion entre le marchand et Panurge ? 17. Pourquoi le marchand a-t-il consenti à vendre un mouton à Panurge ? 18. Qu'est-ce qui montre la rapacité du marchand ? 19. Quand marchandez-vous ? 20. Pourquoi a-t-il été assez facile de faire passer le mouton d'un bord à l'autre ?

21. Qu'est-ce qui prouve que le mouton était peu satisfait de quitter le troupeau ? 22. Quel moment Panurge attendait-il pour se venger du marchand ? 23. Qu'est-ce que Panurge a fait de son mouton ? 24. Pourquoi les moutons se sont-ils jetés à la mer ? 25. Qu'est-ce que le marchand a fait en voyant ses moutons sauter à la mer ? 26. Qu'est-ce qui lui est arrivé, enfin ? 27. Plaignez-vous le marchand ? Pourquoi ? 28. Quelle sorte d'homme vous semble Panurge ? 29. Cette histoire est-elle croyable ? Pourquoi ?

Mme DE SÉVIGNÉ
(1626–1696)

Marie de Rabutin-Chantal, qui à cinq ans était orpheline de père et de mère, fut élevée à Paris et en province par son oncle qui était abbé; il lui fit donner, par d'excellents précepteurs, une éducation libérale. A dix-huit ans elle épousa le jeune marquis de Sévigné qui, sept ans plus tard, fut tué en duel. Alors « la plus belle femme de France » se consacra tout entière à l'éducation de son fils et de sa fille.

Elle fut très malheureuse lorsque sa fille, ayant épousé le comte de Grignan, dut aller vivre en Provence où son mari était lieutenant-gouverneur. Pour se consoler un peu de cet éloignement, elle lui écrivit de nombreuses lettres qui sont non seulement une mine d'or pour l'historien, mais un régal littéraire. Elle lui racontait, d'une plume alerte, les nouvelles de Paris et de la cour, ses séjours en province, ses impressions de lectures, etc.

Elle fut une marquise charmante, une tendre mère, et elle reste la reine du style épistolaire français.

Comme pour Rabelais, l'annotateur a simplifié le passage choisi, mais comme la langue de Mme de Sévigné est beaucoup plus moderne, les changements ont été moins nombreux.

2. LE SUICIDE DE VATEL
(*pages 4–6*)

1. Comment étaient les murs de la salle où l'on a goûté ?
2. Pourquoi Vatel a-t-il été profondément affecté ?
3. Pourquoi la tête tournait-elle à Vatel ? 4. Qui était Gourville ? 5. Qu'est-ce que Gourville a dit au prince ?
6. Qu'est-ce que le prince a dit à Vatel pour le rassurer ?
7. Pourquoi le feu d'artifice n'a-t-il pas réussi ?
8. Qu'est-ce que Vatel faisait, dehors, à quatre heures du matin ? 9. Où avait-il envoyé des messagers ? 10. Quel jour de la semaine les catholiques mangent-ils du poisson ?
11. Imaginez ce que Gourville a dit à Vatel pour

se moquer de lui.   12. Comment Vatel a-t-il fait pour se suicider ?   13. Comment les Japonais font-ils pour se suicider ?   14. Pourquoi a-t-on cherché Vatel ?   15. Comment a-t-on fait pour entrer dans sa chambre ?   16. Comment a-t-on expliqué le suicide de Vatel ?   17. Louez-vous ou blâmez-vous Vatel ?   18. Pourquoi le roi avait-il remis si longtemps de venir à Chantilly ?   19. Qu'est-ce que, selon le roi, le prince n'aurait-il pas dû faire ?   20. Qu'est-ce qui montre que le roi et les nobles ne sont pas restés longtemps tristes de la mort de Vatel ?

ALPHONSE DE LAMARTINE
(1790–1869)

Le récit qu'on va lire donne une idée exacte de l'enfance de Lamartine. Alphonse n'épousa pas Lucy; il épousa une Anglaise.

Lamartine a le mérite d'avoir publié le premier recueil (*collection*) de poèmes romantiques français, les *Méditations poétiques* (1820), vingt-deux ans après le premier recueil de poèmes romantiques anglais, les *Lyrical Ballads*, de Wordsworth et Coleridge. Au cours de sa vie il fut soldat, secrétaire d'ambassade, député libéral, et enfin ministre des Affaires Etrangères pendant la courte révolution républicaine de 1848.

Ses autres recueils de poésies se nomment *Nouvelles Méditations*, *Harmonies poétiques et religieuses*, etc. Il écrivit aussi une épopée rurale et religieuse, *Jocelyn*, des romans, des livres d'histoire et de littérature, et surtout les souvenirs de sa vie, idéalisés, certes, mais vivants du fait de l'émotion discrète qui les parcourt: *Confidences* et *Nouvelles Confidences*.

La fin de la vie de Lamartine fut attristée par la pauvreté; il avait toujours été trop généreux de sa fortune.

Comme caractère d'homme, c'est le plus charmant de tous les écrivains romantiques; comme poète, c'est le plus sincère, le plus intime et le plus harmonieux.

3. MAUDIT CHIEN!
(*pages 7–12*)

1. Qui était Ossian? 2. Qu'a-t-il décrit dans ses poèmes? 3. Qu'est-ce qui manquait à Lamartine pour comprendre complètement Ossian? 4. Qui étaient les voisins des Lamartine? 5. Que faisaient les parents quand ils se réunissaient? 6. Que faisaient les enfants? 7. Par quoi Lucy se distinguait-elle de tous les autres enfants? 8. Comparez les collines du pays de Lamartine et celles qu'Ossian a décrites. 9. Quelle idée eut Lamar-

tine pour exprimer son amour à Lucy? 10. Comment Lucy répondit-elle?

11. A quoi Lucy et Lamartine aspiraient-ils? 12. Où était la chambre de Lucy? 13. Pourquoi n'était-il pas facile d'arriver à la tour? 14. Nommez les plantes qui poussaient sur le mur. 15. Où était le jardin? 16. Pour descendre de sa chambre au jardin, qu'est-ce que Lucy devait faire? 17. Par quoi la porte de la tour était-elle fermée? 18. Quelles qualités fallait-il pour se rencontrer ainsi, la nuit? 19. Quel signal Lamartine devait-il faire pour annoncer son approche? 20. Qu'est-ce qui était le plus embarrassant pour Lamartine?

21. En quoi la porte de la maison de son père n'était-elle pas moderne? 22. Qui avait oublié l'échelle? 23. En quoi l'échelle aida-t-elle Lamartine? 24. Comment le chien fit-il tomber l'échelle? 25. Quel temps faisait-il? 26. Quelle heure était-il quand Lamartine sortit de sa chambre? 27. Comment punit-il le chien? 28. Décrivez la campagne entre les deux châteaux. 29. Par quel signal Lucy répondit-elle au signal de Lamartine? 30. Qu'est-ce que Lamartine portait à la main?

31. Par quels détails l'auteur exprime-t-il la peur des jeunes gens? 32. Où et comment se sont-ils assis? 33. Répétez, à votre manière, la conversation des jeunes gens. 34. Qu'en pensez-vous? 35. Décrivez l'arrivée du chien. 36. Quels bruits ont suivi l'arrivée du chien? 37. Qu'est-ce qui montre que quelqu'un a été réveillé dans le château de Lucy? 38. Qu'a fait alors Lucy? 39. Qu'a fait le jeune homme? 40. Quel souvenir a-t-il gardé de cette nuit?

41. Pourquoi sa rancune contre son chien a-t-elle été très modérée? 42. Auriez-vous agi de même avec votre chien? Pourquoi? 43. Les enfants sont-ils plus — ou moins—surveillés aujourd'hui que du temps de Lamartine? 44. Est-ce un bien? Est-ce un mal? Pourquoi?

VICTOR HUGO
(1802–1885)

Victor Hugo était le fils d'un général de Napoléon Ier; son enfance se passa en Italie, en Espagne et à Paris. Dans le deuxième récit qu'on lira de lui, il se présente à nous à l'âge de vingt-deux ans, marié, père de famille et déjà célèbre par ses *Odes et poésies diverses*. Il était royaliste alors; il devint par la suite un grand républicain.

Il écrivit le plus beau drame romantique français, *Hernani* (1830), puis un des recueils de poèmes les plus élevés par la pensée et les plus parfaits par la forme, *Les Contemplations*, enfin le roman social le plus émouvant qui ait jamais été écrit dans le monde entier, *Les Misérables*.

Un de ses plus beaux titres de gloire est d'avoir combattu la dictature de Napoléon III. Celui-ci l'exila. Hugo passa la plus grande partie de son exil dans les îles de la Manche (*Channel Islands*), Jersey puis Guernesey. Il ne rentra en France que lorsque Napoléon III en sortit comme prisonnier des Allemands (1870).

Il a été le géant du romantisme. Beaucoup ne lui refuseraient pas aujourd'hui la place de premier écrivain français s'il avait été moins prolixe et déclamatoire dans la forme, moins superficiel et vague dans l'expression de ses idées.

Il faut cependant l'admirer pour la puissance de son imagination et la sincérité de son émotion lyrique quand il s'agit de l'enfant, des pauvres, de la démocratie et du progrès.

4. JEAN VALJEAN ET L'ÉVÊQUE

LA SOIRÉE
(*pages 13–20*)

1. Comment la porte s'ouvrit-elle? 2. Qu'est-ce que Jean Valjean portait sur l'épaule, et à la main? 3. Qu'est-ce que madame Magloire a fait en apercevant le visiteur? 4. Et mademoiselle Baptistine? 5. Et vous,

qu'auriez-vous fait ? 6. Combien de temps Jean Valjean a-t-il passé au bagne ? 7. A qui donnait-on un passeport jaune, autrefois ? 8. Qu'est-ce qui est arrivé quand Jean Valjean est entré dans la niche du chien ? 9. Pourquoi aimez-vous, ou n'aimez-vous pas, coucher à la belle étoile ? 10. Pourquoi Jean Valjean était-il fatigué ?

11. Comment avait-il gagné son argent ? 12. Pourquoi était-il resté si longtemps au bagne ? 13. Quels ordres l'évêque a-t-il donnés à sa servante ? 14. Décrivez les différentes expressions sur le visage de l'ancien forçat. 15. Pourquoi s'est-il mis à balbutier ? 16. Qu'est-ce que l'évêque Myriel portait sur la tête ? 17. Et celui qui a dit la messe au milieu du bagne ? 18. Pourquoi y avait-il des canons, mèche allumée, en face des galériens ? 19. Quelles montagnes Jean Valjean a-t-il traversées pour arriver à Digne ? 20. Pourquoi aimait-il qu'on l'appelle « monsieur » ?

21. Pourquoi la servante est-elle allée chercher les chandeliers ? 22. Sur quoi Jean Valjean dormait-il, au bagne ? 23. Pourquoi l'évêque recommande-t-il plutôt la bienveillance que la haine ? 24. Qu'est-ce qu'il y avait, comme viande, au souper ? 25. Quel était l'usage de la maison, quand l'évêque avait quelqu'un à souper ?

TRANQUILLITÉ
(pages 21–22)

1. Qu'est-ce que l'évêque a fait des deux chandeliers ? 2. Où était la chambre de Jean Valjean ? 3. Qu'est-ce qu'il y avait au chevet du lit ? 4. Comment était le lit ? 5. Comment expliquez-vous les paroles rauques de Jean Valjean après que l'évêque lui eut souhaité une bonne nuit ? 6. Qu'est-ce que l'évêque a fait avant de rentrer dans sa chambre ? 7. Qu'est-ce qu'il a fait dans son jardin ? 8. Pourquoi Jean Valjean ne s'est-il pas déshabillé ?

L'HOMME RÉVEILLÉ
(pages 22–24)

1. Y a-t-il une grosse horloge à votre école ? Où est-elle ? 2. Qu'est-ce qui a réveillé Jean Valjean ? 3. Combien

d'heures a-t-il dormi ? 4. Quelle pensée se présentait continuellement à son esprit ? 5. Combien pensait-il vendre les couverts et la grande cuiller ? 6. Qu'est-ce qu'il a fait pour ne pas faire de bruit en allant à la fenêtre ? 7. Décrivez le ciel, cette nuit-là. 8. Comment était la fenêtre ? 9. Et le jardin ? 10. Qu'indiquaient les têtes d'arbres également espacées ?

11. Qu'est-ce que Jean Valjean a tiré de son havresac ? 12. Décrivez cette chose. 13. Pourquoi l'avait-il à sa disposition ? 14. Pourquoi l'évêque n'avait-il pas fermé la porte de sa chambre ?

CE QU'IL FAIT
(pages 24–26)

1. Qu'est-ce qu'une porte entre-bâillée ? 2. Qu'est-ce qui barrait l'entrée de la chambre de l'évêque ? 3. Qu'est-ce qui est arrivé quand Jean Valjean a poussé la porte plus énergiquement ? 4. Comment le bruit du gond a-t-il sonné dans son oreille ? 5. Qu'est-ce que cela prouve, au sujet du caractère de Jean Valjean ? 6. Qu'est-ce qui prouve que le bruit lui a fait peur ? 7. Comment était la respiration de l'évêque ? 8. Qu'est-ce qui a éclairé le visage de l'évêque endormi ? 9. Comment était ce visage ? 10. Qu'est-ce que Jean Valjean a fait pour marquer son respect pour ce visage ?

11. A-t-il forcé la serrure du placard ? Pourquoi ? 12. Où a-t-il mis l'argenterie ? 13. Et le panier ? 14. Par où est-il sorti de la maison ? 15. Et du jardin ?

L'ÉVÊQUE TRAVAILLE
(pages 26–28)

1. Que faisait l'évêque au soleil levant ? 2. Quelle nouvelle la servante lui a-t-elle apprise ? 3. Pourquoi est-elle restée interdite de la réponse de l'évêque ? 4. Que pensez-vous de cette réponse ? 5. Décrivez le groupe étrange et violent. 6. Qu'est-ce que le brigadier a fait pour saluer l'évêque ? 7. Comment Jean Valjean s'est-il aperçu que Myriel n'était pas un prêtre, mais un évêque ? 8. Qu'est-ce que l'évêque a dit en revoyant Jean Valjean ?

9. Qu'en pensez-vous ? 10. Pourquoi Jean Valjean a-t-il regardé l'évêque avec une expression qu'aucune langue humaine ne pourrait rendre ?

11. Pourquoi les gendarmes ont-ils arrêté Jean Valjean ? 12. Que leur a-t-il dit au sujet de l'argenterie ? 13. Qu'est-ce qu'il a fait quand les gendarmes lui ont dit qu'ils le laissaient aller ? 14. Comment a-t-il pris les deux chandeliers que l'évêque lui a apportés. 15. Qu'est-ce que l'évêque lui a dit à voix basse ? 16. A quoi l'évêque a-t-il retiré l'âme de Jean Valjean ?

5. VICTOR HUGO AU SACRE DE CHARLES X
(*pages 30–38*)

1. Avec qui Victor Hugo était-il à Blois ? 2. Qui était Nodier ? 3. Pourquoi n'était-il pas question des diligences pour aller à Reims ? 4. Pourquoi les quatre amis pensaient-ils que le voyage serait charmant ? 5. Comment était la route ? 6. Quelles sortes de voitures y avait-il sur la route ? 7. Qu'est-ce que le Romain reprochait aux moulins ? 8. Pourquoi y a-t-il moins de moulins à vent aujourd'hui qu'autrefois ? 9. Sur quelle sorte de table jouait-on aux cartes ? 10. Pourquoi montait-on les côtes à pied ?

11. Approuvez-vous l'habitude de donner aux pauvres l'argent que l'on trouve ? Pourquoi ? 12. Quelle a été la première pensée des voyageurs sur l'origine des pièces d'argent ? 13. Qu'est-ce qui a fait découvrir la véritable origine des pièces d'argent ? 14. D'où venaient les pièces de cinq francs ? 15. Comment les voyageurs ont-ils été reçus dans les hôtels ? 16. Qu'est-ce qu'il est prudent de faire avant de partir pour un endroit où il y a beaucoup de monde ? 17. Quel service le directeur du théâtre a-t-il rendu aux voyageurs ? 18. Où ont-ils couché ? 19. Dans quel costume se sont-ils présentés à la cathédrale ? 20. Où se sont-ils assis ?

21. Comment l'intérieur de la cathédrale était-il décoré ? 22. Comment étaient les femmes ? 23. Pourquoi les pairs étaient-ils plus richement habillés que les députés ? 24. Quel détail avait choqué Hugo ? 25. Pourquoi

Chateaubriand n'était-il pas content ? 26. Comparez la voiture de l'ambassadeur d'Angleterre à celle du roi de France. 27. Qu'est-ce que l'ambassadeur d'Angleterre a daigné faire ? 28. Qu'est-ce qui a prouvé à Nodier qu'il s'était trompé au sujet du roi couché ou non ? 29. Comment expliquez-vous l'erreur de Nodier ? 30. Qu'est-ce qui s'est passé le surlendemain ?

31. Quel incident excita le plus l'attention de la foule ? 32. Pourquoi Chateaubriand et Villèle ne s'aimaient-ils pas ? 33. Pourquoi le costume n'allait-il pas à Chateaubriand ? 34. Quelle sorte d'homme était Chateaubriand, intellectuellement ? 35. Comment Villèle regardait-il son voisin ? 36. Qu'est-ce qui s'est passé à Reims, en 1945 ?

ALEXANDRE DUMAS père
(1803–1870)

Quand nous prononçons le nom d'Alexandre Dumas, ce que nous évoquons aussitôt c'est l'image des trois mousquetaires, qui en réalité étaient quatre; c'est aussi celle d'Edmond Dantès, le héros du passage que nous allons lire, et qui devint le comte de Monte-Cristo.

Les romans historiques de Dumas sont aussi connus dans le monde entier qu'en France; s'ils ne sont pas rigoureusement exacts, ils sont dramatiques, souvent gais, écrits dans une langue facile. Ils ne sont pas de la grande littérature. Dumas a atteint à celle-ci dans ses drames romantiques, *Henri III et sa Cour*, 1829, un an avant *Hernani*, de Hugo, et *Antony*.

Dumas eut un fils, qu'on appelle Alexandre Dumas fils, et qui hérita de son père ses dons d'auteur dramatique.

6. L'ÉVASION D'EDMOND DANTÈS
LE CIMETIÈRE DU CHATEAU D'IF
(*pages 39–43*)

1. Pourquoi Dantès était-il redevenu seul? 2. Où était l'abbé Faria? 3. Quelle idée Dantès a-t-il eue, d'abord, pour mourir? 4. Quel grand désir a-t-il eu, ensuite? 5. Pourquoi a-t-il porté la main à son front? 6. Avec quoi a-t-il ouvert le sac? 7. Où a-t-il porté le cadavre de Faria? 8. Pourquoi lui a-t-il tourné la tête du côté du mur? 9. Pourquoi a-t-il jeté ses haillons avant de se glisser dans le sac? 10. Avec quoi a-t-il refermé la couture du sac, en dedans?

11. Quels pas a-t-il entendus? 12. Sur quoi a-t-on transporté le prétendu mort? 13. Que faisait Edmond pour mieux jouer son rôle de trépassé? 14. Qu'est-ce qui éclairait le cortège? 15. Qu'est-ce qu'un des fossoyeurs a cherché? 16. Avec quoi a-t-il attaché ce corps lourd aux pieds de Dantès? 17. Quel bruit Dantès entendait-il de plus en plus distinctement? 18. Quel temps faisait-il?

19. Que font les cheveux, sous l'influence d'une très grande peur ? 20. Pourquoi un des fossoyeurs a-t-il dit d'aller un peu plus loin ?

21. Qu'est-ce que les fossoyeurs ont fait et dit, juste avant de lancer le prétendu mort dans la mer ? 22. Qu'est-ce que Dantès a senti pendant sa chute ? 23. A quoi Dumas a-t-il comparé Dantès lancé dans la mer ? 24. Qu'est-ce que Dantès a fait en pénétrant dans l'eau ? 25. Comment était l'eau ?

L'ILE DE TIBOULEN
(*pages 44-51*)

1. Qu'est-ce que Dantès tenait dans sa main droite ? 2. Qu'est-ce qu'il a fait avec son couteau ? 3. Pourquoi Dantès savait-il si bien nager ? 4. Qu'est-ce qu'il a fait en revenant à la surface ? 5. Pourquoi a-t-il replongé aussitôt ? 6. Pourquoi les îles les plus sûres étaient-elles Tiboulen et Maire ? 7. Comment Dantès s'est-il orienté dans la nuit qui s'épaississait ? 8. Quelle distance y a-t-il du château d'If à Tiboulen ? 9. Qu'est-ce qui exaltait Dantès ? 10. Qu'est-ce qu'il essaya de faire pour se reposer ?

11. Comment était la mer ? 12. Qu'est-ce qui a causé à Dantès sa douleur au genou ? 13. Qu'est-ce qu'il a pris pour un nuage ? 14. Pourquoi les pointes de granit lui ont-elles paru très douces ? 15. Qu'est-ce qui l'a réveillé ? 16. A quoi l'auteur compare-t-il l'éclair ? 17. Où Dantès s'est-il réfugié ? 18. Où a-t-il trouvé de l'eau bonne à boire ? D'où venait cette eau ? 19. Pourquoi Dantès a-t-il voulu agiter un lambeau d'étoffe ? 20. A quoi se cramponnaient les hommes ?

21. Comment était la voile du petit bâtiment ? 22. Qu'ont fait les hommes avant de mourir ? 23. Qu'est-ce que Dantès a vu quand le ciel est redevenu d'azur ? 24. Décrivez le lever du soleil sur la mer. 25. Quelles réflexions Dantès a-t-il faites alors ? 26. Quand les gens entendent le canon du château d'If, qu'est-ce qu'ils comprennent ? 27. Quelle prière Dantès a-t-il faite ? 28. A quoi l'auteur compare-t-il la tartane

génoise ? 29. Selon Dantès, quelle sorte d'hommes sont sur la tartane ? 30. Pourquoi, après avoir mis le bonnet phrygien sur sa tête, dit-il qu'il est sauvé ?

31. Qu'est-ce qui l'a aidé à nager ? 32. Qu'est-ce qu'il a fait pour être aperçu de la tartane ? 33. Décrivez la fatigue de Dantès. 34. Comment est-il monté dans la chaloupe ?

TOUT EST BIEN QUI FINIT BIEN
(pages 51–54)

1. Où Dantès a-t-il trouvé qu'il était quand il a rouvert les yeux ? 2. Quelle direction suivait la tartane ? 3. Quelle explication Dantès a-t-il donnée au capitaine ? 4. Pourquoi le marin qui a saisi Dantès par les cheveux a-t-il d'abord hésité à le sauver ? 5. Comment Dantès a-t-il expliqué la longueur de ses cheveux et de sa barbe ? 6. Qu'est-ce qu'il a demandé au capitaine de faire, pour lui ? 7. De quelle sorte d'homme le capitaine avait-il besoin ? 8. Pourquoi a-t-on aperçu le petit nuage blanc avant d'entendre l'explosion ? 9. Comment les matelots ont-ils manifesté leur étonnement ? 10. Pourquoi le soupçon n'a-t-il fait que traverser l'esprit du patron ?

7. HAREL ET SON COCHON
(pages 55–62)

1. Qu'est-ce qui avait ouvert à Dumas la maison de mademoiselle George ? 2. Où auriez-vous préféré habiter, dans les mansardes ou au premier ? 3. Combien de neveux avait George ? 4. Quels rôles jouait Tom ? 5. Comment Tom montrait-il qu'il n'aimait pas la comédie ? 6. Qu'est-ce qui causait la gêne dans la démarche de George ? 7. Quel défaut avait George ? 8. Comment montrait-elle ce défaut ? 9. Parlez des toilettes qu'elle portait. 10. Quels étaient ses animaux favoris ?

11. Pourquoi faisait-elle une première toilette avant d'entrer au bain ? 12. Combien de temps restait-elle dans son bain ? 13. Qu'en pensez-vous ? 14. Quel était le grand défaut d'Harel ? 15. Quels bijoux avait George ? 16. Qu'avait-elle fait faire avec les boutons de Napoléon ?

17. Pourquoi se plaignait-elle de ses boucles d'oreilles ?
18. Avec quoi les boucles d'oreilles ont-elles été mé-
langées ? 19. Qu'est-ce que le domestique a fait du tout ?
20. Qui est-ce qui a trouvé un des boutons, le lendemain ?

21. Qui a trouvé le deuxième bouton ? 22. Quand certains catholiques retrouvent quelque chose de précieux,
qu'est-ce qu'ils font, comme remerciement ? 23. Quelle
était l'ambition d'Harel ? 24. A quelle occasion a-t-on
offert un cochon à Harel ? 25. En quoi le cochon ressemblait-il à une mariée ? 26. Comment Harel a-t-il montré
sa joie d'avoir un cochon ? 27. Sur quoi a-t-il fait coucher
son cochon ? 28. Pourquoi George n'a-t-elle pas été
contente ? 29. A quelle plaisanterie Harel n'a-t-il rien
trouvé à répliquer ? 30. Pourquoi le cochon a-t-il grossi
très vite ?

31. Qu'est-ce que le cochon a fait au faisan ? 32. A qui
appartenait le faisan ? 33. Qui a tué le cochon ? 34. Quelle
oraison funèbre a eue le cochon ? 35. Que pensez-vous de
Harel ?

PROSPER MÉRIMÉE
(1803–1870)

Mérimée naquit un an après Dumas et mourut la même année. Dumas était un extroverti, Mérimée avait plutôt la nature réservée d'un Anglais. Sous un masque de froid humoriste, il cachait un cœur inquiet qui vibrait au spectacle des passions pittoresques et brutales. Ses chefs-d'œuvre sont deux courts romans sur les mœurs primitives, presque sauvages, de la Corse et de l'Espagne. *Colomba* est une belle jeune fille corse qui réussit à ranimer le traditionnel désir de vengeance chez son frère qu'un long séjour parmi les Français a civilisé. *Carmen*, elle aussi, est farouchement fidèle à sa race; elle préfère la mort plutôt que de ne plus vivre en bohémienne.

Mérimée était un linguiste et un archéologue. Au contraire de Victor Hugo, il fut l'ami de Napoléon III dont il avait connu la femme, Eugénie de Montijo, alors qu'elle était toute enfant en Espagne.

Au contraire de Victor Hugo aussi, son style est limpide et sobre.

8. MORT DE CARMEN
(*pages 63–71*)

1. De quoi s'occupaient José et ses camarades? 2. A quoi Carmen était-elle utile aux contrebandiers? 3. Dans quelles circonstances José a-t-il été blessé? 4. Comment Carmen l'a-t-elle soigné? 5. Pourquoi José a-t-il projeté de changer de vie? 6. Quel est, selon Carmen, le destin des bohémiens? 7. Qu'est-ce que Carmen a dit au sujet du picador? 8. Montrez que Carmen n'était pas obéissante. 9. Qu'est-ce que Carmen a volé à l'auteur? 10. Pourquoi Carmen a-t-elle boudé José?

11. Qu'est-ce qu'elle lui a dit pour qu'il lui permette d'aller à Cordoue? 12. Qu'est-ce qui, en réalité, l'attirait à Cordoue? 13. Pourquoi José est-il parti comme un fou pour Cordoue? 14. Qu'est-ce que le picador a offert à Carmen? 15. Comment s'est terminée la course

de taureaux ? 16. Où José voulait-il emmener Carmen ?
17. Pourquoi a-t-elle refusé ? 18. A quels signes Carmen
a-t-elle compris que José la tuerait ? 19. Qu'est-ce que
José a dit à l'ermite ? 20. Qui a servi la messe ?

21. Qu'est-ce que Carmen a fait avec le plomb ?
22. Comment était-elle, à cheval ? 23. Où Carmen et
José se sont-ils arrêtés pour la dernière fois ? 24. Qu'est-ce
que José a dit à Carmen pour qu'elle continue de l'aimer ?
25. Qu'est-ce qui a mis José en fureur ? 26. Que pensez-
vous de la dernière chose que Carmen a faite ? 27. Parlez
de ses yeux, lorsqu'elle est morte. 28. Qu'est-ce que José
a fait pendant la première heure qui a suivi la mort de
Carmen ? 29. Où était la bague ? 30. Comment José
a-t-il enterré Carmen ? 31. Où s'est-il constitué prisonnier. 32. Qui a-t-il rendu responsable de la conduite de
Carmen ?

ALPHONSE DAUDET
(1840–1897)

L'enfance d'Alphonse Daudet ne fut pas très heureuse, comme nous pouvons le voir dans son roman autobiographique *Le Petit Chose*.[1] Il naquit à Nîmes, ville voisine de la Provence qu'il a décrite avec tant de charme. Il avait neuf ans quand son père, petit industriel, qui ne faisait pas de bonnes affaires, s'installa à Lyon avec sa famille. Bien qu'élève assez indiscipliné, Alphonse fit de bonnes études secondaires; il ne les termina pas, faute d'argent, et à seize ans entra comme surveillant au collège d'Alès.[2] Il en partit, dégoûté, un an après, pour aller retrouver son frère aîné, Ernest, à Paris.

Enfin la pauvreté disparut de sa vie par le succès de ses vers, *Les Amoureuses*, que l'impératrice Eugénie aima et recommanda à la cour.[3] Il n'avait que dix-huit ans. Le duc de Morny, frère de Napoléon III et président du Corps législatif,[4] le prit comme secrétaire. Il collabora au grand journal *Le Figaro*, écrivit de petites pièces qui eurent du succès, et surtout il profita de ses nombreux loisirs pour faire des voyages dans le Midi de la France et en Algérie.

De son voyage en Algérie, en 1862, il rapporta la couleur locale de *Tartarin de Tarascon*; à ses séjours dans la Provence de l'ouest, nous devons en particulier la poésie, belle de sensibilité et d'observation, des *Lettres de mon Moulin*.

A vrai dire, Daudet n'a jamais possédé de moulin à vent, mais il y en avait un, abandonné, où il aimait à aller con-

---

[1] Little "What's His Name?"

[2] Alès [alɛs] est une ville industrielle (charbon, fer) dans les montagnes des Cévennes, à trente milles au nord-ouest de Nîmes.

[3] C'était sous le Second Empire. L'empereur était Napoléon III, neveu de Napoléon Ier.

[4] Le Corps législatif était, sous le Second Empire, la Chambre des Députés.

templer le paysage, écrire des notes et rêver. Ce moulin a été réparé; on en a fait un musée Alphonse Daudet. Il se trouve à Fontvieille, au sud-est de Tarascon. Dans la région habitaient des poètes qui écrivaient en langue provençale; c'étaient Frédéric Mistral, Roumanille, Aubanel. Daudet fit partie de leur joyeuse compagnie; beaucoup de leur gaieté, de leur connaissance de la Provence, est passé dans ces *Lettres de mon Moulin* que Daudet écrivit quand il fut de retour à Paris, en collaboration avec le spirituel Provençal Paul Arène. Il en publia la plupart dans des journaux comme *Le Figaro;* le livre sortit en 1869 mais n'eut de grand succès qu'après la publication de *Tartarin de Tarascon* (1872) et surtout d'un roman sur le petit peuple de Paris, *Fromont jeune et Risler aîné* (1874).

Bien que ce dernier roman, ainsi que d'autres à peu près du même genre (*Jack, le Nabab, Sapho*) lui aient apporté la fortune et la gloire et aient fait de lui, avec Zola, les frères Goncourt [1] et Maupassant, un grand écrivain naturaliste, Daudet nous est cher surtout à cause des *Lettres de mon Moulin* et de *Tartarin de Tarascon.* Tartarin, le chasseur de lions, le Méridional qui croit aux mirages de son imagination, est placé pour l'éternité dans la galerie des grands personnages de roman, entre Don Quichotte et Sancho Pança.[2] Si la verve de Daudet était caricaturale, elle était aussi enrichie de délicate émotion; elle nous a donné les *Lettres de mon Moulin,* ainsi que les *Contes du Lundi,* et la plupart des lettres et contes de Daudet sont des bijoux de perfection littéraire.

Par son observation aiguë, par sa sensibilité poétique et son style clair, harmonieux, Alphonse Daudet mérite bien d'être appelé « le Dickens français. »

---

[1] Dans leurs romans (*Manette Salomon, Germinie Lacerteux,* etc.) les frères Goncourt, Jules et Edmond, ont décrit la vie de Paris dans ses moindres détails. Ils ont fondé une académie littéraire de dix membres, l'Académie Goncourt, et un prix annuel de littérature, le plus envié en France, le prix Goncourt.

[2] Dans l'immortel roman de Cervantès, don Quichotte [kiʃɔt] est le chevalier idéaliste qui a un valet ridicule mais sensé (*sensible*), Sancho Pança.

9. L'ÉLIXIR DU RÉVÉREND PÈRE GAUCHER
(*pages 72–83*)

1. Comment le curé a-t-il versé la liqueur ? 2. Comment était la liqueur ? 3. Qu'est-ce qu'il y avait sur les murs de la salle à manger ? 4. Comment étaient les rideaux ? 5. Pourquoi appelle-t-on les Prémontrés les Pères blancs ? 6. Décrivez le cloître. 7. Que faisait le vent du Rhône ? 8. Pourquoi ? 9. Avec quoi les Pères sonnaient-ils matines ? 10. Parlez de la pauvreté de leurs vêtements.

11. Qui avait pitié des Pères ? 12. Qui n'avait pas pitié des Pères ? 13. Où les Pères débattent-ils les questions du couvent ? 14. Comment s'appelle le directeur d'un couvent ? 15. Que faisait le frère Gaucher, d'abord ? 16. Comment avait-il été élevé ? 17. Parlez de son intelligence. 18. Parlez de ses qualités chrétiennes. 19. Faites son portrait physique. 20. De quoi était fait son chapelet ?

21. A quoi tante Bégon se connaissait-elle ? 22. Que chantait-elle après boire ? 23. Qu'avait-elle composé ? 24. Comparez l'accueil que le chapitre a fait au frère Gaucher, avant et après son discours. 25. Parlez de la popularité de l'élixir. 26. Décrivez les flacons de la liqueur du père Gaucher. 27. Parlez des réparations que l'on a faites au couvent. 28. Décrivez la distillerie, à l'extérieur. 29. Et à l'intérieur. 30. Quand le Père sortait-il de sa distillerie ?

31. Où se rendait-il ? 32. Qu'est-ce qui lui faisait monter des bouffées d'orgueil ? 33. Décrivez l'agitation extraordinaire du Père. 34. Qu'est-ce qu'il a fait en prenant de l'eau bénite ? 35. Qu'est-ce que le prieur a fait pour commander le silence ? 36. Qu'est-ce qui s'est passé quand le Père Gaucher s'est mis à chanter ? 37. Comment le Père a-t-il manifesté son repentir, le lendemain ? 38. Qu'est-ce que le prieur lui a dit pour l'encourager ? 39. Pourquoi le Père devait-il essayer l'élixir sur lui-même ? 40. Quels conseils le prieur a-t-il donnés au Père Gaucher ?

41. Comment le Père Gaucher avalait-il les vingt

gouttes ? 42. Parlez de son martyre au sujet de la vingt et unième goutte. 43. Comment dégustait-il son péché ? 44. Qu'est-ce que ses voisins de cellule lui disaient le lendemain ? 45. Qu'est-ce qu'il faisait alors ? 46. Parlez du petit air de manufacture du couvent. 47. Qu'est-ce que le Père Gaucher a dit en plein chapitre ? 48. Qu'est-ce que l'argentier a dit ? 49. Quelle décision le prieur a-t-il prise ? 50. Décrivez les Pères en train de prier pour Gaucher. 51. Que faisait le Père blanc de la chanson ? 52. Quelle peur a eue le bon curé qui racontait l'histoire ?

10. LA MULE DU PAPE
(pages 84–97)

1. Que dit-on quand on parle d'un homme rancunier ? 2. Où le vieux fifre a-t-il envoyé Daudet, pour se renseigner ? 3. A quelle heure ferme la bibliothèque des Cigales ? 4. Qu'est-ce que les cymbales des cigales ? 5. Dans quelle position Daudet a-t-il fait ses recherches ? 6. Décrivez le manuscrit où Daudet a trouvé le conte ? 7. Comment étaient les rues d'Avignon, sous les papes ? 8. Quel fleuve passe à Avignon ? 9. Où les tambourins ronflaient-ils ? 10. Qu'est-ce qu'on mettait dans les prisons d'État ?

11. Pourquoi le peuple a-t-il regretté les papes d'Avignon ? 12. Comment était le pape Boniface ? 13. Qu'est-ce qu'il portait à sa barrette ? 14. Par quoi Châteauneuf-du-Pape est-il célèbre aujourd'hui ? 15. Où le pape allait-il tous les dimanches après vêpres ? 16. Décrivez la scène dans la vigne. 17. Quand le pape rentrait-il à Avignon ? 18. Qu'est-ce qu'il faisait sur le pont d'Avignon ? 19. Et sa mule ? 20. Qui est-ce qui était scandalisé ?

21. Après sa vigne, qu'est-ce que le pape aimait le plus ? 22. Qu'est-ce qu'il faisait dans l'écurie ? 23. Décrivez la mule. 24. Pourquoi les gens d'Avignon étaient-ils aimables envers la mule ? 25. Pourquoi Tistet avait-il été chassé de chez lui ? 26. Quelle idée avait-il sur la mule du pape ? 27. Qu'est-ce qu'il a dit au pape, la première fois qu'il l'a rencontré ? 28. Qu'est-ce qu'il a dit à la mule ?

29. Qu'est-ce que le pape a pensé ? 30. Décrivez les habits d'un clerc de maîtrise.

31. Qu'est-ce que Tistet avait à la main en regardant le balcon du pape ? 32. Quel soin le pape a-t-il laissé à Tistet ? 33. Qu'est-ce que les clercs de maîtrise faisaient dans l'écurie ? 34. Décrivez le martyre de la mule. 35. Pourquoi la mule ne se fâchait-elle pas contre les autres galopins ? 36. Décrivez la terreur de la mule sur la plate-forme. 37. Qu'est-ce qu'elle voyait de cette plate-forme ? 38. Qu'est-ce que le pape a dit en entendant le cri de la mule ? 39. Pourquoi la mule avait-elle peur de se rompre le cou en descendant l'escalier ? 40. Comment a-t-on descendu la mule ?

41. Quelle belle réception la mule préparait-elle à l'écurie, pour Tistet ? 42. Qu'est-ce que Tistet est allé faire à la cour de Naples ? 43. Pourquoi le pape l'y a-t-il envoyé ? 44. Comment marquait-on de la froideur à la mule, dans la ville ? 45. Quelle arrière-pensée gardait le pape ? 46. Que faisait la mule quand on prononçait le nom de Tistet devant elle ? 47. Pourquoi Tistet est-il revenu ? 48. Pourquoi le pape eut-il de la peine à le reconnaître ? 49. Qu'est-ce que le Saint-Père mettait pour y voir mieux ? 50. Que pensez-vous de la tactique de Tistet ?

51. Et de la bonté du pape ? 52. Comment la mule s'est-elle préparée pour la cérémonie ? 53. Où la céré-monie s'est-elle passée ? 54. Quelles personnes étaient présentes ? 55. Quels bruits entendait-on ? 56. Com-ment était la barbe de Tistet ? 57. Comment était-il habillé ? 58. Quels étaient les insignes du premier moutardier ? 59. Qu'est-ce que Tistet a fait quand il est passé près de la mule ? 60. Parlez du coup de sabot foudroyant.

11. TARTARIN TUE UN LION

ENFIN !
(pages 98–101)

1. Quelle certitude Tartarin a-t-il acquise à son réveil ? 2. Où était-il ? 3. Qu'est-ce qu'il possédait ? 4. De quoi

a-t-il douté ? 5. D'où est sorti le lion ? 6. Qu'est-ce que ses rugissements ont fait ? 7. Décrivez la mort du lion. 8. Comment sont arrivés les nègres ? 9. Qu'est-ce qu'ils avaient à la main ? 10. Pourquoi étaient-ils furieux ?

11. Qu'est-ce qu'ils voulaient faire à Tartarin ? 12. Décrivez le garde champêtre. 13. Qu'est-ce qu'il a fait ? 14. Pourquoi la procédure a-t-elle été longue et terrible ? 15. Quel effet faisait à Tartarin le mot de conseil de guerre ? 16. A quoi Tartarin en a-t-il été quitte ? 17. Qu'est-ce qu'il a fait pour payer ? 18. Qu'est-ce qui lui restait, après avoir payé ? 19. Qu'est-ce qu'il a fait de la peau ? 20. Quelle est, selon Tartarin, la meilleure façon de voyager à chameau ? 21. Pourquoi n'a-t-il pas pu vendre son chameau ?

RETOUR A ALGER
(pages 101–103)

1. Qu'est-ce que Tartarin a entrepris de faire ? 2. Comment marchait le chameau ? 3. Pourquoi Tartarin a-t-il trouvé cela touchant ? 4. Pourquoi Tartarin a-t-il pris le chameau en grippe ? 5. Comment a-t-il essayé de se débarrasser de son chameau ? 6. Dans quel état Tartarin est-il arrivé à Alger ? 7. Décrivez Alger tel que Tartarin l'a vu. 8. Qu'est-ce qu'il a fait pour que son chameau ne le suive plus ? 9. Par où est-il rentré dans la ville ?

TARASCON ! TARASCON !
(pages 103–107)

1. Qui est-ce qui a offert à Tartarin de le rapatrier pour rien ? 2. Décrivez le petit marché arabe. 3. Qu'est-ce qui a emmené Tartarin au bateau ? 4. Qu'est-ce que le chameau a fait sur le quai ? 5. Pourquoi le chameau n'aimait-il plus l'Orient ? 6. Qu'est-ce que Tartarin a fait pour faire partir la barque ? 7. Qu'est-ce que le chameau a fait juste avant de se jeter à l'eau ? 8. A quoi l'auteur compare-t-il le chameau qui nage ? 9. Qu'est-ce que le capitaine a dit en faveur du chameau ? 10. Comment le chameau est-il monté à bord ?

11. Pourquoi Tartarin est-il resté dans sa cabine pendant la traversée ? 12. Parlez des changements du ciel et de l'air entre Alger et Marseille. 13. Qu'est-ce qui, en général, retient un bateau immobile ? 14. Pourquoi Tartarin a-t-il traversé Marseille en hâte ? 15. Quand a-t-il respiré ? 16. Pourquoi toutes les têtes étaient-elles aux portières ? 17. Quelle région le train traverse-t-il, de Marseille à Tarascon ? 18. Pourquoi Tartarin était-il triste en approchant de Tarascon ? 19. Qu'est-ce qu'il portait sur la tête ? 20. Quel accueil lui a-t-on fait à la gare de Tarascon ?

21. Comment a-t-il descendu les escaliers de la gare ? 22. Parlez des singuliers effets du mirage à propos de la peau du lion. 23. Comment le chameau a-t-il descendu les escaliers de la gare ? 24. Qu'est-ce que Tartarin a dit alors, en faveur du chameau ? 25. Comment Tartarin est-il rentré chez lui ? 26. Que pensez-vous de Tartarin ? 27. A-t-il dit la vérité à propos de ses chasses ? 28. Qu'est-ce qu'il a dit ?

HONORÉ DE BALZAC
(1799–1850)

Comme la lecture de Balzac est plus difficile que celle de ses cadets, nous ne l'avons pas placé à sa place chronologique; comme il est prolixe, nous avons dû faire des coupures dans le texte, surtout dans le deuxième récit. Il est prolixe, comme un romantique, mais il est au premier rang des romanciers de tous les temps et de tous les pays à cause de sa puissance d'imagination, toujours impressionnante parce que ses dons d'observation l'ont retenu dans les limites de la vérité.

Comme Molière, il a créé des types généraux, simplifiés, mais très vivants, personnifiant des qualités mais surtout des défauts et des vices. Le père Grandet, dans *Eugénie Grandet*, c'est l'avarice détruisant le bonheur de la famille; le père Goriot, dans le roman du même nom, c'est l'amour paternel aveugle et faible. Balzac a aussi fait revivre des périodes historiques comme dans *Les Chouans*, et des scènes de la vie sous tous ses aspects: privée, provinciale, paysanne, parisienne, politique et militaire. Le deuxième récit nous montre une scène vraiment exceptionnelle mais attachante, dramatique, de la vie d'un soldat de Napoléon pendant la campagne d'Égypte.

Comme Walter Scott, Balzac se tua au travail pour satisfaire son goût du luxe; il mourut à cinquante et un ans, comme Shakespeare et Molière, épuisé physiquement, mais immortel. A la tête de son armée de cinq mille personnages fort divers — toute une société formant *La Comédie Humaine* — il apparaît comme le Napoléon du roman français.

12. LE CHOUAN DÉCAPITÉ
(*pages 108–117*)

1. Pourquoi Barbette a-t-elle poussé un cri de joie? 2. Pourquoi Galope-Chopine a-t-il promis un cierge au saint? 3. Quelle question importante a-t-il posée à sa femme? 4. Pourquoi Barbette a-t-elle dit aux Chouans

où était le Gars ? 5. Qu'est-ce que le mari a fait à sa femme ? 6. Pourquoi n'avait-il plus faim ? 7. Pourquoi Barbette devait-elle mettre le feu aux fagots ? 8. Qu'est-ce que le Gars a dit à Galope-Chopine de faire ? 9. Dans quoi le petit gars portait-il le feu ? 10. Qu'est-ce que Galope-Chopine a vu à travers le brouillard ?

11. Qu'est-ce qu'il a offert aux deux Chouans ? 12. Parlez de la lumière, dans la chambre. 13. De quoi les Chouans étaient-ils coiffés ? 14. Qu'est-ce qui est tombé du lit ? 15. D'après les Chouans, pourquoi ne faut-il pas « parler d'affaires » à sa femme ? 16. Qu'est-ce que Marche-à-Terre a promis de faire du petit gars ? 17. Pourquoi Galope-Chopine ne voulait-il pas mourir sans confession ? 18. Qu'est-ce que Pille-Miche a dit au sujet de la confession ? 19. Pourquoi Galope-Chopine s'est-il confessé lentement ? 20. Qu'est-ce qu'il avait à se reprocher ?

21. Qu'est-ce que Marche-à-Terre a fait de la tête ? 22. Résumez la chanson. 23. Qu'est-ce que Barbette a fait quand elle a vu la tête ? 24. Qu'a fait l'enfant ? 25. Qu'est-ce qui était arrivé à un des sabots de Galope-Chopine ? 26. Qu'est-ce que Barbette a fait faire à son fils, au sujet du sabot plein de sang ? 27. Comment Barbette va-t-elle se venger des Chouans ? 28. Qu'est-ce qu'elle a pris avant de sortir de chez elle ? 29. De quoi le fils était-il étonné ? 30. Comment Barbette et son fils ont-ils rendu la fumée des fagots plus forte ?

13. LE SOLDAT ET LA PANTHÈRE
(pages 119–129)

1. Pourquoi Bonaparte a-t-il fait une expédition en Égypte ? 2. Qu'est-ce que les Arabes ont fait pour mettre un espace suffisant entre eux et les Français ? 3. Qui était leur prisonnier ? 4. Où ont-ils campé ? 5. Comment leur prisonnier était-il attaché ? 6. Qu'est-ce que les chevaux ont mangé ? 7. Comment le prisonnier s'est-il trouvé libre ? 8. Qu'est-ce qu'il a eu la précaution d'emporter ? 9. Pourquoi son cheval est-il mort ? 10. Qu'est-ce qu'il y avait au sommet de l'éminence ?

11. Sur quoi s'est-il couché ? 12. Qu'est-ce qui l'a réveillé ? 13. Décrivez le désert comme il l'a vu à son réveil. 14. Pourquoi le prisonnier a-t-il pleuré ? 15. Pourquoi a-t-il armé sa carabine ? 16. Pourquoi est-il passé du désespoir à la joie ? 17. Décrivez le bas de la colline. 18. Décrivez l'intérieur de la grotte. 19. Sur quoi s'y est-il couché ? 20. Qu'est-ce qui l'a réveillé ?

21. Parlez de l'odeur qu'il a sentie. 22. Qu'est-ce qui a éclairé la tanière ? 23. Qu'est-ce que la panthère avait sur le museau ? 24. Décrivez sa peau. 25. Qu'est-ce qui a réveillé la panthère ? 26. Qu'est-ce qu'elle a fait à son réveil ? 27. Parlez de ses yeux. 28. Comment le soldat l'a-t-il regardée ? 29. Qu'est-ce qu'il a fait à la panthère ? 30. Par quoi a-t-elle exprimé son plaisir ?

31. A quoi ressemble le cri de la panthère ? 32. Pourquoi le soldat n'a-t-il pas essayé de donner à la panthère un coup de poignard dans la tête ? 33. Qu'est-ce que la panthère a fait aux souliers de l'homme ? 34. Qu'est-ce qu'elle avait mangé avant de si bien dormir ? 35. Quel fol espoir le soldat a-t-il conçu ? 36. Décrivez-le en train de jouer avec la panthère. 37. Pourquoi a-t-il senti du remords ? 38. Quel nom a-t-il donné à la panthère ? 39. Pourquoi voulait-il que la panthère se couche la première ? 40. Qu'est-ce qui est arrivé quand il s'est sauvé ?

41. De quoi la panthère l'a-t-elle sauvé ? 42. Pourquoi le soldat veillait-il ? 43. Qu'est-ce qu'il a fait pour attirer l'attention des voyageurs ? 44. Qu'est-ce que la panthère faisait quand il prononçait le mot de « Mignonne » ? 45. Pourquoi le soldat a-t-il plongé son poignard dans le cou de sa compagne ? 46. Qu'est-ce que la panthère a fait en mourant ? 47. Qui est accouru au secours du soldat ? 48. Pourquoi le soldat aime-t-il le désert ?

ANATOLE FRANCE
(1844–1924)

Le vrai nom d'Anatole France était Anatole Thibault [tibo], mais il se fit appeler France, comme son père qui était libraire à Paris. Tout jeune il se passionna pour les livres. Après des études médiocres, il aida son père dans sa librairie. Ayant écrit des vers qui eurent du succès (*Poèmes dorés*) il fut nommé bibliothécaire au Sénat.

Il se mit alors à écrire en prose; ce furent des romans fort documentés sur certaines périodes historiques: l'antiquité chrétienne (*Thaïs*), l'Italie du Moyen Age (*Le Lys Rouge*), le dix-huitième siècle (*La Rôtisserie de la reine Pédauque*, son livre le plus parfait), la Révolution française (*Les Dieux ont Soif*) et aussi une série de romans sur l'époque contemporaine (*L'Histoire Contemporaine*) où un personnage central, Monsieur Bergeret, professeur de latin, promène sur la vie un regard plein d'ironie et de pitié.

Il écrivit aussi de charmants souvenirs d'enfance (*Le Livre de mon Ami*) et des contes dont le meilleur est *Le Jongleur de Notre-Dame*, que nous donnons ici.

Son style est clair et musical, un peu précieux à force d'être travaillé.

Le riche amateur d'art, Anatole France, était devenu presque communiste à la fin de sa vie. Il mourut en 1924, à quatre-vingts ans.

14. LE JONGLEUR DE NOTRE-DAME
(*pages 130–136*)

1. Qu'est-ce que le jongleur étendait par terre ? 2. Par quoi attirait-il les badauds ? 3. Que faisait d'abord la foule ? 4. Qu'est-ce que le jongleur faisait avec ses couteaux ? 5. Comment la foule le récompensait-elle ? 6. Pourquoi avait-il grand peine à vivre ? 7. Pourquoi préférait-il l'été à l'hiver ? 8. Était-ce un rebelle ? Pourquoi ? 9. Quelle espérance le soutenait ? 10. Êtes-vous

d'avis que la femme est l'ennemie des hommes forts ? Pourquoi ?

11. Racontez l'histoire de Samson. 12. Qu'est-ce que le jongleur faisait quand il entrait dans une église ? 13. Décrivez-le, sur la route, sous la pluie. 14. Qu'est-ce que le moine croyait que Barnabé était ? 15. Pourquoi, selon le moine, n'y a-t-il pas de plus bel état que l'état monastique ? 16. A qui Barnabé avait-il voué une dévotion particulière ? 17. Qu'est-ce que Notre-Seigneur a dit à propos des hommes de bonne volonté ? 18. Comment Barnabé est-il devenu moine ? 19. Quel culte célébrait-on dans le couvent ? 20. Que faisait le prieur en l'honneur de la Vierge ?

21. Et le frère Maurice ? 22. Et le frère Alexandre ? 23. Qu'est-ce que la Vierge avait autour de la tête ? 24. Et à ses pieds ? 25. Pourquoi Ève était-elle peinte en regard de Marie ? 26. Que faisait le frère Marbode ? 27. Quel effet la poussière de pierre avait-elle sur lui ? 28. Que faisait le Picard ? 29. Pourquoi Barnabé se lamentait-il de son ignorance ? 30. Racontez l'histoire du religieux qui ne savait réciter autre chose qu'*Ave Maria*.

31. Pourquoi Barnabé s'est-il réveillé tout joyeux, un matin ? 32. Que se demandaient les moines ? 33. Quel est le devoir du prieur ? 34. Qu'est-ce qu'il a fait ? 35. Qu'est-ce qu'il a vu ? 36. Qu'ont dit les deux anciens ? 37. A quoi les trois moines s'apprêtaient-ils ? 38. Parlez du miracle qui s'est accompli. 39. Qu'a fait le prieur ?

GUY DE MAUPASSANT
(1850–1893)

Maupassant est un naturaliste littéraire, c'est-à-dire un réaliste qui présente de la vie son côté triste et même morbide. Les deux contes, *La Parure* et *L'Horrible* en sont des exemples. Comme il était Normand, c'est-à-dire un homme vigoureux, aimant les bons repas, le rire, les farces, on trouve aussi dans son œuvre des contes et récits moins déprimants, comme *La Farce* et *L'Aventure de Walter Schnaffs*.

Il connaissait bien la vie de château qu'il nous présente dans le premier: il était né au château de Miromesnil, près de Dieppe. Il connut aussi la guerre de 1870 qu'il fit à vingt ans, comme engagé volontaire (*volunteer*); il y vit des instincts bas plutôt que l'héroïsme, des Walter Schnaffs plutôt que des sergents York.

Il devint, comme Loisel, un petit commis au Ministère de l'Instruction publique; mais comme il était un aristocrate aisé, il vécut continuellement la vie de plaisirs que Mme Loisel ne connut qu'un soir. Le grand écrivain réaliste, Flaubert, ami de sa mère, lui donna des leçons de style, et en une douzaine d'années seulement il produisit tous ces contes et romans qui lui ont fait une réputation universelle.

Ce météore s'éteignit plus vite qu'il ne s'était allumé. Maupassant devint fou et mourut à l'âge de quarante-trois ans.

15. LA FARCE
(*pages 137–139*)

1. Où Maupassant est-il allé ? 2. Quelle réception lui a-t-on faite ? 3. Qu'est-ce qui lui semblait suspect ? 4. Qu'est-ce qu'il a inspecté dans sa chambre ? 5. Qu'est-ce qu'il a fait à la fenêtre ? 6. Où s'est-il assis ? 7. Quels dangers voyait-il dans le lit ? 8. Qu'est-ce qu'il a fait pour refaire son lit ? 9. Décrivez le réveil de Maupassant. 10. Quel bruit lui est entré dans les oreilles ?

11. Parlez de son coup de poing. 12. Quel a été l'effet des gifles? 13. Où a-t-on trouvé le valet de chambre? 14. De quoi se composait le déjeuner? 15. Que pensez-vous de cette farce?

16. LA PARURE
(pages 140–149)

1. Parlez de la pauvreté de Mathilde, jeune fille. 2. Qui a-t-elle épousé? 3. Pourquoi souffrait-elle? 4. Que faisait son mari, au dîner? 5. A quoi pensait-elle? 6. Pourquoi ne voulait-elle plus aller voir sa camarade de couvent? 7. Qu'est-ce qu'il y avait d'écrit sur la carte? 8. Parlez du dépit de Mathilde. 9. Pourquoi son mari a-t-il eu une peine infinie à obtenir l'invitation? 10. Pourquoi a-t-elle pleuré?

11. Qu'est-ce que son mari a dit pour la consoler? 12. A quoi voulait-il employer les quatre cents francs? 13. Pourquoi Mathilde était-elle toute drôle, même après avoir acheté la robe? 14. Quel conseil lui a donné son mari? 15. Qu'est-ce qu'il y avait dans le coffret? 16. Pourquoi Mathilde hésitait-elle en essayant les bijoux? 17. Comment a-t-elle remercié Mme Forestier? 18. Que faisaient les hommes en voyant Mathilde, au bal? 19. Comment dansait-elle? 20. Qu'est-ce qui prouve que son mari ne s'amusait pas beaucoup?

21. Pourquoi a-t-elle voulu s'enfuir, à la fin du bal? 22. Parlez de la difficulté qu'elle a eue à trouver un fiacre. 23. Pourquoi a-t-elle poussé un cri en se regardant dans la glace? 24. Qu'est-ce que le mari a dit? 25. Qu'est-ce qu'il a fait? 26. Qu'est-ce que Mme Loisel a fait pendant l'absence de son mari? 27. Résumez la lettre qu'elle a écrite à Mme Forestier. 28. Qu'a dit le joaillier dont le nom se trouvait dans la boîte? 29. Où les Loisel ont-ils trouvé un collier semblable à celui qui était perdu? 30. Quelle condition firent-ils avec le joaillier?

31. Comment Loisel se procura-t-il les trente-six mille francs? 32. Pourquoi Mme Forestier a-t-elle parlé d'un air froissé? 33. Quel logement ont pris les Loisel? 34. Quels gros travaux faisait Madame? 35. Que faisait

Monsieur comme travail supplémentaire ? 36. Comment était Madame au bout de dix ans ? 37. Qui a-t-elle vu aux Champs-Élysées ? 38. Comment était alors Mme Forestier ? 39. Pourquoi s'étonnait-elle d'être appelée familièrement par la bourgeoise ? 40. Qu'est-ce qu'elle a dit en reconnaissant Mathilde ?

41. Répétez l'explication que Mathilde a donnée à son amie. 42. Et celle que Mme Forestier a donnée à Mathilde. 43. A votre avis, qu'est-ce qui est arrivé ensuite ? 44. Si les Loisel ont pu retrouver leur argent, qu'est-ce qu'ils n'ont jamais pu retrouver ? 45. Beaucoup de critiques disent que ce conte est le meilleur qui ait jamais été écrit. Que pensez-vous de cela ? 46. Y a-t-il des contes que vous préférez à celui-ci ? Lesquels ? Pourquoi ?

17. L'HORRIBLE
(pages 150–152)

1. Où étaient les femmes ? 2. Et les hommes ? 3. Quel accident venait-on de raconter ? 4. Que faut-il pour qu'on éprouve l'horreur ? 5. Où allait le colonel Flatters ? 6. Qui sont les Touareg ? 7. Où furent massacrés Flatters et ses officiers ? 8. Pourquoi furent-ils massacrés ? 9. Décrivez la retraite. 10. Par quoi beaucoup de Français ont-ils été empoisonnés ?

11. Comment les survivants se sont-ils mis à marcher ? 12. Qu'est-ce qu'on faisait quand on atteignait une source ? 13. Comment le premier homme a-t-il été tué ? 14. Qu'est-ce que les autres soldats ont fait ? 15. Comment a continué cette retraite d'anthropophages ? 16. Qu'est-ce qui est arrivé au dernier Français ?

18. L'AVENTURE DE WALTER SCHNAFFS
(pages 153–162)

1. Quelle était cette armée d'invasion ? 2. Décrivez Walter, au physique. 3. Et au moral. 4. Parlez de sa femme. 5. Et de ses enfants. 6. Quelle haine gardait-il au cœur ? 7. Décrivez sa peur, dans les batailles. 8. Qu'est-ce que le détachement devait faire ? 9. Com-

ment était le pays qu'il explorait ? 10. Qu'est-ce que les francs-tireurs ont fait ?

11. Pourquoi Walter n'a-t-il pas détalé ? 12. Décrivez-le, en train de sauter. 13. Décrivez son abri. 14. Parlez des bruits de la bataille. 15. Pourquoi Walter n'a-t-il pas essayé de rejoindre l'armée allemande ? 16. Pourquoi a-t-il désiré être prisonnier ? 17. Qu'est-ce que, selon lui, les paysans lui feraient ? 18. Et les francs-tireurs ? 19. Et l'armée française ? 20. Quels bruits le faisaient tres-saillir, la nuit ?

21. Parlez de son soulagement, quand le jour est venu. 22. Parlez de sa faim. 23. Établissez, comme lui, le pour et le contre. 24. Qu'est-ce qu'il a vu quand il a sorti la tête au bord de son trou ? 25. Parlez de sa peur de mourir de faim. 26. Pourquoi a-t-il préféré entrer au château plutôt qu'au village ? 27. Quel effet l'odeur de viande cuite a-t-elle eu sur lui ? 28. Qu'est-ce que les domestiques ont fait quand ils ont aperçu le Prussien ? 29. Quelle terreur paralysait encore Walter, en s'asseyant à table ? 30. Comment a-t-il mangé ?

31. Comment a-t-il bu ? 32. Quel effet la nourriture et le cidre ont-ils eu sur lui ? 33. Décrivez les soldats français allant, la nuit, à l'attaque du château. 34. Comment Walter a-t-il été réveillé ? 35. Qu'est-ce que le gros militaire lui a dit ? 36. Qu'est-ce qu'il a écrit sur son agenda ? 37. Pourquoi le colonel a-t-il décidé de se replier ? 38. Comment Walter était-il, pendant la marche ? 39. Qu'a fait la population ? 40. Décrivez Walter, en prison.

41. Pourquoi était-il si content ? 42. Comment le colonel a-t-il été récompensé ? 43. Quelles sont les qualités de cette histoire ? 44. Et ses défauts ?

ÉMILE ZOLA
(1840–1902)

C'est une grande injustice de ne voir en Zola que l'auteur de *Nana*. Certes, plus encore que Maupassant, il nous présente de la vie son côté immoral et cruel, mais il passe aussi dans son œuvre un souffle puissant d'idéalisme, d'art et de justice sociale. Plutôt que *Nana*, il faut lire *Germinal* qui fait entrevoir aux mineurs une ère meilleure, et *La Terre* qui peint la passion des paysans pour le sol. Il faut lire aussi le beau conte patriotique qu'est *L'Attaque du Moulin*, et *Angeline* [āʒlin], que nous donnons ici et qui montre tout l'intérêt poétique que Zola portait aux choses et aux gens, surtout aux enfants.

Zola a l'honneur d'avoir défendu le capitaine juif Albert Dreyfus injustement accusé de trahison; son attitude courageuse lui valut, en 1899, un exil d'un an en Angleterre. C'est dans la banlieue (*outskirts*) de Londres, à Oatlands, qu'il vit la maison hantée dont il parle, et qu'il apprit l'histoire qu'il modifia autant que la géographie de l'endroit. Il écrivit son conte; un Anglais le traduisit et il fut publié dans le *New York Herald.*

Zola fut asphyxié par l'oxyde de carbone (*carbon monoxide*) d'un poêle qu'il avait laissé allumé dans sa chambre, pendant la nuit. Malgré les apparences, son œuvre est noble, poétique, humanitaire, et lui a valu d'être enterré au Panthéon, parmi les grands hommes de France.

19. LA MAISON HANTÉE
(*pages 163–175*)

1. Que faisait Zola quand il a vu la maison? 2. Qu'est-ce qui entourait la maison? 3. Qu'est-ce que l'écriteau annonçait? 4. Comment étaient les murs? 5. Et le perron? 6. Décrivez le jardin. 7. Pourquoi Zola est-il entré à l'auberge? 8. De quoi se plaignait la vieille femme? 9. Quand est-elle devenue circonspecte? 10. Pourquoi les filles du village n'osaient-elles pas entrer dans la maison abandonnée?

11. Qu'est-ce qui se passe dès qu'un visiteur entre dans la maison ? 12. Pourquoi une atroce jalousie était-elle née entre Angeline et sa belle-mère ? 13. Pourquoi la belle-mère a-t-elle frappé la petite ? 14. Qu'est-ce que le père a consenti de faire ? 15. Qui a fait découvrir le crime ? 16. Que faisait le vent d'automne ? 17. Quelle voix entendait-on, la nuit, dans la maison ? 18. Quelles recherches Zola a-t-il faites ? 19. Décrivez le vieux poète. 20. Comment était le jardin du Luxembourg ?

21. Résumez l'histoire d'Angeline, telle que le poète l'a racontée. 22. Où a-t-on enterré la petite, selon le poète ? 23. Pourquoi le poète croit-il qu'Angeline revient la nuit ? 24. Quel temps faisait-il quand Zola est retourné à la maison hantée ? 25. Que faisait la vieille femme quand il l'a rencontrée ? 26. Qu'est-ce qu'elle pense des peintres ? 27. Où Zola rencontrait-il le peintre, parfois ? 28. Parlez des réparations que l'on avait faites à la maison. 29. Comment était le jardin ? 30. Qu'est-ce que le domestique a dit ?

31. Où Zola a-t-il attendu ? 32. Décrivez la pièce. 33. Qu'est-ce qui l'éclairait ? 34. Décrivez la peur de Zola. 35. Qu'est-ce qu'il a entendu ? 36. Décrivez Angeline traversant le salon. 37. De quoi est morte la première Angeline ? 38. Qu'est-ce qui a empêché la vente de la maison ? 39. Pourquoi la seconde Angeline a-t-elle traversé la pièce ? 40. Pourquoi a-t-elle été appelée Angeline ? 41. A propos de quoi le poète avait-il raison ? 42. De quoi la maison se trouvait-elle enfin hantée ?

GEORGES DUHAMEL
(1884–19)

Ce docteur Pasquier, dont nous allons faire la connaissance dans les extraits suivants, et qui met tant de couleur
et de verve dans la *Chronique des Pasquier*, le roman-
fleuve de Duhamel, a des traits du docteur Thévenin, le
père de notre auteur.

Georges Duhamel, qui d'abord prit le nom de Denis
Thévenin, est né à Paris. Comme son héros, Laurent, il
fit d'excellentes études littéraires et scientifiques. Il devint
docteur en médecine mais n'exerça pas; il préféra travailler
dans un laboratoire de recherches chimiques.

Il occupa ses loisirs à écrire des vers, des pièces de théâtre
et des articles de revues. Pendant la première Grande
Guerre il servit sur le front de France comme chirurgien.
Le spectacle des souffrances humaines, pour lesquelles personne n'eut jamais plus de pitié que Duhamel, lui inspira
La Vie des Martyrs et *Civilisation* qui obtint le prix Goncourt en 1918.

Réinstallé à Paris en 1919, il se consacra entièrement à la
littérature. Il voyagea beaucoup et en particulier fit plusieurs séjours aux États-Unis. Ses livres les plus remarquables depuis 1919 sont: *Confession de Minuit*, *Le Journal de
Salavin* et la *Chronique des Pasquier*, en dix volumes, histoire non seulement d'une famille française, mais de la
société française depuis 1890.

En 1940 Duhamel redevint le chirurgien Duhamel et
prodigua ses soins aux pauvres gens blessés par les bombardements nazis dans les villes, les gares et sur les routes
de Normandie (*Lieu d'Asile*). Pendant l'occupation allemande il a été un des écrivains de la Résistance.

Il fait partie de l'Académie française. Ses derniers livres
sont *Civilisation Française*, *La France Immortelle*, où il
déclare que, bien que diminuée physiquement par la guerre,
la France reste à la tête de la civilisation du monde, *Inventaire de l'Abîme* où il explique ce qui est vraiment
biographique dans la *Chronique des Pasquier*, *Souvenirs de*

la Vie du Paradis (1946), parodie humoristique de notre monde d'après-guerre.

De tous les grands écrivains français d'aujourd'hui, nul ne donne plus de satisfaction à son lecteur que Georges Duhamel; il est clair, simple et pourtant plein d'idées, il est sensible et pourtant gai, il est poète, il est charitable et humain.

20. L'HISTOIRE DE LA HACHE
(*pages 176–179*)

1. Pourquoi Laurent riait-il de bon cœur? 2. Quelle est la grande lubie du père? 3. De quoi tire-t-il subsistance? 4. Qu'est-ce qu'il regarde en rêvassant? 5. Qu'est-ce qu'il faut faire, selon la loi, quand on croit avoir inventé quelque chose? 6. Qu'est-ce que la trompe à eau? 7. Avec quoi nettoie-t-on les tapis, chez vous? 8. Quand les aspirateurs ont-ils été inventés? 9. Par qui? (Voyez *l'Encyclopédie Britannique*.) 10. Pourquoi le père a-t-il fait venir les plombiers?

11. Pourquoi les locataires s'étonnaient-ils? 12. Qui a sonné à la porte? 13. Qu'est-ce que la mère a essayé de faire? 14. Qu'est-ce que le propriétaire a dit? 15. Comment le père est-il apparu? 16. Vous êtes le père; que dites-vous au propriétaire? 17. Qu'est-ce que vous faites ensuite? 18. Où l'eau est-elle allée? 19. Qui est-on allé prévenir? 20. Qu'est-ce que les Pasquier ont dû faire, ensuite? 21. Quelle sorte de père est le docteur Pasquier? 22. Pour qu'il devienne le beau-père de Justin, que devra faire celui-ci?

21. COMMENT VAINCRE LA TIMIDITÉ
(*pages 180–192*)

1. Qu'est-ce que Laurent a lu sur la brochure? 2. De quoi était vêtu le docteur Pasquier? 3. Où le docteur a-t-il fait entrer ses fils? 4. Pourquoi dit-il qu'on doit commencer la discussion assis? 5. Quel conseil donne-t-il à Laurent? 6. De quoi le docteur se plaint-il? 7. Selon le docteur, que faut-il pour briller dans les lettres? 8. Quand se lancera-t-il de nouveau dans la carrière

littéraire ? 9. Où et comment aurait-il voulu s'installer ? 10. Pourquoi a-t-il changé son nom ?

11. Décrivez la dactylographe. 12. Qu'ont fait les garçons, pendant la consultation ? 13. Décrivez l'employé de banque. 14. Pourquoi le docteur préfère-t-il le nom de César à celui de Jules ? 15. Quelle médication accompagne le traitement ? 16. A quoi voyez-vous que Jules est nerveux ? 17. En quoi le docteur ressemblait-il à un dompteur ? 18. Quels conseils a-t-il donnés pour le serrement de main ? 19. Comment faut-il faire « hum » ? 20. Présentez, vous aussi, une offre de service.

21. Parlez de l'exercice de l'algarade. 22. Que dites-vous à quelqu'un qui vous a promis une place et qui vous la refuse ? 23. Qu'est-ce qui prouve que le jeune homme s'est emballé ? 24. Pourquoi est-il dangereux d'appeler quelqu'un « voleur » ? 25. Pourquoi est-ce à la dactylographe que les clients ont affaire pour les honoraires ? 26. Qu'est-ce que le docteur a dit pour encourager son client ? 27. Où le docteur s'est-il lavé les mains ? 28. Qu'est-ce qu'un sadique de la timidité ? 29. Vous êtes Laurent; qu'est-ce que vous dites à votre père ? 30. Faites de même pour Joseph.

31. Quelle part de comédie y a-t-il dans la médecine, selon le docteur ? 32. Est-ce que vous croyez que le traitement fera du bien à Jules ? Pourquoi ? 33. Les deux fils vous paraissent-ils des empaillés ? Pourquoi ? 34. Qu'est-ce que le docteur dit à ses fils, pour qu'ils s'en aillent ?

FRANÇOIS MAURIAC
(1885–19)

Après une enfance pieuse dans la bourgeoisie de Bordeaux, François Mauriac fut à Paris élève à l'École des Chartes, qui prépare à la profession de bibliothécaire. Il préférait la littérature à l'érudition. Il publia d'abord des vers, puis, après la première Grande Guerre, des romans qui l'ont porté à une des premières places parmi les écrivains contemporains. Les meilleurs de ses romans sont: *Thérèse Desqueyroux*, suivi de *La Fin de la Nuit*, histoire d'une femme dominée par sa belle-famille (*her husband's family*) et qui, pour se libérer, essaie d'empoisonner son mari, et *Le Nœud de Vipères* (*Vipers' Tangle*); ces vipères symbolisent tous les mauvais sentiments, jalousie, mépris, haine que toute sa vie un avocat ambitieux et avare a éprouvés pour sa femme, ses enfants et même ses petits-enfants.

François Mauriac a aussi écrit des pièces de théâtre: *Asmodée*, *Les Mal Aimés*. Il a été élu à l'Académie Française en 1933. C'est l'honneur de François Mauriac d'avoir été, sous l'occupation allemande, à la tête du mouvement intellectuel résistant. Depuis la libération de la France en 1944 il écrit des éditoriaux d'inspiration élevée dans le grand journal catholique *Le Figaro*.

François Mauriac est un romancier puissant, psychologue et chrétien qui nous présente des personnages qui ont l'air de monstres mais qui, au fond, souffrent autant et peut être plus qu'ils ne font souffrir les autres, les membres de leur famille, surtout.

22. UNE MÈRE S'ACCUSE
(*pages 193–196*)

1. Comment est née la haine de l'avocat pour sa femme ?
2. Pourquoi a-t-il détesté sa femme ? 3. Pourquoi était-il jaloux de ses petits-enfants ? 4. Qu'est-ce qu'il était devenu, à moins de trente ans ? 5. A quel barreau appartenait-il ? 6. Quelle sorte de retentissement a eue sa

plaidoirie ? 7. Comment était l'amour des Villenave, l'un pour l'autre ? 8. Où vivaient-ils ? 9. Comment vivaient-ils ? 10. Quelles personnes habitaient avec eux ?

11. Qu'est-ce que le domestique a entendu ? 12. Qu'est-ce qu'il a fait ? 13. Qu'est-ce qu'il a vu ? 14. Qu'est-ce que Madame a dit ? 15. Qu'est-ce que Monsieur a dit ? 16. Est-ce l'avocat allait souvent à la prison ? 17. Pourquoi ne doutait-il pas de l'innocence de Madame ? 18. Comment la mère regardait-elle son fils pendant sa déposition ? 19. Qu'est-ce qui a déchiré le voile, pour l'avocat ? 20. Qu'est-ce que l'avocat a dit pour dénoncer le fils ?

21. Quel effet a eu son improvisation ? 22. Qu'est-ce qu'il y a eu dans les journaux des deux mondes ? 23. Pourquoi Madame s'est-elle sacrifiée ? 24. Qu'est-ce qui prouve qu'elle aimait son mari plus que son fils ? 25. Comment était le mari ? 26. Qu'est-ce que l'avocat reproche à sa femme ? 27. Quelle musique y avait-il à la distribution des prix ? 28. Pourquoi l'enfant était-il heureux ?

LOUIS ARAGON
(1897–19   )

Comme Duhamel et Mauriac, Louis Aragon a commencé par écrire des vers (*Feu de Joie* (*Bonfire*), 1920), mais il a continué, tout en donnant beaucoup de son temps au roman. Il a été un des chefs du surréalisme, mouvement moderniste qui place les rêves, le subconscient, l'automatisme à la base de l'expression poétique et artistique.

Sous l'influence de sa femme, Elsa Triolet, d'origine russe, elle-même écrivain de talent, Aragon s'échappa des nuages du surréalisme et revint au « monde réel. » Communiste, il écrivit *Les Cloches de Bâle* (1934) et *Les Beaux Quartiers* (1936) qui décrivent avec force et même férocité la société française du début du vingtième siècle à 1913 : l'aristocratie et la bourgeoisie sont avides, égoïstes, immorales et hypocrites, le peuple des ouvriers et petits commerçants et paysans est travailleur, honnête et lutte légalement par des grèves (*strikes*) pour sortir de sa servitude.

Très patriote, Aragon a chanté avec émotion la drôle de guerre de 1939 et les malheurs de la France en 1940 dans *Le Crève-Cœur* (*Heartbreaker*); il était à la bataille de Dunkerque (*Dunkirk*) et a pu être évacué en Angleterre. Revenu en France avec sa division, il combattit bravement sur la Loire et fut décoré.

Pendant l'occupation allemande, il vécut dans le Sud de la France et fut un des chefs littéraires de la Résistance. *Servitude et Grandeur des Français* (1945) est un recueil de sept contes illustrant les iniquités des Nazis en France et le courage des Résistants; dans le style vigoureux, presque télégraphique (*abbreviated*) d'un de ces contes, *Les Bons Voisins*, que nous allons lire, Aragon nous montre la police du gouvernement de Vichy qui s'inspire des méthodes de la Gestapo.

Les dernières œuvres d'Aragon sont *Aurélien* (1944), roman, *La Diane Française* (1946) recueil de poèmes.

23. LES BONS VOISINS
(pages 197–215)

1. Comment sont entrés les inspecteurs de police ?
2. Pourquoi les Parisiens dînaient-ils tôt pendant la
guerre ? 3. Pourquoi la femme a-t-elle presque laissé
tomber la soupe ? 4. Décrivez le chef des policiers.
5. Dans un pays démocratique, qu'est-ce que la police
doit présenter, avant de perquisitionner ? 6. Pourquoi,
en 1943, la France n'était-elle pas un pays démocratique ?
7. Décrivez l'appartement mis sens dessus dessous.
8. Qu'est-ce que les policiers faisaient, pour savoir ce
qu'il y avait dans le capitonnage ? 9. Pourquoi le vieux
monsieur a-t-il éclaté ? 10. Décrivez le classe-lettres.

11. Décrivez les policiers qui ne faisaient rien.
12. Qu'est-ce que le trapu a fait à la machine à coudre ?
13. Pourquoi le petit garçon appelait-il le portrait du
maréchal « le portrait de famille » ? 14. Qu'est-ce que le
maigriot a fait au coussin en tapisserie ? 15. Pourquoi
étouffait-on ? 16. Qu'est-ce que le maigriot a fait à la
pendule ? 17. Parlez de Laval. 18. Que faisaient les
affamés, à la cuisine ? 19. Pourquoi le vieux monsieur
n'écoutait-il pas la Radio Nationale ? 20. Expliquez
comment le chef a été amené à dire qu'on pourrait torturer
le vieux monsieur ?

21. Qu'est-ce qui est arrivé aux rideaux ? 22. Quelle
sorte de femme était Pauline ? 23. Qu'est-ce qu'on peut
cacher dans une pendule ? 24. Pourquoi Pauline s'est-
elle mise en colère contre son mari ? 25. Pourquoi le chef
est-il devenu jovial et conciliant ? 26. Pourquoi est-il
devenu menaçant ? 27. Qu'est-ce que le chef dit à propos
du mot *test* ? 28. Pourquoi a-t-il accusé Pauline d'acheter
au marché noir ? 29. Parlez du marché noir en Europe.
30. Pourquoi le roman policier a-t-il paru louche ?

31. Pourquoi un des policiers suait-il sang et eau ?
32. Parlez de la discussion à propos de la signature.
33. Avec quoi les policiers sont-ils partis ? 34. Qu'est-ce
qu'ils ont dit en partant ? 35. Pourquoi Pauline ne dé-
colérait-elle pas ? 36. Pourquoi a-t-elle empêché son
mari d'ouvrir la fenêtre ? 37. Où son mari et elle se

sont-ils installés ?   38. Qu'est-ce qu'ils ont entendu ?
39. Qu'est-ce que Pauline a regretté le plus ?   40. A votre
avis, qui était le propriétaire de la radio qui hurlait dans
l'appartement à côté ? Un ami du gouvernement de Vichy
ou des Alliés ?

VOCABULAIRE

VOCABULARY

This vocabulary is complete, with the exception of words identical in form and meaning in both French and English.

ABBREVIATIONS

a.	adjective	*n.*	noun
adv.	adverb	*obs.*	obsolete
art.	article	*o.s.*	oneself
colloq.	colloquial	*p.*	past
condit.	conditional	*part.*	participle
conj.	conjunction	*pl.*	plural
conjug.	conjugated like	*pop.*	population
def.	definite	*poss.*	possessive
dem.	demonstrative	*prep.*	preposition
f.	feminine	*pres.*	present
fut.	future	*pron.*	pronoun
i.	intransitive verb	*qch*	**quelque chose**
imper.	imperative	*qn*	**quelqu'un**
impers.	impersonal	*rel.*	relative
ind.	indefinite	*sing.*	singular
inf.	infinitive	*sl.*	slang
int.	interjection	*s.o.*	someone
interrog.	interrogative	*sth.*	something
inv.	invariable	*subj.*	subjunctive
lit.	literally	*t.*	transitive verb
loc.	locution	*vulg.*	vulgar
m.	masculine		

VOCABULAIRE

A

a (*v.* avoir) has; il a he (it) has; il y a there is, there are; ago; qu'est-ce qu'il y a? what's the matter (trouble)? il y a que the trouble is that; qu'est-ce qu'il a? what's the matter with him?

à *prep.* at, to, on, in, into, with, by, for, from, of, toward; à l'américaine in the American way; à bicyclette on a (my, his, etc.) bicycle; son bâton à la main his stick in his hand; ce n'est pas à moi de dire it's not for me to say; à ces mots upon these words; la nuit est à nous the night is ours; pas à pas step by step; il la regarda à vous faire frémir he looked at her in a way that would make you shudder; à vendre for sale

abaisser *t.* to lower; humble; s'abaisser to come down

abandon *m.* loneliness

abandonné *p. part. a.* abandoned, deserted (house, woman); le corps abandonné relaxed

abandonner *t.* to abandon;

s'abandonner à to give way to

abattre *t.* to knock down; cut down (tree); abattre un lion to bag (shoot, lay low) a lion; s'abattre sur to swoop down on

abbaye *f.* abbey, monastery

abbé *m.* priest; abbot

abeille *f.* bee

abîme *m.* abyss

abîmer *t.* to spoil, damage; s'abîmer to spoil; plunge into the abyss; il s'abîmait dans ses prières he plunged into (he became absorbed in) his prayers

aboiement *m.* bark, barking

abondant *a.* numerous, plentiful, abundant; une nourriture abondante plenty of food

abord *m.* access; d'abord at first, in the first place

aborder *t.* to approach (s.o.); *i.* to land

abri *m.* shelter; à l'abri de sheltered (safe) from

abruti *p. part.* made stupid, dazed, stupefied

abside *f.* apse (semicircular part at back of church)

absinthe *f.* absinthe (anise cocktail); wormwood

abuser *i.* to abuse; abuser de

qn to take advantage of s.o.

académie *f.* educational district (17 in France); **l'Académie française** the French Academy (40 members, mostly writers, for life)

accent *m.* accent; stress, tone of voice, sound

acclamer *t.* to applaud, cheer

accomplir *t.* to accomplish, perform; do, go through; **accomplir un devoir** to perform a duty

accord *m.* agreement; **d'accord!** I agree with you! all right! **nous sommes d'accord** we are agreed; **mettez vous d'accord** you've got to agree (to come to an agreement) on that

accorder *t.* to grant

accourir *i.* to come in a hurry, come running, run in, rush

accourut (*v.* **accourir**): **il accourut** he came running

accoutumé *a.* accustomed

accroché *a.* hanging, hooked; **accroché à** hanging on (from)

accrocher *t.* to hang up; **s'accrocher** to hang on; **s'accrocher à** to cling to; **s'accrocher sur la politique** to quarrel about politics

accueil *m.* welcome; **l'accueil qu'on a fait à** the welcome that was given (to)

accueillir *t.* to receive, welcome

accusé *a.* marked; *n.* **accusée** the accused woman

accuser *t.* to accuse; profess, acknowledge; bring out, define; **accuser ses péchés** to confess one's sins

acharné *a.* relentless, furious (battle)

acharnement *m.* relentlessness, blind fury, desperation

acharner *t.* to bait; **s'acharner** to persist (in, à)

acheter *t.* to buy

acheteur (*f.* **–euse**) *m.* buyer

achever *t.* to finish; **achever de remplir** to finish filling

acier *m.* steel

acquéreur *n. m.* buyer; prospective buyer; **j'en ai vu venir, des acquéreurs!** I certainly saw a lot of people come around who wanted to buy

action *f.* action, feat; **faire une bonne action** to do a good turn (deed); **action d'éclat** brilliant feat of arms; **la fête des Actions de Grâces** Thanksgiving

activité *f.* activity, zeal; nimbleness (of legs)

actrice *f.* actress

adage *m.* wise saw, saying, proverb

adieu (*pl.* **–x**) *m.* farewell; **faire ses adieux** to say good-bye

admettre *t.* to admit, let in; understand, contain, accommodate

administration *f.* administration; officials

admirateur *m.* admirer

admiration *f.* admiration; **vos admirations** your (one's) feelings of admiration

admirer *t.* to admire; marvel at

adorer *t.* to love, adore; worship

adoucir *t.* to soften; mollify (person); **s'adoucir** to soften, grow kinder, become more gentle

adresse *f.* address; skill

adresser *t.* to address; **adresser la parole à qn** to address s.o.; **adresser une prière** to offer a prayer

adulation *f.* flattery

advenir *i.* to happen

advint (*v.* **advenir**): **ce qu'il advint de** what became of

aérodrome *m.* airfield, airdrome

affaibli *p. part. a.* weakened

affaiblir *t.* to weaken; **s'affaiblir** to become weaker

affaire *f.* thing; affair; case (trial); **mes affaires** my things; **l'affaire Dreyfus** the Dreyfus case; **votre affaire est claire** your case is clear, you're in for it; **avoir affaire à** to deal with; **ça fera l'affaire** that will do

the trick; **les affaires** business; **les affaires sont les affaires** business is business; **faire de bonnes affaires** to do good business; **les Affaires Étrangères** the Foreign Office; **le ministre des Affaires Étrangères** the Secretary of State; **ce fut toute une affaire** it was quite a job

affaisser *t.* to depress, weigh down; **s'affaisser** to crumple up, slump

affamé *a.* starving; starved; *n. m.* starving man, starveling

affamer *t.* to starve

affecter *t.* to affect, impress

affermir *t.* to strengthen, steady, make louder (voice)

affiche *f.* show bill

afficher to post (bill); **afficher qn** to advertise s.o. (notoriously), to make s.o. too conspicuous

affirmer *t.* to affirm, assert, declare

affligé *past. part. a.* afflicted; **les affligés** the afflicted, suffering people

affliger *t.* to afflict; **s'affliger** to grieve

affolé *a.* panicky, frantic; driven crazy

affoler *t.* to drive crazy, strike with panic

affreux (*f.* **–reuse**) *a.* horrible, terrible, awful

affront *m.* affront, indignity

affronter *t.* to face, dare, brave, confront

afin *conj.:* **afin de** in order to, so as to, to; **afin de ne pas salir** so that she would not soil (get … dirty); **afin que** (+ *subj.*) in order that, so that, that

agacer *t.* to tease; **il m'agace** he gets on my nerves

agenda *m.* notebook; **agenda (de commerce)** memorandum book

agenouiller: s'agenouiller to kneel (down)

agi (*v.* agir) *p. part.* acted

agile *a.* nimble

agir *i.* to act; **s'agir de** to be a question of

agissant *pres. part.* acting

agitation *f.* excitement

agiter *t.* to wave (cloth), brandish (book), stir (up), move, shake (head); **agiter le loquet** to rattle (shake) the handle (latch); **s'agiter** to be restless

agonie *f.* death struggle, last gasp

agrément *m.* ornament

aguets *m. pl.* watch; **aux aguets** on the look-out; **l'oreille aux aguets** with ears open, listening intently

ah? is that so? **ah!** ah! oh! **ah ça!** now then! well now! why!

ahurissement *m.* stupefaction, amazement, bewilderment

ai (*v.* avoir): **j'ai** I have

aide *f.* help, aid

aider *t.* to help, aid; **aider qn à faire qch** to help s.o. do sth.

aie (*v.* avoir): **que j'aie** that I (should, may) have

aient: qu'ils aient that they (should, may) have

aïeul *m.* grandfather; old man

aïeux *m. pl.* ancestors, forbears

augreur *f.* bitterness

aigu (*f.* aiguë) *a.* acute, sharp

aiguille *f.* needle

aiguiser *t.* to sharpen

aile *f.* wing

aille (*v.* aller): **que j'aille** that I (should, may) go; **où qu'il aille** wherever he may go

ailleurs *adv.* elsewhere; **d'ailleurs** besides, on the other hand, furthermore, moreover; anyway; however, we (I) must say

aimable *a.* kind, amiable, beautiful, attractive; **vous êtes trop aimable** you are very kind; **c'est aimable à vous de** it's kind of you to

aimer *t.* to like, love; **aimer mieux** to prefer, like better

aîné *a.* older, elder; *n. m.* elder, older brother

ainsi *adv. conj.* so, thus, like this, (in) this way, therefore; **ainsi que** as well as, as; like; **et ainsi de suite** and so forth; **il en est ainsi de** it's the same with

air *m.* air; tune; look; **avoir l'air** to seem, look; appear; **avoir l'air bête** to look stupid (silly); **avoir l'air de** to look like; **d'un air de dire** as if to say; **vous aurez l'air de tenir** you'll look as if you were keeping; **la matraque en l'air** with uplifted clubs; **jeter en l'air** to toss into the air; **tout mettre en l'air** to put everything upside down; **en plein air** in the open (air), outdoors; **voler en l'air** to be yanked into the air, be thrown (chucked) away

aisance *f.* ease

aise *a.* glad; *n. f.* ease; **à l'aise** comfortable; at (one's) ease; **mal à l'aise** ill at ease, uncomfortable

aisé *a.* well-off

Aix-en-Provence, *the capital of Provence, 17 miles N. of Marseilles; population 35,000. It has a university, warm springs, a tree-shaded main street called le cours Mirabeau. Zola and the painter Cézanne were born here. It was liberated by the Americans, August 21, 1944.*

ajouter *t.* to add

ajuster *t.* to adjust; tune; aim (one's rifle) at

alambic *m.* still, alembic

alarme *f.* alarm; **donner l'alarme** to raise (give) the alarm; **tirer le canon d'alarme** to fire the alarm gun

alcôve *f.* alcove

alerte *a.* nimble

algarade *f.* bawling out

Alger Algiers, *capital of Algeria, thriving seaport; pop. 260,000; captured by the French in 1830, and by the Americans and British, Nov. 8, 1942. Headquarters of de Gaulle's provisional government, 1943–1944.*

Algérie: l'Algérie *f.* Algeria, *French colony in North Africa; area 847,500 sq. m., pop. 7,500,000. Liberated from the Nazis and the Vichy government in Nov. 1942. The natives of Algeria are mostly Arabs and are full-fledged French citizens.*

algérien *a. n.* Algerian, of Algeria

alimentaire *a.* food; **conserves alimentaires** *f.* canned food

allais: j'allais I went, I was going, I used to go

allait: il allait he (it) went, used to go, was going (to)

allé *p. part.* gone; **je suis allé** I went

allée *f.* walk, path

allégresse *f.* joy, cheerfulness

Allemagne *f.* **l'Allemagne** Germany

allemand *a.* German; *n. m.* **l'allemand** the German language, German; **un Allemand** a German

aller *i.* to go, be going; fit; **aller bien** to be well; fit (well); **le costume n'allait pas à X** the costume did not fit (was not very becoming on) X; **s'en aller** to go away

allez: vous allez you go; **allez-vous?** do you go? are you going? **allez!** come on! **allez-y!** go ahead! come on! go there!

allié *a.* allied; *n.* ally; **les Alliés** the Allies

alliez: vous alliez you went; **il faut que vous alliez** it's necessary that you (should) go

allonger *t.* to make longer; put out (lips, arm); **allonger le cou** to stick out (stretch out, crane) one's neck; **allonger la main** to reach with one's hand, put out one's hand; **s'allonger** to lie down, stretch out

allons: nous allons we go; **allons!** let's go! come on! well! now! **allons, allons!** come, come! **allons donc!** nonsense! **allons-y!** let's go (there)!

allumé *p. part. a.* on (light), lighted

allumer *t.* to light, put on (light)

alors *adv.* then; at that time; well then, well now? all right; **ah non, alors!** certainly not! **alors que** while, whereas

alouette *f.* (meadow) lark

alourdi *p. part. a.* made heavy

altération *f.* change

altercation *f.* dispute

alternatif *a.* alternating, regular

aluminium *m.* aluminum

amande *f.* almond

amandier *m.* almond tree; almond wood

amant *m.* lover

amasser *t.* to pile up, make a pile of

âme *f.* soul; **Dieu ait son âme!** may God keep her soul! **pauvre âme** soul in distress (in torment, in Purgatory)

améliorer *t.* to improve; **s'améliorer** to improve

amené *p. part.:* **les gens que nous sommes amenés à fréquenter** the kind of people we have to associate with

amener *t.* to bring; lead; get, induce, cause

amer (*f.* –**ère**) *a.* bitter

amèrement bitterly

ameuter *t.* to assemble, bring together (mob); **pousser**

des cris à ameuter **tout le quartier** to shriek loud enough to get all the people in the neighborhood out of their houses

ami *m.* friend

amical (*pl.* –**caux**) *a.* friendly; **amicalement** in a friendly way, amicably

amitié *f.* friendship; **elle m'a pris en amitié** she has taken a fancy (liking) to me

amour *m.* love

amoureuse *a. f.* in love; *n.* girl friend; lover, sweetheart, *f.*

amoureux *a.* in love; *n.* boy friend; lover

amour-propre *m.* self-respect, (legitimate) pride; vanity, conceit; **faux amour-propre** false pride

ample *a.* full, large

amplification *f.* amplification; development; exaggeration; **faire des amplification** to expatiate

amuser *t.* to amuse; **s'amuser** to have a good time; **s'amuser à** to amuse o.s. by (in); **nous nous sommes amusés** we had a good time; **pour s'amuser** for fun

an *m.* year (used mostly in connection with figures); **dix ans** ten years; **par an** per year, a year

ancien (*f.* –**cienne**) *a.* former, old, past, ancient; *n. m.* elder, senior member

ancre *f.* anchor; **jeter l'ancre** to cast anchor

âne *m.* donkey, ass; jackass; fool

anéanti *a.* prostrate

anémique *a.* anemic; bloodless; *n. m.* anemic man (boy)

ange *m.* angel

angélique *a.* angelic

angélus *m.* Angelus (devotion at morning, noon and evening); Angelus bell; **sonner l'angélus** to ring for the Angelus

angle *m.* angle, corner

angoisse *f.* agony, anxiety, anguish; terror; **angoisses de l'avenir** harassing problems of the future; **angoisses de damné** hellish pangs (pains)

anguleux (*f.* –**euse**) *a.* angular

animal *m.* animal; (insult) jerk, dumbbell, stupid

anneau (*pl.* –**x**) *m.* ring

année *f.* year, whole year

annonce *f.* advertisement

annoncer *t.* to announce; **annoncer la nouvelle à qn** to tell the news to s.o., notify s.o.

anonyme *a.* anonymous

anormal *a.* abnormal

anthropophage *a.* man-eating; *n.* cannibal, man-eater

antre *m.* den

anxieux (*f.* –**ieuse**) *a.* anxious, worried

apache *m.* thug, gangster

apaiser *t.* to appease, calm; s'apaiser to calm down

apercevoir *t.* to see, catch sight of; notice, observe; perceive; s'apercevoir de to notice

aperçoit (*v.* apercevoir): elle aperçoit she catches sight of

aperçu (*v.* apercevoir) *p. part.* seen, caught sight of

aperçut: il aperçut he caught sight of

à peu près *adv. loc.* nearly, about

aplatir *t.* to flatten; s'aplatir (par terre) to lie down flat, hug the ground

aplomb *m.* perpendicularity; tomber d'aplomb to fall perpendicularly, at right angles

apôtre *m.* apostle

apparaître *i.* to appear

appareil *m.* apparatus; telephone; plane; array, set (of false teeth); qui est à l'appareil? who is on the phone? who is talking?

apparent *a.* visible

apparition *f.* coming out, appearance, view

appartement *m.* apartment

appartenir *i.* to belong (to, à)

apparut (*v.* apparaître): il apparut he appeared

appel *m.* call; faire appel à to call upon; faire l'appel to call the roll

appeler *t.* to call; faire appe-

ler le docteur to call the doctor; s'appeler to be called

appelez: vous appelez you call; comment vous appelez-vous? what's your name?

appelle call(s); je m'appelle I am called, my name is; ils s'appellent their names are; comment s'appelle-t-il? what's his name?

appliquer *t.* to apply; s'appliquer to be hard at work; s'appliquer à son travail to apply o.s. to one's work

apporter *t.* to bring; cela n'apporta aucune lumière that threw no light upon the subject; apporter la preuve to produce the proof

apportez: vous apportez you bring

appréhension *f.* fear, dread, foreboding

apprendre *t.* to learn; teach

apprends: j'apprends à I learn to

apprenez: vous apprenez you learn

apprenti *m.* apprentice

apprêter *t.* to prepare; s'apprêter à to get ready to

appris *p. part.* learned; taught

apprivoisé *a.* tame

apprivoiser *t.* to tame

approche *f.* approach; aux approches de Reims as the people drew (got) nearer to R., on the approaches to R.

approcher *i.* to approach, draw (come) near; *t.* to bring forward, draw near, advance; **approchez !** come here ! **cela n'approche pas de** it can't be compared with; **s'approcher de** to go (come) near

appui *m.* support; **le mur d'appui** breast-high wall

appuie: elle s'appuie she leans

appuyer *t.* to lean, press, step; bear (to right, left); **appuyer qn contre un mur** to stand s.o. against a wall; **s'appuyer** to lean

âpre *a.* sharp

après *prep. adv.* after; **d'après** according to; **d'après Shakespeare** after (adapted from) S.

après-midi *m. f. inv.* afternoon

araignée *f.* spider; **une toile d'araignée** spider web

arborer *t.* to raise; hang, hoist (flag)

arbre *m.* tree

archevêque *m.* archbishop

architecture *f.* architecture

ardent *a.* burning, warm; roaring (fire); eager

ardeur *f.* eagerness, ambition

arête *f.* edge (rock)

argent *m.* money; silver; **d'argent** silvery, silver; **jeter l'argent par les**

fenêtres to squander one's money, throw one's money away

argenterie *f.* silverware

argentier *m.* treasurer

argot *m.* slang

aride *a.* barren, arid

Arles *city 50 miles N. W. of Marseilles; pop. 30,000. Famous for Roman arena and theater. Romanesque church and cloister of Saint-Trophime. The painter Van Gogh did his best work at Arles. Railroad station and vicinity badly damaged by American bombings in 1944. Arles was liberated by the Americans and French, August 26, 1944.*

arme *f.* weapon, arm; **armes** (coat of) arms; **aux armes !** to arms !

armée *f.* army

armer *t.* to arm; load, cock (rifle)

armoire *f.* cupboard; **armoire à glace** linen closet (portable) with a mirror door, wardrobe

armurier *m.* gunsmith

aromate *m.* aromatic odor (flavoring), aromatic plant; spice

arracher *t.* to tear (up, out, away); wrench; pull (tooth); **lui arrachant notre photo** grabbing back our photo from him; **lui arracher un secret** to get a secret out of her; **s'arracher les cheveux** to tear (out) one's hair

arranger *t.* to arrange, fix (up), straighten out; **cela n'arrangeait rien** that was not helping matters; **s'arranger** to get along

arrêté *p. part.* stopped; decided; **vous êtes-vous arrêté?** did you stop? **il avait été arrêté que** it had been decided that

arrêter *t.* to stop; arrest; decide; **s'arrêter** to stop, pause; **vous êtes-vous arrêté?** did you stop? **sans m'arrêter à mon costume** without considering (minding) my clothes

arrière *adv.* behind; *n. m.* rear, back; *a. inv.* back; **le siège arrière** back seat; **en arrière** back, backward; **chapeau posé en arrière** hat tipped back; **saluer la jambe en arrière** to bow with a scrape of the foot

arrière-garde *f.* rear guard

arrière-grand-père (*pl.* **arrière-grands-pères**) great-grandfather

arrière-pensée *f.* mental reservation, doubt

arrière-petit-fils great-grandson

arrivant *m.* person arriving, arrival (person); **nouvel arrivant** newcomer

arrivé *p. part.* arrived; happened; **êtes-vous arrivé?** did you arrive? **ce qui est arrivé** what happened

arriver *i.* to arrive, come; happen; **arriver à (jusqu'à)** to reach; **en arriver à** to get to; **ils en étaient arrivés à se demander** they had come to (reached the point of) wondering; **avec 400 francs je pourrais (y) arriver** with 400 francs I could (might) manage (succeed, swing it)

arrondir *t.* to make (sth.) round; **arrondir le bras** to bend (round) one's arm

arroser *t.* to water; **j'arrosai ses mains de mes larmes** my tears fell on her hands

art *m.* art; skill; craft, ingenuity; **homme sans art** uncultured man, man unskilled in the arts

articuler *t.* to articulate, pronounce distinctly

artifice *m.* contrivance; **un feu d'artifice** (display of) fireworks

as (*v.* **avoir**): **tu as** you have, thou hast; **qu'as-tu?** what's the matter (with you)?

ascenseur *m.* elevator

asile *m.* shelter, (place of) refuge, asylum

aspect *m.* appearance, sight

aspirateur *m.* vacuum cleaner

aspiration *f.* suction

aspirer *t.* to aspire, suck up, inhale, snuff; **aspirer à** to look forward to, yearn to (for)

assailli *p. part.* beset (by ideas)

assassin *m.* murderer, murderess

assassiner *t.* to murder

assaut *m.* onslaught, attack; **à l'assaut!** charge!

assemblée *f.* assembly, crowd, gathering

asseoir *t.* to seat; **faire asseoir qn** to tell s.o. to sit down; sit s.o.; **s'asseoir** to sit down

asseyent (*v.* **asseoir**): **ils s'asseyent** they sit down

asseyez-vous sit down

asseyons: asseyons-nous let's sit down

assez *adv.* enough; rather; **assez de souliers** enough shoes

assied: il s'assied he sits down; **je m'assieds** I sit down

assîmes: nous nous assîmes we sat down

assiette *f.* plate

assis *p. part. a.* seated; **je m'assis** I sat down

assise *f.* foundation; **les assises** the assizes (sitting of superior court); **la Cour d'assises** Assize (Superior) Court; **avocat d'assises** criminal lawyer

assistance *f.* audience, company; **dans l'assistance** among the spectators

assister *i.* to attend, be present; **assister à** to be present at, to witness

association *f.* association; soccer

associer *t.* to unite; **s'associer quelques camarades** to take a few comrades as partners

assombrir *f.* to darken; **s'assombrir** to become dark

assoupi *a.* hushed (noise)

assoupir *t.* to make sleepy; deaden (noise)

assourdir *t.* to deaden

assouvi *p. part. a.* satisfied, appeased (hunger)

assuré *p. part. a.* insured; assured

assurément for sure, surely

asthmatique *n. m.* man (boy) with asthma

astre *m.* star, heavenly body; sun

atroce *a.* atrocious, heinous (crime)

attachant *a.* engrossing, interesting; engaging, winning (smile, personality); arresting

attaché *n. m.* member of the staff, attaché

attacher *t.* to attach, tie up, fasten, bind

attaque *f.* attack; **de l'attaque!** you must be aggressive

attaquer *t.* to attack; tackle; **s'attaquer à** to tackle

atteindre *t.* to reach

atteint (*v.* **atteindre**) *p. part.* reached; **atteint de** seized with, suffering from (hunger)

attend (*v.* **attendre**): **il attend** he waits

attendait: **il attendait** he was waiting

attendant *pres. part.* waiting; **en attendant** in the meantime

attendent: **ils attendent** they wait, they are waiting

attendez! wait!

attendre *t.* to wait (for), expect; **attendre qn** to wait for s.o.; **s'attendre à qch** to expect sth.; **se faire attendre** to be long in coming

attendri *a.* tender; **d'un air attendri** tenderly, fondly

attendrissant *pres. part. a.* moving, touching, affecting

attends (*v.* **attendre**): **j'attends** I am waiting

attendu *p. part.* waited; expected

attente *n. f.* waiting; expectation; **la salle d'attente** waiting room

attentif *a.* careful, attentive; **l'air attentif** attentively

attention *f.* attention; **attention!** ready? **faites attention!** be careful! watch out! look out!

atténuant *pres. part. a.* lessening; **circonstances atténuantes** extenuating circumstances

atterré *a.* utterly crushed; frightened; **ils se contemplèrent atterrés** they looked at each other in consternation

attester *t.* to certify; **j'(en) atteste saint Labre** I call saint L. to witness

attirer *t.* to attract, draw (together); arrest (attention); bring down upon; **s'attirer un refus** to meet with a refusal, be refused

attiser *t.* to stir (up), poke (fire)

attraper *t.* to catch; scold

attrister *t.* to sadden

au *m. sing.* (*pl.* **aux**) at the, to the, in the; **le panier au bras** her basket on her arm; **au vingtième siècle** in the twentieth century; **l'homme au falot** the man with the big lantern

aube *f.* dawn; alb (white robe of priest)

auberge *f.* inn

aubergiste *n.* innkeeper; landlord, landlady (of inn)

aucun (*f.* **aucune**) *ind. a. pron.* no; none; any; anyone

audace *f.* boldness, audacity; **il aurait de l'audace de venir!** he would have a nerve to come!

audacieux *a.* bold; *n. m.* bold man

au delà *adv.* beyond; **l'au delà** the beyond, beyond the grave

au-dessous *adv.* below

au-dessus *adv.* above, over; **au-dessus de** above, higher than, over

au-devant *adv.* toward; *prep.* **au-devant de** toward, to meet; **les nuages roulaient au-devant les uns des autres** the clouds were rolling on to meet each other

aujourd'hui *adv.* today, nowadays

aumônier *m.* chaplain

auparavant *adv.* before, previously, earlier

auprès *adv.* near; **auprès de** by the side of, near (to), close to; compared with, in comparison with

auquel *pron. m. sing.* at (to) which

aurai (*v.* avoir): **j'aurai** I'll have

aurais: j'aurais I would (should) have; **j'aurais dû comprendre** I should (ought to) have understood

auras: tu auras you will have

auréole *f.* halo, glory, aureole (around the head)

aurez: vous aurez you will have; **vous aurez eu la main trop lourde** (future of probability) you probably were a bit heavy-handed

aurore *f.* dawn

aussi *adv.* also, too, equally; consequently, therefore (+ *inversion*) **aussi vous demanderai-je de** therefore I'll ask you to; **aussi bon que** as good as

aussitôt *adv.* immediately, right away; **aussitôt que** as soon as

autant *adv.* as much, as many; **autant que** as much as; **autant de pouvoir que** as much power as; **autant qu'il m'en souvienne** as far as I can remember; **d'autant plus que, d'autant que** so much so (the more) that, all the more so because

autel *m.* altar

auteur *m.* author

automne *m.* autumn, Fall (season); **en automne, à l'automne** in the Fall

autoritaire *a.* dictatorial; commanding

autour *adv.* around; **autour de** *prep.* around; **autour du cou** around his (her) neck

autre *a.* other; *pron.* another person, someone else, something else; **autre chose** something else; **quelque chose d'autre** something different; **les autres** the others; **nous autres Américains** we Americans; **tu n'en fais jamais d'autres** that's just your usual nonsense

autrefois *adv.* formerly, in the old days, in the past

autrement *adv.* otherwise; **autrement que** except; **tout autrement** quite differently

autrui *ind. pron.* other people; **chez autrui** in other people

auvent *m.* awning; shutter (in Maupassant)

aux *art. m. pl.* at (to) the; **aux yeux** in (on) the eyes

avait (*v.* avoir): **il avait** he had; **il y avait** there was, there were; **il n'y avait pas trop de monde** there were not too many people

avaler *t.* to swallow; **avaler d'un trait (d'un coup)** to gulp down

avance *f.* advance; **d'avance** in advance; beforehand; **être en avance** to be ahead of time; **il se met en avance (pour son travail)** he is an eager beaver

avancé *p. part. a.* advanced; **dans (à) un âge avancé** late in life, although he was well along in years

avancer *t. i.* to advance; bring (push, put) forward; step forward; **il fit avancer le fauteuil** he had the big chair pushed forward; **s'avancer** to move (step) forward, advance, come

avant *prep. adv.* before, in front (of), in advance (of); **avant de (d')** (+ *inf.*) be-

fore; **en avant!** forward! **en avant de** ahead of; in front of; **avant que** before (+ *subj.*); **avant que vous alliez** before you go

avant-garde *f.* vanguard

avant-veille *f.:* **l'avant-veille** two days before

avare *a.* miserly, stingy; *n. m. f.* miser

avarice *f.* avarice, stinginess

avec *prep.* with; **avec cela** besides, on top of that

avenant *a.* pleasant, comely, affable

avenir *m.* future

aventure *f.* adventure, experience; **à l'aventure** at random; **par aventure** per chance, by chance

aventureux *a.* adventurous; eventful

avenue *f.* avenue; (long) driveway

averti *p. part. a.* warned; on the alert

avertir *t.* to warn, notify; blow one's horn (car)

aveu *m.* confession; **de son propre aveu** on his own admission

aveugle *a.* blind; *n. m.* blind man (creature)

aveuglette: **à l'aveuglette** blindly, groping in the dark

avez (*v.* avoir): **vous avez** you have

avide *a.* greedy, grasping; **avidement** greedily; eagerly

Avignon *city, pop. 60,000, 55 miles N. W. of Marseilles. Famous for the Popes' palace, where the Popes lived in the 14th century; broken bridge on the Rhône, and ramparts. Liberated by the Americans and French, August 26, 1944.*

aviron *m.* oar

avis *m.* advice; **à mon avis** in my opinion; **changer d'avis** to change one's mind; **être d'avis que** to be of the opinion that

avisé *a.* intelligent, smart, ingenious

aviser *t.* to inform; **aviser à remplacer** to consider how to replace; **s'aviser de** to bethink o.s. of, take it into one's head to

avocat (*f.* **avocate**) *m.* lawyer; **avocat d'affaires** corporation lawyer

avoine *f.* oats

avoir *t.* to have, possess, get

avons: nous avons we have

avouer *t. i.* to confess; **il faut bien l'avouer** it must be confessed; **avoue que** you have to admit that

ayant *pres. part.* having

ayez *imper.* have; **que vous ayez** that you (may, should) have

azur *a.* azure, sky-blue; *n. m.* azure, blue; firmament; **la Côte d'Azur** the Riviera (from Toulon to Spezzia)

B

babines *f. pl.* chops (jaws)

badaud *m.* loafer

bagages *pl. m.* baggage, luggage

bagne *m.* chain gang, penitentiary, convict prison

bague *f.* ring

baguette *f.* (little) stick; pointer

bah! *int.* bah! pooh! nonsense! not at all! indeed!

bâiller *i.* to yawn

bain *m.* bath

baïonnette *f.* bayonet (first made at Bayonne, France)

baiser *m.* kiss; *v. t.* to kiss

baisser *t.* to lower; **baisser la visière sur ses yeux** to pull the visor down over one's eyes; **la production a baissé** production fell off; **baisser la tête** to hang (lower) one's head; **se baisser** to stoop, bend down, bend over

bal *m.* dance, ball

balancer *t.* to swing

balayer *t.* to sweep, blow away (wind)

balbutier *i.* to stammer, *t.* to stammer out (words)

balcon *m.* balcony

baleine *f.* whale

ballade *f.* ballad

balle *f.* ball (tennis); bullet

balourd *a.* awkward

banc *m.* bench; pew

bande *f.* band, strip, streak; gang

bandit *m.* bandit, gangster; scoundrel

banquet *m.* banquet; **faire un banquet** to have a banquet

baraque *f.* shack; booth (open air market)

barbe *f.* beard; *pl.* whiskers (of panther); **se faire la barbe** to shave; **barbe mal soignée** unkempt beard

barde *m.* bard (Celtic poet)

barque *f.* boat; small boat

barre *f.* bar, stick; helm; **barre des témoins** witness stand

barreau *m.* (small) bar; Bar (lawyers)

barrer *t.* to block (up), obstruct

barrette *f.* biretta (square cap of Roman Catholic clergymen)

bas *a.* (*f.* **basse**) low; **à bas X!** down with X! **en bas** downstairs; below; **les fenêtres d'en bas** the windows downstairs; **la tête en bas** face downwards

bas *adv.* low; **jeter bas** to knock (shoot, mow) down; **parler (tout) bas** speak in a low voice, speak softly (under one's breath)

bas *n. m.* bottom; stocking; downstairs; **bas du corps** lower part of the body; **les hauts et les bas** ups and

downs; **pièces du bas** downstairs rooms

base *f.* base

basilique *f.* basilica (colonnaded cathedral)

basque *a. n.* Basque. *The Basques live in seven provinces in S. W. France and N. W. Spain. They are a picturesque, individualistic people ethnologically related to peoples in the Caucasus Mountains. Biarritz, where one of the four American Army universities was located (August 1945–March 1946) is on the fringe of the Basque country.*

basse *a. f.* low; **la tête basse** his head down; **à voix basse** in a low voice

bassine *f.* pan, dishpan

bastion *m.* bastion (projecting fortification)

bataille *f.* battle; **en bataille** aggressive; **le sourcil en bataille** lifting his eyebrow

bateau *m.* ship, boat

bâti *p. part.* built

bâtiment *m.* building; **bâtiment pêcheur** fishing boat

bâtir *t.* to build; **faire bâtir une maison** to build a house (have a house built)

bâtisse *f.* ramshackle house (building)

batiste *f.* batiste (fine cotton fabric)

bâton *m.* stick

bats (*v.* **battre**): **je bats** I beat

battre *t. i.* to beat; batter; churn (butter); search, scour (country); **nos cœurs battaient** our hearts were beating fast (were throbbing); **battre des mains** to clap hands; **les portes battent** the doors slam (bang); **se battre** to fight

battu *p. part.* beaten; **il s'est battu** he (has) fought

béant *a.* wide open; openmouthed

béat *a.* stupidly blissful (naïve)

beau *m.* beautiful, handsome, fine; **avoir beau** to be useless, be in vain; **il eut beau compter ses gouttes** it did him no good to count his drops; **les enfants avaient beau faire** no matter what the children might do; **au beau milieu de** right in the (in the very) midst (middle) of

beaucoup *adv.* much, many, a great deal, a lot, very much

beauté *f.* beauty; beautiful point

Beauvais *city 40 miles N. of Paris. Pop. 20,000. Half of its houses were destroyed during the battles of 1940. 13th century cathedral, with the highest stone vault in the world: 160 feet. Famous tapestry manufacture.*

beaux (*pl. of* **beau**) *a. m.* beautiful, handsome

bec *m.* beak, bill (bird)

bêche *f.* spade

bégayer *i. t.* to stammer, stutter

bègue *a.* stammering; *n.* stammerer; **il n'était pas bègue** he was no stammerer

beige *a.* beige (sort of light camel color)

bel *a. m.* (*f.* **belle**) beautiful, handsome; **Philippe le Bel** Philip the Fair

bêlement *m.* bleating

bêler *i.* to bleat

bélier *m.* (battering) ram

belle *a. f.* beautiful, handsome; **de plus belle** more (louder, harder, faster, bigger) than ever; **il y a belles années** (**belle lurette**) **de cela** that was many years ago; *n. f.* beautiful girl (woman), beauty

belle-mère *f.* mother-in-law; stepmother

belle-sœur sister-in-law

bénédiction *f.* blessing, benediction; **que c'était une bénédiction** in a most heavenly (bountiful) way

bénéfice *m.* benefit, profit

benêt *m.* simpleton

bénir *t.* to bless; **Dieu vous bénisse !** God bless you !

bénit (*obs. p. part. of* **bénir**) *a.* holy; **eau bénite** holy water

bénitier *m.* holy-water fount

béquille *f.* crutch

bergerette *f.* little (young) shepherdess

besogne *f.* work, task, job; *pl.* chores

besoin *m.* need; **avoir besoin de** to need; **j'en ai besoin** I need it

bête *a.* stupid, dumb; **elle n'est pas bête** she is no fool; *n. f.* animal, beast, creature, insect, living thing (not person); *pl.* cattle

bêtise *f.* foolish thing, nonsense, stupidity, absurdity; **tout ça c'est des bêtises** that's all poppycock (tommyrot)

beurre *m.* butter

beurrer *t.* to butter; **beurrer son pain** to be keen on one's own interest

bibliothécaire *m.* librarian

bibliothèque *f.* library

bien *adv.* well; very, very much, quite right; all right; certainly, indeed, really, exactly; a great many, quite a great deal; carefully; **ah bien, oh bien !** oh well! **bien des histoires** many stories; **j'ai bien faim** I am very hungry; **il arrivera bien un jour** he'll certainly arrive some day; **elle nous assassine bien** she murders us, doesn't she? **il y a bien eu la chanson** of course there was the song;

bien sûr of course; **veux-tu bien descendre !** do come down ! won't you please come down? **bien que** although (*followed by subj.*)

bien *a.* comfortable; pretty, handsome; *n. m.* good, benefit; property; **faire du bien** to do good; **cela vous fait du bien** that does you good, that's beneficial to you; **homme de bien** worthy man

bienheureuse *f.* blessed; **la bienheureuse Vierge Marie** the Blessed Virgin Mary

bienheureux (*f.* **–euse**) *a.* blessed, blissful, happy

bientôt *adv.* soon; almost; **à bientôt !** see you soon !

bienveillance *f.* kindness, benevolence

bienveillant *a.* kindly

bienvenu *a.* welcome; **soyez le bienvenu** be welcome

bienvenue *n. f.* welcome

bière *f.* beer

bijou (*pl.* **–x**) *m.* jewel

billet *m.* ticket; note; bill; **billet de banque** bank bill; **il fit des billets** he gave (promissory) notes; **billet d'invitation** invitation card

bise *f.* north wind

bivouac *m.* bivouac (encampment)

bizarre *a.* odd, funny; strange, strangely formed (rocks), queer

blanc *a.* (*f.* **blanche**) white

blanche *a. f.* white; toneless (voice)

blancheur *f.* whiteness, white (color)

blanchisserie *f.* laundry (shop)

blanchisseuse *f.* laundry woman, laundress

blasphémer *t. i.* to blaspheme; **il ne blasphémait jamais le nom de Dieu** he never took the name of the Lord in vain

blé *m.* wheat

blême *a.* livid, pale; wan (light)

blessé *a. p. part.* wounded, injured, hurt; *n. m.* injured (wounded) man

blesser *t.* to injure, hurt, wound

bleu *a.* blue; **bleu ciel** sky blue; *n. m.* blue, blue color; recruit; **bleus** blue denims

bloc *m.* block; **bloc de pierre (de granit)** boulder

blonde *a. f.* blonde, fair; *n.* blonde; girl friend

blottir: se blottir to nestle, curl up, snuggle down

blouse *f.* blouse, coat, duster, overall (overgarment)

bobine *f.* spool

bohémien *n. m.* gypsy; **une bohémienne** gypsy girl (woman), gypsy

boire *t.* to drink; **à boire !** I want a drink ! **une chanson à boire** drinking song

bois *m.* wood; woods; **bois de lit** bedstead

boit (*v.* **boire**): **on boit** people drink

boîte *f.* box; can; **légumes** (*m.*) **en boîte** canned vegetables; **boîte aux lettres** mail box; **boîte de nuit** night club

bol *m.* bowl

bombé *a.* arched, convex

bon *a. m.* (*f.* **bonne**) good; valid (ticket); kind; all right; right; expert, competent, clever, smart; nice, pleasant; **c'est bon !** that's enough ! that's all right ! **au bon moment** at the right moment; **il ne fera pas bon d'être en mer** it won't be pleasant to be on the sea; **à quoi bon ?** what's the use ? **tenir bon** to hold fast (tight)

bonasse *a.* simple-minded

bond *m.* jump; **d'un seul bond** at a bound (one jump)

bondir *i.* to jump (up), leap, rush, bound (along), spring, surge

bonheur *m.* happiness, luck, piece of (good) luck

bonhomme (*pl.* **bonshommes**) *m.* good man; *colloq.* fellow; **petit bonhomme** little man; **un vieux bonhomme de prêtre** a good old priest

bonne *a. f.* good; kind

bonté *f.* kindness

bord *m.* side, edge; entrance; bank, shore; hem; brim (hat, glass); ship; **les deux bateaux étaient bord à bord** the two ships were close alongside each other; **à bord** on board; **à mon bord** aboard my ship; **d'un bord à l'autre** from one ship (bank) to the other; **aller au bord de la mer** to go to the seashore; **bord de la rivière** river bank

bordé *p. part.* bordered; **bordé de** bordered (edged) with

bordée *f.* tack (of boat); **courir des bordées** to tack about

border *t.* to line

borne *f.* milestone; **sans bornes** boundless

borner *t.* to limit; **se borner à** to confine o.s. to

borsalino *a.* broad-brimmed felt hat, ten-gallon hat

bosquet *m.* grove

bosse *f.* hump (camel)

botte *f.* (high) boot

boucan *m.* racket, din, uproar

bouche *f.* mouth

bouché *p. part. a.* plugged, stopped up

bouchée *f.* mouthful; **par grandes bouchées** in great mouthfuls

boucher *t.* to stop, put a stopper on, cork; fill up, plug, stop (hole)

boucher *m.* butcher, meatman

boucle *f.* buckle; **boucle d'oreille** earring; **souliers** (*m.*) **à boucles** buckled shoes

bouder *i.* to sulk; *t.* to be sulky with

boudeur *a.* sulky

boudin *m.* blood sausage

bouffée *f.* puff, whiff; **cette pensée lui faisait monter des bouffées d'orgueil** this thought brought a rush of pride to his head

bouffette *f.* bow (of ribbon)

bouger *i. t.* to move, stir

bougie *f.* candle

bouillant (*v.* **bouillir**) *pres. part. a.* boiling; **tout chaud tout bouillant** right away

bouillie *f.* pap, porridge; pulp; **ils en feraient une bouillie** they'd cut him to pieces

bouillir *i.* to boil; **faire bouillir de l'eau** to boil water

bouillon *m.* broth; **faire boire à qn le bouillon d'onze heures** to poison s.o.

bouillonner *i.* to boil; **voilà mon sang qui bouillonne!** how my blood boiled!

boule *f.* ball

boulet *m.* cannon ball

bouleversé *p. part. a.* upset

bouleverser *t.* to upset, unhinge

bouquet *m.* bouquet, bunch

of flowers; cluster; flavor, aroma (wine)

bourdonner *i.* to hum

bourgeois *a.* bourgeois, middle class; *n. m.* bourgeois, middle-class man; **bourgeoise** middle-class woman; plain-looking woman

bourgeoisie *f.* middle class

bourreau *m.* tormentor; executioner

bourrer *t.* to stuff, cram, fill; **se bourrer de gâteau** to stuff o.s. with cake

bourru *a.* rough, rude, churlish; **d'un ton bourru** churlishly

bourse *f.* purse

bousculer *t.* to jostle, rush

bousculade *f.* jostling

bout *m.* end; tip; bit, piece; **au bout d'une heure** after an hour; **ma patience est à bout** my patience is exhausted; **à bout de forces** exhausted; **après un bout de chemin** after we had gone a little way; **aller jusqu'au bout** to go to the bitter end, to see it through; **poussé à bout** driven to despair; **tout au bout** at (to) the very end

bouteille *f.* bottle

boutique *f.* shop

bouton *m.* button; **en bouton** in the bud, budding; **bouton d'or** buttercup; **bouton de porte** door knob

boutonner *t.* to button (up); **boutonner jusqu'au haut** to button way up, up to the neck

bouvier *m.* cowherd, ox driver

boyau (*pl.* –**x**) *m.* bowel, gut

branchage(s) *m. sing. or pl.* branches

branche *f.* branch

brandir *t.* to brandish, flourish (weapon)

branle *m.* swinging; **oreilles en branle** wagging ears

bras *m.* arm

brasserie *f.* beer hall

brave *a.* brave, gallant; good, worthy; **brave homme** good man; **homme brave** brave man

braver *t.* to defy, brave, dare

bredouiller *t. i.* to stammer

Bretagne: **la Bretagne** Brittany (peninsula in Western France)

breton (*f.* –**onne**) *a.* Breton, Brittany

brevet *m.* certificate; **brevet d'inventeur** (**d'invention**) patent

bréviaire *m.* breviary (prayer book)

bric-à-brac *m.* cheap antiques, odd knickknacks, curios; odds and ends; **une boutique de bric-à-brac** curiosity shop; **marchand de bric-à-brac** dealer in odd knickknacks

bricole *f.* trifle, picayune thing

brigadier *m.* corporal (mounted branch, police)

brillant *a.* bright, shining, brilliant; **l'œil brillant** with a flash of the eye

briller *i.* to shine; be bright; **les fenêtres brillaient** there was a light in the windows, the windows were bright (lighted, lit, full of light)

brique *f.* brick; **une maison de (en) briques** brick house

brisé *p. part.* broken; shattered; **brisé de fatigue** completely exhausted

briser *t.* to break; shatter; **se briser** to break

brochure *f.* pamphlet

brodé *p. part.* embroidered

broderie *f.* embroidery, piece of embroidery

brosse *f.* brush

brouillage *m.* jamming (air waves)

brouillard *m.* fog

broussailles *f. pl.* brushwood

bruit *m.* noise, sound; excitement; **faire du bruit** to make some (a) noise; **le bruit courait que** it was rumored that

brûlant *a.* burning; boiling, very hot (liquid)

brûle-pourpoint: à brûle-pourpoint point-blank, to my (his, etc.) face

brûler *t.* to burn; **elle brûlait de répéter** she was dying (itching) to repeat

brume *f.* mist

brumeux *a.* misty, hazy

brun *a. m.* brown; dark-haired, a brunet

brusque *a.* sudden, brusque, abrupt

brusquement abruptly, suddenly

brusquerie *f.* abruptness, bluntness; **sans brusquerie** without a jerk

bruyant *a.* noisy

bu (*v.* boire) *p. part.* drunk

buffet *m.* cupboard; **buffet de cuisine** kitchen cabinet, cupboard; **buffet de la gare** station restaurant

buis *m.* boxwood, box (evergreen)

bulle *f.* bubble, bead

burin *m.* chisel

bus (*v.* boire): **je bus** I drank

but: il but he drank

buté *a.* obstinate, dead set

butin *m.* booty, loot

buvait: il buvait he drank, would drink

buvant (*v.* boire) *pres. part.* drinking

buvons: nous buvons we drink; **buvons !** let's drink !

C

c' *pron.* this, that; he, she, it

ça *pron.* that; it; *colloq.* he, she, they; **c'est ça** that's it, that's the idea; **ce n'est pas ça** that's not it

çà *adv.* here; now then

cabinet *m.* study; **cabinet de toilette** dressing room, bathroom; **cabinet (de travail)** study

cabotage *m.* trading along the coast; **faire le cabotage** to trade along the coast

cachemire *m.* cashmere (fabric from wool under hair of goats of Kashmir (Northern India), Tibet, etc.); cashmere shawl; **cachemire de l'Inde** shawl from India

cacher *t.* to hide, cover, conceal; **cacher qch à qn** to hide sth. from s.o.; **je ne peux pas vous cacher que** I must admit that; **se cacher** to hide

cachet *m.* seal; **avoir du cachet** to have distinction

cacheté *p. part. a.* sealed

cachette *f.* hiding place, cache

cachot *m.* cell, dungeon

cadavre *m.* dead body, corpse

cadet (*f.* –ette) *a.* younger; **George cadette** George the younger; *n. m.* younger brother (writer, member, colleague)

cadre *m.* frame, framework; **dans le cadre de la fenêtre** framed in the window; **cadre de la porte** doorway

cage *f.* cage; well (of stairs); **cage de l'escalier** stairway

cahier *m.* notebook, copybook

caisse *f.* big box; case (arms, bottles)

cajoler *t.* to wheedle, coax, cajole

calcul *m.* calculation; **faire le calcul de** to figure out

calèche *f.* (light four-wheeled) carriage, calash; **dans une calèche à deux chevaux** in a carriage and pair

calmé *p. part. a.* calm again; **quand la tempête serait calmée** when the storm had blown over

calmer *t.* to calm, quiet; **se calmer** to calm down; be at peace; **calmez-vous!** calm down!

calotte *f.* skull cap

calvitie *f.* baldness

camail *m.* camail (hooded cape of priest)

camarade *m. f.* comrade, friend, pal, buddy; fellow student; **camarade de chambre** roommate; **camarade d'école** schoolmate; **camarade de couvent** classmate at the convent school; **camarade de travail** fellow worker

Camargue: **la Camargue** *flat island between the two main branches at the mouth of the Rhône River; it is the French cow boy country: wild horses and black bulls; about 20 miles square.*

camion *m.* truck

camionnage *m.* trucking, hauling, transportation by trucks

campagne *f.* country, countryside; campaign; **à la campagne** in the country (opposed to city); **un repas de campagne** rustic meal

canaille *f.* rascal, scoundrel, villain, blackguard

canalisation *f.* pipe (water)

canapé *m.* sofa

candélabre *m.* (branched) candlestick; candelabrum (*pl.*–**bra**); street lamp-post (with branched lamps)

candide *a.* artless, frank, honest; white

canon *m.* gun, cannon, barrel (rifle)

cantatrice *f.* opera singer

cantique *m.* hymn, canticle

capharnaüm *m.* junk room

capitonnage *m.* upholstery

caprice *m.* caprice; gradation, subtle variation, nuance (of breathing), detail

capricieusement capriciously, through a caprice of Nature

captif *a.* captive; *n. m.* prisoner

capuche *f.* hood, cowl

capuchon *m.* hood, (monk's) cowl

car *conj.* because, for, as

carabine *f.* carbine

caractère *m.* character; disposition; **caractères d'im-** primerie type; **une maison sans grand caractère** house without much originality

cardinaux *pl. n. m.* cardinals

carène *f.* keel, bottom (ship)

caresse *f.* caress

caresser *t.* to caress, pet, pat (animal); stroke (chin)

carillonner *i.* to chime, peal

carnet *m.* (small) notebook; **carnet de chèques** checkbook; **carnet de notes** (small) notebook

carrière *f.* quarry (stone); career; **dans la carrière** in our profession

carrosse *m.* (state) coach, carriage

carte *f.* card; **jouer aux cartes** to play cards; **carte postale** postcard; **carte de savon** soap-rationing card; **carte de visite** visiting card

carton *m.* cardboard; pasteboard; (cardboard) box; **carton peint** painted pasteboard; **cette Arabie en carton peint** this phony (fake) Arab world

cas *m.* case; **cas de conscience** matter of conscience; **en tout cas** in any case, however

casaque *f.* jacket (not stylish)

caserne *f.* barracks; armory (building)

casque *m.* helmet; **casque à pointe** spiked helmet

casqué *a.* with his helmet on

casquette *f.* cap (flat with

visor); **un chasseur de casquettes** cap shooter

cassé *a. p. part.* broken; **je me suis cassé la jambe** I broke my leg

casser *t.* to break

casserole *f.* saucepan

casse-tête *m. inv.* brass knuckles; tomahawk

catholique *a. n.* Catholic

cauchemar *m.* nightmare

cause *f.* cause; **à cause de** because of, on account of

causer *t.* to cause; *i.* to talk, chat

cavalier *a.* offhand, gay, easy; disdainful; **d'une façon cavalière** in a cavalier (disdainful) manner, cavalierly; *n. m.* horseman; **c'est un bon cavalier, il est bon cavalier** he rides well

cave *f.* cellar

ce *a.* this, that; *pron.* it; this, that; the thing; a thing; they; he, she; **ce que** (a thing) which; **ce qui (que)** that which, what; **ce dont j'ai besoin** what I need; **ce pourquoi** that (the thing) for which; **elle s'endormit, ce qu'elle n'eût pas fait** she went to sleep, (a thing) which she wouldn't have done

ceci *pron.* this

céder *t.* to give up, yield, give way

ceindre *t.* to buckle on, gird on (sword)

ceignit (*v.* **ceindre**): **il ceignit** he buckled on

ceint (*v.* **ceindre**) *p. part.* encircled; **ceint de** encircled with

ceinture *f.* belt; **nu jusqu'à la ceinture** stripped to the waist

cela *pron.* that, it, that thing

célèbre *a.* famous, celebrated

célébrer *t.* to celebrate; **célébrer le culte de** to worship; **célébrer les louanges de Dieu** to sing the praises of God

celle *pron.* this (that) one; the one; **celle-ci** this one; the latter; **celles-ci** these, the following

cellule *f.* cell

celui *pron.* this (that) one; the one, the man; **celui qui** he who; **celui-ci** this one, the latter; **celui-là** that one, the former

cent *m.* (a) hundred; cent (6/5 franc); **pour cent** per cent

centime *m.* centime (1/100 of a franc, or 1/120 of a cent; a franc is about 5/6 of a cent); **ça ne les a pas adoucis pour un centime** that didn't mollify them a bit (not . . . in the least)

cependant *conj.* however, yet

cercle *m.* circle, club; **en cercle** in a circle

cérémonial *n. m.* ritual, ceremonial (list of rules for ceremony)

cerise *f.* cherry

cerner *t.* to surround

certes *adv.* certainly

certitude *f.* certainty

cerveau *m.* brain

cervelle *f.* brain(s); **il avait la cervelle dure** he was thickheaded

ces (*pl. of* **ce**) *a.* these, those

cesse *n. f.* cease; **sans cesse** incessantly

cesser *t. i.* to cease, stop

cet (*f.* **cette**) *a.* this, that

cette *a. f.* this, that; **cette chaleur!** how hot it was!

ceux *pron. m.* those, these; **ceux-ci** these, the latter

chacun *pron. m.* each, each one (present), everybody

chagrin *f.* sorrow, grief, disappointment

chaînette *f.* little chain

chair *f.* flesh; meat; **les chairs nues** the naked body

chaire *f.* pulpit; (teacher's) desk; professorship; (choir) stall; throne; **assise dans une chaire** seated on a throne (of Virgin)

châle *m.* shawl

chaleur *f.* heat, warmth

chaloupe *f.* launch (boat); **mettre la chaloupe à la mer** to lower the boat (for rescue)

chalumeau *m.* pipe tube, pipette (narrow glass tube), siphon

chamarré *a.* gold-braided, bedizened, dressed out tawdrily; **chamarré d'or** gold-braided

chambranle *m.* casing, frame (door, window)

chambre *f.* bedroom; chamber, assembly; **chambre à coucher** bedroom; **chambre des députés** chamber of deputies, house of representatives; **chambre aux inventions** inventions chamber

chameau *m.* camel; **chameau à simple (à une) bosse** one-humped camel, dromedary

Champs-Élysées *m. pl. one of the most beautiful avenues in the world: lined with flower beds, horse-chestnut trees, fountains, beautiful buildings; it extends from the place de la Concorde to the Arc de Triomphe de l'Étoile.*

chance *f.* luck; **avoir de la chance** to be lucky; **avoir toutes les chances** to get all the breaks; **c'est une chance** that's lucky (luck)

chanceux *a.* lucky; **plus chanceux** less certain

chandelier *m.* candlestick; stanchion (support), pedestal

changer *t.* change; **changer de couleur** to change color, turn pale; **on changea de logement** they took another apartment; **changer en** to change into; **se changer en** to be changed into

chanter *t.* to sing

chanoine *m.* canon (councilman to bishop)

chantonner *t.* to hum, sing under one's breath

chaos *m.* chaos (complete disorder)

chapeau *m.* hat

chapelet *m.* rosary; beads; list, string (of things); **chapelet de diamants** string of diamonds, diamond necklace

chaperon *m.* cap with a turn-up brim; hood

chapitre *m.* chapter (book; assembly of monks); **la salle du chapitre** chapter-house

chaque *a.* each, every

charcutier *m.* pork butcher

charge *f.* load; office, business, position, job

chargé *p. part. a.* loaded; laden; **chargé de** filled with (table)

charger *t.* to load, fill; accuse; **charger de** to load (fill) with; **nous étions chargés de vin** we had a cargo of wine; **se charger** to accuse o.s.; **se charger de faire** to take upon o.s. to do

charlatan *m.* quack (doctor)

charlatanisme *m.* quackery;

faire du charlatanisme to go in for quackery

charnel *a.* carnal

charrette *f.* cart

charte *f.* charter

chartreux *m.* Carthusian monk (Grande-Chartreuse)

chasse *f.* hunting

chasser *t. i.* to expel, drive away (off, along), turn out; hunt; **le vent chassait l'eau** the wind was blowing away (spilling) the water

chasseur *m.* hunter; **chasseur d'hôtel** bellboy

château *m.* castle

chatouiller *t.* to tickle

chatte *f.* female cat

chaud *m.* warm, hot; **j'ai chaud** I am warm; **le vin lui tenait chaud** the wine kept her warm; **tout chaud tout bouillant** right away

chauffer *t. i.* to heat; **se chauffer** to warm o.s.; **chauffez-vous** get warm

chaumière *f.* (thatched) cottage

chaussée *f.* roadway; road; causeway; **chaussée de la route** pavement

chéchia *f.* fez (red cap)

chef *n. m.* chief, leader, head, boss; **chef de bureau** office manager; **chef d'orchestre** orchestra leader

chef-d'œuvre *m.* masterpiece

chemin *m.* way, route; **chemin de fer** railroad, railway; **chemin creux** sunken road; **le chemin de la Croix** the Way (stations) of the Cross; **un chemin de croix** set of 14 pictures (or carvings) representing the chief episodes of the Passion of Christ; prayers at each of the fourteen stations of the Cross

cheminée *f.* chimney; fireplace; mantel, mantelpiece; **le manteau (la tablette) de la cheminée** mantel

chemise *f.* shirt

chêne *m.* oak

cher (*f.* **chère**) *a.* dear; costly; *adv.* dear, dearly; **mon cher** my dear fellow, old chap; **vendre qch cher** to sell sth. at a high price

chercher *t.* to look (feel) for, look; get; seek; try; **venez le chercher** come and get it (him); **venir chercher qn** to come for s.o.; **aller chercher** to go and get; **envoyer chercher** to send for

chéri *a.* dear; *n.* darling, dear; **mon chéri, ma chérie** darling

chérir *t.* to cherish, love dearly

chérissait: il chérissait he cherished

cheval (*pl.* **chevaux**) *m.* horse; **à cheval** on horseback; **à cheval sur une chaise** astride of a chair

chevalier *m.* knight

chevaux *m. pl.* horses

chevelure *f.* hair

chevet *m.* head (of bed)

cheveu *m.* hair (single hair); **les cheveux** the hair (on head)

chèvre *f.* goat (female), nanny goat

chez *prep.* to (at, in, into) the house (shop, country) of; in (of persons); **notre chez nous** our home, our apartment; **chez vous** at your house; in your country; in you, with you; **l'homme chez lequel le corps** the man in whom the body (whose body)

chic *a.* stylish, elegant, smart, swell; **Oh, chic alors!** swell! *n. m.* style, elegance

chien *m.* dog; **chien de chasse** hunting dog

chiffon *m.* old piece of material, rag, (cleaning) cloth

Chinois *n.* Chinese

chirurgien *m.* surgeon

choc *m.* impact

chœur *m.* chorus, song; choir; chancel; **en chœur** in a chorus, all at the same time; **tous en chœur!** all together! (let's take up the song) in chorus! **s'écrier tous en chœur** to chorus; **des chœurs d'orphéon éclatèrent** songs by the men's glee club burst forth

choisir *t.* to choose, pick out, elect

choix *m.* choice; **être de premier choix** to be first choice

choquer *t.* to shock

chose *f.* thing; ceremony; **je n'y comprends pas grand chose** I don't understand much about it; **c'était autre chose** it was different; **de deux choses l'une** one of two things must happen; **peu de chose** not much, a slight thing; **comme il faut peu de chose pour** how slight a thing is needed to

chou (*pl.* **-x**) *m.* cabbage; **planter ses (des) choux** to retire and live in the country; **chou-fleur** cauliflower

chouette *f.* wood owl, screech owl; **cris des chouettes** screechings of the wood owls

chronique *f.* chronicle

chuchotement *m.* whisper, whispering

chuchoter *t. i.* to whisper

chut ! *int.* ssh ! shush ! hush !

chute *f.* fall

ci *adv.* here; **ce bois-ci** this wood here, this wood; **par ci par là** here and there

cidre *m.* cider

ciel (*pl.* **cieux**) *m.* sky, heaven; heavens, God; **couleur bleu ciel** sky-blue color; **ciel de lit** (*pl.* **ciels**) canopy over a bed; **lever les bras au ciel** to raise

one's arms toward the sky

cierge *m.* (wax) taper, big candle

cieux (*pl. of* **ciel**) *m.* Heaven, skies

cigale *f.* locust, cicada

cilice *m.* hair shirt (worn as penance)

cime *f.* top, crest (wave)

cimeterre *m.* scimitar (curved sword)

cinéma *m.* movies

cinq *a.* five

cinquante *a.* fifty

cinquième *a.* fifth

circonspect *a.* wary, cautious, circumspect

circonstance *f.* circumstance; detail

circulaire *a.* circular; **il jeta un regard (coup d'œil) circulaire sur la mer** he looked all (he cast his eye) around the sea; *n. f.* circular letter

cité *f.* city

citer *t.* to mention, quote

citoyen (*f.* **-enne**) *m.* citizen

citron *m.* lemon

civière *f.* stretcher, litter

civil *a.* civil; *n. m.* civilian; **guerre civile** civil war; **dans la vie civile** in civilian life

clair *a.* clear, bright; light-colored; **couleur claire** gay (light) color; *n. m.* light; **clair de lune** moonlight

clairon *m.* bugle

clameur *f.* outcry, shout, din

claquer *i.* to flap

clarté *f.* brightness; clearness

classe-lettres *m.* letter rack, letter file

clavette *f.* (cotter) pin, peg

clé, clef *f.* key

clerc *m.* cleric; **clerc de maîtrise** choir boy, voice student

client *m.* customer, client

clientèle *f.* customers

cliquette *f.* castanet, rattle; **cliquettes** clappers, snappers, rattles

cloche *f.* bell; **cloches et clochettes** bells, big and small

cloche-pied: **à cloche-pied** clopetty-clop; **aller (marcher, sauter) à cloche-pied** to hop along; **descendre à cloche-pied** to hobble down

clocher *m.* steeple, church tower, belfry

clocheton *m.* bell turret

clochette *f.* small bell

cloître *m.* cloister (covered passage around courtyard)

clos *a.* enclosed; *n. m.* garden; enclosed field

clôture *f.* fence; **un mur de clôture** fence wall, surrounding wall

clou *m.* nail; jail, clink, brig

cloué *p. part.* nailed; **cloué sur un fauteuil** tied to his chair (by sickness)

clouer to nail

cocher *m.* coachman, cabby

Cochinchine: **la Cochinchine** Cochin-China (Southernmost state of French Indo-China; population 5 million; capital, Saigon)

Cochinchinois *a.* Cochin-Chinese

cochon *m.* pig

cœur *m.* heart; (cards) hearts; **elle n'a pas de cœur** she is heartless, she has no feelings; **rire de bon cœur** to laugh heartily; **faire le joli cœur** to play the ladykiller, preen o.s.; **apprendre par cœur** to learn by heart; **frappé au cœur** heartbroken, terribly hurt (shocked); **ça me fait mal au cœur** that makes me sick at (to) my stomach

coffret *m.* (small) box; **coffret (à bijoux)** jewel box

coi (*f.* **coite**) *a.* quiet; **se tenir coi** to keep quiet

coiffe *f.* head-dress; crown (of hat)

coiffer *t.* to put on (one's (*or* someone's) head); **il coiffa l'abbé du linge** he put the cloth on the priest's head; **se coiffer** to put one's hat on; **Carmen se coiffa de la cocarde** C. placed the ribbon in her hair

coin *m.* corner; **le confrère du coin** my colleague around the corner

colère *f.* anger; **fou de colère** mad with rage; **se mettre en colère contre** to get angry with someone

colimaçon *m.* snail; **un escalier en colimaçon** winding (circular, spiral) staircase

collègue *n.* colleague

collet *m.* collar (of coat); **tenir un prisonnier au collet** to hold a prisoner by the collar (by the scruff of the neck)

collier *m.* collar (animal); **collier de perles** pearl necklace

colline *f.* hill

colombe *f.* dove

colonne *f.* column; **colonne montante** uptake pipe, standpipe, main pipe (vertical, for water); **colonne vertébrale** spine, vertebral column

colonnette *f.* thin (small) column

combat *m.* battle, combat; **hommes hors de combat** men killed, wounded, prisoners and missing

combien *adv.* how much, how many; how far

comble *m.* highest point, height, climax; **ce qui mit le comble à la joie** what raised the joy to a climax; **un comble! c'était le comble!** that beat all, it was the last straw!

comédien *m.* comic actor, comedian

combler *t.* to fill; satisfy

comédie *f.* comedy; **c'est un peu de la comédie** it borders on play-acting

commandant *m.* major

commande *f.* order

comme *adv.* like, as, such as, how; for; something like, as it were; as if; **comme industries** in the way of industries; **été comme hiver** summer and winter alike; **j'ai comme une idée que** I have a sort of an idea that; **comme c'est beau!** how beautiful it is! **comme ça** this way, like this, in that way; **comme ci, comme ça** so-so; **comme qui dirait** as one (you) might say; **comme je pus** as best I could; **c'est tout comme** it amounts to the same thing

comme *conj.* as, because, since, seeing that; just as, as well as

commencement *m.* start, beginning, outset

commencer to begin, start, set in; **commencer à (de,** more literary) **faire qch** to begin to do sth.; **commencer par** to begin with; **pour commencer** to begin with

comment *adv.* how? what! why! what do you mean? what did you say? **com-**

ment cela? how come? **et comment!** and how! **comment ça?** how's that? how so?; **comment donc!** why of course! by all means!

commerçant *n. m.* merchant

commerce *m.* commerce, trade, business; merchants; dealings, association, intercourse; **un agenda de commerce** commercial memorandum book; **faire le commerce de** to deal in, trade in; **le petit commerce** small tradespeople; **une maison de commerce** business firm; **un représentant de commerce** business representative, salesman; **un navire de commerce** merchant ship; **être en commerce avec** to have dealings with; **il est d'un commerce agréable** he is easy to get on with (pleasant to deal with)

commère *f.* gossip (woman); crony, woman, wife; godmother, partner (at baptism); **les joyeuses commères** the merry wives

commettre *t.* to commit, perpetrate, make; risk, compromise; expose; entrust, appoint

commis (*v.* **commettre**) *p. part.* committed, perpetrated, made; appointed

commis *m.* clerk, bookkeeper; secretary; assistant salesman, agent; **commis de barrière** toll collector, customs official; **petit commis** petty clerk

commissaire *m.* chief (of police)

commission *f.* commission; committee, board; errand; order, charge; **commission d'enquête** board of inquiry; **commission d'examen** board of examiners; **faire des commissions** to run errands

communauté *f.* community; joint property (estate); society, order, members of a convent, convent, sisterhood; commonwealth; township

commune *f.* town, township, free town; **la Commune** Communist Revolution in Paris (1871)

compagne *f.* companion, wife, mate, attendant upon; **ma compagne de jeu** my female partner, the girl I used to play with; **compagne d'école** classmate

compagnie *f.* company; society; flock; **de bonne compagnie** refined

compagnon *m.* comrade, companion, mate; **compagnon de voyage** fellow traveler

comparaison *f.* comparison;

simile; **en comparaison de** in comparison with (to)

complaisamment obligingly; with satisfaction, complacently

complaisance *f.* obligingness, kindness; (self-) satisfaction, complacency; **par complaisance** out of kindness; **d'un air de complaisance** complacently

compléter (**il complète**) *t.* to complete, finish (off), perfect, make up, fill up; **se compléter** to supplement each other

comporter *t.* to admit (consist) of, include, naturally allow; **se comporter** to behave; **comporte-toi en Breton** behave yourself like a Breton

compréhensible *a.* understandable, comprehensible, intelligible, which can be understood; natural

comprendre *t.* to understand, realize; comprise, include

comprends: je comprends I understand

comprenez: vous comprenez you understand; **comprenez-vous?** do you understand?

comprennent: ils comprennent they understand

compris *p. part.* understood; comprised; **y compris** including

compromettre *t.* to jeopardize,

endanger, imperil; *i.* to compromise, submit to arbitration; **se compromettre** to compromise o.s., endanger one's reputation

comptant *a.:* **de l'argent comptant** ready money; **un paiement comptant** payment in cash; *n. m.* cash, ready money; **au comptant** for cash; **payer comptant** to pay cash

compte *m.* account; **compte en banque** bank account; **faites mon compte** add up what I owe you; **pour le compte de** in behalf of; **pour mon compte** as far as I am concerned, for my part; **pour mon propre compte** for (to) myself; **rendre compte de** to explain, report on; **se rendre compte de** to realize, get a clear idea of

compter *t.* to count; reckon; number, be numbered; intend, plan; **la vie ne compte pour rien** life is cheap; **à compter de ce moment** from that moment; **sans compter** countless; **compter sur** to count on (upon)

comptoir *m.* counter

Comtat Venaissin *m. county, just to the east of Avignon. It belonged to the Popes. France annexed it, along with Avignon, in 1791.*

concerner *t.* to relate to, concern

concevoir (je **conçois**) *t.* to conceive, imagine, understand; beat children

conciliant *a.* conciliatory

concilier *t.* to reconcile, conciliate, win

conclut (*v.* **conclure**): **il conclut** he concludes (concluded)

concours *m.* competition, competitive examination, contest; co-operation, concurrence, meeting, crowd

conçut (*v.* **concevoir**): **il conçut** he conceived

condamné *a.* given up (by the doctors); *n. m.* man who has received his sentence; convict; **condamné à mort** man sentenced to death

condamner *t.* to condemn, sentence

condition *f.* condition; term; *pl.* terms (fees); **à condition de** provided that one; **à (la) condition que** on condition that, provided; **faire condition que** *obs.* to stipulate that

conduire *t.* to drive; conduct; lead, guide; take, pull; **conduire les bêtes** to drive the cattle; **se conduire** to behave; **se bien conduire** to behave o.s.

conduisais (*v.* **conduire**): **je conduisais** I drove, was driving, used to drive; **I led**

conduit *p. part.* driven, conducted, led; *n. m.* pipe (water); **conduit bouché** plugged pipe

conduite *f.* behavior, conduct, demeanor; pipes; **conduite d'eau** water pipe

confection *m.* manufacture (clothing), making; construction

confiance *f.* trust, confidence; **avoir confiance en** to trust s.o.; **il m'inspire confiance** I trust him

confidence *f.* confidence, secret; **faire une confidence à qn** to tell a secret to s.o.; **il me l'a dit en confidence** he told it to me as a secret; **il m'a mis dans la confidence** he told me the secret, he let me into the secret

confident *m.* confidant; **confidente** *f.* confidante

confier *t.* to entrust (intrust), confide

confisquer *t.* to confiscate

confraternité *f.* comradeship, fellowship; brotherhood

confrère *m.* colleague

confrérie *f.* brotherhood, sisterhood

confus *a.* mixed up, jumbled up; embarrassed, ashamed; dim, blurred, indistinct; **bruit confus** indistinct noise; **phrase confuse** obscure (ambiguous) sentence; **mélange confus de jumble of; confuses rumeurs** jumbled sounds

confusément dimly, vaguely

confusion *f.* mix-up, jumble, disorder, confusion; shame, embarrassment; error, mistake

connais (*v.* **connaître**): **je connais** I know; **vous connaissez** you know; **il le connaissait** he knew him; **je ne m'y connais pas** I'm no judge of it; **connaissant** *pres. part.* knowing

connaissance *f.* acquaintance; knowledge, consciousness; **avoir connaissance de** to know about, be aware of; **faire la connaissance de, faire connaissance avec** to get acquainted with; **ils sont de mes connaissances** they are acquaintances of mine; **prendre connaissance de qch** to get acquainted with sth.; **reprendre connaissance** to come to, regain consciousness; **sans connaissance** unconscious

connaître *t.* to know, be (become) acquainted with; **je me fis connaître** I said who I was; **se connaître à qch, s'y connaître** to know about sth.

conquérant *a.* conquering, cocky; **air conquérant**

swagger, cocky look; *n. m.* conqueror, victor

conquérir *t.* to conquer, win

conquis (*v.* **conquérir**) conquered; won; **Jason a conquis la Toison d'Or** Jason captured the Golden Fleece

consacré *p. part. a.* consecrated, sacred; devoted (to, **à**)

consacrer *t.* to devote; establish (reputation), sanction; **se consacrer** to devote o.s.

conscience *f.* conscience, consciousness; **j'eus conscience que** I realized that; **se faire conscience de** to shrink from; **prendre conscience de** to be (become) conscious of

conseil *m.* advice, bit of advice, hint; counsel; council; cabinet (of president); meeting; **conseil de guerre** court-martial; **président du conseil** prime minister, Premier

conseiller *t.* to teach; to advise

conséquence *f.* consequence; importance; **ce mot n'est pas sans conséquence** this word might lead to trouble

conséquent *a.* consistent; *colloq.* important; **par conséquent** consequently

conserve *f.* canned food; **conserves, conserves alimentaires** *pl.* canned food (goods); **il nage de conserve avec la barque** he swims in company with the boat

conserver *t.* to preserve, keep, (for o.s.), retain

considération *f.* consideration; attention; motive; respect

considérer *t.* to consider; examine

consoler *t.* to console, comfort; **consoler qn** to make s.o. forget; **console-toi !** cheer up !

consommation *f.* consumption

conspirateur (*f.* –**trice**) *m.* conspirator, plotter

conspiration *f.* conspiracy, plot

conspirer *t.* to conspire, plot; tend (to, **à**)

constater *t.* to note, take notice of

consternation *f.* dismay, consternation

consterné *a.* dismayed, struck with dismay, in consternation

consterner *t.* to dismay, strike with consternation

constituer *t.* to constitute, form, make (up), establish, set up; **se constituer prisonnier** to give o.s. up (to the police)

consulter *t.* to consult

conte *m.* tale, short story; **conte de fées** fairy tale

contemplation *f.* gazing (upon), contemplation, mediation, musing

contempler *t.* to gaze at (upon), look at, behold, view; to meditate, ponder (upon)

contemporain *a.* contemporary; contemporaneous (with, **de**); *n. m.* contemporary

contenter *t.* to satisfy, gratify; **se contenter de** to be content (satisfied) with; **elle s'est contentée de rire** she merely laughed

conter *t.* to tell (story), tell about; **en conter (de belles) à qn** to tell s.o. a lot of lies

contestation *f.* discussion, argument

contracter *t.* to contract; develop, incur; **contracter une obligation envers** to put o.s. under an obligation to

contraint (*v.* **contraindre**) *p. part. a.* forced, obliged to

contraire *a. n. m.* contrary, opposite, conflicting; **au contraire** on the contrary; **jurer le contraire de la vérité** to swear that sth. was entirely different from what it actually was; **le vent m'est contraire** the wind is against me; **le vin m'est contraire** wine does not agree with me; **ce n'est**

pas toi qui (me) diras le contraire you won't deny it

contre *prep.* against, close (to); **fâché contre vous** mad at you; **par contre** on the other hand; **le pour et le contre** the pros and cons

contrebande *f.* smuggling, bootlegging, contraband; contraband (smuggled in) goods; **faire la contrebande** to be a smuggler, engage in smuggling

contredire (**vous contredisez**) *t.* to contradict; be inconsistent with; **se contredire** to contradict o.s.

contredit: **sans contredit** unquestionably

contrevent *m.* shutter (of window)

contrôler *t.* to check, examine, inspect

contrôleur *m.* (train) conductor; (theater) ticket taker

convaincu (*v.* **convaincre**) *p. part. a.* convinced; convicted

convenable *a.* proper, civil, right, suitable, decent, appropriate; **en termes peu convenables** in very improper (uncivil) words; **convenablement** properly; satisfactorily

convenir *i.* to suit; be proper; **convenir de** to agree upon

convenu (*v.* **convenir**) *p. part. a.* agreed (upon); **con-**

venu! c'est convenu! it's a deal! that's settled! **à l'heure convenue** at the appointed time

converser *i.* to talk, converse

convînmes (*v.* **convenir**): **nous convînmes de** we agreed upon

convive *m.* guest (at table), table companion

convoi *m.* convoy (convoyed ships, train, party, protecting escort); procession; column; gang (convicts); train

convoiter *t.* to covet, desire, want to have

convulsion *f.* convulsion; twitch; (political) upheaval

copie *f.* copy; **faire de la copie** to do copying

coque *f.* shell

coquillage *m.* sea shell

coquin *m.* rascal, scoundrel

coquine *f.* hussy

corbeau *m.* crow

corbeille *f.* basket

corde *f.* rope, string

corniche *f.* cornice, top course (of wall), ledge; ledge (of rock)

cornue *f.* retort (vessel)

corps *m.* body, corpse; corps, society, club; object; **corps d'armée** army corps; **un corps à corps** hand-to-hand fighting; **lui passer sur le corps** to go over his body; **s'élancer à corps**

perdu to hurl o.s. desperately (headlong)

corps-de-garde *m. inv.* guardhouse

correct *a.* courteous

corridor *m.* corridor, passage, passageway

Corse: la Corse Corsica; *a.* **corse** Corsican

corsetier (*f.* **–ière**) *m.* corsetmaker

cortège *m.* procession

côte *f.* coast, coastline; hill, slope; rib; **côte à côte** side by side

côté *m.* side; direction; **à côté** near by, beside, alongside of it; **la chambre d'à côté** the adjoining room; **à côté de** near by, beside; in comparison with, compared with; **de ce côté** in this direction; **de quel côté?** on what side? **du côté de** on the side of, toward, in the vicinity of; **l'un(e) à côté de l'autre** near each other; **d'un autre côté** on the other hand; **de côté et d'autre** on all sides; **de son côté** as far as he was concerned; **chacun de son côté** each his own way; **il cracha de côté** he spat to one side; **son chapeau un peu de côté** his hat a little on one side, his somewhat rakish hat; **aux côtés de** by the side of, beside; **une poche de côté** side pocket; **jeter (lancer) un regard de côté sur** to cast a sidelong glance at

côtelette *f.* chop, cutlet

cotonnade *f.* cotton material; **cotonnades** cotton goods

cou *m.* neck; **la peau du cou** the nape of the neck

couchant *a.* setting (sun); *n. m.* sunset, setting sun; west; **au soleil couchant** in the sunset

couche *f.* bed, couch

couché *a.* lying (down), recumbent

coucher *t.* to lay, lay down, sleep; **se coucher** to lie down; go to bed; **se coucher de tout son long** to lie at full length

coucher *n. m.* setting (sun); going to bed, bedtime; lodging (accommodation for the night); **au coucher du soleil** at sunset (sundown)

coude *m.* elbow

coudoyer (**il coudoie**) *t.* to rub elbows (shoulders) with

coudre *t.* to sew; **une machine à coudre** sewing machine

couler *i. t.* to flow, run; sink; **couler à fond** to sink down to the bottom; **se la couler douce** *colloq.* to have it pretty soft

couleur *f.* color; **un homme de couleur** colored man, Negro; **changer de couleur**

to change color, turn pale; **couleur de rose** rose-colored; **couleur du temps** of the same color as the weather

couloir *m.* corridor, passage, hallway

coulpe *f.* *obs.* sin, fault; **battre (faire) sa coulpe** to acknowledge one's guilt

coup *m.* blow, stroke; stab, thrust (sword); shot; drink, sip; haul (loot); fine (bad) thing; **coup de bâton** blow with a stick; **les coups de bâton** canings; **battre à grands coups pressés** to beat fast and furiously (heart); **coup de cloche** peal (ringing) of a bell; **coup sur coup** in quick succession; **c'est un peintre qui a fait ce coup** it's a painter who's done this fine thing; **coup de fusil** rifle shot; **coup de lumière** flood of light; **coup d'œil** glance; **jeter un coup d'œil** to cast a glance; **déguster par petits coups** to sip; **coup de pied** kick; **à coups de pierres** with rocks; **pour le coup** thereupon; **du premier coup** right off, forthwith; **d'un seul coup** at a blow, with one blow; at the same time, at one go; **à coup sûr** certainly, surely; **coup de tonnerre** thunder clap;

coup de vent gust of wind; **en coup de vent** like a whirlwind; **tout à coup** suddenly; **tout d'un coup** all at once

coupable *a.* guilty

coupé *n. m.* cab; *a.* cut up, broken up; broken (sleep)

couper *t.* to cut; cut in (at dance), cut across, cut off, cut out; intersect; slash; **une vallée que coupaient des ravins profonds** valley intersected by deep gullies; **couper la parole à qn** to interrupt s.o.; **tu n'y coupes pas** no escaping, you're in for it; **se couper** to contradict o.s.

couperet *m.* meat chopper

coupure *f.* cut

cour *f.* yard (enclosure), courtyard; court (of ruler); **être bien en cour** to be in favor, be popular, stand well at court; **faire la cour à** to make love to; **faire sa cour** to pay court

courage *m.* courage, fearlessness, pluck; **courage ! du courage ! ayez bon courage !** cheer up ! buck up ! pull yourself together

courant (*v.* **courir**) *pres. part.* running; *a.* common (phrase), current, ordinary; *n. m.* current; **mettre qn au courant de** to acquaint s.o. with, let s.o. know

courbé *a.* bent (over), bowed

courber *t.* to bend, curve; hump; **courber en deux** to bend double; **courber le dos** to hump one's back; **courber l'échine** to submit; **courber la tête (le front)** to bow one's head; **se courber** to bend, stoop; **se courber devant qn** to bow to s.o.

courir *i.* to run, run around; move quickly (lights); **courir après** to chase; **courir sa chance** to take one's chance of fortune; **le bruit court que** it is rumored that; **cela court les rues (la campagne)** that's very common, that's common talk; **par le temps qui court** nowadays; **faire courir un murmure d'admiration dans la foule** to arouse (call forth) a murmur of admiration in the crowd; **courir sur qn** to run at s.o.; **des histoires couraient la ville** stories circulated around the town

couronne *f.* crown

couronner *t.* to crown, prize; **couronner de** to crown with

courront (*v.* **courir**): **elles courront** they will run

cours *m.* course (learning), class; **l'affaire suivra son cours** the case (law) will take its course; **au cours de** in the course of; **cours d'eau** river, stream

course *f.* race, errand; running (about, around); course, orbit (planet); **un cheval de course** race horse; **faire des courses** to run errands; **à la course** (by) running; **course de taureaux** bullfight

coursier *m.* (war) horse, charger

court *a.* short; *adv.* **couper court à la discussion** to cut the discussion short; **s'arrêter court** to stop short (dead); *n. m.* court (tennis)

court: il court he runs; **par le temps qui court** in times like these, these days

courtisan *m.* courtier

courtisane *f.* courtesan, prostitute

courut: il courut he ran

coussin *m.* cushion

couteau (*pl.* **-x**) *m.* knife

coûter *i.* to cost; **combien cela coûte-t-il?** how much does that cost?; **coûter cher** to be expensive; **cela ne me coûte guère** that's not much trouble to me; **il lui en coûtait plus de** it cost him more effort to, it was harder for him to

coutume *f.* habit, custom; **comme il en avait coutume** as he used to do

couture *f.* seam

couvent *m.* convent; monastery; convent school; **entrer au couvent** to go into a convent

couver *t.* (hen) to sit on eggs; (person) to guard (watch) very closely; to coddle; **il la couvait du regard** he looked fondly (intently) at her; **le regard dont le couvait sa mère** the way his mother kept looking at him

couvert (*v.* **couvrir**) *p. part.* covered; *n. m.* (shelter) cover, plate, spoon, fork, knife and glass; plate; fork and spoon; cover charge; **à couvert** under cover, safe, protected; **vous êtes à couvert** you are safe; **mettre (dresser) le couvert** to set the table; **mettre cinq couverts** to set the table for five; **vous mettrez un couvert de plus** you'll put another plate

couverture *f.* blanket; protection; *pl.* bed covers

couvrir *t.* to cover; **couvrir la voix (la parole)** to cover the voice

craché *a.* resembling

cracher *i. t.* to spit; sputter

craignait (*v.* **craindre**): **il craignait** he feared

craignant *pres. part.* fearing

craignez: vous craignez you fear

craindre *t.* to fear

craint *p. part. a.* feared

crainte *f.* fear; **par crainte de** for fear of

craintif *a.* timid, timorous

cramoisi *a. n. m.* crimson

crampe *f.* muscle cramp

cramponner *t.* to cling to; clamp (stones) together; buttonhole; **se cramponner à** to hang (hold) on to, cling to

crâne *m.* skull, cranium; brains

craquement *m.* crash

craquer *i.* to crack; creak (shoes)

créance *f.* credit; debt, debt due; claim; belief, credence; **cette histoire a trouvé créance auprès de** this story was believed by

créer to create

créneau *m.* loophole (trench); **créneaux** battlements (parapet with open spaces)

crépuscule *m.* twilight, dusk

crête *f.* crest, top, ridge (hill); comb (rooster)

cretonne *f.* cretonne (printed cotton cloth)

creuser *t.* to dig, carve, cut, hollow (cut), scoop; rack; **se creuser la tête (cervelle)** to rack one's brains

creux (*f.* **creuse**) *a.* hollow, sunken; *n. m.* hollow

crevasse *f.* crack, crevice; chap (skin)

crevasser *t.* to crack; chap (skin); **se crevasser** to crack; (skin) get chapped

crever (il crève) *t. i.* to burst, puncture, split

cri *m.* cry, shout, call; shriek; screeching (wood owl); **jeter (pousser) les hauts cris** to protest loudly; **pousser un cri** to utter a cry

crier *i. t.* to yell, cry (out), call (out); shout, scold, roar; protest; **crier à l'aide** to call for help; **crier au sacrilège** to cry "sacrilege"

crinière *f.* mane; unruly shock of hair

crisper *t.* to contract (muscle), clench (hand), distort (face), make nervous, set one's nerves on edge; **se crisper** to contract, (person) become tense

critique *a.* critical; *n. f.* criticism; *m.* critic; **avoir l'esprit critique** to have a critical mind

crochet *m.* hook; detour, turn; **il fit un crochet** he made a detour

croire *t.* to believe; **croire à** to believe in; **il croyait à une mystification** he thought it was a hoax; **c'est à croire que** one would really think that

croisé *p. part. a.* crossed; **assise les jambes croisées** seated cross-legged; **mains croisées** hands clasped; *n. m.* **Croisé** Crusader

crois : je crois I believe

croiser *t.* to cross; **croiser les bras** to fold one's arms; **se croiser** to pass (cross) each other, be pelted around

croissant *a.* growing, increasing; *n. m.* crescent, crescent moon

croix *f.* cross; **croix de guerre** War Cross (sort of Distinguished Service Cross); **croix de Lorraine** Lorraine Cross (with two crossbars, the emblem of Joan of Arc and de Gaulle)

crosse *f.* club (golf); shepherd's crook; crosier (of bishop), stock, butt(-end) (rifle); **la crosse à l'épaule** bringing his gun to his shoulder, taking aim

crouler *i.* to crumble (away)

croupe *f.* rump, croup (horse); buttocks; ridge, hill; **Je mis Carmen en croupe** I helped C. on my horse, to ride behind; **monter en croupe** to ride behind; **prendre qn en croupe** to take s.o. to ride behind

croupir *i.* to stagnate; lie (in dirt, idleness), rot (in prison)

croupissant *a.* stagnant (water)

croyable *a.* which can be believed, credible; (person) trustworthy

croyais (*v.* **croire**) : **je croyais** I believed, used to think;

je croyais savoir que I believed that, I had reason to believe that; **je me croyais** I used to think that I was

cruauté *f.* cruelty

cruche *f.* pitcher (jug); jar

crûmes (*v.* **croire**): **nous crûmes** we believed (thought)

crut (*v.* **croire**): **il crut** he believed; **Flatters n'en crut rien** F. did not believe anything about it; **afin qu'il crût** so that he would believe

cucule *f.* (monk's) cowl

cueillir *t.* to pick, gather

cuiller, cuillère *f.* spoon

cuisse *f.* thigh; leg (food)

cuit (*v.* **cuire**) *p. part. a.* cooked; **vin cuit** mulled wine

cuivre *m.* copper, brass

culbuté *p. part.* thrown (by horse)

culbuter *i.* to tumble (fall) down, topple over; turn a somersault; *t.* to knock down (over), upset, tip over; overthrow (Cabinet)

culotte *f.* knee, pants, knickers, short pants, shorts (outside); breeches

culte *m.* worship; cult, creed; **un bâtiment du culte** church; **célébrer le culte de** to worship; **il a un culte pour elle** he worships her;

culte des héros hero worship

curé *n.* (parish) priest, vicar

cycliste *n.* bicycle rider, bicyclist, cyclist

D

dactylo, dactylographe *f. m.* typist

daigner *t.* to condescend, consent, deign

dalle *f.* flagstone; pavement, slab (stone, marble); floor tile

dame *f.* lady

damné *a.* damned, in hell; *n. m.* person in hell, lost soul; **les damnés** the damned; **des angoisses de damné** hellish pangs; **il souffre comme un damné** he is in terrible pain; **j'ai souffert comme un damné** I went through hell

damner *t.* to damn (doom to hell); **se damner** to incur damnation; **je me damne** I am going to hell

danser *i. t.* to dance; **où l'on danse** where one dances, where there's dancing; **faire danser l'argent** to make money fly; **faire danser une jeune fille** to dance with a girl

danseur (*f.* **–euse**) *m.* dancer

danseuse *f.* dancer, ballerina

datte *f.* date (fruit)

dattier *m.* date tree (palm)

davantage *adv.* more, further

de *prep.* of, from, by, with, in, to, for, than, about, during; at; **de l', de la** of the; some, any; **de combien?** by how much? **devancer de deux heures** to precede by two hours; **de le voir si marri** seeing him so sorry; **aboyer de joie** to bark for joy; **un brave homme de prêtre** a good man of a priest, a kind priest

débarquer to land, disembark; **tu débarques** *sl.* you're a greenhorn

débarrassé *t.* rid (of, **de**); cleared

débarrasser *t.* to clear (table); **quand sa femme l'eut débarrassé de sa canardière** after his wife had helped him get rid of his duck gun; **se débarrasser de** to get rid of

débattre (*conjug.* **battre**) *t.* to discuss, debate; **se débattre** to struggle; to be discussed (of question)

débaucher *t.* to corrupt, lead astray, entice away

débit *m.* retail shop, store; (river) discharge, (rate of) flow; output, yield

débiter *t.* to retail; discharge, yield

déblayer *t.* (il **déblaie**) *t.* to clear (away), remove; **il se déblayait l'œsophage** he cleared (flushed out) his esophagus (gullet)

débobiner *t.* to unwind

débordement *m.* overflowing, overflow, outburst, explosion (of anger)

déboucher *t.* to open, uncork (bottle)

debout *adv.* up, standing; out of bed; in good condition, whole; **se mettre debout** to stand up

déboutonner *t.* to unbutton

débris *m. pl.* scraps, fragments; shreds, remnants, remains; wreckage, debris; rubbish, rubble

début *m.* beginning; **début de calvitie** incipient baldness

décamper *i.* to make off, run away, scram; break camp; **décampez!** beat it!

décapiter *t.* to behead; cut (chop, knock) off the head of

déchaîné *a. p. part.* loose; let loose; unchained; desperate; **l'enfer est déchaîné** hell has broken loose; **la tempête était déchaînée** the storm was unchained and let loose

décharger *t.* to unload, discharge

déchirant *a.* heart-rending

déchiré *p. part. a.* torn

déchirer *t.* to tear, tear open (envelope), lacerate (face); torture; break (the heart);

voilà ce qui déchira le voile that's what made everything plain; **se déchirer** to tear, rend asunder (cloud)

décidé *p. part. a.* settled

décidément surely

décider *t.* to decide; **se décider à** to make up one's mind to, resolve to

décidé *a.* determined, resolved

déclassé *a.* obsolete (ship); out of place; *n. m.* man who has lost his social position

décolérer: ne pas décolérer to be in a constant state of anger, be angry (mad) all the time, still be in a high state of anger

décor *m.* decoration

découper *t.* to cut out

découragement *m.* discouragement; **tomber dans le découragement** to become discouraged

découragé *a.* discouraged

découvert *p. part. a.* discovered; open, exposed (location)

découvrir *t.* to discover, find; take off the cover of, uncover, expose

décrit (*v.* **décrire**) *p. part.* described; marked

décroché *p. part. a.* knocked down

décrocher *t.* to unhook, take (knock) down; *i.* (troops) to fall back, withdraw

dédaigneusement disdainfully

dédain *m.* scorn, disdain

dedans *adv.* inside, in it, within; **en dedans** inside, from the inside; **là-dedans** in there, about it

dédoré *a.* with the gilding worn off

défait *p. part. a.* undone; **les cheveux défaits** her hair down

défaut *m.* fault, defect, bad (weak) point

défavorable *a.* unfavorable

défendre *t.* to defend, forbid; **se défendre de** to strive against

défi *m.* challenge, defiance; **lancer un défi à qn** to challenge s.o.

défiance *f.* distrust; **sans défiance** unsuspecting; **cela me mit en (éveilla ma) défiance** that awakened my suspicions

défier *t.* to challenge, dare, defy; **se défier de** to beware of, be on one's guard against

défiler *i.* to file off (by), march (in files) parade, appear in succession; **défiler devant** marching past; *t.* to unstring; **se défiler** *colloq.* to beat it, slink away

définitivement definitively, permanently, finally, for good and for all

déglutir *t.* to swallow

déglutition *f.* swallowing, deglutition; **il eut un mouvement de déglutition** he swallowed painfully

dégourdir *t.* to remove the stiffness (numbness) of, get the stiffness out of; make (s.o.) smart

dégoûté *a.* disgusted

dégoutter *i.* to drip, trickle

degré *m.* degree; step (of stairs); alcoholic content, percentage; **par degrés** gradually

dégringoler *t. i.* to tumble (come, clamber, fall) down

déguiser *t.* to disguise; **se déguiser** to disguise o.s.

déguster *t.* to sample, taste; sip; **déguster par petits coups** to sip

dehors *adv.* outside; out; **au dehors** outside, on the outside; **en dehors de** beside, in addition to

déjà *adv.* already; ever; **êtes-vous déjà allé au Canada?** have you ever been to Canada?

déjeuner *n. m.* lunch; (in provinces) breakfast; *i.* to have breakfast; to lunch; **le petit déjeuner** breakfast; **avoir (prendre) son petit déjeuner** to have breakfast

delà *prep.* beyond; **au delà** beyond, farther, more

délaissé *p. part. a.* forsaken

délaisser to abandon

délassement *m.* relaxation; entertainment

délasser *t.* to relax, rest, refresh; **se délasser** to rest, relax; refresh o.s.; be entertained; **se délasser des besognes** to take a little rest from the chores

délibérer *i.* to debate, discuss, deliberate

délicat *a.* delicate

délicatement discreetly

délicatesse *f.* delicacy, refinement

délice *m.*, **délices** *f. pl.* delight

délicieux *a.* delicious; delightful (person, time)

délimitation *f.* boundaries, delimitation

délimiter *t.* to settle (mark) the boundaries (limits) of

délinquant *m.* offender; delinquent

délire *m.* delirium; frenzy; excitement; **j'ai eu le délire** I was delirious (irrational)

délivrance *f.* rescue, freedom, deliverance

demain *adv.* tomorrow; **à demain!** see you tomorrow!

demande *f.* request

demander *t.* to ask (for); **demandez à un agent** ask a policeman; **je vous demande un peu!** can you imagine? **elle n'aurait pas mieux demandé que de descendre** she would have liked nothing better than to come down; **se demander** to wonder; **je me le demande** I wonder

démanger *i.* to itch; **la langue me démange** I have a mad desire to speak; **son sabot lui démangeait** her shoe fairly itched to kick

démarche *f.* gait, walk; proceeding, application, formality; **elle sentait dans sa démarche** when she walked she felt

déménager *i.* to move to another house

démence *f.* insanity; dementia; **dans sa démence jalouse** in a fit of jealousy; **tombé en démence** gone crazy

démener: **se démener** to bestir o.s.; **la crosse de monseigneur se démène** His Lordship beats his crosier wildly on the floor

démentir *t.* contradict, disown; **se démentir** to contradict o.s.

demeurer *i.* to remain, stay, live

demi *a.* half; **à demi fini** half done; **elle se dressa à demi** she stood up halfway (partly); **une demi-douzaine de** half a dozen; **en demi-cercle** semicircular

demoiselle *f.* young lady

démolir *t.* to destroy, tear

down, demolish; break, ruin

démon *m.* devil, fiend, demon

démonter *t.* to take apart

dénicher *t.* to find out; **dénicher des nids** to rob birds' nests

denier *m.* penny, farthing, denier (1/12 of a sou); *pl.* money

dénoncer *t.* to denounce; announce; tell

dent *f.* tooth; **se laver les dents** to brush one's teeth; **s'armer jusqu'aux dents** to arm o.s. to the teeth; **en dents de scie** (mountains) serrated

dentelle *f.* lace, lacework; **fine dentelle de pierre** delicate stone tracery (traceries)

dentelé *a.* jagged (mountain); toothed (leaf)

départ *m.* departure; leave-taking

département *m.* department (one of the 93 administrative divisions of France and her colonies)

dépasser *t. i.* to go (reach) beyond, pass, surpass, exceed, be higher

dépecer *t.* to cut up, carve

dépend: **ça dépend** it depends; **cela ne dépend pas de vous** it does not depend on you; it's not your fault

dépendre *i.* to depend, be dependent, result; *t.* to

take down (unhang); **dépendre de** to depend on

dépens *m. pl.* expense; **aux dépens de** at the expense of

dépense *f.* expense; larder

dépenser *t.* to spend (money), expend (energy)

dépister *t.* to track down, get on the track of

dépit *m.* spite; **avec dépit** spitefully; **en dépit de** in spite of

déplacé *a.* out of place, in bad taste (joke)

déplier *t.* to unfold, open

déployer *t.* to display, spread out, use; show (zeal); **se déployer** to open

déposer *t.* to put (set, lay) down; place

déposition *f.* testimony

dépouille *f.* skin, hide

dépouiller *t.* to strip

dépourvu *a.* unprovided; destitute; **dépourvu de** lacking, devoid of

déprimant *a.* depressing

depuis *prep.* since (time); for, from, for the last; **j'apprends le français depuis deux ans** I have been studying French these two years; **toutes les places étaient retenues depuis trois semaines** all the seats had been reserved for three weeks

député *m.* representative, deputy (in the National Assembly, former Chamber of Deputies, House of Representatives)

dérangement *m.* trouble, inconvenience, bother

déranger *t.* to bother, disturb; **se déranger** to trouble o.s.

dérouler *t.* to unroll, unfold, unfurl; display; **se dérouler** to take place

derrière *adv. prep.* behind, back of; **pattes de derrière** hind legs; **la porte de derrière** back door

des *art. pl.* some, any; of the, from the

dès *prep.* as early as, from, since; **dès que** as soon as; **dès lors** from that time on

désastre *m.* disaster, calamity

désastreux (*f.* –**euse**) *a.* disastrous

descendre *i.* to go down; get off; descend; be descended from; *t.* take down; **descendre dans un hôtel (à l'hôtel)** to stay at a hotel; **ils se firent descendre au premier hôtel** they told the coachman to pull up at the nearest hotel; **la nuit descendait** night was falling

descente *f.* going (getting) down, way down; **descente en Angleterre** invasion of (incursion into) England; **à la descente** going down

désert *a.* deserted; *n. m.* desert, wilderness

désespéré *a.* desperate; despairing, in despair; agonized (features); beseeching (hands); wild, reckless

désespérément desperately; terribly

désespérer *i.* to despair; **désespérer de** to despair of; **la vérité dont je désespérais** the truth which I had lost all hope of finding

désespoir *m.* despair, fit of despair; **être au désespoir** to be in despair

déshabillé *a.* undressed; *n. m.* kimono, dressing gown

déshabiller *t.* to undress; **se déshabiller** to undress

déshonorant *a.* dishonorable, shameful

déshonorer *t.* to dishonor, disgrace; **je suis déshonoré** I have lost my honor

désigner *t.* to show; assign; **désigner la maison du geste (du doigt)** to point at the house

désir *m.* desire

désirer *t.* to desire, want; **il se fait désirer** he is long coming, he keeps us (you) waiting

désobligeant *a.* unkind, disobliging, not polite

désolé *a.* so sorry, distressed, mournful

désoler *t.* to distress; **se**

désoler to grieve, be distressed

désordre *m.* disorder; offense, misdemeanor

désormais *adv.* henceforth

desquels (*f.* **-elles**) *m. pl.* of (from) which; of (from) whom; **auprès desquels** near which

dessein *m.* design, aim, plan; **à dessein** on purpose; **à dessein de** in order to; **avoir (le) dessein de** to intend to; **dans le dessein de** with the intention of, for the purpose of

desserrer *t.* to loosen (up); **desserrer les dents** to open one's mouth, speak; **desserrer les lèvres** to open one's lips; **se desserrer** to get loose

desservi *p. part. a.* served

desservir *t.* to serve, service

dessiner *t.* to draw, sketch, outline, form, lay out; **se dessiner** to be outlined

dessus *adv. prep.* on, on it, (him, her), upon it, over (it); **le plancher du dessus** the floor above; **par-dessus** over (it, them); **sens dessus dessous** upside down, topsy-turvy; **ils lui tireraient dessus** they would shoot at him

dessus *n. m.* top; **dessus de lit** bedspread

destin *m.* destiny, fate; doom; lot; career

destinataire *m. f.* addressee; recipient

destiné à intended for, meant for

destinée *f.* fate

destiner à to intend for

détaché *a.* casual

détacher to detach; let drive (fly) (kick, blow (at, à)); se détacher de to draw away from

détail *m.* detail; retail; vendre au détail to retail, sell piecemeal

détaler *i.* to run (scamper) away; take to one's heels; run, (ship) forge ahead

déteindre *i.* to run (of color), fade; déteindre sur to leave a stain on, have a bad influence on

déteint (*v.* déteindre) *p. part.* faded, blurred

dételer *t. i.* to unhitch; knock off work

détendre *t.* to unbend, relax; se détendre to relax

détenir *t.* to hold, be in possession

déterminé *a.* determined, resolute, bold

détonation *f.* detonation, report (gun)

détourner *t.* to turn away; détourner de to divert from; détourner la question to change (turn) the question

détourné *a.* indirect, devious; detoured (traffic), out of

the way; chemin détourné byway, side road; rue détournée side street, by-street; sentier détourné bypath

détresse *f.* distress; elle lui conta sa détresse she told her about her predicament; en détresse in distress, dilapidated (house)

détruire *t.* to destroy

dette *f.* debt; avoir des dettes to be in debt

deux *a.* two; à deux common, shared; en moins de deux (secondes) in no time at all

devait (*v.* devoir) must be, had to be; il devait he should, was to, had to, must; he owed

devancer *t.* to precede, get ahead of; anticipate

devant *prep. adv.* in front (of); before; ahead; courir au devant de to run and meet

devenir *i.* to become; je ne sais plus que devenir I don't know what to do with myself any more; devenir fou to go crazy

devenu *p. part.* become; il était devenu it (he) had become

dévêtu *p. part.* undressed

deviendrai (*v.* devenir): je deviendrai I shall become; que deviendrai-je? what will become of me?

deviner *t.* to guess; realize

devint (*v.* **devenir**): **il devint** he became

devoir *t.* must, ought to, have to; owe; *n. m.* duty, task; (school) exercise, essay, paper; **je me mis en devoir de** I set about; **rentrer dans le devoir** to come back (return) to one's duty

dévorant *a.* scorching (sun); consuming (fire)

dévorer *t.* to devour, eat up

dévot *a.* devout; **dévot à la sainte Vierge** devoted to the Blessed Virgin

dévouement *m.* devotion

diable *m.* devil; **un diable d'enfant** devilish child; **le diable de chameau** the darn camel, that devil of a camel; **où diable avez-vous vu?** where the devil did you see?; **un grand diable** a tall fellow

diablement uncommonly

diane *f.* reveille

dicton *m.* saying, proverb

dieu *m.* god; **dieu! mon dieu! grand dieu!** goodness! **bon dieu!** Heavens! good heavens! good gracious, for goodness sake! for heaven's sake! **est-ce vous, mon Dieu?** is it you, Oh Lord? **le bon Dieu** the Lord, God; **bon Dieu!** bless my soul! **dieu merci!** thank goodness

digne *a.* worthy; dignified

dignement worthily

dilater *t.* to dilate (pupil of the eyes)

diligence *f.* stagecoach

dimanche *m.* Sunday; **le dimanche** on Sundays

dîner *m.* dinner; dinner party; supper (in Paris); lunch (in the provinces); *i.* to have dinner (supper, in Paris) to dine

dirait: **on dirait que** one would say that, it seems that

dire *t.* to say, tell; **dire que j'enseigne!** to think that I teach! **cela veut dire** that means; **pour ainsi dire** so to speak; **pour tout dire** in short; **que dire de?** what shall we say about? **se dire** to think

direct *a.* direct, first-hand

diriger *t.* to head, direct, run (an organization); coach; forward, send; **se diriger vers** to go (head) toward, take the direction of, make for, strike out

dis: **tu dis** you say; **vous dis-je?** I tell you; **que dis-je une classe?** shall I call it a class? **dis donc!** say!

disais: **je disais** I said, was saying, used to say; **qu'est-ce que je disais!** what did I say? wasn't I right?

disait: **il disait** he was saying; **on disait la fillette chez une tante** they said that the little girl was at an aunt's

discernement *m.* good judgment; distinction

discipline *f.* discipline, chastisement; whip; **se donner la discipline** to whip (flagellate) o.s.

discours *m.* speech; discourse

discret (*f.* –ète) *a.* discreet

discrètement cautiously, quietly, discreetly

discrétion *f.* tact

disculper *t.* to exculpate, clear; **se disculper** to exculpate o.s.

dise: **que je dise** that I (should) say

disent: **ils disent** they say

disjoint *p. part.* disjointed; **les briques s'étaient disjointes** the bricks had become loose

disparaître *i.* to disappear

disparition *f.* disappearance

disparu (*v.* **disparaître**) *p. part.* disappeared, missing

dispenser *t.* to bestow, deal out; **dispenser de** to excuse from

disposer *t.* to arrange; **disposer de** to have at one's disposal, to number

disposition *f.* disposition; tendency; disposal

dispute *f.* dispute; argument

dissimuler *t.* to cover up, conceal, hide

dissiper *t.* to squander, waste; dispel; shake off

distance *f.* distance; range; **être à (bonne) distance** to be within range

distingué *a.* distinguished; refined; **l'air distingué** refined-looking

distinguer *t.* to distinguish; make out (see); **se distinguer** to distinguish o.s.; **se distinguer de** to differ from

distrait *a.* absent-minded, dreamy, faraway (look)

distribuer *t.* to distribute; arrange

dit (*v.* **dire**): **il dit** he says, he said; **on aurait dit un homard** one would have said (thought) it was a lobster, it looked like a lobster; **on aurait dit qu'il savait** he seemed to know; **on n'eût pas dit que . . .** one wouldn't have thought that

dites: **vous dites** you say; **dites-vous?** do you say? **dites donc!** say, I say!

divan *m.* sofa

divers *a.* various

divertissant *a.* entertaining

dix *a.* ten

dizaine *f.* about ten

doigt *m.* finger, finger's-breadth; **doigt de pied** toe

dois (*v.* **devoir**): **je dois** I must, ought, have to; I owe

doivent (*v.* **devoir**): **ils doivent** they must (ought to); owe

doléance *f.* complaint

dom *m.* dom (title of prior); **dom prieur** the prior

domaine *m.* estate, domain, possession

domestique *n. m.* servant; *f.* maid

dominer *t.* to dominate; overlook; master

dompter *t.* to tame; subdue, overcome

dompteur *m.* tamer (wild beasts)

don *m.* gift; knack

donc *conj. adv.* therefore, so, then; indeed, now, well, I tell you (emphatic); I wonder; **attends donc** please wait; **dites-nous donc** do tell us; **que dites-vous donc là?** what the heck (the devil) are you talking about? **et donc** well; **où donc?** where now?

donne: je donne I give; **je voudrais bien qu'il me donne** I'd like him to give me

donné *p. part.* given

donner *t.* to give, give forth; devote, hand over, put on, lend, bring forth; **donner dans** to lean to; **donner à boire** to serve drinks; **ma chambre donne sur la rue** my room faces (looks out on, opens on) the street

donnerez: vous donnerez you'll give

dont *pron.* whose; of (from)

whom, of (from, about) which; among whom (which), with which; **ce dont vous avez besoin** what you need

doré *a.* gilded, gilt; gold, golden

dorénavant *adv.* from now on, hereafter

dormez: vous dormez you sleep

dormir *i.* to sleep

dors: je dors I sleep

dort: on dort one sleeps, people sleep

dortoir *m.* dormitory

dos *m.* back; **faire le gros dos** to arch one's back (cat); **je n'ai rien à me mettre sur le dos** I haven't anything to wear

dot *f.* dowry

double *m.* double, two

doublure *f.* lining

douce (*f. of* **doux**) *a.* sweet, wild; soft; gentle; kind; **eau douce** fresh water

doucement slowly; quietly; gently, kindly; gradually; **doucement!** go easy!

doucettement slowly, bit by bit

douceur *f.* sweetness, gentleness, mildness, kindness; **avec douceur** gently

douche *f.* shower (bath), dousing, drenching

douleur *f.* pain, suffering; sorrow, grief; agony; **un lit de douleur** sickbed

douloureux *a.* painful; sorrowful, woeful; **cri douloureux** heart-rending cry

doute *m.* doubt; **sans doute** without any doubt, no doubt, of course, I must (dare) say

douter *i.* to doubt; **douter de** to doubt; **il douta de l'amitié** he did not believe in friendship any more; **j'en douter** I doubt it; **je n'en doute pas** I don't doubt it; **se douter de qch** to suspect sth.

douze *a.* twelve

dramatique *a.* dramatic; **auteur dramatique** playwright

drame *m.* drama; dramatic story; tragedy, catastrophic event

drap *m.* cloth; **un habit de drap** a suit of woolen cloth; **drap (de lit)** (bed) sheet; **marchand de drap** cloth merchant

dressé *p. part.* standing, towering

dresser *t.* to raise; lay, set; rear; **dresser une échelle** to rear (stand) a ladder; **dresser procès-verbal de** to draw up a report about; **se dresser** to stand (up) stand erect, rise, tower; **ses cheveux se dressèrent sur sa tête** his hair stood on end

droit *a.* straight; right; **tout**

droit straight ahead; *n. m.* right; law; **avoir droit à** to be entitled to; **avoir le droit de** to be allowed to, have a right to; **faire son droit** to study law

droite *n. f.* right; **à droite** to (on) the right

drôle *a.* funny; strange; **la drôle de guerre** the phony war (1939); **tu es toute drôle depuis trois jours** you've looked strange these three days; *n. m.* scalawag

du *art. m.* some, any, of (from) the

dû (*f.* **due**) (*v.* **devoir**) had to; been obliged to; must have, probably; owed; **nous avons dû** we had to; **nous aurions dû voir** we should (ought to) have seen; **j'ai dû perdre** I must have (I probably) lost

duc *m.* duke

due (*f. of* **dû**) had to

dupe *f.* dupe; **être dupe d'un mensonge** to believe a lie

duquel *pron. sing.* of (from) which; of (from) whom

dur *a.* hard, tough, harsh, sharp (wind)

durant *prep.* during

durée *f.* duration

durer *i. t.* to last

dureté *f.* hardness

dusse (*v.* **devoir**): **que je dusse** that I should

dut (*v.* **devoir**): **il dut** he had to

E

eau (*pl.* –x) *f.* water; **eau-forte** etching; **laver à grande eau** to wash with quantities of water; **eau-de-vie** *f.* brandy

éblouissant *pres. part. a.* dazzling; **éblouissant de lumière** dazzling with light

ébréché *a.* chipped off

écarquiller *t.* to open wide; **écarquiller les yeux** to open one's eyes wide

écarté *a.* out of the way; **chemin écarté** side road

écarter *t.* to push aside; put further away; keep off (away); discard; **s'écarter** to open (of bushes)

échalier *m.* stile (steps)

échanger *t.* to exchange; **nous échangions des poignées de main** we used to shake hands

échapper *i.* to escape; **échapper à** to escape; **la patience lui échappa** he lost all patience; **nous l'avons échappé belle** we had a close call (narrow escape); **laissant échapper un geste d'impatience** unable to restrain an impatient gesture; **s'échapper** to escape, run away; come out (odor)

écharpe *f.* scarf; sash (of mayor)

échec *m.* failure; **tenir en échec** to hold in check; **jouer aux échecs** to play chess

échelle *f.* ladder

écho *m.* echo

éclair *m.* flash of lightning

éclairé *a.* lit, lighted up

éclairer *t.* light (up); *mil.* reconnoiter, explore; **cette lampe éclaire mal** this lamp gives a bad light; **éclaire-moi donc !** please bring (throw) your light nearer (me) !

éclaireur *m.* scout

éclat *m.* brightness, color, grandeur; splinter, fragment; **une action d'éclat** brilliant feat of arms; **cervelle en éclats** shattered brains; **éclat d'obus** shell fragment; **éclat de rire** burst of laughter; **rire aux éclats, partir d'un grand éclat de rire** to burst out laughing

éclatant *a.* brilliant, bright, colorful; dazzling; resounding, ringing, loud, mighty (sound); **éclatant de blancheur** glistening (gleaming) white; **femmes éclatant de dentelles,** women bursting (dazzling, glittering) with lace

éclater *i.* to burst, break out, burst forth; explode (anger); chip off; **éclater de rire** to burst out laughing

école *f.* school

économe *a.* economical

économiser *t. i.* to economize, save (money, fuel)

écossais *a.* Scottish, Scotch; *n.* un Écossais a Scotsman

Écosse: l'Écosse *f.* Scotland

écouler *t.* to dispose of, sell (goods); **s'écouler** to flow; pass; **les heures s'écoulèrent** hours went by

écouter *t.* to listen (to)

écrasé *p. part.* crushed, run over, laden

écraser *t.* to crush; pound; weigh upon

écrier: **s'écrier** to cry out, exclaim

écrin *m.* jewel box, case

écrit *p. part.* written; *v.* **il écrit** he writes; **c'est écrit** it's bound to happen; *n. m.* writing, literary work

écriteau *m.* sign (with writing)

écriture *f.* handwriting, penmanship; **écritures** clerical work; **l'Écriture (Sainte)** the (Holy) Scripture

écrivain *m.* writer, author

écroulement *m.* collapse

écrouler: **s'écrouler** to fall in, tumble down, collapse

écuelle *f.* wooden bowl, porringer

écume *f.* foam

écumer *i. t.* to froth (at the mouth), foam; **écumer les côtes** to scour (loot) along the seacoast

écumeux (*f.* **-euse**) *a.* foaming

écumoire *f.* skimmer

écurie *f.* stable(s) (horses)

édifiant *a.* edifying

effaré *a.* frightened, scared

effarement *m.* fright, alarm

effarer *t.* to frighten, scare

effectivement *adv.* in reality, in fact

effet *m.* effect; influence; **effets** *pl.* clothes, clothing; **ses beaux effets** his best clothes; **en effet** indeed, in fact, exactly, why, yes; why, of course; you're right, as a matter of fact

effilé *a.* pointed, slender

effondré *a.* prostrate, crushed

efforcer: **s'efforcer** to endeavor, to try, make an effort; **efforcer de** to try one's best to

effraction *f.* housebreaking

effrangé *a.* frayed (worn into shreds)

effrayant *a.* frightful, terrifying

effrayé *a.* frightened (at, **de**)

effrayer *t.* to frighten

effronté *a.* impudent, brazen, nervy

effroi *m.* fear, fright

effroyable *a.* frightful, appalling

égal (*pl.* **-aux**) *a.* equal; regular, even; **ça m'est égal** I don't mind, I don't care; **également** also, likewise; equally; evenly

égard *m.* respect, consideration; **à l'égard de** toward, to, regarding; **à mon égard** toward me; **par égard pour** out of consideration for; **sans égard pour** without any consideration for

égaré *a.* lost; distracted; stray (bullet, sheep, drop); **d'un air égaré** with a wandering look

égayer *t.* to cheer up, enliven, amuse; **s'égayer** to make merry, to laugh

église *f.* church

égorger *t.* to slaughter, cut the throat of

égoutter *t.* to pour the last drop out of

eh *int.* hey, well; **eh! eh!** aha.; **eh bien?** well?

élan spring (dash), impetus, impulse, start; enthusiasm; **prendre son (de l') élan** to take a running jump, get all set; *fig.* to pluck up courage

élancer *t.* to launch, dart; **s'élancer** to spring, rush forth, (forward), hurl o.s.; shoot up (of plant, child)

élargir *t.* to widen, broaden; **s'élargir** to spread out

Elbe Elba, *small Italian island between Corsica and Italy. After his first abdication, Napoleon I lived there for ten months (1814–1815); he left it secretly, February 26, 1815, with a* *thousand devoted soldiers, and on March 1st he landed at Golfe Juan, near Cannes. The Free French soldiers of General Juin occupied Elba in 1943 and handed it back to Italy in 1944.*

élégant *a.* elegant; refined; *n. m.* fashionable man

élève *m. f.* pupil; student; **les élèves** the school children

élevé *p. part. a.* raised; brought up; high (pay, sense); eminent, lofty; **bien élevé** polite; **elle est bien élevée** she has good manners, she has been well brought up

élever *t.* to raise, bring up, rear; build; make deeper; **s'élever** to rise

élixir *m.* elixir (rejuvenating drink)

elle *pron.* she, her, it; **elle-même** herself; **d'elle-même** of her own accord, spontaneously, by herself

éloge *m.* praise; **faire l'éloge de** to praise

éloignement *m.* distance, remoteness

éloigner *t.* to move away, remove; **s'éloigner** to go away, leave, move off, walk on

émané de emanating (coming) from

emballer *t.* to pack (up); **s'emballer** to run away

(horse); **ne vous emballez pas !** keep cool ! don't work yourself all up; keep your shirt on !

emballeur *m.* crater, packer

embarras *m.* difficulty, trouble, predicament; **il me tira d'embarras** he helped (got) me out of the difficulty

embêter *colloq.* to bother

embouchure *f.* mouth (of river)

embrasé *a.* blazing; glowing, flaming

embraser *t.* to fire; **s'embraser** to blaze up

embrasser *t.* to kiss; embrace, hug; cover; take up, embrace (occupation)

émeraude *f.* emerald (green)

émeut (*v.* **émouvoir**): **il émeut** it moves (impresses)

éminence *f.* eminence (high ground)

emmener *t.* to take to (along, away); **emmener à** to take to

émotion *f.* emotion, feeling; excitement, thrill; embarrassment

émouvant *a.* moving, touching, impressive, pathetic

émouvoir *t.* to move (the feelings); **s'émouvoir** to be moved (excited, disturbed)

empaillé *p. part. a.* stuffed (animal); awkward; *n.* awkward person

empanaché *a.* plumed

emparer: s'emparer de to seize, capture, take possession of, grab

empêcher *t.* to prevent; **empêcher de** to prevent (keep) from; **je ne peux pas m'empêcher de rire** I can't help laughing; **empêcher de pleuvoir** to keep the rain from falling; **elle m'en empêcha** she wouldn't let me

empeser *t.* to starch

empiler *t.* to pile up

empire *m.* empire; **le Premier Empire** Napoleon I's imperial government (1802–1815); **le Second Empire** Napoleon III's imperial government (1852–1870)

emploi *m.* job; **trouver un (de l') emploi** to find a job

employé *m.* employee, clerk; **employé de banque** bank clerk; **employé de bureau** office worker; **une famille d'employés** a white-collar family; **employé de chemin de fer** railroad man; **employé des postes** post-office clerk

employer *t.* to use

empoisonné *p. part. a.* poisoned; poisonous

emportement *m.* transport (vehement emotion), excitement; **elle l'embrassa avec emportement** she kissed her excitedly

emporter *t.* to carry (drive) away, to take along; **l'emporter sur** to get the better of, be superior to

empreignit: elle empreignit it was marked

empreindre *t.* to impress; **s'empreindre** to be marked (with, **de**), stamp o.s.

empressement *m.* eagerness; marked (assiduous) attention; **le chameau avait autour de Tartarin des empressements ridicules** the camel paid marked and ridiculous attentions to T.

empresser: s'empresser de to hasten to

ému (*v.* **émouvoir**) *p. part. a.* moved, touched; emotional

émut (*v.* **émouvoir**): **il émut** he moved (to pity); **il ne s'en émut pas** he was not disturbed by it

en *prep.* in, into; within, of, at, on; by, while; to; as a, like a (the); **de France en Amérique** from France to America; **en allumant** by lighting; **en mer** on the sea; **couronne en tête** wearing his crown, his crown on his head

en *pron.* of it, him, her, from it, from there; on account of it; of them, some (of it, of them); one; about it; some of it (of them); by, for it; any; **il y en avait** there was (were) some;

il y en avait un there was one; **parlez m'en** tell me about it; **s'en aller** to go (away)

encadré *a.* framed, bordered, flanked on both sides, surrounded

encadrement *m.* frame (window, door)

enchanté *a.* delighted; delightful (spot)

enclos (*v.* **enclore**) *p. part.* enclosed

encombrant *a.* bulky, cumbersome, encumbering, in the way

encombrement *m.* jumble (clutter) of things; **encombrement de voitures (de la circulation)** jam of traffic

encombrer *t.* to clutter up, crowd, encumber; *i.* to be in the way

encore *adv.* again; still; yet, as yet; more; also; another, one more; even so; indeed; I must say; after all; **encore une fois** once more; **encore une prise** another pinch (of snuff); **pas encore** not yet; **encore mieux** still better; **pendant quelque temps encore** for some time yet, yet a while longer; **encore que** although; **et encore** and then; **et encore !** not even that ! **encore disait-il sa prière en provençal** even so, he said his prayer in Provençal

encre *f.* ink; **écrire à l'encre** to write in ink

encrier *m.* inkwell

endommager *t.* to damage

endormi *a.* sleeping, asleep

endormir *t.* to put to sleep; **s'endormir** to go to sleep

endroit *m.* place

endurer *t.* to go through (torture), bear

énergie *f.* energy, will power

enfance *f.* childhood

enfant *m. f.* child; **mes enfants** (to soldiers) men, fellows, my lads

enfantillage *m.* childishness, childish act

enfermer *t.* to shut up, enclose, lock up, imprison; **s'enfermer** to shut o.s. up

enfiler *t.* to slip on (garment)

enfin *adv.* at last, finally; in short; **enfin!** ah, well! well, anyway! what can you expect! **mais enfin** but still

enflammé *a.* flaming, in flames

enfoncer *t. i.* to dip, sink; break (door) open, burst open; drive (nail); jab (needle); **s'enfoncer** to sink, go down, go far (deep), penetrate, plunge; give way, be smashed in; **elle s'enfonça un couteau dans le cœur** she stuck

(plunged) a knife in her heart

enfoui *p. part.* buried

enfouir *t.* to bury

enfuir: s'enfuir to escape, flee, run away

engagement *m.* promise, engagement, obligation; **il prit des engagements ruineux** he made ruinous promises

engloutir *t.* to swallow up; engulf; bolt down (food); **s'engloutir** to be engulfed, sink

engourdir *t.* to numb; **s'engourdir** to become numb; be getting hazy (of ideas)

engueuler *t. vulg.* to give the devil to, bawl out, call down

enhardi *p. part.* made bold

enhardir (*pres. part.* **enhardissant**) *t.* to embolden; **s'enhardir** to pluck up courage

enjambée *f.* stride; **marcher (filer) à grandes enjambées** to stride along

enjamber *t.* to stride (straddle) over, climb over, span

enjoué *a.* playful

enjouement *m.* playfulness; **avec enjouement** playfully, gaily

enlacé *p. part.* intertwined, entwined

enlever *t.* to remove, take off; take away, capture, kidnap; **on enlève ses vête-**

ments people take off their clothes; **enlever à** to take away from; **faire enlever qch** to have sth. removed

enluminure *f.* colored print (in old books); brightly-colored design

ennuie (*v.* ennuyer): **il ennuie** he bothers; **cela m'ennuie de ne pas avoir** it annoys me (I am annoyed) not to have; **on s'ennuie** people get bored

ennuyer *t.* to bother; annoy; **s'ennuyer** to be bored

ennuyeux (*f.* –**euse**) *a.* boring; troublesome; **le style ennuyeux** the style that bores

énorme *a.* huge, enormous

enquête *f.* investigation; **pousser une enquête un peu plus loin** to carry an investigation a little further

enragé *a.* mad, furious, wild, rabid; tireless; *n. m.* fanatic, madman

enrichir *t.* to enrich; **s'enrichir** to get rich

enrôler *t.* to enrol; **s'enrôler** to enlist

enroué *a.* hoarse

enseigne *f.* sign, signboard, flag; **un enseigne (de vaisseau)** ensign

ensemble *adv.* together; *n. m.* whole; **dans l'ensemble, dans son ensemble** as a whole, generally speaking

enseveli *p. part.* buried

ensevelir *t.* to bury

ensevelissement *m.* burial

ensoleillé *a.* sunny; filled with sunlight, aglow; **j'en eus l'estomac tout ensoleillé** it brought a flood of sunshine into my stomach

ensorcelé *a.* bewitched

ensuite *adv.* next, then, after, afterwards

ensuivre: s'ensuivre to follow; **il s'ensuivit une contestation** an argument followed

entamer *t.* to cut (bite) into

entend: il entend he hears

entende (*v.* entendre): **pour que l'homme entende** that the man may (might) hear

entendre *t.* to hear; understand; mean; **à t'entendre** according to what you said; **faire entendre un cri** to give forth (utter) a cry; **entendre parler de** to hear about; **se faire entendre** to be heard; **s'entendre** to come to an understanding; **s'entendre avec qn** to get along with s.o.; **tu t'entendras sur tout cela avec le bon Dieu** you will explain all that to God; **s'entendre pour** to agree about; be of the same mind about

entends: j'entends I hear; I mean

entendu *p. part.* heard; **entendu!** all right! it's a deal! **bien entendu** of course, naturally; **il est bien entendu que** it's understood that

enterrer *t.* to bury

entêté *a.* stubborn; intoxicated

entêter *t.* to give a headache (odors); **s'entêter** to persist, keep on going

entier (*f.* –ière) *a.* entire, whole; **le monde entier** the whole world; **tout entier** entirely

entièrement entirely

entonner *t.* to strike up (tune), begin to sing

entortiller *t.* to twist

entour *m. usually pl.* neighborhood; **à l'entour (de)** around (it)

entourer *t.* to surround

entournure *f.* armhole (of coat); **pour me sentir plus libre dans les entournures** in order to feel freer

entr'acte *m.* intermission

entrailles *f. pl.* stomach (abdomen), bowels, entrails

entrain *m.* enthusiasm, zest, pep, go, animation

entraîner *t.* to carry, carry away, drag (away); bring about; train, pull; **je me laissai entraîner** I allowed myself to be persuaded; **s'entraîner** to train

entravé *a.* impeded; **jupe**

entravée hobble skirt (narrow at bottom)

entraver *t.* to hinder, clog

entre *prep.* between; among; **entre autres** among others; **entre les mains de** in the hands of; **entre nous** between you and me

entre-bâillé *a.* just a little open, ajar

entre-bâillement *m.* gap, opening

entre-dévorer: **s'entre-dévorer** to devour (eat up) each other

entrée *f.* entrance; in, way in; **faire son entrée** to make one's entry, to enter; **faire une entrée convenable** to come in a satisfactory way; **entrée en matière** first steps, beginning; **la porte d'entrée** entrance door

entreprendre *t.* to undertake

entrer *i.* to come in; enter, go in; **entrer dans la pièce** to enter the room; **faire entrer qn** to show (let) s.o. in; **entrer là-dedans** to go in there

entretenir *t.* to support, maintain, take care of; converse with; **s'entretenir avec qn de** to converse (talk) with s.o. about

entretien *m.* conversation

entrevoir *t.* to see dimly, catch a dim sight of, have a glimpse of

entr'ouvrir *t.* to half-open

envahi *p. part.* invaded; overcrowded, permeated; **briques envahies de mousse** bricks overgrown with moss

envahir *t.* to invade, pour into, take possession of

envahisseur *m.* invader

envelopper *t.* to envelop, surround; **envelopper de partout** to surround on all sides; **s'envelopper de** to wrap o.s. in

enverrai: j'enverrai I'll send

envers *prep.* toward, to

envi: à l'envi de in emulation of; **ils célébraient à l'envi le culte de** they vied in worshipping

envie *f.* desire; envy; birthmark; **j'ai envie de** I feel like, I want (to), I have a desire to; **faire envie à qn** to fill s.o. with longing; **elle me fait envie** I want it badly; **pour lui ôter l'envie de me suivre** to discourage him from following me

envié *a.* coveted, envied

envier *t.* to envy

environ *adv.* about, nearly

environner *t.* to surround

environs *m. pl.* vicinity, neighborhood; **aux environs de** in the vicinity of

envoie: j'envoie I send; **il faut que j'envoie** I must send

envoyé *p. part.* sent; **il ne le lui a pas envoyé dire** he told her in no uncertain terms; *n. m.* envoy, messenger

envoyer *t.* to send; **envoyer chercher** to send for

envoyiez: vous envoyiez you sent; **il faut que vous envoyiez** you must send

épais (*f.* **épaisse**) *a.* thick

épaissir *t. i.* to thicken; **s'épaissir** to thicken; grow darker (night)

épargner *t.* to save (money); spare

éparpiller *t.* to scatter

épaule *f.* shoulder; **entrer d'un coup d'épaule** to crash in, shoulder(s) first

épauler *t.* to level one's gun, take aim

épée *f.* sword

éperdu *a.* bewildered, out of one's wits, dismayed, dumbfounded; wild, mad (rush)

éperdument madly, wildly, desperately

éperon *m.* spur; **en éperon de trirème** like the beak (prow) of a trireme (galley with three banks of oars)

épicier (*f.* **épicière**) *m.* grocer

épier *t.* to spy on; **épier l'heure de** to watch for the time to

épieu *m.* short spear

épingle *f.* pin

épistolaire *a.* of letter-writing

éploré *a.* tearful, weeping; wailing (voice)

éponge *f.* sponge; **une serviette éponge** Turkish towel, bath towel

éponger *t.* to clean with a sponge; **s'éponger (le front)** to mop one's brow

épopée *n. f.* epic

époque *f.* time; era, period

épouse *f.* wife

épouser *t.* to marry; **épouser qn** to marry s.o.

épouvante *f.* terror

épouvanter *t.* to terrify

épreuve *f.* trial, ordeal, test, examination, questions; proof; **à toute épreuve** proof against everything; **dévouement à toute épreuve** tried (never failing) devotion

éprouver *t.* to suffer, feel, experience, put to the test

éprouvette *f.* test tube

épuisé *a.* exhausted, emptied

épuisement *m.* exhaustion

équateur *m.* equator

équilibre *m.* balance

équipage *m.* crew

ère *f.* age, era

ermitage *m.* hermitage

ermite *m.* hermit

errant *a.* wandering (about), roving, stray (dog); nomadic (life)

errer *i.* to wander (about)

escalader *t.* to climb, climb over (wall)

escalier *m.* stairs; **escaliers** stairway, stairs

escorte *f.* escort

escroc *m.* crook

espace *m.* space, room; infinity, whole scenery

espacé *p. part.* spaced out; *a.* double-spaced (lines); **arbres également espacés** trees standing at regular intervals

espacer *t.* to space; space off, put some distance between each other; **s'espacer** to become less frequent (visits)

espèce *f.* kind, sort, species; **espèces** *pl.* specie; cash

espérance *f* hope, expectation

espère: j'espère I hope; **je l'espère** I hope so

espérer *t.* to hope

espion (*f.* **espionne**) *m.* spy

espionnage *m.* espionage

espoir *m.* hope; **amour sans espoir** hopeless love

esprit *m.* spirit, mind, wit, brains, sense; **faire de l'esprit** to try to be witty (funny); **je n'ai pas d'esprit (l'esprit) de suite** I have no perseverance, I have a grasshopper mind

essaie (*v.* **essayer**): **j'essaie de** I'm trying to

essayer *t.* to try; **essayer de** to try to

essentiel *a.* essential; *n. m.* essential, gist, essentials

essoufflé *a.* out of breath, breathless

essuyer *t.* to wipe (away); mop; **essuyer la neige du banc** to brush the snow off the bench; **s'essuyer le front** to mop one's brow; **s'essuyer les mains** to dry one's hands; **s'essuyer les yeux** to wipe one's eyes

est (*v.* être): **il est** he (it) is; **c'est** he is, she is, that is; **est-ce que ...?** is it that ...? (introduces question with normal word order; no inversion); **c'est que** it's because; **pour ce qui est de la ville** as far as the town is concerned

est *n. m.* East

estomac *m.* stomach (abdomen = **le ventre**)

et *conj.* and; **et le second service?** how about the second call (for dinner)?

établi (*v.* établir) *p. part.* established; **être établi** to have one's business

établir *t.* to establish, set up; **établir le camp** to pitch camp; **établissant ses comptes** figuring out the cost, making estimates, reckoning up her accounts; **s'établir** to settle

étage *m.* floor (story of a house); **au premier étage** on the second floor (count one more in America)

étai *m.* prop; (Navy) stay; **les étais** the rigging

étais (*v.* être): **j'étais** I was

était: **il était, c'était** he (it) was

étaient: **ils étaient** they were; **des gens étaient venus voir** people had come to see

étain *m.* tin; pewter; **un plat d'étain** pewter dish

étalage *m.* display

état *m.* state; condition; profession, calling, trade; estimate, list; **les États Généraux** the States-General; **les États-Unis** the United States; **en bon état** in good condition (shape); **en état de parler** in a condition (able) to speak; **mettre en état** to tidy up; **état monastique** monastic life

étau *m.* vise

été (*v.* être) *p. part.* been; **j'ai été** I was, I have been

été *m.* summer; **l'été** in the summer

éteignez (*v.* éteindre): **vous éteignez** you put out (the light)

éteignis: **j'éteignis** I put out

éteindre *t.* to put out (light, fire), extinguish; kill, appease; **s'éteindre** to go out (of light, fire) die

éteint (*v.* éteindre) *p. part.* extinguished; off (light); dead, extinct; dull (eyes)

étendre *t.* to spread, stretch (out); extend; **étendre le bras** to stretch out one's arm; **s'étendre** to spread, stretch (o.s.), extend; lie down

étendu *p. part.* (**étendre**) spread; lying (down), stretched out; *a.* lying, sprawling

étendue *f.* area, size, vastness

éternité *f.* eternity; **pour l'éternité** for ever and ever

êtes: vous êtes you are

étiez: vous étiez you were

étincelant *a.* sparkling

étinceler (il étincelle) *i.* to sparkle

étincelle *f.* spark

étique *a.* very lean (thin)

étiqueteur (*f.* –euse) *a.* labeling; *n. m.* labeler

étiquette *f.* label

étoffe *f.* material, fabric, cloth, stuff

étoile *f.* star

étonné *p. part.* astonished, amazed; **étonné de** astonished at

étonnement *m.* astonishment

étonner *t.* to astonish; **s'étonner** to be surprised, to wonder

étouffer *t.* to stifle; *i.* to be suffocating; **on étouffe ici** it's suffocating here; **étouffer le scandale** to hush up the scandal

étourdi *p. part. a.* stunned

étourneau *m.* starling (bird fond of fruit)

étrange *a.* strange, queer

étranger (*f.* –gère) *a.* foreign; **langue étrangère** foreign language; *n. m.* stranger; **l'étranger** (the) foreign countries; **à l'étranger** abroad; **ils sont devenus étrangers l'un à l'autre** they have become estranged

étrangeté *f.* strangeness

étrangler *t.* to strangle

être *t.* to be; **avant d'être** before being; **il en fut de P comme de R,** it was with P. as with R.; **j'en fus pour mon geste de protestation** my gesture of protest was of no avail

être *n. m.* being

étroit *a.* narrow, small

étroitement closely, narrowly

euphonie *f.* euphony (pleasing sound)

euphonique *a.* euphonic, harmonious, melodious

eurent (*v.* avoir): **ils eurent** they (*m.*) had

eussent had; **qu'ils eussent** that they might have; **si elles en eussent été témoins** if they had witnessed it; **comme s'ils eussent été honteux** as if they would have been ashamed

eut: **il eut** he had

eût had; would have; **c'eût**

été it would have been; **si elle eût su** if she had known; **pas une grange qui n'eût** not one barn which did not have

eux (*f.* **elles**) *pron.* they; them

évader: s'évader to escape

évaluer *t.* to estimate

évangile *m.* gospel

évanoui *p. part. a.* vanished; fainted; **il était évanoui** he had fainted

évanouir: s'évanouir to faint, swoon; vanish, fade away

évasion *f.* escape

éveil *m.* awakening; alarm; **donner l'éveil** to raise (give) the alarm; **être en éveil** to be on the alert

éveillé *a.* awake

éveiller *t.* to wake up, awake, rouse

éventré *p. part. a.* ripped (cut) open

éviter *t.* to avoid

évoquer *t.* to call up

exact *a.* accurate

exactement exactly; correctly

exalté *a.* uplifted, elated, whipped up (courage), excited, raised high

examen *m.* examination

examiner *t.* to examine; scrutinize, look closely (intently) at

exaspérer *t.* to exasperate, exacerbate, drive frantic,

key up; **s'exaspérer** to grow terribly, become exacerbated (pain)

exceller *i.* to be outstanding

exceptionnel *a.* exceptional, uncommon; **de manière tout à fait exceptionnelle** quite exceptionally

exciter *t.* to excite; **exciter l'attention** to arouse (rouse) the attention (curiosity)

exclu (*v.* **exclure**) *p. part. a.* excluded; barred, kept away

excuser *t.* to excuse; **excusez-moi** excuse me

exécrer *t.* to hate

exécuter *t.* to execute; carry out (order, plan)

exécution *f.* execution, fulfillment; **mettre à exécution** to carry out

exemplaire *a.* exemplary; *n. m.* copy (of book)

exemple *m.* example; **par exemple** for example, for instance; let me tell you; for heaven's sake !

exercer *t.* to exercise, train, practice; **exercer la médecine** to practice medicine; **s'exercer** to exercise; **il s'exerce à son rôle** he practices his part; **pour s'exercer à la diplomatie** to be trained in diplomacy

exhaler *t.* to give out (smell), exhale

exorcisé *n. m.* man being exorcised (delivered from the devil)

expérience *f.* experiment; experience

expliquer *t.* to explain; **s'expliquer** to be explained; **s'expliquer avec** to have it out (to argue) with s.o.

exploiter *t.* to exploit; **exploiter un brevet** to work a patent

exploser *i.* to explode

explosible *a.* explosive (bullet)

exposer *t.* to lay open; exhibit; **s'exposer à** to risk

exposition *f.* exhibition; **une salle d'exposition** showroom

expression *f.* expression; manifestation; look; phrase

exprimer *t.* to express; **s'exprimer** express o.s.

exquis *a.* exquisite, dainty

extase *f.* ecstasy, raptures

exténué *a.* exhausted; **exténué de fatigue** overcome (worn out) by fatigue

extraire *t.* to extract

extravagant *a.* absurd, nonsensical, out of place

extrémité *f.* extremity, end; point; **à la dernière extrémité** as a last resort (resource)

extroverti *n. m.* extrovert

exulter *i.* to be in high spirits, be overjoyed, exult

F

fable *f.* fable; story; lie, fib

fabrique *f.* factory (not for metals)

fabriquer *t.* to manufacture, make

fabuleux (*f.* –euse) *a.* fabulous, astonishing

face *f.* face; **en face** opposite, across the way from (in front of) s.o. or sth.; **en face de l'hôtel** opposite (facing) the hotel; **faire face à** to face

fâché *a.* sorry; angry; **fâché contre** mad at

fâcher *t.* to anger; **se fâcher** to get angry

fâcheux *a.* regrettable, too bad, troublesome

facile *a.* easy

facilement easily

façon *f.* way, manner, fashion; **à la façon de** in the style of; **à la façon d'une flèche** like an arrow; **à sa façon** in his own way; **de façon à** so as to

fagot *m.* faggot

faible *a.* weak, feeble; soft, easy-going; dim (light); small; limp (legs)

faiblement dimly; superficially (to cut)

faiblesse *f.* weakness, exhaustion; **s'évanouir de faiblesse** to faint out of exhaustion

failli (*v.* **faillir**) *p. part.:* **il a**

failli laisser tomber qch he almost (pretty nearly) dropped sth.

faim *f.* hunger; **j'ai faim** I am hungry

fainéant *m.* lazy dog, lazybones

faire to do, make, perform (feat), cause to be or have (done), be; take (walk, step); say, clean (room); play the part of; **que faire?** what shall I (we) do? what was to be done? **faire entrer** to show in (person); **il commence à faire noir** it's getting dark; **vous feriez mieux de** you'd better, it would be better for you to; **faire partir qn** to kick someone out of office; **ça ne fait rien** it doesn't matter; **qu'est-ce que ça pouvait lui faire?** what difference did it make to him; **faire laver** to cause to be washed; **où puis-je faire laver mon linge?** where can I get my laundry done (washed)? **je vous ferai entrer dans le couvent** I'll have you admitted to the monastery; **faire venir le plombier** to call the plumber; **se faire** to get, become; make for o.s.; take place, come about; **se faire vieux** to grow old; **ils se sont fait la guerre** they made war upon

each other; **vous vous ferez tuer** you'll get killed

fais: je fais I do

faisait: il faisait he was doing; the weather was

faisan *m.* pheasant

faisant *pres. part.* doing, making

fait (*v.* **faire**) *3rd person:* **il fait** he (it) makes (does), causes to; **il fait beau** the weather is fine; **qu'est-ce que ça (cela) fait?** what difference does it make? what do I care? **ça aussi ça ne se fait pas** people shouldn't do that either; **ça ne fait rien** it doesn't matter; **ça ne lui fait rien** he doesn't care, it has no effect on him

fait *p. part.* done; **si bien faites pour se comprendre** so well adapted to understand each other; **costume tout fait** ready-made suit; **phrases toutes faites** ready-made (stock) sentences

fait *n.* fact; **fait d'armes** feat of arms; **du fait de** owing to; **en fait de trusts** talking about trusts; **être sûr de son fait** to be certain of what one had suspected (said); **le fait est qu'on étouffait** the fact is that it was suffocating

faites: vous faites you do, make; **faites attention** watch out, pay attention;

faites entrer ce jeune homme show in the young man; **faites une bonne nuit** have a good night; **vous vous en faites** you worry *colloq.*; **faites-moi avoir** please see that I get

fallait: il fallait it was necessary

falloir *v. impers.* to be necessary; must; **il allait falloir** it was going to be necessary

fallu (*v.* **falloir**); **il a fallu que** it was necessary that

fallut: il fallut descendre he (they) had to get off

falot *m.* big lantern

fameux *a.* famous

famille *f.* family; **un père de famille** family man

fané *a.* withered (face)

fanfare *f.* (brass) band; **des fanfares éclatèrent** flourishes of trumpets burst forth

fantastique *a.* weird, fantastic

fantôme *m.* ghost, phantom, specter

farandole *f.* farandole (lively Provençal dance with long weaving line of dancers holding hands)

farce *f.* practical joke; prank; **faire une farce à qn** to play a trick on s.o.; **pas de farces, hein !** no dirty tricks, understand ?

farceur (*f.* **–euse**) *m.* practical joker

farfouiller *i.* to rummage

farouche *a.* fierce; **farouchement** fiercely

fasse: que je fasse that I (may) do (make); **avant que je fasse ça** before I do that

fastueux *a.* gorgeous

fatigue *f.* fatigue, weariness, hard work

fatigué *a.* tired

faubourg *m.* quarter, district, outlying part (of town); suburb

faudra (*v.* **falloir**): **il faudra** it will be necessary to

faudrait: il faudrait it would be necessary (desirable)

fausse (*m.* **faux**) *f.* false; paste, imitation (pearls)

fausset *m.* falsetto; **en (dans une) voix de fausset** in a falsetto voice

faut (*v.* **falloir**): **il faut** it is necessary; it takes; **il faut quatre jours** it takes four days

faute *f.* fault; mistake; **c'est notre faute** it's our fault; **la faute** (d'Adam) the Fall; **faute d'argent** (for) lack of money; **le propriétaire ne se fit pas faute de crier** the proprietor didn't fail to yell

fauteuil *m.* armchair, big chair, easy chair

faux (*f.* **fausse**) *a.* false; fake, phony; **sonner faux** to jar, sound unnatural; *n. f.* scythe

faveur *f.* favor; **en faveur de** in favor of

favorable *a.* favorable

favori (*f.* –**ite**) *a.* favorite; *m. pl.* (side) whiskers, mutton chops

fée *f.* fairy; **un conte de fées** fairy tale

féerie *f.* enchantment; fairyland

feignant (*v.* **feindre**) *pres. part.* pretending

feignis: je feignis I pretended

feindre *t.* to pretend; **feindre de** to pretend to

feint (*v.* **feindre**): **il feint de** he pretends to

féliciter *t.* to congratulate; **se féliciter de** to congratulate o.s. on

femme woman, wife; **femme de chambre** chambermaid

fendre *t.* to split; crack; **fendre les flots** (*lit.* to split the waves) (of swimmer) to breast the waves, to swim; **se fendre** to split

fendu (*v.* **fendre**) *p. part.* split, cracked

fenêtre *f.* window

fente *f.* crack, chink, slit

fer *m.* iron

ferai: je ferai I'll do (make)

ferme *f.* farm

fermé *p. part. a.* closed

fermement firmly

fermer *t.* to close, shut; **se fermer** to close (of door)

fermeture *f.* clasp (necklace, bag)

ferré *a.* fitted with iron; **souliers ferrés** hobnailed shoes

fervent *a.* fervent (warm in feeling); **fervent chrétien** very devout christian

fesse *f.* buttock

festin *m.* feast (meal)

fête *f.* party; celebration; festival; holiday; patron-saint's day; **être en fête** to be having parties; **faire la fête** to celebrate, have a gay time

fêté *p. part.* **elle avait été si fêtée** she had been made so much of (entertained, courted so much)

feu (*pl.* –**x**) *m.* fire; **donnez-moi du feu** give me a light; **prendre feu** to catch fire; **couleur feu** fire-colored

feuillage *m.* foliage, leaves

feuille *f.* leaf; sheet (of paper)

fiacre *m.* cab

ficelé *p. part.* tied

fiche *f.* slip (paper), filing card, file

fictif *a.* fictitious

fidèle *a.* faithful

fier (*f.* **fière**) *a.* proud; **homme fier** proud man; **fier homme** rare (exceptional) man

fier *t.* to entrust; **se fier à** to trust, depend on

fièrement proudly; bravely

fierté *f.* pride

fièvre *f.* fever

fiévreux *a.* feverish; restless (sleep); *n. m.* feverish man, man with fever

fifre *m.* fife (simple flute); **fifre, joueur de fifre** fife player, fifer

figue *f.* fig

figure *f.* face, figure

figurer *t.* to represent, depict; appear, appear by name; **se figurer** to imagine; **figurez-vous** just imagine (think), let me tell you

fil *m.* thread; wire; line; **la télégraphie sans fil** radio

file *f.* file, line; **à la file** one after (behind) the other

filer *t.* to spin; *i.* **filer (bon train)** to speed along; **filer à grandes enjambées** to stride along; **vous aurez fait filer votre poste** you probably sent your radio away

fille *f.* daughter; girl; old maid; woman; **jeune fille** young lady, girl

fillette *f.* little girl

filleul *m.* godson

fils *m.* son

fin (*f.* **fine**) *a. m.* thin; fine (grain); exquisite (meal), delicate, refined; pure (metal); smart, clever; **perle fine** real pearl

fin *n. f.* end, ending; **à la fin** finally; **à la fin !** I tell you ! **fin de non recevoir** flat "no!", flat refusal; **sans fin** endless

fini *p. part.* finished; **j'ai fini** I have finished; **c'est fini** it's over; *n. m.* finish, excellence of workmanship

finir *t.* to finish, end (up); die; **je finis par reconnaître que** I finally realized that; **veux-tu finir !** stop it ! quit !

finis : **je finis** I finish, end up; **nous finissons** we finish

finissais : **je finissais** I finished, was finishing; **je finissais par lui inspirer confiance** she began to trust me finally

finit : **il finit** he finishes, he finished; **elle finit par tout me dire** she finally told me everything

finît should come to an end

fiole *f.* flask, phial, vial

firent : **ils firent** they made

fit (*v.* **faire**) : **il fit** he did (made); he said; **me fit** said to me; **le voyage se fit gaiement** it was a very gay trip; **la réception se fit dans la cathédrale** the reception took place in the cathedral

fixe *a.* fixed, steady; staring (eyes); **les yeux fixes** with a stare

fixement *adv.* steadily, intently (look)

fixer *t.* to fix, set (time); pin down; steady, make steady; **fixer les yeux sur** to stare at, look hard at, fix one's eyes on, gaze at;

se fixer to settle (down); **l'histoire se fixa dans mon crâne** the story stuck in my brain

flacon *m.* flask

flair *m.* flair (discriminating power)

flairer *t.* to smell

flambeau *m.* torch, (large, precious) candlestick

flamboyer *i.* to flame, glow, gleam, shine

flamme *f.* flame

flanc *m.* side, flank; **se ranger aux flancs du paque-bot** to pull (up) alongside the liner

flanqué de flanked by; **flan-qué de tourelles** with tur-rets around it (on each side)

flatterie *f.* patting

flèche *f.* arrow

fléchir *t.* to bend

fleur *f.* flower, bloom; **à fleur de peau** skin-deep; **dans sa fleur** in the bloom

fleuri *a.* in bloom; decked with flowers; **Deauville, la plage fleurie** D., the flower beach; **colonnettes fleuries** small columns ornamented with carvings of flowers (flowery carvings)

fleurir *i.* to bloom, blossom

fleuve *m.* river (emptying into the sea)

flot *m.* wave, waves; flood, quantities, crowd; **flot d'hommes** surging crowd (throng)

flotter *i. t.* to float

foi *f.* faith; **être de bonne foi** to be quite sincere; **jurer de la meilleure foi du monde** to swear most hon-estly (sincerely); **ma foi!** really, upon my word!; **mauvaise foi** insincerity, dishonesty; **ça lui parut d'une mauvaise foi insigne** that sounded notoriously phony to him

foire *f.* (country) fair

fois *f.* time; **une fois** one time, once; **à la fois** at the same time, both, together; **il y a des fois où** there are times when

foisonner *i.* to abound, be in profusion; **des prospectus foisonnaient** there were quantities of leaflets

fol (*before vowel*) *a. m.* crazy; wild (hope)

folâtrer *i.* to romp, frolic, frisk about

folie *f.* insanity, madness, folly; crazy thing, esca-pade; **dans une folie d'épouvante** in a mad terror

folle (*m.* fou) *a.f.* crazy; *n.f.* crazy woman; **herbes folles** weeds; **folle de joie** be-side herself with joy; **une vieille folle** old crazy woman

follette (*m.* follet) *f.* downy; **barbe follette** downy (silky) beard

fonction *f.* office, job; **il occupait (remplissait) une fonction** he was holding a position, he was an official

fond *m.* bottom; back (of room); background; depths, recesses (prison, woods); *pl.* funds, money, capital; **au fond** after all; deep in their hearts; at the back; **trop au fond** too far back; **la porte du fond** back (rear) door; **jusqu'au fond du ventre** to the deepest recesses of the stomach

fonder *t.* to found, create; **fonder un journal** to start a newspaper

fondit (*v.* **fondre**): **il fondit** he melted; it swooped down; **le désespoir fondit sur son âme** despair took hold of his heart

fondre *t. i.* to melt; pounce; **faire fondre du plomb** to melt lead

font (*v.* **faire**): **ils font** they do (make)

fontaine *f.* fountain, spring

forçat *m.* convict

force *f.* strength, force, *pl.* **forces**; **à force de** through, by, by dint of; **à toute force** at all costs, in spite of all opposition; **il voulait à toute force que** he insisted that

forcé *a.* forced (to do so); **marche forcée** forced march

forcer *t.* to force; **forcer la serrure** to force the lock

forêt *f.* forest

forme *f.* form; figure (shape); **dans les formes** in style; **sous forme de** in the form of

formellement absolutely

formidable *a.* amazing, formidable, terrific, fearful

formulaire *m.* program; formulary (book of prescribed forms)

formule *f.* blank, phrase

fort *m. a.* (**forte** *f.*) *a.* strong, loud; rough (sea); pervading (odor); *adv.* very, very much; **j'eus fort à faire** I had a lot to do (a lot of trouble); **travailler fort** to work hard; **il sent fort** it has a strong smell; **ne parlez pas si fort** don't talk so loud; **je vais crier fort** I'm going to yell good and loud

fortement *adv.* hard

fortifiant *a.* fortifying; bracing (air); tonic (wine)

fortune *f.* fortune; **faire fortune** to make a fortune

fosse *f.* grave

fossé *m.* ditch

fossoyeur *m.* gravedigger

fou (*f.* **folle**) *a.* inane, crazy, mad, wild (eyes); **vous me ferez devenir fou** you'll drive me crazy; **fou d'amour** madly in love; **désir fou** mad desire; **fou**

de joie beside himself with joy; *n*. lunatic; crazy man; crazed man; fool

foudre *f*. lightning; **un coup de foudre** sudden disaster

foudroyant *a*. smashing, crushing, annihilating

fouiller *t*. to search

foule *f*. crowd

fourche *f*. pitchfork; fork (2 roads); **un coup de fourche du diable** jab from the devil's pitchfork; **à la fourche de deux chemins** where two roads meet

fourchette *f*. fork

fourmi *f*. ant

fourneau *m*. stove, furnace; **fourneau à gaz** gas stove

fournir *t*. to provide, furnish, supply

fourré *n. m*. thicket

fourrer *t*. to thrust, poke, stick; **se fourrer dans** to thrust o.s. (in, on), hide away in

fourrure *f*. fur, pelt, skin; **un manteau de fourrure** fur coat

foyer *m*. fire; stove, furnace; fireplace, hearth; home

fracas *m*. big noise

fraîche (*m*. **frais**) *a. f*. fresh, cool

frais *a*. fresh, cool; young, rosy (face); *n. m*. coolness; *n. m. pl*. expense(s); costs (court); **sans les frais** not including costs

franc (*f*. **franche**) *a*. frank; *n. m*. franc (5 francs were worth one dollar until 1918; in 1947 a dollar was worth 119 francs.)

français *a. m*. French

française *a. f*. French; **à la française** in the French way

franchir *t*. to clear (obstacle), jump over; go across

franchise *f*. frankness

franc-tireur *m*. sharpshooter, partisan, guerrilla

frange *f*. fringe, ruffle

frapper *t*. to strike, knock; hit, beat; bang; **frapper du pied (par terre)** to stamp one's foot; **se frapper la poitrine** to beat one's breast

frémir to shudder, thrill, tremble, shake; **je frémis de l'audace** I shudder at the nerve

frémissant *a*. quivering, shivering, shaking

frénésie *f*. frenzy, mania, madness

frénétique *a*. frantic

fréquenter *t*. to visit frequently, be a frequent visitor; associate with (people)

frère *m*. brother

frétiller *i*. to wriggle (fish); frolic, frisk; **frétiller de la queue** to wag one's tail

friandise *f*. good thing to eat, tidbit

frisé *a*. curly

frisson *m.* shudder, shiver, quiver, quivering, halo; **des frissons lui couraient sur la peau** shivers ran up and down his spine; **un frisson passa par tout le corps du nageur** the swimmer shuddered from head to foot

frissonnant *a.* shivering; shuddering

froid *a.* cold; **j'ai froid** I am cold; *n. m.* cold (temperature)

froidement *adv.* coldly; with indifference

froideur *f.* coldness, coolness; **on lui marquait toujours un peu de froideur** a little coolness was still shown her

froissé *a.* **d'un air froissé** with an offended look

fromage *m.* cheese

froncer *t.* wrinkle, pucker; **froncer le(s) sourcil(s)** to knit one's brows, frown

front *m.* forehead, brow; front, front lines; nerve (boldness); **s'essuyer le front** to wipe one's brow; **front pesant** heavy head

frotter *t.* to rub; **il se frotta le nez au groin du cochon** he rubbed his nose against the pig's snout

fuir *t.* to flee, run away

fuite *f.* escape, rush; **fuite éperdue** stampede

fumée *f.* smoke, vapor

funèbre *a.* funeral; **une**

oraison funèbre funeral oration

fur: au fur et à mesure (in proportion) as

fureur *f.* fury

furieux *a.* furious (about, **de**)

fusil *m.* rifle; **un coup de fusil** rifle shot; **tué d'un coup de fusil** shot with a rifle

fusilier *m.* rifleman; **fusilier marin** marine

fusillade *f.* burst (flurry) of rifle fire

fusiller *t.* to shoot

fussent (*v.* **être**) were, had, should have; **il s'étonna que des gens raisonnables fussent venus** he was surprised that sensible people should have come

fut: ce fut it was

fût: il voulut que le chemin fût he wanted that the road should be

fuyant *pres. part.* running away; *a.* fleeing, fleeting

G

gâchis *m.* mess; **beaucoup de gâchis** a big mess

gagner *t.* to gain, win, earn; go over to, reach (arrive at); **gagner de l'argent** to make money; **gagner sa vie** to earn a living; **gagner l'île à la nage** to swim to the island

gai *a.* gay, light-hearted; pleasant, beaming (face)

gaieté *f.* gaiety

gaillard *a.* strong, very much alive; daring; *n. m.* strong man; jolly fellow; fellow, guy; **mon gaillard** my good man, my man; **gaillard de cœur** brave fellow

galant *a.* jaunty, smart, courteous; **d'un air galant** jauntily

galanterie *f.* compliment

galère *f.* galley (ship); *pl.* chain gang, penitentiary; **envoyer aux galères** to send to the chain gang

galérien *m.* convict, galley slave

galette *f.* flat cake (made with flour, butter, eggs)

galon *m.* braid

galop *m.* gallop; **au galop** at a gallop, hurriedly

galopant *a. p. part.* galloping; **en galopant** at a gallop

galopin *m.* scamp

gamin *m.* boy, kid; street Arab, guttersnipe

garantir *t.* to guarantee; **se garantir de** to protect o.s. from

garçon *m.* boy; fellow

garçonnet *m.* lad

garde *m.* keeper; watchman; guardsman; member of the bodyguard; **garde champêtre** rural policeman; **le garde-chasse** game warden; **garde du corps** member of the bodyguard; **un garde-côte** (*pl.* **garde-côte(s)**) coastguard vessel; **la garde malade** special nurse; **garde national** national guardsman

garde *f.* care (of thing, child); watch, watching; (special) nurse; guard (body of troops); hilt, guard (of sword); **en garde!** on guard! **garde du corps** bodyguard; **monter la garde** to mount guard; **prends garde!** watch out! **prendre garde de (à)** to take care to; **prenez garde à ce que vous dites** be careful of what you say; **se tenir sur ses gardes** to be on one's guard

garder *t.* to keep; guard, watch (cover), mount guard at, protect, take care of (child); **se garder de faire qch** to be careful (take care) not to do sth.; **gardez-vous-en bien!** please don't! Heaven forbid!

gardien *m.* keeper; guard

garnement *m.* ragamuffin

garni (*v.* **garnir**) *p. part.* adorned; **un chapeau garni de plumes** a hat trimmed with feathers

garnir *t.* to provide (with, **de**); adorn; **garnir son pain de beurre** to spread butter on one's bread

garrotté *p. part.* bound hand and foot

gars *m.* fellow, guy; son

gauche *f.* left; **à gauche** to (on) the left

gavotte *f.* gavotte (lively dance); **le petit pas de gavotte** the little gavotte steps

gazon *m.* grass, turf

géant *a. n. m.* giant

geignant (*v.* **geindre**) *pres. part. a.* whining, complaining

gelé *p. part.* frozen

gelée *f.* frost; **la gelée était terrible** it was freezing terribly

geler *i.* to freeze; **il gèle** it's freezing, it freezes

gelinotte *f.* grouse

gémir *i.* to groan

gémissement *m.* wail

gênant *a.* troublesome

gendarme *m.* (sort of) state policeman (in city = **un agent**)

gendarmerie *f.* (sort of) State police

gendre *m.* son-in-law

gêne *f.* embarrassment; difficulty, heaviness (in motion)

gêné *p. part. a.* embarrassed, awkward; cramped (in clothes); short of money, hard up

gêner *t.* to hinder, impede, be in the way of; embarrass, inconvenience; be tight (clothes), be uncomfortable (earrings); **se gêner** to put oneself out; **ne pas se gêner pour fusiller** to have no scruples about shooting

genêt *m.* gorse

génie *m.* genius; spirit, god

genou *m.* knee; **à genoux** on his (her) knees; **se mettre à genoux** to kneel

genre *m.* kind; style; branch; genus; **le genre humain** mankind; **c'est son genre** it's just like her

gens *m.* (*an adjective placed before* **gens** *is feminine*); people; **les petites gens** the little people

gentil (*f.* **gentille**) *a.* kind, nice, good, cute, dainty

gentillesse *f.* daintiness, cuteness

gentiment kindly, nicely; in a cute way

geôlier *m.* jailer

gerbe *f.* sheaf (wheat); bunch, cluster, shower

germe *m.* germ; **en germe** in the bud

geste *m.* gesture, sign, motion

gibier *m.* game (hunt)

gifle *f.* slap (in the face)

gigantesque *a.* huge, gigantic

gigot *m.* leg of lamb

gilet *m.* vest

girouette *f.* vane, weather vane, weathercock

gisaient (*v.* **gésir**) were lying (down)

gît (*v.* **gésir** *obs.*) lies (down); **ci-gît** here lies

gîte *m.* shelter

givre *m.* white frost, hoar-frost

glace *f.* ice; ice-cream; mirror

glacé *a.* ice-cold, icy, cold, frozen; **qu'on en a les os glacés** that you get chilled to the bones, that it makes your blood run cold

glacer *t.* to freeze; **l'épouvante lui glaça le cœur** terror chilled his heart; **glacer qn d'épouvante** to make s.o.'s blood run cold; **se glacer** to freeze, be petrified; **sa langue se glaça** she was tongue-tied

glaçon *m.* bit of ice, icicle

glapir *i.* to yap

glauque *a.* glaucous (yellowish-green)

glissant *a.* slippery

glisser *i. t.* to slip; slide, glide; thrust (hands); **se glisser** to slip, steal (into), crawl; find one's way; **se glisser dans son lit (dans ses draps)** to crawl into bed

glorieux *a.* glorious; **l'air glorieux** proudly, elated; the conceited look

gobelet *m.* goblet (cup)

Goncourt: *Edmond and Jules de Goncourt, two brothers, naturalistic novelists, who left money to endow the Académie Goncourt (10 writers)* *and the annual Prix Goncourt, sort of Pulitzer Prize (10,000 francs). Jules died in 1870 and Edmond in 1896.*

gond *m.* hinge

gonflé *a.* swollen

gonfler *t.* to inflate, bulge, blow up, swell, puff up

gorge *f.* throat; defile, gulch, gorge

gosier *m.* gullet, throat

gouffre *m.* abyss

gourde *f.* flask, canteen; gourd (bottle gourd, sort of squash)

goûter *m.* mid-afternoon lunch (snack); (afternoon) tea; *v.* to taste; have mid-afternoon lunch

goutte *f.* drop; **goutte à goutte** drop by drop

gouvernail *m.* rudder

gouverne *f.* guidance; **pour votre gouverne** so you'll understand better

grâce *f.* grace, gracefulness, charm; **les grâces** graceful manners; **demander grâce** to ask (beg) for mercy; **rendre grâces à** to give thanks to; **grâce à** thanks to

gracieux *a.* graceful; amiable (smile)

grade *m.* rank, rating

grain *m.* grain; squall; **grain de poussière** speck of dust; **grain de suie** speck of soot

graine *f.* seed; **prenez de la**

graine take a cue from me (a leaf out of my book)

grammaire *f.* grammar, grammar book

grand *m.* big, large; tall, full; great; imposing, majestic, grandiose (spectacle); loud (cry); **grande âme** noble soul; **la première Grande Guerre** World War I; **grand homme** great man; **homme grand** tall man; **au grand jour** in broad daylight; **pas grand chose** not much; **huit grands jours** eight full days, a whole week; **la porte s'ouvrit toute grande** the door opened wide (completely); **grand comme la main** no bigger than one's hand

grandeur *f.* grandeur, majesty

grandir *i.* to grow; increase

grandissant *pres. part. a.* growing

grand-père *m.* grandfather

grand route *f.* highway, main road

grange *f.* barn

granit *m.* granite

grappe *f.* bunch; cluster; **grappe de raisin** bunch of grapes

gras (*f.* **grasse**) *a.* fat; greasy

grasse (*f. of* **gras**) *a.* fat; la **bouche grasse** his mouth greasy

gratis *adv.* free, without any charge

gratter *t.* to scratch; dig; **se gratter les tempes** to scratch one's temples

grave *a.* grave; serious; demure; sober; solemn; low, low-pitched, deep; **une faute grave** serious mistake

gravement gravely, soberly; **vêtu gravement de** dressed soberly (inconspicuously) in

gravi (*v.* **gravir**) *p. part.* climbed

gré *m.* will, liking; **bon gré mal gré** willy-nilly

grec (*f.* **grecque**) *a.* Greek

Grèce: la Grèce Greece

greffe *m.* office of the clerk of the court

grêle *f.* hail

grelot *m.* (little) bell

grelottant *pres. part.* shivering

grenier *m.* attic

grès *m.* sandstone

grièvement badly, seriously (wounded)

grille *f.* iron gate (with grille, grating)

grimper *t. i.* to climb

grippe *f.* grippe, flu; aversion, strong dislike; **il le prit en grippe** he came to hate him, he took a strong dislike to him

gris *m.* gray

grisé *a.* intoxicated

grisonnant *a.* turning gray

grogner *i.* to growl; grunt

groin *m.* snout

grondement *m.* roar

gronder *t.* to growl, scold

gros *m.* (*f.* **grosse**) big, stout, large, thick; **j'avais le cœur gros** I had a heavy heart; *n. m.* big fat fellow

grosse *a. f.* fat; large; **en grosses lettres** in large letters; *n.* fat woman; **la grosse !** Fattie !

grossi (*v.* **grossir**) *p. part.* enlarged, supplemented (with, **de**)

grossier (*f.* **–ière**) *a.* coarse, rough, crude; rude, impolite

grossir *t. i.* to enlarge, increase; become fat (big); **grossir de** to supplement with

grotte *f.* cave, grotto

grouillant *pres. part. a.* swarming

guère *adv.* hardly, hardly anything but; **ne guère** not much, not many; **je ne me fie guère qu'à ma langue** I hardly trust anything but my tongue

guérir *i.* to recover; *t.* to cure

guerre *f.* war

guerrier *m.* warrior

guetter *t.* to lie in wait for, be on the look-out for, watch for; **j'ai guetté la maison** I kept my eyes on the house

gueule *f.* mouth (of big animal); **à toute gueule** blaringly, at the top of his lungs

guigner *t.* to ogle; stare at

guillotine *f.* guillotine

guillotiner *t.* to guillotine

guinder *t.* to hoist; **se guinder** to be stiff, affect a lofty manner

Guy *n.* Guy

Guyane: la Guyane Guiana, *French Guiana, colony on the N. coast of S. America; pop. 30,000, capital Cayenne. It was a French penal settlement from 1885 to 1939; the notorious Devil's Island lies 10 miles off the coast. There is also a British Guiana and a Dutch Guiana, also called Surinam.*

H

h *is never sounded in French. In this vocabulary, a word preceded by an inverted apostrophe,* ' *, is said to begin with an aspirate* **h**; *this means simply that there should be no liaison (linking) and no elision before such a word. When you write, omit the* '*.

habileté *f.* skill

habillé *p. part.* dressed; **habillé de noir** dressed in black; **il se laissa tomber tout habillé** he dropped in his clothes (all undressed)

habillement *m.* costume, apparel

habiller *t.* to dress, clothe; **s'habiller** to dress, put one's clothes on

habit *m.* suit; tails (coat); **habits** clothes; **l'habit à la française** French tails

habité *p. part. a.* inhabited, occupied

habiter *t. i.* to live, dwell

habitué *p. part. a.* accustomed; *n. m.* frequent visitor

'hache *f.* ax

'haie *f.* hedge, hedgerow; **faire la haie** to line up (on both sides); **les frères faisaient la haie sur son passage** the brothers lined up on both sides as he walked by

'haine *f.* hatred, hate

'hais (*v.* **haïr**): **je hais** I hate

haleine *f.* breath; **retenir son haleine** to hold one's breath

'haletant *pres. part. a.* panting

'haleter *i.* to pant, gasp

'hallebarde *f.* halberd (long spear and ax together)

'halte *f.* halt; **halte! halte-là!** stop!; **faire halte** to halt, stop

'hanche *f.* hip

'hangar *m.* shed

'hanté *p. part. a.* haunted; **sommeil hanté de cauche-**mars sleep filled with nightmares

'hanter *t.* to frequent, haunt; obsess

'harassé *a.* exhausted

'hardi *a.* bold

'harnacher *t.* to harness, caparison

'hasard *m.* chance; accident, unforeseen event; **par hasard** by chance, by any chance, for a moment

'hasarder *t.* to risk; **se hasarder** to venture

'hâte *f.* haste; **en hâte** hastily, in a hurry

'hâter *t.* to hurry, hasten; **se hâter** to hurry (along), hasten

'haussement *m.* raising; **haussement d'épaules** shrug

'hausser *t.* to raise; **hausser les épaules** to shrug one's shoulders

'haut *a.* high, tall; loud; upper; *adv.* high, highly, up; **personne haut placée** highly placed (important) person; **la Haute-Égypte** Upper Egypt

'haut *m.* top; upper part; **du haut en bas** from top to bottom; **en haut** upstairs, up there; **en haut de** at the top of; **quelques pieds de haut** a few feet high; **tout haut** aloud

'hauteur *f.* height; dignity

'havresac *m.* knapsack

'**hé** *int.* hey! hi! I say! **hé**! **hé**! well, well!

'**hein** *int.* isn't it? do you? understand? what? eh? hey? well! aha!

hélas *int.* alas!

herbage *m.* meadow

herbe *f.* grass; weed; herb; **mauvaises herbes** weeds

'**hérissé** *a.* bristling, standing erect (hair)

'**hérisser** *t.* to make to bristle

héritier *m.* heir

hériter *t. i.* to inherit

heure *f.* hour, o'clock; time; **à l'heure** on time; **à l'heure même** at that very moment (hour); even now; **d'heure en heure** hour by hour; **tout à l'heure** in a little while

heureusement fortunately

heureux (*f.* **–euse**) *a.* happy, pleased, glad; fortunate; successful, auspicious (beginning); **heureux de** pleased with

'**heurter** *t.* to knock against; **se heurter à** to bump into

'**hideux** *a.* hideous (horribly ugly)

hier *adv.* yesterday; **elle est d'hier** it's of recent origin

hilare *a.* hilarious (noisily merry)

hirondelle *f.* swallow

'**hisser** *t.* to hoist

histoire *f.* story, history, history book; **nos petites histoires** our private af-

fairs; **histoire de rire** just for a good laugh

historiette *f.* little story

hiver *m.* winter

'**hochement** *m.* shake (of the head); **avec un hochement de tête** shaking her head

'**hocher** *t.* to shake (the head)

hommage *m.* homage; present; **j'en ferai hommage au zoo** I'll make a present of him (I'll present him) to the Zoo

homme man; *colloq.* husband

honnête *a.* honest

honnêtement honestly; uprightly; courteously

honneur *m.* honor; **en l'honneur de** in honor of; **faire honneur à sa signature** to make good one's signature

honoraire *a.* honorary; **honoraires** *m. pl.* fees

'**honte** *f.* shame, disgrace; **avoir honte** to be ashamed

'**honteux** *a.* ashamed; **c'est honteux!** (no liaison) it's a shame! how mean!

'**hoquet** *m.* hiccup

horizon *m.* horizon; expanse; **à l'horizon** on the horizon, in the distance

horloge *f.* clock

horreur *f.* horror, atrocity; **faire horreur** to horrify, strike with horror; **ayant pris cette maison en horreur** having taken an aversion to this house

horrible *a.* horrible; *n. m.*

horrible thing, horrible-
ness

'**hors** *prep*. out of; except;
hors d'état de not in a
condition (position) to, unable to; **hors de portée** out
of range

hospitalier (*f.* –**ière**) *a*. hos-
pitable

hôte *m*. guest; host

hôtel *m*. hotel; mansion;
l'hôtel du ministère the
Department Building, the
Secretary's residence

hôtesse *f*. hostess

'**hublot** *m*. porthole

huile *f*. oil (not fuel oil); **une
lampe à huile** oil lamp

huilé *p. part. a*. oiled

'**huit** *a*. eight

huître *f*. oyster

'**hum**! *int*. hm! h'm! er!

humain *a*. human, kind

humecter *t*. to moisten

humeur *f*. temper; mood;
être de mauvaise humeur
to be angry; **avec mau-
vaise humeur** crossly

humide *a*. damp, humid,
moist

'**hurlement** *m*. howl, howling,
yell

'**hurler** *i*. to howl; yell; **le
vent hurlant sa plainte** the
moaning wind, the wind
shrieking its complaint

'**hurleur** *a*. yelling, bawling

hypocrite *a*. hypocritical

hypothèse *f*. assumption, hy-
pothesis, possibility

I

ibis *m*. ibis (sort of white
heron)

ici *adv*. here; at this point;
d'ici là in the meantime;
par ici this way; in these
parts

idée *f*. idea; **c'est une idée**
that's a good idea; **changer
d'idée** to change one's
mind

ignominie *f*. disgrace, igno-
miny

ignorant *a*. ignorant; *n. m*.
ignoramus

ignoré *a*. unknown

ignorer *t*. to be ignorant of,
not to know about

il *pron*. he, it; **il y a** there is,
there are; ago

île *f*. island

illuminer *t*. to light up, illu-
minate; **s'illuminer** to light
up, brighten up; **s'illuminer
de** to be lit up with

illustre *a*. famous, illustri-
ous

image *f*. picture, vision, de-
scription

imaginer *t*. to think up;
s'imaginer to imagine,
think; fancy; **vous imaginez** you see, you realize

imbécile *a*. stupid; *n*. stupid
man (woman); idiot; **ne
faites pas l'imbécile** don't
act stupid

immense *a*. boundless, immense; powerful; huge

immobile *a.* motionless; petrified

immoler *t.* to sacrifice, kill

impatience *f.* impatience; **un geste d'impatience** impatient gesture

impatient *a.* anxious; **impatient de voir** anxious to see

impatienté *a.* (put) out of patience, provoked

impatienter *t.* to put (s.o.) out of all patience; **s'impatienter** to get impatient

impératrice *f.* empress

impitoyable *a.* pitiless

impliquer *t.* to imply

impoli *a.* impolite

importe: **il importe que** (+ *subj.*) it is essential that; **n'importe** never mind; **n'importe quoi** anything

importer *t.* to import; *i.* to be of importance; **il lui importait beaucoup de posséder** it was very important to her that she should own

importun *a.* importunate, unseasonable

imposant *a.* imposing

imprévu *a.* unforeseen; *n. m.* unexpectedness, originality; **il a de l'imprévu** he is unpredictable, he has always a surprise for people

imprimer *t.* to print, imprint, impress

impuissant *a.* powerless, helpless

impulsion *f.* impulse; impetus, go

inactif *a.* idle

inaperçu *a.* unseen

inattendu *a.* unexpected

inavoué *a.* unacknowledged, unconfessed; **sa terreur inavouée** her repressed terror

incapable *a.* unable, unfit, incapable; incompetent; **incapable de dire** unable to say

incendie *m.* fire (accidental); **un commencement d'incendie** small fire

incognito *adv.* incognito, in secret

inconnu *a.* unknown; *n. m.* unknown man (history); mystery; **l'inconnu** the unknown

inconvenant *a.* ill-mannered, rude

incorrect *a.* impolite, rude

incroyable *a.* incredible

incrusté *a.* inlaid, which had caked (formed a crust) (of mind)

Inde: **l'Inde** *f.* India; **les Indes** *f.* India

indéfiniment indefinitely, endlessly

indemnité *f.* indemnity

index *m.* forefinger

indication *f.* indication; sign (road); *pl.* directions, instructions

indifférence *f.* unconcern

indigène *a. n.* native

indiquer *t.* to show, point out, point to, indicate

indiscipliné *a.* undisciplined, unruly, wild

indisposer *t.* to make (s.o.) uncomfortable

indulgence *f.* indulgence (also "forgiveness of sin")

industriel *a. f.* industrial; *n.* industrialist

ineffable *a.* unspeakable

inégal (*pl.* –**gaux**) *a.* unequal, uneven, jerky

inégalité *f.* inequality

inerte *a.* inert; useless

inespéré *a.* unhoped-for

inestimable *a.* priceless, worthy

infamant *a.* shameful, infamous

infâme *a.* vile, horrid, infamous

infécond *a.* fruitless, sterile

infidèle *a.* unfaithful

infidélité *f.* unfaithfulness

infini *a.* infinite, endless; extreme (precaution); **une peine infinie** no end of trouble; *n. m.* **l'infini** the infinite

inflexion *f.* inflection; modulation (voice)

infortune *f.* misfortune

infortuné *a.* unfortunate

ingénieur *m.* engineer (in any branch of engineering)

ingénieux *a.* ingenious, clever

ingénu *a.* unsophisticated

ingénument artlessly, without meaning to

inhabité *a.* vacant (house)

injonction *f.* order

injurier *t.* to insult, curse, abuse

inoffensif *a.* harmless

inonder *t.* to flood; **l'air l'inonda** the air blew all over him

inouï *a.* unheard-of

inquiet (*f.* **ète**) *a.* worried, uneasy, anxious

inquiétant *a.* alarming, disturbing, disquieting

inquiéter *t.* to worry; **s'inquiéter** to worry

inquiétude *f.* anxiety, worry, misgivings; **il dissipa les inquiétudes de sa femme** he set his wife's mind at ease

inscrire *t.* to write down, inscribe; **s'inscrire** to give (put down) one's name, register

insensible *a.* imperceptible

insensiblement imperceptibly; gradually

insigne *a.* remarkable, conspicuous; signal; *n. m.* emblem, insignia, badge, mark; *pl.* insignia

inspirer *t.* to inspire; **je lui inspirais confiance** she was trusting me

installer *t.* to install, establish; put up, fit, arrange; **s'installer** to settle, take one's place (station), set up, move

instant *m.* instant, moment;

à l'instant même (at) this (the) very moment; **d'instant en instant** from one moment to another, with every moment

instruction *f.* education, learning

insupportable *a.* unbearable

intact *a.* intact; untouched

intelligence *f.* intelligence; comprehension, understanding, knowledge

intention *f.* intention, purpose; **à votre intention** for your sake, for (to) you, for your benefit

intercalé *p. part.* inserted

interdit *m.* prohibited; prevented, made impossible; speechless

intérieur *a.* inside, interior; internal; **à l'intérieur** inside; in the interior; **la politique intérieure** internal politics, home policy

interpeller *t.* to call out to; **s'interpeller** to call to each other

interprète *m.* interpreter, go-between

interroger *t.* to ask questions of, question; **interroger du regard** to cast a questioning look at, look inquiringly at

interrompre to interrupt; **s'interrompre** to be interrupted; to stop

intervalle *m.* interval; **par intervalles** off and on, now and then, once in a while, at intervals

intolérable *a.* unbearable

intrépide *a.* bold, fearless, intrepid

intrigant *m.* schemer, manipulator

intrigue *f.* scheme, scheming, manipulation, plot

introduire *t.* to put in; **il m'introduisit dans un salon** he let me into a living room

inutile *a.* useless; unnecessary

inventer *t.* to invent; make (a story)

inventaire *m.* inventory

investigateur *a.* investigating; inquiring, searching (look)

invité (*f.* **invitée**) *m.* guest, date

inviter *t.* to invite

invoquer *t.* to call upon

involontaire *a.* involuntary, unintentional; **involontairement** unwillingly, unintentionally, unconsciously

invraisemblance *f.* improbability

irait (*v.* **aller**): **on irait** they would go

irez: vous irez you'll go

irons: nous irons we'll go

iront: ils iront they'll go

irréconciliable *a.* irreconcilable, implacable (enemies)

irréprochable *a.* blameless

irrévérencieux *a.* irreverent, disrespectful

irrité *a.* angry, irritated

isolé *a.* isolated, solitary, all by itself (himself); **un être isolé** single person; *n. m.* straggler, man traveling alone

issue *f.* outlet, exit; **sans issue** hopeless (situation), without a way out

ivre *a.* drunk, intoxicated; **ivre de fureur** mad with anger

ivresse *f.* intoxication; rapture, ecstasy

J

j' I

jadis *adv.* formerly, of old

jaillir *i.* to spring (up), spout, squirt (out), flash (light); **des flammes jaillirent** flames spurted up

jalousie *f.* jealousy

jaloux (*f.* –ouse) *a.* jealous; *n. m.* jealous man

jamais *adv.* never, ever; **ne (n') ... jamais** never; **le meilleur qui ait jamais été écrit** the best that has ever been written; **à jamais** for ever

jambe *f.* leg

Japon: le Japon Japan

Japonais *a.* Japanese

jaquette *f.* cutaway; (formerly) jacket, doublet, frock, smock

jarre *f.* big earthenware jar

jarret *m.* bend of the knee; ham (in man), hock (horse); **tendez le jarret** brace your knees, straighten your legs

jaunâtre *a.* yellowish; sallow (complexion)

jaune *a.* yellow

je *pron.* I

Jean John

jeter *t.* to throw, throw away; **jeter bas** to knock down, shoot (mow) down; **jeter un cri** to give (utter) a cry, to shriek; **il lui jeta son manteau sur les épaules** he threw his coat around her shoulders; **se jeter** to throw o.s.; **se jeter sur qn** to attack s.o.

jettent (*v.* **jeter**): **ils jettent** they throw

jeu (*pl.* –**x**) *m.* game, play; little game, policy; **une table de jeu** card table; **par jeu** for play

jeudi *m.* Thursday

jeune *m. f.* young; **jeune fille** young lady

jeûne *m.* fasting

jeunesse *f.* youth; youthfulness, buoyancy

joignant (*v.* **joindre**) *pres. part.* joining; **joignant les mains** clasping his hands

joindre *t.* to join, connect; **se joindre** to join, meet

joint (*v.* **joindre**) *p. part.* joined, met; **il a joint** he joined; **mains jointes** hands clasped; **à pieds joints** with both feet together

joli *a.* pretty, charming, cute; fine, wonderful (kick)

jonché *p. part.* strewn (with, **de**)

jongler *i.* to juggle

jongleur *m.* juggler

jonquille *f.* jonquil (yellow or white)

joue *f.* cheek; **mettre (coucher) qn en joue** to aim at s.o. with one's rifle

joue *v.* play(s)

jouer *t. i.* to play; **jouer au tennis** to play tennis; **jouer du violon** to play the violin

jouir de to enjoy

jour *m.* day; daylight; daybreak; **de nos jours** in our times, today, now, nowadays; **belle (beau) comme le jour** divinely beautiful; **une pensée se fit jour en son âme** an idea dawned upon him; **mettre à jour** to bring up to date; **montrer (mettre) qch au grand jour** to bring sth. to light, expose sth.; **au petit jour** at early dawn, at dawn (daybreak); **en plein jour, au grand jour** in broad daylight; **il faisait grand jour** it was broad daylight; **sur la fin de ses jours** toward the end of her life

journal *m.* newspaper, paper

journaux *m. pl.* newspapers

journée *f.* day, day's work, day's events; **il n'est pas sorti de la journée** he has not gone out all day; **voyager par (à) petites journées** to travel by short (easy) stages

jovial (*pl.* –**aux**) *a.* jolly, jovial

joyeux *a.* merry

juge *m.* judge

jugement *m.* judgment; sentence; **le jugement dernier** the Last Judgment, doomsday; **rendre (prononcer) un jugement** to deliver a sentence

juger *t.* to judge; give a trial; try; look upon, consider; **juger de** to form an opinion of; **se juger** to consider o.s.; to be tried (of case)

juif *a.* Jewish

juillet *m.* July

juin *m.* June

jurer *t. i.* to swear, promise; **jurer avec** to clash with

jusque, jusqu', jusqu'à *prep.* to, as far as, to the point of, up to, down to, until, till, even; **jusqu'ici** until now; **jusque-là** as far as there, to that point, until then; **jusqu'au moment où** until; **jusqu'au pied du trône** to the very foot of the throne; **pour jusqu'au prochain meurtre** until the next murder; **j'ai lâché**

jusqu'au couteau I even dropped the knife

juste *a.* just; fair; **je ne sais pas au juste** I don't know exactly; *n. m.* just man, righteous man

justement exactly; precisely, it so happened that

justice *f.* justice; **aller en justice** to go to court; **et ce sera justice, et ce ne sera que justice** and justly too; **rendre justice à** to give credit to; do justice to

justicier *a.* retributive (punishment); **geste justicier** sentence-giving motion of the hand

K

képi *m.* hat (military, with visor), garrison hat

kilo *m.* kilogram (1000 grams)

kilomètre *m.* kilometer (5/8 of a mile)

L

l' *art. sing.* the; **monsieur l'aubergiste** Mr. Landlord; *pron.* him, her, it; so, that way

la *f. sing.* the; **la Madelon** Madelon; **la Janeau** that J. woman, that Miss (Mrs.) J.

la *pron. f.* her, it

là *adv.* there; here, present; ce monsieur-là that gentleman there; **là, là !** come, come !, ah…!, terrible !; **j'en suis là** I have reached this point; **c'étaient là des images** those were pictures (symbols)

là-bas *adv.* over there

lâche *a.* cowardly; *n.* coward

lâcher *t.* to let go (of); drop; abandon

là-dedans in there; inside

là-dessous underneath, under that, at the back of it

là-dessus *adv.* on that, about that; thereupon, whereupon

là-haut *adv.* up there; **tout là-haut** way up there

lai *a.* lay; **frère lai** lay brother (who has not taken monastic vows)

laid *a.* homely, ugly

laideur *f.* ugliness

laine *f.* wool

laisser *t.* to let, allow; let … have; leave (behind), leave … alone; take off; **laisse la fenêtre** leave the window alone; **je ne laissais pas passer un mot** I didn't miss a word; **on leur laisserait le collier pour** they could have the necklace for; **laisser voir** to show, exhibit; betray; **se laisser aller à faire un petit somme** to indulge in a little nap; **se laisser tomber** to drop down; elle se laissa faire she let him do whatever he liked

lait *m.* milk

lambeau *m.* ragged piece; **en lambeaux** ragged, (all) torn to pieces

lame *f.* blade

lamentable *a.* lugubrious, woeful (cry); pitiful

lamentation *f.* wailing; complaint

lamenter *m. i.* to lament; **se lamenter** to wail; **il se lamentait de son ignorance** he deplored (regretted) his ignorance

lancer *t.* to throw, hurl; cast (look); rap out, utter; **je vais me lancer dans la carrière littéraire** I'm going to embark on a literary career

langue *f.* tongue; language; **mauvaise langue** scandalmonger

Languedoc *French province, capital Toulouse. Called Languedoc because the purest* **langue d'oc** (French as spoken south of the Loire River, in the Middle Ages) *was spoken there.*

lapidaire *a.* terse, concise and vivid, lapidary; *n. m.* lapidary, diamond cutter

lapin *m.* rabbit

laquelle *pron. f.* which, which one

lard *m.* bacon

large *a.* wide, broad, big;

sweeping, emphatic (gesture); *n. m.* width; open sea, offing; **le bateau gagnait le large** the boat was standing out to sea

largement wide (open)

larme *f.* tear

larmoyant *a.* full of tears (eyes)

las (*f.* **lasse**) *a.* tired

lasser *t.* to tire (out); **se lasser** to get tired (out)

lassitude *f.* fatigue, weariness

lavabo *m.* washtub

lavande *f.* lavender (sort of mint, small lilac-purple flowers)

laver *t.* to wash; flush out (pipe); **se laver** to wash (one's face); **se laver les dents** to brush one's teeth

le *art. m. sing.* the; *pron.* him, it; so, that way

lécher *t.* to lick

leçon *f.* lesson

lecteur *m.* reader

lecture *f.* reading

légaux *n. pl. of* **légal** *a.* legal

légendaire *a.* legendary; *n. m.* (collection of) legends, folklore

léger (*f.* **légère**) *a.* light; superficial; **légère lueur** small (dim) light

légèrement slightly

légion *f.* legion; **légion d'honneur** Legion of Honor (*highest decoration in France, instituted by Napoleon I, 1802; red ribbon*)

lendemain: le lendemain the next day; le lendemain matin the next morning

lent *a.* slow

lentement slowly

lenteur *f.* slowness

lequel *pron.* which, which one

les *art. pl.* the; *pron.* them

lesquels *pron. pl.* who, whom; which

lettre *f.* letter; *pl.* lettres literary career; en toutes lettres in full, in black and white; homme de lettres man of letters; lettre par avion air-mail letter

leur *a. sing.* their; *pron.* them, to them; une ving-taine des leurs a score of their own men

levant *pres. part.* raising; au jour levant at daybreak; au soleil levant at sunrise; se levant getting up

lève: il se lève he gets up; le rideau se lève the curtain rises

levé *p. part.:* il s'est levé he got up

levée *f.* rising, getting up

lever *t.* to raise; lift; lever les bras au ciel to throw up one's hands (in aston-ishment); se lever to get up; rise (sun); levez-vous ! get up !

lèvre *f.* lip

lévrier *m.* greyhound

lézarde *f.* crack (wall)

liane *f.* vine (wild)

liard *m.* quarter of a cent

libérateur (*f.* –trice) *a.* lib-erating

libéré *p. part. a.* liberated, freed

librairie *f.* bookstore

libre *a.* free; une école libre private school; libre pen-seur free-thinker

librement freely

lichen *m.* lichen

lié *p. part. a.:* tu es bien assez liée avec elle you're intimate enough (on friendly enough terms) with her

lien *m.* tie, bond, rope; libre de liens free of his bonds

lier *t.* to bind

lieu (*pl.* –x) *m.* place; au lieu de instead of; avoir lieu to take place; en premier lieu in the first place; *pl.* –x premises

lieue *f.* league (3 miles in English-speaking coun-tries, 4 kilometers in France)

lièvre *m.* hare, jack rabbit

ligne *f.* line; figure (waist-line); fish line

linceul *m.* shroud

linge *m.* laundry (clothes); linen, cloth; linge sale laundry (soiled clothes)

liqueur *f.* liqueur (sweet, aromatic), cordial; liquor

lire *t.* to read; savoir lire to know how to read

lis (*v.* lire): je lis I read

lis *m.* lily

lisez (*v.* **lire**): **vous lisez** you read

lisse *a.* smooth

lisser *t.* to smooth

lit *m.* bed; **lit de camp** camp bed

litière *f.* bedding, bed (animal)

litre *m.* liter (1.0567 U. S. liquid quart); bottle (glass)

livide *a.* livid (ashy gray)

livre *m.* book; *f.* pound (French pound is 500 grams, American pound 453 grams .6)

livrer *t.* to deliver, turn over; **se livrer à la police** to deliver o.s. (turn o.s. in, surrender) to the police; **les combats qui se livraient** the battles that were being fought

locataire *n.* tenant

loge *f.* box (theater)

logement *m.* lodgings, apartment, room, billets

logé *p. part. a.* placed; **bien logé** comfortably housed

loger *t.* to house, put up; place; *i.* to live, stay, be housed, be billeted; **où logez-vous?** where are you put up? where do you stay?; **loger qn** to give s.o. a room (*or* an apartment) in one's house

logis *m.* house, home

loi *f.* law, rule; **obéir à la loi** to obey the law

loin *adv.* far; **loin de l'hôtel** far from the hotel; **au loin** in the distance; far away; **de loin** from a distance; **plus loin** further on (along)

lointain *a.* distant

loisir *m.* leisure; chance, opportunity; *pl.* spare time; leisure; **de nombreux loisirs** much spare time; **à mes heures de loisir** in my odd moments

long (*f.* **longue**) *a. adv.* long; **le long de la frontière** along the border; **vous en savez plus long que moi** you know more about it than I; *n. m.* length; **se coucher de tout son long** to lie at full length; **marcher de long en large** to walk up and down

longer *t.* to run along, skirt

longtemps *adv.* a long time, long; **avant (qu'il soit) longtemps** before long

longue *f.* long

longuement *adv.* (for) a long time, long

longueur *f.* length

loquet *m.* latch; **fermer la porte au loquet** to latch the door

lors then; **lors de** at the time of; **depuis lors** from that time on, thenceforth; **pour lors** then, thereupon

lorsque, lorsqu' *conj.* when; at the time that

louange *f.* praise

louche *a.* suspicious

loucher *i.* to be cross-eyed;
il a louché dessus he looked
admiringly at it

louer *t.* to praise; rent; hire;
**Dieu soit loué que je sois
guéri!** thank God I am
well again!

Louis Louis; *m.* **louis, louis
d'or** gold coin (worth 20
francs, $4., withdrawn
since 1st World War)

Louis XVIII *king of France
from 1814 to 1824. He was
placed on the French throne
in 1814 by the enemies of
Napoleon I and fled to
Belgium when Napoleon
returned in 1815. Again
he regained his throne after
Waterloo, with the help of
Russia, England, Prussia,
Austria, etc. He was a
reactionary but clever king.*

loup *m.* wolf

lourd *a.* heavy; **avoir la main
lourde** to be heavy-handed
(brutal), to pour out too
big a drink

lourdeur *f.* weight, heaviness

louvoyant *a.* roundabout, cir-
cuitous (way)

louvoyer *i.* (of ship) to tack,
beat about; zigzag

lu (*v.* lire) *p. part.* read

lubie *f.* fad, mania

lueur *f.* glow, flash, gleam,
glimmer, light; **à la lueur**
by the light

lugubre *a.* lugubrious

lui *pron.* he, him, to him;
her, to her; it, to it;
c'est lui it's he; **c'est à lui**
it's his (own); **lui-même**
himself, he himself, he also

luire *i.* to shine

luisait: **il luisait** it was shining

luisant (*v.* luire) *pres. part. a.*
shining, shiny, polished,
glistening, glossy; **le poil
luisant** with a sleek coat
(of hair)

lumière *f.* light

lumineux *a.* luminous, clear
as crystal

lundi *m.* Monday

lune *f.* moon

lut (*v.* lire): **elle lut** she
read

luth *m.* lute (ancestor of the
guitar)

luthier *m.* maker of musical
instruments; lute maker

lutte *f.* struggle

lutter *i.* to fight

luxe *m.* luxury; **un tapis de
luxe** sumptuous rug

luxueusement *a.* luxuriously

luxueux *a.* luxurious, fancy

M

m' *pron.* myself; me, to me

ma *a. f. sing.* my

machinalement mechanically

machine *f.* machine; bike,
wheel; **machine à écrire *f.***
typewriter; **machine à
écrire portative** portable

typewriter; **machine-outil**
f. machine tool

maçon *m.* bricklayer, mason

magie *f.* magic; **comme par
magie** as if by magic

magnanime *a.* magnanimous,
noble-souled

magnétique *a.* magnetic

magnétiser *t.* to mesmerize,
hypnotize

magot *m.* funds, good money,
treasure,   hoard,   pile
(money)

maigre *a.* thin, meager, ema-
ciated, lean, skinny; faint
(sound);   scanty;   *n. m.*
skinny man

maigriot *a.* skinny; *n. m.*
skinny man; **le maigriot**
the skinny one

main *f.* hand; **à deux mains**
with both hands (at once)

maintenant *adv.* now

maintenir *t.* to hold, maintain

maintint (*v.* **maintenir**): **il le
maintint** he held him

maire *m.* mayor

mairie *f.* city hall

mais *conj.* but; **mais non!**
certainly not! **mais oui!**
why, certainly! **eh bien,
mais!** why! **il n'y a pas de
mais** there is no but

maison *f.* house; firm; convent; **à la maison** at home

maître *m.* teacher; *m.*, master; petty officer; **maître
d'hôtel** head waiter; **nous
restons maîtres de la place**
we hold the fort

maître-autel *m.* high altar

maîtrise *f.* mastery; choir
school

majestueux *a.* majestic

mal (*pl.* **maux**) *n. m.* pain;
ache, trouble; evil; harm;
j'ai mal à la gorge I have a
sore throat; **j'ai mal à la
tête** I have a headache;
mal de tête headache; **donner du mal à** to give trouble
to; **je me donne du mal**
I take pains, I work; **j'ai
eu bien du mal** I had a
lot of trouble; **pas mal de**
quite a few; quite a bit;
son estomac lui faisait mal
his stomach hurt, he felt
pangs of hunger; **ça me
fait mal au cœur** that
makes me sick at (to) my
stomach; **je lui ai fait mal**
I hurt her; **quel mal y a-t-il
à faire?** what's the harm
of (in) making; *adv.* badly;
pas mal not bad; **aller de
mal en pis** to go from bad
to worse

malade *a.* sick; **tomber malade** to fall ill, get sick

maladie *f.* disease; **maladie!**
my goodness! oh, shucks!

maladresse *f.* blunder; **commettre une maladresse** to
make a blunder

malais *a.* Malay (from the
Malay Peninsula)

malaise *m.* uneasiness, dis-
comfort

malaxer *t.* to knead (dough),

feel good and hard (cushion)

malcommode *a.* hard to get along with

malentendu *m.* misunderstanding

malgré *prep.* in spite of; **malgré elle (lui, soi)** unwillingly

malheur *m.* misfortune; **grand malheur** big misfortune

malheureusement unfortunately

malheureux *a.* unhappy; unfortunate, wretched; *n. m.* unfortunate man; **malheureux!** wretch! son of a gun! you poor thing!

malice *f.* mischievousness; wit, smart remark, prank; **sans y entendre malice** innocently, without intending it as a criticism, without meaning any harm

malin (*f.* **maligne**) *a.* shrewd, sly, clever, roguish; **d'un air malin** slyly

maltraiter *t.* to manhandle

mamelon *m.* knoll (small round hill)

manche *f.* sleeve; handle; **jusqu'au manche** up to the handle (knife)

mangé *p. part.* eaten; **allées mangées par les mauvaises herbes** paths overgrown with weeds

mangeaille *f. colloq.* nourish-

ment, food, edibles; feed (chickens)

mangeoire *f.* manger

manger *t.* to eat

manière *f.* manner, way; **de toutes les manières** in every way; **à la manière des chats** the way cats do; **les belles manières** good manners, etiquette; **de manière à** so as to

manifesté *a.* made manifest

manifester *t.* to show, reveal, betray

manigancer *t.* to plot, be up to

manœuvrer *t.* handle, manipulate, maneuver

manoir *m.* mansion, manor

manquer *t. i.* to miss, be lacking, be absent; **manquer de** to be lacking in, to lack; **le rôti manqua** there was no roast; **les choses qui m'ont manqué** the things that I did not have (or that I missed); **on manque d'air** there is not enough air; **ça ne peut pas manquer de réussir** this can't fail to succeed; **manquer de parole à qn** to break one's promise (word) to s.o.; **il ne manque personne** all present, no one is absent; **il manquait qčh à** there was something lacking in; **manquer à la sobriété** to be wanting in sobriety; **il ne manquerait plus que ça que** it would be the last straw if

mansarde *f.* room in the attic

manteau *m.* coat (of woman); overcoat, cloak, mantle, cape; **manteau de fourrure** fur coat

mantille *f.* mantilla (veil)

manufacture *f.* factory (not for metals)

manuscrit *m.* manuscript

maquis *m.* bush (uncultivated country covered with shrubby vegetation; Corsican jungle); brushwood, bushes (in desert); difficult country out of the enemy's reach (during occupation of France by the Germans, 1940–1944); troops of the Resistance; Resistance movement

marabout *m.* Mohammedan saint's tomb

marâtre *f.* strict (cruel) stepmother

marbre *m.* marble

marchand *m.* merchant; **un bateau (bâtiment) marchand** freighter, merchantman

marchander *t. i.* to haggle

marche *f.* march, progress; walking, hiking, hike; parade; step (stairs); **fermer la marche** to bring up the rear

marché *m.* market (open air), marketing; **bon marché**

cheap; **faire son marché** to do one's marketing; **marché noir** black market; **un vendeur au marché noir** black marketeer; **marché (en plein air)** open air market

marcher *i.* to walk, march; march on (time), hike (machine) to run, work, go off all right; **marcher dans la chambre** to pace the room; **les affaires n'avaient pas mal marché** business hadn't been too bad

marcheur *m.* hiker, walker

mardi *m.* Tuesday

maréchal *m.* marshal; **maréchal des logis** sergeant (cavalry)

mariage *m.* marriage, wedding; married life; **vingt ans de mariage** twenty years of married life

mari *m.* husband

marié *p. part. a.* married; *n. m.* bridegroom; **notre photo en mariés** our wedding picture, our picture as bride and groom; **mariée** *n. f.* bride

marine *f.* navy, merchant marine

marmelade *f.* marmalade; slaughter; **mettre qn en marmelade** to smash (beat, shoot) s.o. to a jelly (to a pulp)

maroquin *m.* morocco leather (goatskin)

marquer *t.* to mark; note (down), record, make a note of; show; **marquer le pas de la danse** to beat time for the dance; **marquer les points (les coups)** to keep the score

marquis *m.* marquis (nobleman ranking above earl and below duke); **un costume de marquis** marquis costume (tails with cuffs and braid, tight breeches)

marri *a.* sorry, crestfallen

Marseille Marseilles, *second largest French city; pop. 915,000; 508 miles S.E. of Paris on the Mediterranean sea; gate to the Orient. Famous for its main street called* **la Cannebière**; *notorious for its gangsters. Occupied in 1942 by the Nazis who blew up the section of the city N. of the old harbor. Liberated by the Americans, Aug. 23, 1944.*

marteau *m.* hammer

martyre *m.* martyrdom, torture

mas *m.* farmhouse (in Provence)

masqué *a.* masked; concealed

massacrer *t.* to massacre, slaughter

masse *f.* mass, weight; mace

massif (*f.* –ive) *a.* massive, bulky, solid, heavy; **de l'argent massif** solid silver

massue *f.* club (stick)

masure *f.* tumbledown house, hovel

mat *a.* dull (color), lusterless

mât *m.* mast

matelas *m.* mattress

matelot *m.* seaman, sailor; **matelot de première classe** seaman first class; **matelot de troisième classe** apprentice seaman

matériel *a.* material; *n. m.* material, equipment

matin *m.* morning

matière *f.* matter; subject (at school); **en matière de** in the matter of; **matières grasses** fats

matines *f.* matins (morning prayers)

matraque *f.* club, big stick, bludgeon

matrone *f.* matron

maudire *t.* to curse

maudissant (*v.* maudire) *pres. part.* cursing

maudit *a.* cursed, darn; **maudit théâtre !** darn theater !

Maure *m.* Moor; *a.* moorish

maussade *a.* sullen, glum

mauvais *m.* bad, mean

maux *m.* (*pl. of* mal) aches, sufferings, ills, troubles

me *pron.* myself; me, to me

méchanceté *f.* wickedness; meanness; **par méchanceté** out of malice

mèche *f.* wick (lamp); match (old gun) lock (hair)

mécontenter *t.* to displease

médecin *m.* doctor (medical);

médecin-capitaine captain in the Medical Corps
méfait *m.* misdeed
méfiance *f.* distrust
méfiant *a.* suspicious; **d'un air méfiant** suspiciously
méfier: **se méfier** to have some suspicion; **se méfier de** to distrust, beware of; **méfiez-vous de lui** don't trust him
meilleur *a.* better; **le meilleur** the best
mélanger *t.* to mix
mêlé *a.* mixed
mêlée *f.* scuffle, confusion
mêler *t.* to mix; intermingle; **se mêler à** to mingle in, take part in; **se mêler de** to meddle in; **mêlez-vous de vos affaires** mind your own business; **si je m'en mêle encore** if I have anything more to do with it; **l'aigreur s'en mêlant** bitterness coming in; **je dus m'en mêler** I had to intervene
membre *m.* member; limb (of body); **membre du parti communiste** member of the Communist party
même *a.* same; very; **à l'heure même** at that very moment (hour); even now; **à l'instant même** at the very moment; *pron.* self; **elle-même** herself; **vous-même** yourself; *adv.* even; **de même** the same, in the same way, likewise; **moi de même** me too, same here; **de même que** just as, and also, like; **tout de même** all the same; **je ne peux tout de même pas** I surely cannot; **même pas** not even; **boire à même la bouteille** to drink from the bottle; **même que ça fit une dispute** *colloq.* that even brought an argument

menaçant *pres. part. a.* threatening
menace *f.* threat, menace
menacer *t.* to menace, threaten
ménage *m.* household, housekeeping, housework; **faire bon ménage** to get along with; **gros travaux du ménage** heavy housework
mener *t.* to lead, to take; **je mène** I lead; **mener la danse** to lead the dance
mensonge *m.* lie
menteur (*f.* **-euse**) *a.* lying; *n. m.* liar
mentir *i.* to lie
menton *m.* chin
menu *a.* minute, very small
mépris *m.* contempt
méprisant *a.* scornful
méprise *f.* mistake
mépriser *t.* to despise
mer *f.* sea
merci *n. m.* thank you, thanks
mercredi *m.* Wednesday

mère mother; **la mère Angot** old Mrs. (Mother) A.

méridional *a.* southern; *n.* Southerner

mériter *t.* to deserve

merle *m.* blackbird

merveille *f.* wonder; **à merveille** marvelously

mes *a. pl.* my

mésaventure *f.* misadventure

mésentente *f.* disagreement, misunderstanding

mesquin *a.* cheap, paltry

messager *m.* messenger

messe *f.* mass (divine service); **faire dire une messe** to have a mass said

messieurs *m. pl.* gentlemen; **messieurs dames** ladies and gentlemen

mesure *f.* measure, measurement; moderation; extent; **à mesure que** in proportion as; **je donnerai toute ma mesure** I'll show what I am capable of; **sur mesure** made to order

mesurer *t.* to measure

métier *m.* trade, profession, business; **apprendre un métier** to learn a trade; **faire un métier** to carry out a trade; **métier à dentelle** lacemaker's loom

mètre *m.* meter (about 1 1/10 yd.)

mettez (*v.* **mettre**): **vous mettez** you put

mettons: **nous mettons** we are putting; **mettons vingt**

gouttes let's say twenty drops

mettre *t.* to put, set, place; wear; **se mettre debout** to stand; **se mettre à** to start to, begin to; **se mettre en route** to start on one's way (journey); **se mettre à table** to sit down at the table

meuble *m.* piece of furniture; *pl.* furniture; **mes meubles** my furniture

meublé *p. part. a.* furnished

meurs (*v.* **mourir**): **je meurs** I am dying

meurtre *m.* murder

meurtrier *m.* murderer

meurtrière *f.* murderess

midi *m.* noon; south; **le Midi** (**de la France**) the South of France (especially Provence)

mien *pron.:* **le mien** mine

mienne *pron.:* **la mienne** mine

mieux *adv.* better; the better; best; **j'aime mieux** I prefer; **de mieux en mieux** better and better; **de son mieux** as best he could (can); **tant mieux** so much the better; **il n'en boit que mieux** he drinks all the more (the better) for it; **vous feriez mieux de** you'd better

mignon *a.* cute

Mignonne Cutie

mil *m.* thousand (in dates)

milieu *m.* middle; **au milieu de** in the middle (midst) of

militaire *a.* military; *n. m.* soldier

mille *a.* (one) thousand; *n. m.* mile

mîmes (*v.* **mettre**): **nous mîmes** (*past def.*) we put; **nous nous mîmes à** we started to

mine *f.* mine; mien, face, look(s), countenance; **mine de sel** salt mine; **vous n'avez pas trop bonne mine** you don't look too well; **faire mine de** to pretend to

ministère *m.* cabinet; department; Ministry; **ministère de l'Instruction publique (de l'Éducation nationale)** Board of Education

ministre *m.* minister, Cabinet member, secretary

minuit *m.* midnight

minute *n. f.* minute; **minute !** wait a minute ! **de minute en minute** every minute; **à la (en) dernière minute** at the last moment

minutieux *a.* scrupulous (care)

miracle *m.* miracle; **tu crieras au miracle** you'll declare that it is a miracle (that I have done miracles)

mis (*v.* **mettre**) *p. part.* put; **mis à la porte** fired (dismissed); **le char s'est mis à**

brûler the tank started to burn

misérable *a.* miserable; paltry, small, shabby, cheap; wretched, pitiful, sorry; *n. m.* wretch, scoundrel

misère *f.* misery; poverty; wretchedness, shabbiness; hardship, trouble, misfortune; **misère !** too bad ! how unfortunate !; **tomber dans une grande misère** to become wretchedly poor; **misère des murs** dinginess of the walls; *a.* **j'aurai l'air misère comme tout** I'll look terribly (frightfully) poor

miséricorde *f.* mercy, mercifulness; **miséricorde !** good heavens !

mit (*v.* **mettre**): **il mit** he put; **il se mit à marcher** he started to walk

mitraille *f.* grapeshot

mitre *f.* miter (bishop's headdress)

mi-voix: **à mi-voix** under his breath, in an undertone

modalité *f.* mode; method; form, phase

mode *f.* fashion; custom; **à la mode** fashionably

modeste *a.* modest, unpretentious

mœurs *f. pl.* customs, manners

moi *pron.* me, to me; I; as far as I am concerned; **moi-même** myself; **moi je crois** I do believe

moindre *a.* less; **le moindre** the least

moinette *f.* little (young) nun

moinillon *m.* young monk, choir boy

moins *adv.* less; **huit heures moins le quart** a quarter of eight; **au moins !** at least; **de moins** less; **de moins en moins** less and less; **moins ... que** less ... than, not so ... as; **du moins** at least, at any rate; **n'en (ne) ... pas moins** nevertheless, none the less, just the same; **il ne résolut pas moins de** just the same he decided to; **à moins que** unless (+ *subj.*)

moire *f.* watered silk; **moire feu** watered silk the color of fire

mois *m.* month

moisson *f.* harvest, crop, amount

moitié *f.* half

molle (*f. of* **mou**) *a.* soft

moment *m.* moment; time; **en ce moment** at this moment

momentané *a.* temporary

mon *a. m. sing.* my; (in direct address) **oui, mon capitaine** yes, captain; yes, Sir; **mon Père** Father

monarchie *f.* monarchy

monde *m. sing.* world; people; **tout le monde** *sing.* everybody; **tout ce monde-là** all those people; **le**

pauvre monde the poor people

mondial *a.* world-wide

monnaie *f.* (small) change; pieces of money

monseigneur *m.* his Lordship (of bishop, abbot), (direct address) your Lordship

monsieur *n. m.* sir, Mr., gentleman

monstre *m.* monster

monstrueux *a.* monstrous, dreadful

montagne *f.* mountain

montant *a.* **robe montante** high-necked dress; *n. m.* kick (of drink); energy; **du montant** you must be energetic

monté *a.* equipped; **bibliothèque bien montée** well-stocked library

montée *f.* hill, climb

monter *i.* to go up, ascend, rise; climb; *t.* to mount (horse, jewel), man (ship); ride; take (bring, carry) up; **monter dans une auto** to get in a car; **monter sur un chameau** to ride a camel; **la cour allait en montant** the yard was uphill; **monter les bagages** (hotel) to take the baggage up; **faites monter les bagages** send the baggage up; **un escalier, ça se monte** stairs can be climbed; **se monter** to equip o.s.; **se**

monter la tête to fool o.s.,
go wild

monticule *m.* little mount,
monticule

montons let's go up; **nous
montons** we go up

montrait: elle montrait she
showed, was showing

montrer *t.* to show, point out;
point to; **montrez-moi**
show me; **se montrer** to
appear

moquer: se moquer de to
laugh at

moral *a.* moral; **souffrances
morales** mental suffering;
n. **le moral** morale; **au
moral** morally, mentally

morbleu (mordieu) ! by golly !

morceau *m.* piece, bit, morsel

mordant *a.* biting; *n. m.* bite
(of file); punch, dash

mordre *t.* to bite

mordu *p. part.* bitten

morne *a.* mournful, gloomy,
dismal

mort *a.* dead; *n. m.* dead man
(boy, person); **les morts**
the dead; *n. f.* death

mortel *a.* mortal, fatal

mossieu *m. colloq.* mister

mot *m.* word, note; joke,
gag; **bon mot, mot d'es-
prit** joke, witty remark,
gag; **en un mot** in short,
in other words; **si je
vous prenais au mot?** suppose I took you at your
word ?

mou (*f.* **molle**) *a.* soft

moucheté *a.* spotted, speckled
(with, **de**)

moucheture *f.* spot, speck,
speckle, fleck

mouchoir *m.* handkerchief;
kerchief; **mouchoir (de
poche)** handkerchief; **mouchoir de tête** headkerchief

mouette *f.* seagull

mouillage *m.* anchoring place

mouillé *a.* wet

moulin *m.* mill (grain), wind-
mill; **moulin à vent** wind-
mill

mourir *i.* to die

mourra: il mourra he will die

mourut (*v.* **mourir**): **il mourut**
he died

mousse *f.* moss; foam

mousseline *f.* muslin

moussu *a.* mossy, moss-
grown

moutardier *m.* mustard pot;
mustard maker

mouton *m.* lamb, sheep; mutton

mouvement *m.* movement,
motion; tempo, pace; **se
mettre en mouvement** to
move off (column); **mou-
vement, oratoire** flight of
oratory

moyen (*f.* **-enne**) *a.* average;
la classe moyenne the middle class; **le Moyen Age** the
Middle Ages

moyen *m.* means; way; possibility, chance; **les
moyens d'y aller** the way
to get there; **au moyen de**

by means of; **il y a moyen de** there's a possibility (way) to; **avoir les moyens de** to have the means to, have enough money to

moyennant *prep.* for (the sum of)

muet *a.* mute, silent, still, without saying a word, soundless; **e muet** mute e

mufle *m.* boor

mule *f.* (she-) mule

mulet *m.* (he-) mule

multiple *a.* numerous, many, manifold

mur *m.* wall

mûr *a.* ripe, mature

muraille *f.* (big, thick) wall

murmure *m.* murmur; sound

murmurer *t. i.* murmur

muscle *m.* muscle

musculeux *a.* muscular, strong

museau *m.* nose (animal), snout, muzzle

musée *m.* museum

musique *f.* music; band

Mustapha: *formerly a little town near Algiers; now a part of the city*

myrte *m.* myrtle

mystification *f.* hoax

N

n': **n' ... pas** *adv.* not

nabab *m.* nabob (Indian viceroy; man of great wealth); raja

nage *f.* swimming; **à la nage** swimming; **gagner l'île à la nage** to swim to the island; **se jeter à la nage** to dive and swim

nager *i.* to swim

nageur *m.* swimmer

naïf (*f.* **naïve**) *a.* simple; unsophisticated, innocent (eye)

naïve *a. f.* simple (song)

naïvement artlessly, naïvely

nappe *f.* tablecloth; sheet, broad stretch (surface), expanse

naquit (*v.* **naître**): **il naquit** he was born

narine *f.* nostril

natal *a.* native

natif (*f.* **–ive**) *a.* native; **natif de** born in (at), a native of

natte *f.* mat

nature *f.* nature; **hors nature** abnormal, unnatural, monstrous, preternatural

naturaliste *a.* naturalistic (sordidly realistic)

naufragé *a.* shipwrecked

navette *f.* bobbin (sewing machine)

naviguer *i.* to sail; **naviguer dans** to sail over

navire *m.* ship

navré *a.* very sorry

ne *adv.*: **ne ... pas** not; **je ne comprends pas** I don't understand; **ne ... que, n' ... qu'** only

né *p. part. a.* born; **je suis né** I was born; **quand êtes-**

vous né? where were you born?

néanmoins *adv.* nevertheless

nécessiteux *a.* needy; *n.* les nécessiteux the needy

nécromancien, nécromant *m.* necromancer (pretending to communicate with the dead)

nef *f.* nave

négliger *t.* to neglect

nègre *m.* Negro; **travailler comme un nègre** to work like a slave

neige *f.* snow

nerf *m.* nerve; energy; **une attaque de nerfs** attack of nerves, fit

nerveux *a.* nervous; muscular, vigorous

n'est-ce pas? is it not? is it? won't you? etc.

net (*f.* **nette**) *a.* clean, clear; firm, bold (step); **mettre au net** to make a fair copy of; *adv.* plainly; outright; **arrêter net** to stop short; **les arrêter net** to stop them in their tracks; **tuer net** to kill outright (on the spot)

nettement clearly; plainly, flatly; for certain

nettoyage *m.* cleaning

nettoyer *t.* to clean; wipe

nettoyeur *m.* cleaner

neuf (*f.* **neuve**) *a.* new; **qu'est-ce qu'il y a de neuf?** what's the news?

neuf *a.* nine

neuve *f.* (*m.* **neuf**) *a.* new;

Terre-Neuve *f.* Newfoundland

neveu *m.* nephew

névrose *f.* neurosis

nez *m.* nose; **mettre le nez à la fenêtre** to look out of the window; **mettre (fourrer) son nez dans les affaires de qn** to poke one's nose into s.o.'s business

ni: *conj.* **ni ... ni** neither ... nor

niche *f.* niche (recess); kennel, doghouse

Nil: **le Nil** the Nile; *the longest river in the world, flowing from Lake Victoria Nyanza, on the Equator, to the Mediterranean: 4,300 miles long.*

nimbe *m.* halo, nimbus

nimbé *a.* (head) surrounded with a nimbus (halo)

Nîmes *city 62 miles N.W. of Marseilles, in wine-growing country; pop. 90,000; famous for old Roman buildings:* **les arènes** (Coliseum), **la Maison Carrée, la tour Magne, le temple de Diane.** *Daudet was born in Nîmes.*

nippé *a. colloq.* rigged out (dressed up)

noble *a.* noble; aristocratic; *n.* nobleman

noce, noces *f.* wedding; **secondes noces** second marriage

noctambule *a.* night-roving

nocturne *a.* nocturnal, night

nœud *m.* knot; bow ribbon; **faire un nœud** to tie a knot; **nœud de pierreries** diamond-studded ribbons

noie (*v.* **noyer**): **il noie** *t.* he drowns; **un homme qui se noie** a drowning man

noir *a.* black, dark; **il fait noir** it's dark; **bleu noir** dark blue; **noire misère** dire misery

noirâtre *a.* darkish

noisetier *m.* hazel tree

noisette *f.* hazelnut

noix *f.* walnut

nom *m.* name

nombre *m.* number; **des élèves au nombre de** pupils numbering

nombreux (*f.* **–euse**) *a.* numerous

nommé *p. part. a.* appointed; promoted to; named; **le nommé P** the man named P.

nommer *t.* to name; appoint; promote to; **se nommer** to appoint oneself; be called; **elle se nommait T** her name was T.

non *adv.* no; **moi non plus** nor I either, neither do I; **non pas que la mer fût mauvaise** not that the sea was rough

nonchalant *a.* lazy

nord *m.* north; **l'Afrique du Nord** North Africa

Normandie: la Normandie Normandy, *French province, capital Rouen, the scene of gigantic battles between the Nazis and the Allies, from June 6, 1944, to the beginning of August 1944.*

nos *a. pl. m. f.* our

note *f.* bill, account; note; sound; grade

noter *t.* to write (jot) down

notion *f.* notion; **il perdit doucement la notion des choses** he gradually ceased to be conscious of reality

notoriété *f.* repute; **sa malpropreté était de notoriété publique** his uncleanliness was a matter of common knowledge

notre *a. sing. m. f.* our

nôtre *pron.:* **le (la) nôtre, les nôtres** ours

Notre-Seigneur Our Lord Jesus

nourri *p. part. a.* fed, cared for; **bien nourri** well fed

nourrice *f.* (wet) nurse

nourrir *t.* to feed; **se nourrir** to feed

nous *pron.* we; us; to us; (author) I

nouveau (*f.* **nouvelle**) *a.* new; **à nouveau** again; **de nouveau** again, anew; **nouveau riche** *m.* upstart; **nouveau silence** renewed silence; **nouveau venu** newcomer

nouvel *a. m.* (*before vowel*)

new; **nouvel arrivant** newcomer

nouvelle *a. f.* new; **la Nouvelle-Orléans** New Orleans

nouvelle *f.* news, piece of news; **vous aurez de mes nouvelles** you will hear more from me; **vous m'en direz des nouvelles** you'll certainly like it, you'll see (feel) something

novice *m.* novice (young man on probation in religious order); beginner

noyau *m.* stone (fruit), pit, kernel

noyer *t.* to drown; **se noyer** to drown, get drowned

noyer *m.* walnut tree

nu *a. m.* nude; bare; without any ornaments; **nu jusqu'à la ceinture** stripped to the waist

nuage *m.* cloud

nuageux *a.* cloudy

nuancé *a.* subtle; worked out (design)

nuancer *t.* to put subtle variations (shades of color) in

nue *see* **nu**

nuée *f.* (large) cloud

nuit *f.* night; **cette nuit** last night; during the (coming) night; **de nuit** by night; **la nuit** during the night

nul (*f.* **nulle**) no, no one

nuque *f.* nape of the neck

O

obéir *i.* to obey; **obéir à la loi** to obey the law; **obéir à qn** to obey s.o.

obéissance *f.* obedience

obligeance *f.* kindness, obligingness; **elle eut toute l'obligeance possible** she was as kind as could be

obliquer *i.* to move in an oblique direction, advance obliquely

obscur *a.* dark

obscurcir *t.* to darken, dim

obscurité *f.* darkness, dark, obscurity

obséder *t.* to obsess, haunt, beset

observation *f.* observation, watching; (unfavorable) comment, remark; **il se remit en observation** he resumed his watching

obstiné *a. n. m.* obstinate man; **obstinée** obstinate woman

obstinément obstinately

obtenir *t.* to obtain, get

occasion *f.* opportunity, chance; **c'est une occasion, cela, une belle !** this is certainly an opportunity, and a fine one !

occasionner *t.* to cause

occident *m.* west

occupé *a. p. part.* busy; occupied

occuper *t.* to occupy; **s'oc-**

cuper de to occupy oneself with, give (pay) attention to; **sans s'occuper du bruit** without paying attention to the noise

occurrence *f.* occasion, event, juncture; **en cette occurrence** at this juncture, on this occasion

odieux *a.* hateful, odious

odorant *a.* fragrant, sweet-smelling

œil (*pl.* **yeux**) *m.* eye; look; **elle ne ferma pas l'œil** she didn't sleep a wink

œsophage *m.* gullet, esophagus

œuf (*pl.* **œufs**) *m.* egg; **œuf sur le plat** fried egg

œuvre *f.* work; **œuvre d'art** work of art

offensif *a.* offensive, aggressive; **pour éviter un retour offensif** for fear that the enemy might return, against a counter-attack

office *m.* (church) service; **chanter l'office** to chant the office; **d'office** officially; **je fus commis d'office pour sa défense** I was appointed by the court as her lawyer

officiant *n.* *m.* officiating priest

offre (*v.* **offrir**): **elle offre** she offers

offre *n.* *f.* offer; **offre de service** application for a job

offrir *t.* to offer; **s'offrir qch** to treat o.s. to sth.

oie *f.* goose

oignon *m.* onion

oiseau *m.* bird

ombre *f.* shadow; shade; darkness; **à l'ombre d'un grand chêne** in the shade of a tall oak; **sans ombre** shadeless, without any shade; **l'ombre d'un amour** a little love affair

on *pron.* people, one, they, we; **on ramasse** they pick up

ondulation *f.* wavy line

ongle *m.* fingernail

onomatopée *f.* imitative word

ont: **ils ont** they (*m.*) have

onze *a.* eleven

opiner *i.* to be of the opinion (that, **que**); **opiner du bonnet** to nod approval

opinion *f.* opinion; **avoir le courage de ses opinions** to have the courage of one's convictions

opposé *a.* opposite; **le bord opposé à** the edge across from

opposer *t.* to oppose; **s'opposer à** to oppose

or *m.* gold; **cheveux d'or** golden hair

or *conj.* now (resumes discourse)

orage *m.* storm

oraison *f.* oration; orison, prayer; **oraison funèbre** funeral oration

oranger *m.* orange tree

oratoire *n. m.* oratory (chapel for private devotions)

ordinaire *a.* ordinary, common, regular, usual; **la vie ordinaire (de tous les jours)** everyday life; *n. m.* custom; usual (daily) fare; **d'ordinaire** ordinarily; **comme à son ordinaire** as he used to

ordonnance *f.* prescription

ordonner *t.* to order; regulate; **ordonner à qn de** to order s.o. to

ordre *m.* order, discipline; **à vos ordres** (I am) your servant; **donner des ordres** to order around

ordure *f.* filth, dirt; **ordures** garbage

oreille *f.* ear; **dur d'oreille** hard of hearing

orge *m.* barley

orgue *m. sing. pl.* (pipe) organ

orgueil *m.* pride

orgueilleux (*f.* –**euse**) *a.* proud

orienter *t.* to orient; **s'orienter** to find one's bearings

oripeaux *m. pl.* frippery, cheap flashy clothes; rags

ornement *m.* ornament

orner *t.* to decorate, adorn

orphelin *m.* orphan; **orphelin de père** fatherless

orphéon *m.* men's glee club

orthographe *f.* spelling

ortie *f.* nettle

os *m.* bone; **il ne fera pas de vieux os** he won't live long, he won't make old bones

osciller *i.* to oscillate; waver

oser *t.* to dare; **résolu à tout oser** determined to risk everything

ossianique *a.* Ossianic (of Ossian)

ôter *t.* to take away, take off, remove; **ôter qch à qn** to deprive s.o. of sth.

ottomane *f.* sofa

ou *conj.* or; **ou (bien) . . . ou (bien)** either . . . or

où *adv.* where

oublier *t.* to forget; **je m'oubliai là** I lost track of time there

ouest *n. m.* west

oui *adv.* yes, that's right; **faire oui de la tête** to nod approval; **mais oui** surely, yes indeed; **ah oui alors !** certainly ! **si oui** if such is the case, if you (they) do, if he (she) does, etc.

ourlet *m.* hem

outil *m.* tool

outre *prep. adv.* beyond; **en outre** moreover, besides

ouvert (*v.* **ouvrir**) *p. part. a.* open; opened; **guerre ouverte** open warfare, open hostilities

ouverture *f.* opening; **ouverture de la porte** doorway

ouvrage *m.* work; book

ouvragé *a.* wrought artistically; **vitraux ouvragés**

stained-glass windows with tracery

ouvrez (*v.* **ouvrir**): **vous ouvrez** you open

ouvrier *m.* (*f.* **–ière**) worker

ouvrière *f.* working girl (woman)

ouvrir *t.* to open; **s'ouvrir** to open; **la porte s'ouvrit** the door opened

P

pacifique *a.* peace-loving

paie: **on paie** one pays, people pay

paille *f.* straw; **un chapeau de paille** straw hat

paillette *f.* golden flake, spangle

pain *m.* bread; loaf of bread

pair *n. m.* peer, lord

paisible *a.* peaceful, quiet; unexcited; **paisiblement** peacefully

paix *f.* peace; **pour en avoir la paix** in order not to be bothered about it

palais *m.* palace

palan *m.* pulley

pâle *a.* pale

palier *m.* landing (top of stairs)

pâlir *i.* to grow (turn) pale

palmier *m.* palm tree

Pampérigouste *fictitious town in Provence, sort of Shangri-La*

pan *m.* shirt (of cloak); **d'un pan de son manteau** with a fold of her cloak; **pan! pan!** bang! bang!

panier *m.* basket, basketful; **mettre au panier** to throw in the wastebasket

pantalon *m.* trousers

panthère *f.* panther

papal *a.* papal (of the Pope); **mule papale** Pope's mule

pape *m.* Pope

paquebot *m.* liner

Pâques *m. sing.* Easter

paquet *m.* package, parcel, bundle; **paquets de nourriture** chunks of food

par *prep.* by, per, through, across; for, on; in; out of; **par la campagne** through the countryside; **aller par les villes** to go from town to town; **comme par une erreur du destin** as if through an error of destiny; **par deux fois** twice; **par une nuit noire** on a dark night; **jeter par la fenêtre** to throw out of the window; **regarder par la fenêtre** to look through the window

paradoxal *a.* paradoxical

paradoxe *m.* paradox; **homme de paradoxe** paradoxical man

paraissent (*v.* **paraître**): **ils paraissent** they look, appear

paraît appears; **à ce qu'il paraît** they say, we hear, we are told

paraître *i.* to look, seem, appear; be published (book, paper)

parapet *m.* parapet (wall, railing; rampart, breastwork)

parce que *conj.* because

par-ci par-là *adv.* here and there, now and then

parcimonieusement sparely (furnished)

parcourir *t.* to go over (across); run through

par-dessus *prep. adv.* above, over, on top of it; **par-dessus son épaule** over his shoulder

pareil (*f.* –eille) *a.* similar, like that (it); **dans un moment pareil** in such a moment, under such circumstances; **avez-vous (jamais) vu rien de pareil?** did you (ever) see anything like it?

parents *m. pl.* parents; relatives; **nous ne sommes pas parents** we are not related

paresse *f.* laziness

paresseux *a.* lazy

parfait *a.* perfect; **parfaitement** perfectly; certainly

parfois *adv.* sometimes, once in a while

parfum *m.* perfume

parfumé *a.* perfumed, fragrant (with, **de**), flavored, balmy

parier *t.* to bet

parlé *p. part.* spoken; **il est**

parlé du jardin the garden is mentioned

parler *i.* to speak; **parler de** to talk about; **moi qui vous parle** I for one

parmi *prep.* among

paroissien *m.* parishioner

parole *f.* word, words, saying, speech; **adresser la parole à qn** to address s.o.; **paroles d'une chanson** words of a song; **parole! ma parole!** upon my word! **je t'en donne ma parole** I give you my word, you can believe me; **tenir parole** to keep one's word

parquet *m.* floor

parrain *m.* godfather

pars *v.* **partir: je pars** I leave

part *n. f.* part, share; **à part** aside; with the exception of, except for; **à part ça** apart from that; now; **de la part de** from; on the part of; **de part en part** right through (across); **pour ma part** for my part, as far as I am concerned; **quelque part** somewhere; *v.* **il part** he (it) leaves

partager *t.* to share; divide; **se partager** to share

parte (*v.* **partir**, *subj.*): **que je parte** that I (should) go

partenaire *n. m. f.* partner; opposite number

parterre *m.* flower bed

parti *p. part.* gone; **ça m'était**

parti that had escaped me; *n. m.* party; decision; **prendre son parti** to make up one's mind

participer: **participer à** to participate in, share in

particule *f.* particle, **de** (nobiliary, before name)

particulier (*f.* –ière); *a.* private; special, exceptional

partie *f.* part; portion; party; game; **les parties** (justice) the opponents, the plaintiff and the defendant; **en partie** partly; **partie** (**de plaisir**) party (fun); **une bonne partie des gens** a good proportion of the people; **partie de cartes** game of cards; **partie de chasse** hunting party; **faire partie d'un club** to belong to a club; **je me suis mis de la partie** I intervened

partir *i.* to leave, depart; originate, come out; **partir de** to start from; originate from; **à partir de** beginning at (with, from); **faire partir** to set in motion, to start

partout *adv.* everywhere; **de partout** on all sides, completely

parure *f.* ornament, adornment; set of jewels; necklace (Maupassant); lingerie

parut (*v.* **paraître**): **il parut** he (it) appeared

parvenir à to arrive at, come to, reach, succeed in

parvint (*v.* **parvenir**): **elle parvint à** it came to, succeeded in, reached

pas: *adv.* **ne ... pas** not; **pas mal** quite a few, quite a bit; not bad; **pas du tout** not at all; *n. m.* step; pace; footstep; foot; rate, speed; **à deux** (**quatre**) **pas de** close to; **des pas couraient** feet were running; **pas de danse** dance step; **faire un pas** to take a step; **ils marchaient du même pas** they walked at the same pace; **il marquait le pas de la danse** he would beat time for the dance; **il traversa la chambre à grands pas** he strode across the room

Pas-de-Calais *m. department in Northern France, capital Arras;* **le détroit du Pas-de-Calais** the Strait of Dover

passable *a.* acceptable, fair

passage *m.* passage; (on boat) crossing, boat fare; **guetter le passage d'un paysan** to watch for a peasant to come along; **les frères faisaient la haie sur son passage** the brothers lined up on both sides as he walked by

passé *p. part.* happened; **ce**

qui s'est passé what (has) happened; *n. m.* past

passer *i. t.* to pass, spend; stick out; skip, hand over; walk, go by; forgive (s.o. for), excuse; run (sword); **passez-moi votre cahier** hand me your notebook; **cela m'a passé** I got over that; **passer le temps** to pass the time away; **il passa la main sur tout le corps de la panthère** he ran his hand all along the panther's body; **ils leur passaient dessus (sur le corps)** they trampled them under foot; **le bout de ses oreilles passe** the tip of her ears is sticking out (is showing); **faire passer d'un bateau à l'autre** to transfer from one ship to another; **se faire passer pour** to pass (off) as; **y passer** to go the same way, have the same fate; **se passer** to happen, take place; go by; wear off (pain); **la scène se passe à Paris** the scene is laid in P.; **qu'est-ce qui se passe?** what's going on? **se passer de** to do without

passion *f.* passion

passionnant *a.* fascinating, thrilling

passionné *a.* impassioned (logic)

passionnel *a.* pertaining to the passions; **crime passionnel** love tragedy, crime due to jealousy

passionner *t.* to excite, fill with excitement; **se passionner** to become passionately fond (of, **pour**); **je commençais à me passionner** I was beginning to be terribly interested

pastèque *f.* watermelon

pâtée *f.* hash

patenôtre *f.* paternoster, Lord's prayer; (insincere) prayer

pater noster *m.* Lord's prayer

patience *f.* patience; **il prenait ses maux en patience** he bore his ills (troubles) patiently

patient *a.* patient; *n. m.* sufferer; patient (undergoing operation)

patron *m.* employer, boss, chief; captain (ship)

patte *f.* leg (animal); **à quatre pattes** on his hands and knees, on all fours

pâture *f.* food; **chercher pâture** to seek (look for) a livelihood (one's subsistence)

paume *f.* palm

paupière *f.* eyelid

pauvre *a.* poor, unfortunate; **avoir l'air pauvre** to look shabby; *n. m.* poor man, beggar; **pauvrement** poorly (poverty), shabbily

pauvreté *f.* poverty

pavé *m.* paving stone, pavement

paye, paie *n. f.* pay; *v.* **vous ne voulez pas que je paye?** you don't want me to pay?

payer *t.* to pay (for); **payer la diligence** to pay for (his seat in) the stagecoach

pays *m.* country; district, region, section of the country; home town; townie; **le pays des Baux** the country around Les B.; **pays natal** native country (land)

paysage *m.* landscape

paysan *m.* peasant

paysanne *f.* peasant woman (girl)

peau *f.* skin; fur, coat; **peau du cou** nape of the neck

péché *m.* sin

pécheur *m.* sinner

pêcheur *a.* fishing; **bâtiment pêcheur** fishing boat (smack); *n. m.* fisherman

pédant *a.* pedantic; *n. m.* pedant, pedantic man

peignait (*v.* **peigner** *and* **peindre**): **des regards où se peignait de la bienveillance** looks with a touch of kindness

peigne *m.* comb

peigné *p. part. a.* combed; **femme mal peignée** woman with frowsy hair, unkempt woman; **chien bien peigné** well-groomed dog

peigner *t.* to comb; **se peigner** to comb one's hair

peignoir *m.* dressing gown

peine *f.* trouble, difficulty; **ce n'est pas la peine** it's not worth while (the trouble), there is no use in (**de**); **c'est peine perdue** it's useless, it's labor lost; **se donner la peine de** to take the trouble of; **faire de la peine à qn** to make s.o. (very) sad; **il me fait (de la) peine** he makes me (very) sad; **j'aurais été bien en peine (de la faire)** it would have been very hard for me to do so; **à peine** (followed by inversion) scarcely, hardly; **à peine vient-il de sauter** scarcely has he jumped; **ce n'est pas sans peine** you had some trouble; **il avait grand peine à vivre** he had a hard time making a living; **tirer qn de peine** to get s.o. out of trouble (of his troubles)

peint (*v.* **peindre**) *p. part.* painted

peintre *m.* painter

pèlerin *m.* pilgrim; **Pères-Pèlerins** Pilgrim Fathers

pèlerinage *m.* pilgrimage

pelle *f.* shovel

penché *p. part. a.* bent (over); **penché sur** leaning over

pencher *t. i.* to incline; **se pencher** to lean (over)

pendant *prep.* during; for; **pendant que** *conj.* while

pendre *t. i.* to hang; **j'en pen-**

sais pis que pendre I thought that it was terrible

pendu (*v.* **pendre**) *p. part.* hanged; suspended

pendule *f.* timepiece

pénétrant *a.* penetrating; pungent, searching (smell)

pénétrer *t. i.* to penetrate; make one's way into, fill; **pénétrer dans** to come (go) into, go through

pénitence *f.* penance

pensée *f.* thought

penser *i.* to think, imagine, fancy; **penser à** to think of

pensez: vous pensez you think; **pensez donc!** just imagine, just think, remember! **pensez quelle confusion!** fancy (just imagine) his embarrassment!

pente *f.* slope; **pente douce** gentle slope; **le mur était en pente assez douce** the wall sloped rather gently

Pentecôte: la Pentecôte Pentecost (seventh Sunday after Easter)

perche *f.* pole; **tendre la perche à qn** to hold out a hand to s.o. (to help)

perdre *t.* to lose; ruin (s.o.); miss, not to get (understand); **il ne perdra rien pour attendre** I'll get even with him, I'll catch up with him, he'll get it just the same; **se perdre** to get (be)

lost; be wrecked; **rien ne se perd** nothing is lost

perdu *p. part.* lost; **c'est toi qui m'as perdu** it's you who ruined me (who led me astray); **le bateau s'est perdu** the ship was lost

père *m.* father; friar; **père de famille** family man; **le père Goriot** Old Father G., Old G.

péremptoire *a.* peremptory, commanding, dogmatic and arrogant

perfectionner *t.* to improve, perfect

périlleux *a.* perilous, risky

perle *f.* pearl

permettez allow me; I beg your pardon; it's not so; **vous permettez** you allow

permettre *t.* to permit, allow

permis (*v.* **permettre**) *p. part. a.* permitted, allowed

perquisition *f.* search, searching (of a house)

perquisitionner *i.* to search (house)

perron *m.* flight of steps (before building)

personnage *m.* person, individual, personage; (literature) character

personne *n. f.* person; being; *pron.* nobody, no one, anybody; **je ne veux ni de son argent ni de sa personne** I don't want either his money or himself

perspective *f.* prospect, outlook

perte *f.* loss; **à perte de vue** as far as the eye can (could) reach (see)

pertinent *a.* pertinent, to the point

pesant *a.* heavy

pèse-liqueur *m.* hydrometer, alcoholometer (to determine alcoholic content)

peser *t.* to weigh; **combien pesez-vous?** how much do you weigh?

pétiller *i.* to sparkle

petit *a.* small, little; *n. m.* child, little one; **mon petit** (my) little boy; **petit à petit** little by little

petit-beurre *m.* tea cookie

petite-fille *f.* granddaughter

petit-fils *m.* grandson

peu *adv.* little, few; short time; **un peu** a little; **un peu de patience** (have) a little patience; **peu artistique** not very artistic; **peu de chose** not much, a trifle; **peu à peu** little by little, gradually, by degrees; **pour peu que** (+ *subj.*) if only, if ever; **à peu près** nearly, about

peuple *sing. m.* people (nation); **femme du peuple** worker's wife, woman of the lower classes

peuplé *a.* inhabited

peupler *t.* to fill, throng (walls)

peur *f.* fear; **avoir peur** to be afraid; **faire peur à** to scare, frighten; **faire une peur formidable à qn** to give s.o. the scare of his life

peut (*v.* **pouvoir**): **il peut** he can, he may

peut-être *adv.* maybe, perhaps; **peut-être avez-vous** (inversion) maybe you have; **peut-être que** (no inversion) perhaps; **peut-être qu'en sachant** perhaps if she knew

peuvent (*v.* **pouvoir**): **ils peuvent** they can (may)

peux: je peux I can (may); **je n'y peux rien** I can't help it

pfft ! pfft! (word imitating the sound of a bullet whizzing by); phew!

phare *m.* lighthouse; headlight (car)

pharmacie *f.* drugstore

pharmacien *m.* druggist

philosophe *m.* philosopher; **je suis philosophe** I don't get excited, I have much equanimity; *a.* philosophical

photographie *f.* photograph

phrase *f.* sentence (grammar)

physionomie *f.* face, aspect

physique *a.* physical; *n. m.* **le physique** physique (body); **au physique** physically; *n. f.* **la physique**

physics; **physiquement** physically

piastre *f.* dollar (French Canada); peso (Mexico, Spain); piaster (North Africa, Indo-China: about a dollar)

Picardie: la **Picardie** Picardy (province N. of Paris, capital Amiens)

pichet *m.* pitcher

picholine *f.* green pickled olive (Provence); **olives à la picholine** pickled olives

pièce *f.* room; piece (coin); play; part (of machine); barrel (wine); **pièce de théâtre** play; **mettre en pièces** to tear to pieces

pied *m.* foot; syllable (in verse); **à pied** on foot; **aller à pied** to go on foot, to walk; **aux pieds** on your (his, etc.) feet; **tenir pied à qn** to keep up with s.o.; **des pieds à la tête** from head to foot

pierre *f.* stone; **pierre précieuse** precious stone, gem; **Pierre** Peter

pierreries *f. pl.* diamonds, precious stones, gems

piété *f.* piety

piéton *m.* pedestrian

pieu *m.* stake, post

pieux (*f.* **pieuse**) *a.* religious

pigeonnier *m.* pigeon house

pilule *f.* pill

pince *f.* pliers; *sl.* hand;

pince de homard lobster claw; hand

pincé *a.* affected; pinched; **blouse pincée à la taille** coat taken in at the waist

pinson *m.* finch; **gai comme un pinson** gay as a lark

pioche *f.* pickax, mattock

piquant *a.* prickly; pungent; *n. m.* piquancy; **le piquant (de l'affaire) était que ...** the humorous thing about it (the cream of the joke) was that ...

piquer *t.* to prick; head (in direction); **un corbeau lui piquait les yeux** a crow pecked at his eyes; **elle piqua une colère contre moi** *colloq.* she flew into a rage against me

piqûre *f.* bite (insect); **faire une piqûre à qn** to give an injection (a hypodermic) to s.o.

pirate *m.* pirate; swindler

pire *a.* worse; **le pire** the worst

pirouette *f.* pirouette (whirling on toes)

pirouetter *i.* to whirl around; **en pirouettant** with a pirouette

pis *adv.* more; **le pis** the worst; **tant pis!** too bad, so much the worse, that can't be helped!

piste *f.* track, trail

piteux *a.* pitiful; *n. m.* **le**

piteux the pitiful thing about it

pitié *f.* pity; **par pitié pour** out of pity for

pittoresque *a.* picturesque; **pittoresquement** in a picturesque way

placard *m.* closet; cupboard (in wall)

place *f.* place, seat; square (in town); job, position; **de place en place** from place to place; **prendre place** to sit down

placement *m.* investment, sale; **la bête était d'un placement difficile** it was difficult to find a buyer for the animal

placer *t.* to place; invest; put down

plaider *t. i.* to plead

plaidoirie *f.* (lawyer's) speech; pleading

plaidoyer *m.* speech for the defense, plea

plafond *m.* ceiling

plaignant (*v.* plaindre) *pres. part.* pitying; **se plaignant** complaining; *n. m.* plaintiff

plaindre *t.* to pity; **se plaindre** to complain (about, **de**)

plaine *f.* plain

plainte *f.* wail, moan; groan, groaning; complaint; rumbling (of stomach)

plaintif *a.* plaintive

plaire *i.* to please; **jusqu'à ce qu'il plaise à Dieu que je**

meure until it shall please God that I die

plaisant *a.* amusing, funny, ludicrous

plaisanter *i.* to joke

plaisanterie *f.* joke, pleasantry; **nous comprenons la plaisanterie** we can take a joke

plaisir *m.* pleasure; favor; **faire plaisir à qn** to please s.o.; **prendre du plaisir à goûter** to enjoy sampling

plaît (*v.* plaire): **il plaît** it (he) pleases; **s'il vous plaît** if you please, please

planche *f.* board, plank; **faire la planche** to swim on one's back (like a floating plank)

planté planted; standing

planter *t.* to plant, set, put; **planter de** to plant with

plaque *f.* badge (of policeman)

plat *a.* flat; (hair) straight; **à plat** flat; *n. m.* dish; **un œuf sur le plat** fried egg

plateau *m.* tray, platter; (scales) scale, side, pan

plein *a.* full; midst, heart; *sl.* drunk; **en plein air** in the open; **en plein chapitre** before the whole chapter (of monks); **en plein jour** in broad daylight; **en pleine Algérie sauvage** in the wilds of Algeria; **en pleine Crau** in the heart of the Crau desert; **en pleine**

mer in the middle of the ocean (sea)

plénière *a. f.* plenary (full); **indulgence plénière** plenary indulgence

pleurer *i.* to cry, weep

pleurnicher *i.* to whimper

pleut (*v.* **pleuvoir**): **il pleut** it rains, it's raining

pleuvoir *impers. v.* to rain; rain down, pour in, come in multitudes (great numbers)

pli *m.* fold, crease (trousers, shoes), wrinkle; **pli (dans le bas) du pantalon** cuff of the trousers

plié *p. part.* folded (up)

plissé *n. m.* plaiting

plomb *m.* lead; small shot; **une cartouche à gros plomb** buckshot cartridge; **un lièvre qui a reçu du plomb** jack rabbit riddled with small shot

plonger *t. i.* to dive, plunge; (eyes) peer, search; **se plonger** to plunge, give o.s. completely (to)

pluie *f.* rain

plume *f.* feather; plume; pen point, pen

plupart *n.:* **la plupart** the greater (most) part, most, the majority

plus *adv.* more; plus (+), with the addition of; **ne (n')** . . . **plus** not . . . any more, no more, no longer; **plus de cris** no more cries; **je n'ai plus faim** I am not

hungry any more; **plus** . . . **plus** the more . . . the more; **plus ça change (et) plus c'est la même chose** the more it changes, the more it's the same thing; **de plus en plus** more and more; **en plus** in addition; **le plus** the most; **plus que, plus de** (before number) more than; **plus un mot!** not another word! **nous n'aurions plus qu'à, il ne resterait plus qu'à** the only thing for us to do would be; **(ni) moi non plus** neither do I, nor I either

plusieurs *a.* several

plutôt *adv.* rather; **plutôt que (qu')** *conj.* rather than, more than; **écoutez plutôt** but (just) listen

poche *f.* pocket

poêle *m.* stove

poète *m. f.* poet

poids *m.* weight

poignard *m.* dagger

poignarder *t.* to stab

poignée *f.* handful; **poignée de main** handshake; **nous échangions des poignées de main** we used to shake hands

poignet *m.* wrist

poil *m.* hair (single); coat (of hair), fur (animal); **reprendre du poil de la bête** to get better; hit back, get one's revenge

poing *m.* fist; **un poing sur la**

hanche her hand on her hip; **un coup de poing** punch (blow); **lancer un coup de poing dans** to punch; **le revolver au poing** with revolvers in their hands

point *n. m.* point; stitch; **en tous points** on all points, completely; **marquer (compter) les points** to keep the score; **mettre au point** to focus, perfect; **j'ai mis au point une méthode** I have perfected a method; **la tapisserie au petit point** petit point (fine needlework) tapestry; *adv.* (*obs. affected for* **pas**) no, not; **non point!** not at all!

pointe *f.* point; very top, top, tiptop; spike (of spiked helmet)

pointu *a.* pointed, sharp

poitrine *f.* chest, breast; **ils ont la poitrine sensible** they have weak lungs

polaire *a.* polar; **étoile (*f.*) polaire** pole star

police *f.* police; **un agent de police** policeman; **le poste de police** police station

policier *a.* of the police; **roman policier** detective novel; *n. m.* police inspector

poliment politely

politique *a.* political; *n. f.* politics; policy; **faire de la politique** to be in (be

engaged in, go in for, play) politics; **faire une politique de** to follow a policy of

pompier *m.* fireman

pont *m.* bridge; deck

pontife *m.* pontiff (Pope)

port *m.* harbor; postage

portail *m.* church door, big door, gate, portal

portatif *a.* portable; **volume portatif** pocket book

porte *f.* door; gate; **à ma porte** two steps away; **mettre à la porte** to throw out, kick out, fire, expel (s.o.); **aux portes de la ville** just outside the city (the city gates, city limits)

portée *f.* range (gun); **hors de portée** out of range; **à portée de fusil** within gunshot; **à plus d'une portée de fusil** beyond gunshot; **se mettre à leur portée** to talk down to them

portefeuille *m.* billfold, pocketbook; portfolio; cabinet job

porter *t.* to carry; wear; bear

porteur *m.* porter

portière *f.* door (with window) (in carriage); window (train); portiere (curtain hanging across a doorway)

portrait *m.* picture, portrait

pose *f.* (studied) attitude, pose

posément calmly, slowly

poser *t.* to put, set, place,

rest, stick, pose; **lui posant sur la poitrine leurs fusils chargés** sticking their loaded guns against his chest; **poser une question à qn** to ask s.o. a question; **se poser** to alight

position *f.* posture

possédé *a.* possessed (by the devil)

posséder *t.* to own, possess, take possession of; have

possession *f.* possession; diabolical possession

poste *m.* position; post (place of duty); station; **poste de police** police station; **poste de T. S. F. (de télégraphie sans fil)** radio (set); *f.* post office

poster *t.* to station, post; **se poster** to take one's station (stand)

postillon *m.* postilion (riding stagecoach horse); **pas de postillons !** no spraying (sputtering) ! (when talking)

pot *m.* pot; **pot-au-feu** boiled dinner (the French don't throw away the liquid), boiled beef (with vegetables)

poterie *f.* pottery, earthenware

pouce *m.* inch (2.54 centimeters); thumb

poudre *f.* powder; **poudre à canon** gunpowder; **jeter de la poudre aux yeux** to pull

the wool over other people's eyes, to bluff, to keep up with the Joneses; **poudre de riz** face powder

poudreux (*f.* **–euse**) *a.* dusty

pouf *m.* hassock

pour *prep.* for; in order to, to; over; **pour que** in order that, so that, so; **pour ce qui est de l'avion, pour l'avion** as far as the plane is concerned; **pour ça** on account of that; **pour peu que** (+ *subj.*) if only, if ever; **peser (établir) le pour et le contre** to weigh the pros and cons

pourquoi *adv. conj.* why

pourrai (*v.* **pouvoir**): **je pourrai** I'll be able

pourraient: ils pourraient they would be able, they could, they might

pourrais: je pourrais I could; **ne pourrais-tu ?** couldn't you ?

pourrait: il pourrait he would be able, he might

poursuivre *t.* to pursue, chase; continue

pourtant *adv.* however, yet, nevertheless

pourvu que *conj.* provided that (+ *subj.*)

poussée *f.* growth

pousser *t.* to push, thrust, shove; drive, carry; impel: let out (cry); *i.* to grow; **pousser un cri** to utter (give, let out) a cry, to exclaim; **pousser un visiteur devant soi** to usher in a visitor

poussière *f.* dust; mortal remains

poussiéreux *a.* dusty

pouvait: il pouvait he could; **ça tombait où ça pouvait** they fell at random

pouvant *pres. part.* being able; **n'en pouvant plus de** exhausted by

pouvez: pouvez-vous? can you?

pouvoir *t. i.* to be able; can; may; *n. m.* power; **arriver au pouvoir** to come to power; **tombé au pouvoir de** fallen in the hands of

pratique *a.* practical

pré *m.* meadow

préau *m.* covered playground (school); covered yard, close (convent)

précédemment previously; above

précepteur *m.* tutor

précieux *a.* precious; affected

précipitamment in a hurry

précipité *a.* fast; hurried (steps); **à coups précipités** very fast

précipiter *t.* to hurry, precipitate; **se précipiter** to rush (headlong), run

précoce *a.* precocious; early

préférable *a.* preferable, better

préféré *a.* favorite

préférence *f.* preference; **de préférence à** preferably to

préférer *t.* to prefer

préfet *m.* prefect (sort of State governor, head of a **département**)

préluder à to be a prelude to, to precede

premier *a.* first; early; *n. m.* first one

prend: elle prend she (it) takes

prendre *t.* to take; capture; catch, get; assume (expression, attitude); **prendre à** to take from; **prendre une chose pour une autre** to mistake one thing for another; **prendre l'eau** to let in water (of shoes); **se prendre** to be caught; **se prendre de tendresse pour** to take a liking to (fancy for); **se prendre à pleurer** to start to cry, find o.s. crying; **s'en prendre à qn** to pick (lay the blame) on s.o.; **s'y prendre** to go about it; **comment s'y prendre pour** how to manage to

prends: je prends I take

prenez take; **vous prenez** you take

prenne: que je prenne that I (should, may) take

prennent: ils prennent they take

prénom *m.* first name, given name

prenons let's take; **nous prenons** we take

préoccupé *a.* absorbed, worried

préoccuper *t.* to trouble; **se préoccuper de** to bother about

préparé *p. part. a.* prepared; **résistance préparée** organized resistance

préparer *t.* to prepare; **se préparer à** to prepare for

près *adv.* near; **près de** near; **à peu près** about; **de près** closely, on close examination, from a very short distance; nearly, almost; **à la couleur près** except for the color; **tout près** quite near, close by

presbytère *m.* rectory, vicarage, priest's house

prescrire *t.* to prescribe; **prescrire une ordonnance** to write (order) a prescription

présent *m.* present; **au présent indicatif** in the present indicative; **à présent** now

présenter *t.* to present, introduce; **se présenter** to introduce o.s.; **se présenter chez X** to call on X.

presque *adv.* almost, nearly

pressant *a.* pressing, urgent

presser *t.* to press; depress; **presser un cheval** to push (spur) on a horse; **se presser autour de** to crowd around

pression *f.* pressure

pressoir *m.* wine press; winepress house

prestance *f.* fine (noble) bearing

prestement quickly

prêt (*f.* **prête**) *a.* ready

prêté *p. part.* lent

prétendre *t. i.* to claim; **prétendre que** to maintain (claim, insist) that

prétendu *a.* fake, so-called, sham

prêter *t.* to lend; **prêter attention à** to pay attention to; **prêter l'oreille** to lend an ear, listen intently

prêteur *m.* moneylender

prêtre *m.* priest

preuve *f.* proof; **à preuve X** *colloq.* for instance (take as proof) X.

prévenance *f.* consideration

prévenant (*v.* **prévenir**) *pres. part.* notifying

prévenir *t.* to warn, notify

prévenu (*v.* **prévenir**) *p. part.* warned, notified

prévint: il prévint he warned

prévoyant (*v.* **prévoir**) *pres. part.* foreseeing

prévu (*v.* **prévoir**) *p. part.* foreseen, anticipated

prier *t.* to pray; beg, ask; **je t'en prie, je vous (en) prie** please, I beg you

prière *f.* prayer; **faire une prière** to say (offer) a prayer

prieur *m.* prior (assistant to abbot)

princier (*f.* –**ière**) *a.* princely

principe *m.* principle; **dans le principe** fundamentally, to begin with

printanier *a.* spring, of spring

printemps *m.* Spring; **au printemps** in the Spring

pris (*v.* **prendre**) *p. part.* taken, caught, seized, captured; **pris d'un frisson** feeling a shudder; **pris d'inquiétude** seized with anxiety; **qu'est-ce que j'ai pris!** what a calling-down I got!

prit: il prit he (it) took, picked up; **la peur me prit** fear took possession of me, I became afraid; **il se prit à pleurer** he started to cry

prix *m.* price, prize; cost, rate; **au prix de grands efforts** at the cost of great efforts

procédé *m.* process

procédure *f.* proceedings, formalities

procès *m.* trial; lawsuit; **faire un procès (-verbal) à** to give a ticket to, to fine

procès-verbal *m.* (official) report; **dresser procès-verbal de** to draw up a report about

prochain *a.* (idea of time) next; near; **la semaine prochaine** next week

proche *a.* near

procurer *t.* to procure, get; **se procurer** to procure

prodiguer *t.* to lavish; **prodiguer ses soins à** to take care of devotedly

produire *t.* to produce

produit *n. m.* product, produce; (*v.* **produire**) **elle produit** she (it) produces

profiter *i.* to profit; **profiter à** to benefit; **profiter de** to take advantage of

profond *a.* deep, profound; **profondément** deeply, very

profondeur *f.* depth

proie *f.* prey; **être en proie à** to be a prey to, be tormented by

projet *m.* plan

projeter (**il projette**) *t.* to project; exercise (will power); plan

promenade *f.* walk; ride; drive; **faire une promenade** to take a walk, have a ride; **promenade en auto** an automobile ride; **promenade à pied** walk

promener *t.*: **promener qn** to take s.o. (out) for a walk (ride); **promener les yeux sur** to cast one's eyes over; **se promener** to take a walk (a ride)

promettre *t.* to promise

promis (*v.* **promettre**) *p. part.* promised

promotion *f.* promotion; class; batch (of persons) promoted

prompt *a.* quick, prompt; **promptement** *adv.* quickly

prononcer *t.* to pronounce; utter; **prononcer la sentence** to deliver the sentence; **se prononcer** to be pronounced

propos *m.* subject; **à propos** by the way; at the right time, opportunely; **à propos de** with regard to; *pl.* talk, remarks; **propos plaisants** jokes, gags; **échanger des propos** to exchange ideas

propre *a.* clean; won; proper; peculiar; **mon propre argent** my own money

propreté *f.* cleanliness

propriétaire *m.* owner, proprietor, landlord; landowner

propriété *f.* property, ownership; quality; estate, mansion, manor

prospectus *m.* leaflet, handbill, prospectus

prosterné *a.* prostrate

prosterner: se prosterner to fall upon one's face

prostituée *n. f.* prostitute

proue *f.* bow, prow

prouvé *p. part.* proved; **c'est prouvé** the proof has been made, it's a sure fact

prouver *t.* to prove, show

provençal *a.* of Provence; **les Provençaux** the people of Provence

Provence: la Provence Provence (large province in S. E. France, with Marseilles as the chief city)

proverbe *m.* proverb; **un amour qui était passé en proverbe** a love which had become proverbial

province *f.* province; **un lycée de province** high school in the provinces (in a French provincial town); **en province** in the provinces (anywhere in France but Paris and vicinity)

prude *a.* prudish

prunelle *f.* eye

psaume *m.* psalm

pu (*v.* pouvoir) *p. part.* been able

publicité *f.* publicity; **faire de la publicité** to go in for advertising, to advertise one's business

puis (*v.* pouvoir): **je puis** (affected) I can, I am able; **puis-je?** may I? *adv.* afterward, next, and next, then; on top of that; **et puis** and then; furthermore, moreover

puisque, puisqu' *conj.* since, because, as

puissamment powerfully

puissance *f.* power

puissant *a.* powerful

puisse (*v.* pouvoir): **que l'on puisse** that one may be able; **que l'on puisse entendre** that can be heard; **qu'il puisse** that he (may) be able; **puisse-t-il** may he

puits *m.* well (hole)

punir *t.* to punish

punit: **il punit** he punishes

pupille *f.* pupil (of the eye), apple of the eye

put (*v.* pouvoir): **il put** he could

pût could, might; **qu'il pût** that he might be able

Q

qu' *pron.* whom; which, what; that; *conj.* that, in order that; than; **ne ... qu'** only; **qu'est-ce que c'est?** what's this? what is it about? what do you want?

quadrupède *m.* quadruped, four-footed animal

quai *m.* (railroad) platform; dock, wharf; quay (stone embarkment with parapet, along river)

qualité *f.* quality; **en qualité de** in the capacity of, in his capacity as, as

quand *adv. conj.* when; **quand même** though, just the same

quant à *prep.* as for

quarante *a.* forty

quart *m.* quarter (1/4); (plus) fourth; **une heure et quart** (a) quarter past one

quartier *m.* quarter, district, neighborhood; **le grand quartier général** general headquarters; **quartier de roche** (big) rock, block (piece) of rock

quasi *adv.* nearly, all but

quatorze *a.* fourteen

quatre *a.* four; **quatre-vingts** eighty; **quatre-vingt-un** eighty-one

quatrième *a. n.* fourth

que *rel. pron.* whom; which, what; that; **que?** *interrog. pron.* what? whom? which? *conj.*; that, in order that; than; let, may; but; (que *is superfluous in* **c'était une vieille maison que la sienne** his was an old house); **sans autre souvenir que** without any other memory but; **ne (n') ... que** only, but; *interj.* what, how; **que c'est beau!** how beautiful it is!

quel (*f.* quelle) *a.* what, which; what a; **quel homme!** what a man! *pron.* who, which

quelconque *a.* any; **l'un quelconque de** any one of

quelque *a.* some, any; **quelques** a few; **quelque chose** something; **quelque part** somewhere; **quelques-uns** *pron.* a few, some, any; *adv.* **quelque puissant que fût son désir de rester** great as was his desire to remain

quelquefois *adv.* sometimes

quelqu'un *pron. m.* someone, somebody; one; **quelqu'une de ces chansons** one of those songs

querelle *f.* quarrel

quereller *t.* to scold; **se quereller** to quarrel

question *f.* question; **il n'en fut plus question** no one mentioned it (him, her) any more

quêter *t.* to collect (alms), beg, take up the collection

quêteur *a.* begging, mendicant; *n. m.* man who takes up the collection; alms collector; **frère quêteur** mendicant friar

queue *f.* tail; **ça n'avait ni queue ni tête** that had neither head nor tail, that was disconnected (inconsistent) language

qui *pron.* who, whom; which, that; *interrog.* who? whom? which?

quille *f.* skittle, ninepin; **un jeu de quilles** set of skittles

quinzaine *f.* about fifteen

quinze *m.* fifteen; **quinze jours** two weeks, a fortnight

quiproquo *m.* misunderstanding

quittance *f.* receipted bill

quitte *a.* quits; **en être quitte pour** to get off with; **on promet, quitte à ne pas tenir** people make promises even though they won't keep them; **quitte à tenir ce que l'on peut** even though they won't do more than they can

quitter *t.* to leave; **se quitter**

to part; **ne nous quittons plus** let's part no more

quoi *pron.* what, which; what! *colloq.* in short, in one word, of course, you can believe me; **sans quoi** or else; **il y aurait de quoi se rompre les jambes** that would be enough to break one's legs; **il y a de quoi l'être** there are good reasons to be so (for it); **quoi qu'il arrive** whatever may happen; **quoi donc?** what is it? what did you say? **sur quoi** thereupon

quoiqu', quoique *conj.* although

quotidien (*f.* –**ienne**) *a.* daily

R

rabattre *t.* to bring down; **rabattre son chapeau sur ses yeux** to pull one's hat over one's eyes

race *f.* race; breed

racé *a.* well born, aristocratic

raconter *t.* to tell, tell about, relate, narrate; **Victor Hugo raconté** the story (biography) of V. H.

rafale *f.* gale

raffoler de to be crazy about

raffût *m.* racket, row, uproar, scandal; **ça fit un de ces raffûts!** that caused quite an uproar (a scandal)

rafler *t.* to carry off, steal

rafraîchir *t.* to cool; **mettre**

le **vin à rafraîchir** to put the wine to cool; **se rafraîchir** to have a cool drink; cool off, keep cool

raide *a.* stiff

raidir *t.* to make rigid; **se raidir** to keep o.s. stiff; become stiff

rail *m.* rail

raisin *m.* grape; grapes; **une grappe de raisins** bunch of grapes; **presser le raisin** to press the grapes

raison *f.* reason; cause; explanation; mind; **avoir raison** to be right; **on a bien raison de** people are indeed right to; **perdre la raison** to lose one's mind; **raison de plus pour un bébé** to say nothing of a baby; **à plus forte raison** with greater reason, all the more reason, with still more reason, and much more so

raisonnable *a.* reasonable, sensible

raisonné *a.* reasoned out, rational; based on good reasons

raisonner *i. t.* to argue

rajeuni *a.* made younger

rajeunir *t.* to rejuvenate; **ça me rajeunit de vingt ans** it makes me (feel) twenty years younger

ramasser *t.* to pick up

ramener *t.* to bring back; **ramener un ivrogne chez lui** to take a drunkard home

rameur *m.* oarsman, rower

ramper *i.* to crawl

rancune *f.* grudge, resentment; **sans rancune** no hard feelings

rancunier *a.* resentful

rang *m.* row; rank; **en rang(s)** lined up, drawn up; **se mettre sur les rangs (pour un emploi)** to compete for a job; **prendre rang** to take one's seat (place, station) according to one's rank

ranger *t.* to arrange; **l'armée était rangée** the army was drawn up; **se ranger** to draw up, pull up; step (stand) aside, get out of the way

ranimer *t.* to revive, kindle again, cheer, encourage

rapace *a.* rapacious, grasping

rapacité *f.* rapacity, greed

rapatrier *t.* to repatriate

râpe *f.* rasp (file)

rapide *a.* fast; **rapidement** rapidly

rapidité *f.* speed

rapiécer *t.* to patch (up)

rappeler *t.* to recall; remind; summon (courage); **se rappeler** *t.* to remember; **rappelez-vous** remember; **rappeler qch à qn** to remind s.o. of sth.

rappelle (*v.* rappeler): **elle**

me rappelle it (she) reminds me of

rapporter *t.* to bring back, bring; record, tell (story); **se rapporter à** to refer to

rapproché *a.* near, close

rapprocher *t.* to bring nearer (closer); **se rapprocher de** to come closer to

rare *a.* scarce, rare, infrequent, sparse; **rarement** rarely

ras *a.* close-cropped (hair); **un poil ras** short hair (of dog)

raser *t.* to shave; skim (of bird); **se raser** to shave

rassembler *t.* to assemble, get together

rassit (*v.* **rasseoir**): **il se rassit** he sat down again

rassuré *a.* reassured, with an easy mind

rassurer *t.* to reassure, cheer up; **il le rassure de la main** he motions to him reassuringly; **se rassurer** to feel reassured; **rassurez-vous** take heart

rattaché à linked up with

rattraper *t.* to catch; catch up with

rauque *a.* hoarse, raucous

ravager *t.* to ravage, lay waste (land); scour, rove (the seas)

ravi *a.* delighted

ravin *m.* gully, ravine, draw

rayon *m.* shelf, department (store); ray, beam (light);

rayon de lune moonbeam

rayonnant *a.* radiant, beaming, cordial

rayonnement *m.* radiance

rayonner *t.* to radiate; **rayonner de joie** to be radiant with joy

razzia *f.* looting raid; complete robbery

réaliser *t.* to realize; effect, carry into effect; **réaliser des progrès** to make progress; **réaliser un rêve** to make a dream come true

rebâtir *t.* to rebuild

rebelle *a.* rebellious; *n. m. f.* rebel

rebondi *a.* round, plump

réception *f.* reception; **faire une réception** to give a reception; **faire une réception princière à qn** to welcome s.o. like a prince

recette *f.* receipt(s); recipe

recevez: vous recevez you receive (get)

recevoir *t.* to receive, get; admit; *i.* to entertain; **ils recevaient peu** they entertained little

réchapper *i.* to recover (from serious illness); **si j'en réchappe** if I get out of this

réchaud *m.* burner, stove

recherche *f.* search; research; **faire des recherches** to do research work; inquire into (investigate) the matter

recherché *a.* sought after (person), in great demand

rechercher *t.* to look for, get back, recover

récit *m.* story, narrative

réciter *t.* to say (lesson, prayer), recite

réclamer *t.* to claim for, call for

reçois (*v.* **recevoir**): **je reçois** I receive

recommencer *t.* to begin (start) again; **tout est à recommencer** you have to start all over again

récompenser *t.* to reward

reconduire *t.* to take back; **reconduisez monsieur** see the gentleman to the door

reconduit *p. part.* taken back

reconnaissable *a.* recognizable; **le parterre était à peine reconnaissable** you would have hardly known that there had been a flower bed there

reconnaissance *f.* gratitude; scouting, exploration, patrol; **envoyé en reconnaissance** sent to reconnoiter

reconnaissant *a.* grateful

reconnaître *t.* to recognize, identify; realize; admit, confess, acknowledge

reconnu (*v.* **reconnaître**) *p. part.* recognized

reconquérir *t.* to win back, regain

recouvrir *t.* to cover

récréer *t.* to amuse; **se récréer** to take some recreation

reçu *p. part.* received; welcome; **être reçu à un examen** to pass an examination

recueil *m.* collection

recueillir *t.* to gather, collect; receive; take in, shelter; **se recueillir** to cogitate, think it over

reculer *t. i.* to step back, retreat; shrink, recoil; back up (car)

redescendre *i.* to come down again

redevenu *p. part.*: **il est redevenu** he became (has become) again

redevint: **il redevint** it became again

rédiger *t.* to write (up), draw up (report)

redire *t.* to say again; **encore qu'il y ait bien à redire (à cela)** although there is much to be said against that

redoutable *a.* formidable, to be feared, deadly (scourge), redoubtable, dreadful, very dangerous

redouter *t.* to fear, dread

redresser *t.* to hold up, raise; **se redresser** to draw o.s. up; recover, rise again (of country)

réduire *t.* to reduce

réduit (*v.* **réduire**) *p. part.* reduced; **en être réduit à** to be reduced to

réel *a.* real; actual, material; *n. m.* reality

refaire *t.* to do (over) again

refermer *t.* to close again

refis (*v.* **refaire**): **je refis** I made again (over)

réfléchir *t. i.* to think (over), reflect; **réfléchir à** to meditate on

reflet *m.* reflection, bright spot (in vision)

réflexion *f.* thought; **avez-vous bien fait toutes vos réflexions?** have you thought it over carefully?

reformer *t.* to form again; **la colonne se reforma** the column re-formed

réfugier: se réfugier to take shelter (refuge)

refus *m.* refusal; **ce (ça) n'est pas de refus** I (we) can't say no to that

refuser *t.* to refuse; **se refuser à** to object to; **il se refusa à tout autre renseignement** he refused to give any further information

regagner *t.* to win back, regain; reach again, go back to; take up again; **regagner sa place** to get back to one's seat (place)

régal *m.* treat

regard *m.* look, glance; **au regard de** in the eye (opinion) of; **en regard de** facing; **éviter les regards** to avoid being seen; **jeter un regard sur** to glance at

regarder *t.* to look (at); concern, be the business of; **ça me regarde** that's my business; **regarder comme** to consider as (like)

régime *m.* regime, government; cluster, bunch (bananas); **régime de terreur** reign of terror

règle *f.* rule; **être en règle** to be in order

régler *t.* to regulate; settle, adjust; **régler son pas sur celui de son maître** to measure one's steps to one's master's

régner *i.* to reign, prevail (silence)

regret *m.* regret; **à son grand regret** much to his regret

regretter *t.* to regret; miss (attentions)

Reims Rheims, *city 75 miles N. E. of Paris; pop. 120,000. Famous Gothic cathedral in which the French kings were crowned. The Germans surrendered unconditionally to General Eisenhower, May 8, 1945, in a technical school.*

rein *m.* kidney; **un coup de reins** shake (twist, quick movement) of the back

reine *f.* queen

réitéré *a.* repeated, reiterated

rejeter *t.* to reject; **il rejetait**

son chapeau en arrière he tipped (would tip) his hat back; **rejeter la responsabilité sur** to shift the responsibility to, pass the buck on

rejoindre *t.* to join, rejoin

rejoint (*v.* **rejoindre**) *p. part.* joined

relever *t.* to raise (lift, set up) again; pick up; restore (building, wall); **Tartarin relevait du conseil de guerre** T. was under the jurisdiction of (was answerable to) a court-martial; **se relever** to get up again, rise (again), pick o.s. up

religieux *a.* religious; *n. m.* monk, friar

reluire *i.* to shine, gleam, glisten; **faire reluire** to polish, cast a gleam over

reluisant *a.* shining

remarier: se remarier to marry again

remarquer *t.* to notice; **faire remarquer** to remark; **faire remarquer qch à qn** to call s.o.'s attention to sth.

remerciement *m.* thanks

remercier *t.* to thank

remet: elle remet she puts back (again); **elle se remet à balayer** she starts sweeping again

remettre *t.* to put again, put back, deliver; put off; hand over, hand in, give; **remettre de venir** to put off

coming; **se remettre à balayer** to start sweeping again; **se remettre en route** to start again (on one's way); **se remettre entre ses mains** to deliver himself to him

remis (*v.* **remettre**) *p. part.*, *p. definite* put back; **je lui remis le livre** I handed her the book

remonter *i. t.* to go up again; go back; paddle up; **remonter à bicyclette** to get back on one's bicycle; **remonter en voiture** to get (climb) back in one's carriage

remords *m.* remorse

rempart *m.* rampart

remplacer *t.* to replace

rempli *p. part.* filled, full; **rempli de** filled with

remplir *t.* to fill; fulfill; **remplir le rôle de** to play the part of

remue-ménage *m.* stir, bustle, shifting of furniture

remuer *t. i.* to stir; move; wag (tail); **elle remue la tête** she shakes her head; she nods

renaître *i.* to be born again

rencogner *t.* to drive into a corner; **se rencogner** to retreat into a corner

rencontre *f.* meeting; **s'avancer à la rencontre de** to advance to meet

rencontrer *t.* to meet, encounter, come across; **se rencontrer** to meet

rend (*v.* **rendre**): **il rend** he gives back; he makes

rendez: vous rendez you give back; **rendez-vous!** surrender!

rendormir *t.* to lull to sleep again; **se rendormir** to go to sleep again, go back to sleep

rendre *t.* to render, give back, restore; make; **rendre qn heureux** to make s.o. happy; **rendre qn à la vie** to bring s.o. to life again, restore s.o. to life; **il vous le rend bien** it's mutual (love, hatred); **rendre un son** to give forth (emit) a sound; **se rendre** to surrender, give o.s. up; **se rendre à** to go to, repair to, betake o.s. to; **se rendre compte** to make sure; **se rendre compte de** to realize

rendu (*v.* **rendre**) *p. part.* given back, rendered, made, delivered (sentence); **il s'est rendu aux Anglais** he surrendered to the English

renfermer *t.* to shut up (sth., s.o.); contain

renfoncement *m.* recess, hollow; bashing in

renfort *m.* reinforcement(s); **à grand renfort de** with the help of, with a great force (array) of

renfrogné *a.* sullen

renier *t.* to disown

renoncer à to renounce, give up

renouveler *t.* to renew; transform, revolutionize

renseigné *p. part. a.* informed

renseignement *m.* (piece of) information; **un bureau de renseignements** information office

renseigner *t.* to give information; **se renseigner** to get (ask for) information

rentrâmes: nous rentrâmes we came back

rentré *p. part.* returned; **je suis rentré à** I returned to

rentrée *f.* return, return home, homecoming; **quelle rentrée il allait faire** what (ridiculous) homecoming he was going to have

rentrer *i. t.* to return, come (go) back, return (come) home; re-enter; crash (into, **dans**); draw in (claws); **tout rentra dans la nuit** everything became dark again

renversé *a.* inverted; upside down; **c'est le monde renversé** it's preposterous

renverser *t.* to overthrow; knock down; spill; **renverser en arrière** to throw back; **il renversa la panthère sur le dos** he rolled the panther over on her back; **se renverser** to bend back; **se renverser dans**

son fauteuil to sit (lean) back in one's big chair

renvoyer *t.* to send back; send away, dismiss

répandre *t.* to spread, scatter; empty; **se répandre** to spread; **les enfants se répandaient** the children scattered themselves

répandu *p. part.* emptied

reparaître *i.* to reappear, come back

réparation *f.* repair; **en réparation** for repairs, undergoing repairs

réparer *t.* to repair, mend; **faire réparer l'auto** to have the car repaired

repartir *i.* to set out again; reply

reparu *p. part.* reappeared, in existence again

reparut (*v.* **reparaître**): **il reparut** it appeared again

repas *m.* meal; **faire un repas** to have (take) a meal

repasser *t. i.* to go by again; review, go over (lesson, part); press, iron; **repasser par** to go back by way of; **je repasse mon rôle** I am going over my lines

repentant *a.* repentant

repentir *n. m.* repentance; *v.* **se repentir d'avoir quitté** to regret having left; **vous vous en repentirez** you'll be sorry

répéter *t.* to repeat; rehearse

répétition *f.* rehearsal

répit *m.* respite

replacer *t.* to put in place again

replier *t.* to fold up (again); **se replier** to fall back, withdraw (of troops)

répliquer *i.* to retort, answer back; reply; **répliquer à un mot d'esprit** to find a repartee to a witty remark

replonger *t. i.* to dive again

répond: il répond he answers

répondre *t. i.* to answer; **répondre à qn** to answer s.o.

répondez: vous répondez you answer

réponds: je réponds I answer; **je t'en (je vous en) réponds** I tell you, you can believe me; I answer for it; take my word for it

répondu *p. part.* answered

répons *m.* response (Church music)

reporter *t.* to take back

reposé *p. part. a.* rested, calm, refreshed; **avec des mines reposées** with carefree faces

reposer *t. i.* to lie; **se reposer** to rest

repousser *t.* to push back (away, in); repulse; spurn; **il repousse du pied le sol algérien** he pushed with his foot against (he spurned) the Algerian soil (land)

reprendre *t.* to take again, take back, take up, regain, assume again; **reprendre (du) courage** to take (pick up) courage again

représenter *t.* to represent; put on (play)

réprimer *t.* to repress, check

repris *p. part.* taken (seized) back (again); **repris à** recaptured from

reprise *f.* recapture; time; chorus, catch (of song); **à plusieurs reprises** several times

reprit: il reprit he resumed; **elle reprit son chemin** it was on its way again

reproche *m.* reproach; **faire des reproches à qn** to criticize s.o.

reprocher *t.* reproach; **reprocher qch à qn** to criticize s.o. for sth.; **nous n'avions rien à nous reprocher** we had nothing to blame ourselves for

résigné *a.* resigned (uncomplaining)

résigner *t.* to give up; **se résigner à cela** to put up with it

résolu *a.* determined, resolute; **résolu à faire causer les gens** determined to make the people talk

résolut (*v.* **résoudre**): **il résolut de** he decided to

résolution *f.* resolution; strength of will, courage; **changer de résolution** to

change one's mind; **sa résolution fut prise** he (had) made up his mind

résoudre *t.* to solve

respect *m.* respect; **sauf votre (vot') respect** with all (due) deference, saving your presence

respirer *i. t.* to breathe, breathe freely; **respirer la franchise** to give an impression of (to denote, breathe) frankness

resplendir *i.* to shine

ressaisir *t.* to seize again, recover

ressembler à to resemble, be like

ressentir *t.* to feel

resserrer *t.* to tighten

ressort *m.* spring (elastic)

ressortir *i.* to bring out

ressource *f.* resource; **pour toute ressource** as his only means of support

reste *m.* remaining part, leftover, rest, remainder; *pl.* remains; **du reste, au reste** besides, however, after all

rester *i.* to remain, stay (over), stand; **il reste à payer** it remains to pay

restiez: vous restiez you used to remain; **il vaut mieux que vous restiez** it's better for you to stay (remain)

restituer *t.* to give back, pay back, pay up

résultat *m.* result; score

résumer *t.* to sum up, give a summary

rétablir *t.* to re-establish; **se rétablir** to recover, get well again

retard *m.* delay, lateness; **être en retard** to be late

retenir *t.* to reserve, engage; retain; hold together; hold back; keep; remember; hold (one's breath); stifle (cry); **se retenir** to restrain (control) o.s., refrain; **se retenir de rire** to keep from laughing

retentir *i.* to resound; ring; be heard; **l'explosion ne retentit pas** there was no report (of the gun)

retentissant *pres. part. a.* resounding, ringing; noisy

retentissement *m.* big noise, clanking, echo, repercussion; great stir

retenu (*v.* **retenir**) *p. part.* retained; **places retenues** reserved seats

retint (*v.* **retenir**): **il se retint** he refrained

retirer *t.* to withdraw; take out (from), take off; **je la retire à** I take it away from; **il retira sa jambe à lui** he drew up his leg to his body; **tu retires à la consonne** you rob the consonant of; **se retirer** to withdraw, pull out

retomber *i.* to fall (down) again; fall back, come down to earth

retour *m.* return; return ticket; **au retour, à votre retour** upon your return, when you return; **de retour à Paris** back in P.; **parti sans retour** gone for ever, gone without possibility of return

retourné *a.* upside down

retourner *i.* to return, go back, get back; turn again; **se retourner** to turn (around); **cela nous donnera le temps de nous retourner** that will give us time to find a way

retraite *f.* retreat, shelter; seclusion; **battre en retraite** to retreat; **faire une retraite** to go into retreat (seclusion) (to pray)

retrouver *t.* to find (meet) again, join, recover (health); **se retrouver** to find each other again

réunir *t.* to reunite, assemble; **se réunir** to meet, get together; join

réussi *a.* succeeded; successful, a success; **le jeu qui lui avait si bien réussi** the little game which had proved so profitable to him

réussir *t. i.* to succeed; **réussir à un examen** to pass an examination; **réussir à garder** to succeed in keeping, manage to keep

rêvasser *i.* to dream, muse; **en rêvassant** dreamily

rêve *m.* dream; dreaming; **c'est le rêve ! quel rêve !** how ideal !

réveil *m.* waking up, awakening; reveille; alarm clock; **à son réveil** when he woke up

réveiller *t.* to wake up; **se réveiller** to wake up

révélateur (*f.* –**trice**) *a.* telltale, revealing

révéler *t.* to reveal; **se révéler** to reveal o.s.; **je me suis révélé comme un grand avocat** I showed myself (I came out) as a great lawyer

revenant *pres. part.* coming back; *n. m.* ghost; **revenante** girl who had come back

revenir *i.* to come back, return; **revenir sur sa décision** to reconsider one's decision; **revenir sur ses pas** to retrace one's step, walk back the whole way

revenu *p. part* come back; **ils sont revenus** they came back, they are back; *n. m.* income; **l'impôt** (*m.*) **sur le revenu** income tax

rêver *i. t.* to dream

révérence *f.* bow, curtsy; **faire de grandes révérences** to bow very low

révérend *a. n.* reverend; reverend father; **le révérend père** the reverend father

rêverie *f.* dreaming, musing, daydream, reverie; **partir en rêverie** to go off into a daydream

revers *m.* side, reverse slope (of hill); lapel

rêveur (*f.* –**euse**) *a.* dreaming, dreamy, pensive, meditative; **d'une main rêveuse** slowly

reviendra (*v.* **revenir**): **il reviendra** he (it) will come back

revient: il revient he comes back

revint: elle revint it came back

revivent: elles revivent they live again

réviser, reviser *t.* to review; overhaul

revivre *i. t.* to live again

revoir *t.* to see again; **au revoir !** good-bye !

revue *f.* magazine

rez-de-chaussée *m.* street floor, first floor

rhabiller *t.* to dress (s.o.) again; **se rhabiller** to dress (o.s.) again

Rhin: le Rhin the Rhine

Rhône: le Rhône the Rhone River; *it rises in a Swiss glacier and flows through Lake Geneva, Lyon, Avignon, Tarascon, Arles. Fast-flowing river; 505 miles long.*

rhum *m.* rum

rhume *m.* cold (ailment)

ri (*v.* rire) *p. part.* laughed

riant *pres. part. a.* laughing

ricaner *i.* to giggle, sneer; **ricaner tout bas** to laugh in one's sleeve, to titter

riche *a.* rich, wealthy

richesse *f.* (*sometimes pl.*) wealth, riches

ride *f.* wrinkle

rideau *m.* curtain

ridicule *a.* ridiculous, absurd

rien *pron. adv.* nothing; anything; **rien de neuf** nothing new; **rien d'autre?** anything else? **ça ne vous dit rien?** you don't get it? **rien que du (le) ciel bleu** nothing but blue sky; **rien qu'avec** with only; *n. m.* nothing; trifle; **punir pour des riens** to punish for mere trifles; **de rien!** you're welcome (after thanks)! **rien de rien** absolutely nothing

riez (*v.* rire): **vous riez** you laugh

rigolade *f. colloq.* fun; roar of laughter

rigoler *colloq. i.* to laugh

rigueur *f.* harshness, severity, rigor, fierceness; **à la rigueur** if need be, if the worst came to the worst

rimé *p. part. a.* rhymed

rire *n. m.* laughter, laugh; *i.* to laugh; **rire de** to laugh

at; **ça ne me fait pas rire** I don't like it

risque *m.* risk; **au risque de** at the risk of; **courir le risque de** to run the risk of

risquer *t.* to risk, venture; **se risquer** to venture

rit: il rit he laughs, he laughed

rive *f.* bank (river)

rivière *f.* river; **rivière de diamants** diamond necklace

robe *f.* dress; gown; robe; fur (of living animal); **robe de chambre** dressing gown; **robe du soir** evening dress

robinet *m.* faucet, spigot

robuste *a.* sturdy, stalwart, strong

roche *f.* rock (not a stone), rocks

rocher *m.* rock (cliff)

rôder *i.* to prowl; roam, rove, wander; **rôder autour (à l'entour) de** to hang around, hover (of odor)

roi *m.* king

rôle *m.* part, role; lines (in part); **s'exercer à son rôle** to practice one's part; **jouer (remplir) un rôle** to play a part; **repasser son rôle** to go over one's lines

romain *a.* Roman; **un Romain** a Roman

roman *m.* novel; **roman-fleuve** cyclic (saga, sequence) novel

romancier *m.* novelist

rompirent (*v.* **rompre**): **ils rompirent** they broke (through); **les cordes se rompirent** the ropes broke

rompre *t. i.* to break; **se rompre le cou** to break one's neck

rompt: il (se) rompt it breaks

rompu *p. part.* broken

ronce *f.* bramble

rond *a.* round; **en rond** in a circle

ronflement *m.* snoring, snore; booming (of organ)

ronfler *i.* to snore; roar (fire, wind); rumble; roar, hum, purr (water pipe); boom (organ); roll, rumble (drum)

ronron *m.* purring, purr

rosace *f.* rose window

rose *a.* rosy, rose-colored, pink; *n. f.* rose (flower)

roseau *m.* reed

rosée *f.* dew

rosserie *f.* nasty remark (thing)

rossignol *m.* nightingale

rôti (*v.* **rôtir**) *p. part. a.* roasted; *n. m.* roast

roue *f.* wheel

Rouen Rouen, *city, 85 miles N. W. of Paris; pop. 120,000. Famous for its three Gothic churches (Notre-Dame, Saint-Ouen, Saint-Maclou) which were very badly damaged by the Nazis in 1940.*

rouge *a.* red; **des yeux rouges de sang** bloodshot eyes; *n. m.* red; rouge, lipstick

rougeâtre *a.* reddish

rougir *i.* to blush

rouillé *a.* rusty

roulé *a.* curled up (in sleep)

rouler *t.* to roll; swindle; *i.* roll along (over); roam, ramble, rove, knock about; **ils le roulèrent** they rolled him over and over; **je me suis fait rouler** I was fooled (swindled, cheated); **se rouler** to roll (on the ground)

rouquin *n. m.* red head

rousse (*m.* **roux**) *a. f.* red (of hair); russet

rousseur *f.* redness (hair); **une tache de rousseur** freckle

route *f.* road, way; route, course; journey; **grande (grand) route** highway; **en route** on the way; **en route!** let's go! **se mettre en route** to start (set) out, start on one's way; (boat) to get under way; **rester en route** to be stuck (stranded), stop half-way, not to get there; **je suis en route pour Pontarlier** I am on my way to P.

royaume *m.* kingdom

royauté *f.* royalty

ruade *f.* kick

ruban *m.* ribbon

rubis *m.* ruby; **couleur de rubis** ruby-colored

ruche *f.* beehive, hive

rude *a.* hard, rough; **rudement** roughly; **rudement content** mighty glad

rudesse *f.* roughness

rue *f.* street

rugir *i.* to roar

rugissement *m.* roar

ruine *f.* ruin

ruineux *a.* ruinous

ruisseau *m.* brook; gutter (street); flood, torrent (tears)

ruisselant *pres. part. a.* streaming; **ruisselant de sueur** dripping with sweat

rumeur *f.* murmur; sound; **confuses rumeurs** jumbled sounds; **la maison était en rumeur** the house was in an uproar

russie: **la Russie** Russia

rusticité *f.* rusticity, rustic crudeness; rural character; boorish act; boorishness

S

s' *pron.* he, she, it, they; himself, herself, itself, oneself, themselves, each other; *conj.* if; **s'il** if he

sa *a. f. sing.* his, her

sable *m.* sand; **sables mouvants** quicksands

sablé *a.* sanded (path)

sabot *m.* wooden shoe; hoof; **un coup de sabot** kick

sabre *m.* sword, saber

sac *m.* bag; knapsack, sack, pack

saccadé *a.* jerky

saccage *m.* confusion, upset

sachant (*v.* **savoir**) *pres. part.* knowing

sache: **que je sache** that I may know; **sache que** let me tell you that

sachez *imper.* know; **sachez que** let me tell you that

sachons (*v.* **savoir**) *imper.* let's know; **sachons vaincre** let's know how to vanquish, we must conquer

sacre *m.* coronation

sacrer *t.* to crown (a king)

sadique *a.* sadistic (perverse); *n.* sadist

safran *m.* saffron (sort of crocus, dyestuff, yellow color), saffron-colored

sage *a.* wise

sagesse *f.* wisdom

sain *a.* healthy; **arriver sain et sauf** to arrive safely

saint *a.* holy; saintly; *n. m.* saint

sainteté *f.* holiness, sanctity; **Sa Sainteté le pape** His Holiness the Pope

Saint-Esprit: **le Saint-Esprit** the Holy Ghost (Spirit)

Saint-Malo *French city in Brittany, 50 miles S. of Cherbourg, on an island connected with the mainland by a causeway; stubbornly defended for 11 days by the Nazi "mad man of Saint-*

Malo;" captured by the Americans, *August 17, 1944.*

sais (*v.* savoir): **je sais** I know; **je ne sais pas** I don't know; **est-ce que je sais?** how could I know?

saisir *t.* to seize, take hold of, take up, grab; perceive, recognize, catch; **se saisir de** to grab

saison *f.* season; **en cette saison-ci** at this time of year

sait: il sait he knows; **on ne sait jamais** you never can tell

salaire *m.* salary, pay, wages

sale *m.* dirty

salir *t.* to get dirty, dirty, soil, spoil

salive *f.* saliva

salle *f.* hall, (large) room (no bed); **salle d'attente** waiting room; **salle de bain** bathroom; **salle de classe** classroom; **salle d'étude** study hall; **salle à manger** dining room

salon *m.* living room, parlor, drawing room; **salon (d'attente)** waiting room (small); **salon de coiffure (pour dames)** beauty parlor; **salon de coiffure (pour hommes)** barber shop

salué *p. part.* greeted; **salué comme un maître** hailed as a master

saluer *t.* to greet, bow (to), salute

salut *m.* salute; **salut!** greetings! **faire le salut militaire** to salute; **la voie du salut** the way of salvation

samedi *m.* Saturday

sang *m.* blood; **prince du sang** prince of the blood (near relative to a king)

sang-froid *m.* composure

sanglant *a.* bloody; bloodstained; scathing (article)

sanglot *m.* sob

sanguinaire *a.* bloodthirsty

sans *prep.* without; **sans ça (cela)** otherwise, or else; **sans doute** of course, no doubt

santé *f.* health; **à votre santé!** good health! (toast); **boire à la santé de** to drink the health of, drink a toast to, to toast

satisfaire *t.* to satisfy, gratify

saucisse *f.* sausage

saucisson *m.* (large) sausage, bologna

sauf *prep.* except

saura (*v.* savoir): **il saura** he'll know

saurai: je saurai I shall (will) know

saurait: on saurait one would know; **on ne saurait imaginer** one cannot (could not) imagine

sauriez: vous sauriez you'd know

sauront: ils sauront they will know

sauter *i. t.* to jump; **sauter**

au cou de qn to fall on s.o.'s neck; **sauter de joie** to jump for joy; **je sautai de machine** I jumped off my bike; **faire sauter** to knock off; blow up

sauvage *a.* wild

sauver *t.* to save; **se sauver** to run away, escape, get out

sauvetage *m.* rescue

sauveur *n. m.* rescuer; *a.* **mon couteau sauveur** the knife that saved me

savais: je savais I knew

savant *a.* learned; *n. m.* scientist; scholar, learned man; **d'une main savante** with a skillful (deft) hand

savent: ils savent they (*m.*) know

savez: vous savez you know; **vous savez bien tante B.** you remember Aunt B.

savoir *t.* to know; can; **il faut savoir qu'avec les femmes** I must tell you that with women; **savoir lire** to know how to read; **à savoir** namely

savoir *m.* knowledge, skill

savon *m.* soap

savonner *t.* to soap, wash (with soap)

savourer *t.* to relish, enjoy

savoureux *a.* tasty

scène *f.* scene; stage; **scène de famille** family scene (wrangle); **faire une scène** to make a scene; **me faire une scène de famille** to let

me in for another family scene

sceptique *a.* skeptical

scie *f.* saw

scintiller *i.* to twinkle

scolaire *a.* scholastic, academic; **année scolaire** *f.* academic year

scolastique *n. f.* scholasticism (dogmatic theology and philosophy)

sculpteur *m.* sculptor, carver; **sculpteur d'or** gold carver, gold worker, goldsmith

sculpture *f.* sculpture; carving

se *pron.* he, she, it, they; himself, herself, itself, oneself; themselves, each other

séance *f.* meeting, sitting, session; **séance tenante** right away (off), forthwith

séant *a.* in session; *n. m.* **se mettre (se dresser) sur son séant** to sit up (in bed)

sébile *f.* wooden bowl

sec (*f.* **sèche**) *a.* dry, dried (up); thin, spare, skinny; **gâteau sec** cookie

sécher *t.* to dry; *i.* to dry up; **faire sécher** to dry; **se sécher les cheveux** to dry one's hair

second *a.* second (2nd); **le Second Empire** Napoleon III's imperial government (1852–1870)

secouer *t.* to shake; **secouer les épaules** to shrug one's shoulders a few times

secours *m.* (sometimes *pl.*) aid, help; **au secours!** help! **les secours, troupes de secours** the relieving party (force)

secousse *f.* jolt

séculaire *a.* century-old

séduisant *a.* fascinating, extremely attractive

seigle *m.* rye

seigneur *m.* lord; **le Seigneur Dieu** God our Lord; **seigneur!** good Lord! heavens!

sein *m.* bosom; **au sein de** in the middle of

seize *a.* sixteen

séjour *m.* stay

sel *m.* salt

selon *prep.* according to

semaine *f.* week

sémaphore *m.* semaphore (signal telegraph)

semblable *a.* like, comparable (to, **à**); **une semblable histoire** a story like that; **rien de semblable** nothing of the kind

semblant *m.* show, appearance, semblance; **faire semblant de** to pretend to

sembler *i.* to seem, appear, look

semé *p. part.* sown, scattered; **semé de** sown (strewn) with; **velours semé de fleurs de lis** velvet spangled with fleurs-de-lis

semelle *f.* sole; **ne pas quitter qn d'une semelle** not to leave anyone by so much as an inch (a foot)

semer *t.* to sow; scatter (money)

sens *m.* way, direction, meaning; **bon sens** common sense; **sens dessus dessous** upside down, topsy-turvy; **dans le sens de la longueur** lengthwise

sens (*v.* **sentir**): **je sens** I feel; I smell; **je me sens** I feel

sensible *a.* sensitive; weak; **ils ont la poitrine sensible** they have weak lungs

sent: il sent it (he) smells; it (he) feels; **il sent fort** it has a strong smell

senti *p. part.* felt; smelt; **on a senti** we (people) realized (felt); **bien senti** heartfelt

sentier *m.* path

sentiment *m.* sentiment, feeling; realization; idea, impulse

sentir *t. i.* to feel, smell; **ces fleurs sentent bon** these flowers smell sweet (good); **sentir la lavande** to smell of lavender

séparer *t.* to separate; **se séparer** to part

sept *a.* seven

septembre *m.* September

sera (*v.* **être**): **il sera** he (it) will be

serais: je serais I would be

serait: ce serait it would be

serein *a.* serene, unruffled

serez: **vous serez** you'll be

serge *f.* serge (twilled worsted fabric)

sérieux (*f.* –ieuse) *a.* serious; careful, good, well-behaved, reasonable, responsible; **quelque chose de sérieux** something important (worth while); *n. m.* seriousness; **garder son sérieux** to keep a straight face; **reprendre son sérieux** to regain one's composure

serpent *m.* snake

serpentin *m.* worm (of still)

serre *f.* hothouse

serrement *m.:* **serrement de main** handshake

serrer *t.* to press, squeeze; clasp, grip, clutch, hug; tighten; put away (object); **il serra le bras de** he clutched (his hand tightened on) the arm of; **serrer la main à qn** to shake hands with; **il la serra sur (contre) son cœur** he pressed her to his heart; **serrer le cœur** to wring the heart, make the heart ache

serrure *f.* lock

sers (*v.* servir): **je sers** I serve; **je me sers de** I use

sert: **il sert** he (it) serves; **elle se sert** she helps herself; **il se sert de** he uses; **à quoi est-ce que ça sert?** what's the use of that?

servante *f.* servant girl; maid,

obs.; waitress (in country café)

servez: **vous servez** you serve; **servez-vous** help yourself

service *m.* service; duty; **je suis de service** I'm on duty; **il a de beaux services de guerre** he has an excellent war record; **faire son service** to do one's duty; **et le second service !** how about the second call (for dinner)? how about the second course?

servir *t. i.* to serve; **servir à** to be used for; **servir de** to serve as, be used as; **servir la messe** to serve mass, assist the priest at mass; **le cocher lui servait** he used the cabby; **le palmier qui lui avait servi de toit** the palm tree which he had used as a roof; **se servir de** to use, make use of

ses *a. pl.* his, her, its, one's

seuil *m.* threshold, (door) sill

seul *a.* alone; only; sole, one; **la seule bonne chose** the only good thing; **un seul homme** one man only; **un seul monde** one world; **je l'ai fait (tout) seul** I did it (all) by myself; **les portes se referment toutes seules** the doors close by themselves (automatically)

seulement *adv.* only; even

seulet (*f.* –**ette**) *a.* all alone

sévère *a.* severe; stern; strict; stiff; **la sévère architecture** the cold (severe, unadorned) architecture; **une parole sévère** stern word; **sévèrement** severely

si *adv. conj.* yes (*after negative*); if, so; as (+ *subj.*); **et si?** what if? **si j'étais roi?** what if I were (supposing I were) a king?; **si mes paroissiens m'entendaient?** suppose (what if) my parishioners should hear me? **mais si!** why yes! **même si** even though; **si bien que j'avais abandonné** with the result that (so that in the end) I had given up; **si attachante que fût la conversation** engrossing as the conversation was; **si peu qu'une telle disparition eût transpiré** no matter how little such a disappearance had transpired (become known)

siècle *m.* century; age; **au cinquième siècle** in the fifth century

siège *m.* seat

sien (*f.* **sienne**) *pron.* his (her, its) own; his; hers; its; **il pensait aux siens** he thought of his folks

sieste *f.* afternoon nap

sifflant *a.* whistling; howling (wind)

sifflement *m.* whizz (bullet)

siffler *i.* to whistle; boo; **il siffla longuement** he gave a long whistle (whistling sound)

signe *m.* sign; **faire signe à** to make signs to, to beckon to

signer *t.* to sign; **se signer** to cross o.s.

silence *m.* silence; **silence!** quiet! **un silence s'était fait** there had been a pause (in the conversation)

silencieux *a.* silent; *n. m.* silent man

silhouette *f.* silhouette, outline

sillon *m.* furrow

sillonner *t.* to furrow

silo *m.* silo (usually pit in France)

simple *a.* simple, plain, mere; simple-hearted, stupid; **il avait le cœur simple** he was simple-hearted; *n. f.* simple (medicinal plant constituting a "simple" remedy)

simplement simply, only, merely; **purement et simplement** purely and simply; **le plus simplement du monde** most simply

simplicité *f.* simplicity, artlessness, simpleness, ignorance

singulier *a.* strange, funny, singular

sinistre *a.* sinister, inauspicious

sinon *conj.* otherwise, or else, if not

sitôt *adv.* as soon; **sitôt que** as soon as; **sitôt rentré je** as soon as I am back (once I am back) I

situation *f.* situation, position; job

situé *p. part.* situated, located

sixième *a.* sixth

sobre *a.* concise, unadorned (style)

sœur *f.* sister

soi *pron.* oneself, self; itself; **chez soi** at home

soie *f.* silk; **des bas de soie** silk stockings

soient (*v.* être): **qu'ils soient** that they (may, should) be

soif *f.* thirst; **j'ai soif** I am thirsty; **avoir soif de considération** to thirst for respect; **cela me donne soif** that makes me thirsty

soignait was taking care of

soigné *p. part. a.* taken care of; tidy; **nous sommes bien soignés** we're well taken care of; **barbe mal soignée** unkempt beard

soigner *t.* to take care of (patients, etc.)

soigneusement carefully

soigneux *a.* careful

soin *m.* care, carefulness; **aux bons soins de** care of (address); **petits soins** little attentions

soir *m.* evening; **ce soir** to-

night; **à ce soir** see you tonight; **jeudi soir** Thursday night

soirée *f.* evening; soirée, evening party

sois (*v.* être): **que je sois** that I (may, should) be

Soissons *city, 50 miles N. E. of Paris; pop. 18,000; heavily damaged in the last two wars. 12th century cathedral.*

soit *pres. subj. of* être suppose; if for instance; **qu'il soit** that he (may) be; that he is; let him be; **soit, en tout** that is (say), in all; *conj.* either . . . or; whether . . . whether; now . . . now

soit ! let it be so ! all right !

soixante *a.* sixty; **soixante-dix** seventy

sol *m.* ground, soil

soldat *m.* soldier

soleil *m.* sun, sunshine; **au soleil** in the sun, in the open

solennel *a.* solemn; crucial

solennité *f.* solemnity; **avec solennité** solemnly

solide *a.* strong

solitude *f.* solitude; *pl.* moments (hours) of solitude

solive *f.* joist, beam

solliciter *t.* to apply for

sombre *a.* dark

somme *f.* sum; *m.* nap, sleep; **en somme** in short, after all

sommeil *m.* sleep

sommes (*v.* être): **nous**

sommes we are; **où en sommes-nous?** where are we? **où nous en sommes** in the position (mess) we're in

sommet *m.* summit

sommier *m.* spring mattress

somptueux *a.* luxurious, splendid, sumptuous

son *a. m. sing.* his, her, its

son *n. m.* sound

sonder *t.* to sound (measure)

songe *m.* dream, dreaming

songer *i.* to think; remember; **songer à** to think (dream) of, give a thought to; **l'escalier, il n'y fallait pas songer** the staircase was out of the question

songeur *a.* dreamy, musing (look), pensive

sonner *t. i.* to ring; sound, resound; strike (clock); **ça sonne!** there goes the bell! **on sonne** the door bell is ringing; **entendre sonner** to hear the bell; **sonner le garçon d'hôtel** to ring for the bellboy; **sonner du clairon (de la trompette)** to sound the bugle (trumpet)

sonnette *f.* bell; **un serpent à sonnettes** rattlesnake

sonore *a.* sonorous, loud

sont (*v.* **être**): **ils sont** they (*m.*) are

sors (*v.* **sortir**): **tu ne sors jamais** you never go out

sort *n. m.* fate, lot

sorte: qu'il sorte that he (should, might) go out; **que personne ne sorte!** let no one leave the room!

sorte *f.* sort, kind; **répondre de la sorte** to answer like that; **de (telle) sorte que, en sorte que** in such a way that, so that; **des bêtes de toute sorte** all kinds of animals; **toute sorte d'histoires** all kinds of stories

sortent: ils sortent they leave, go out

sorti *p. part.* gone (out)

sortie *f.* exit; way out; departure, going out; end; **sortie d'incendie** fire escape; **l'heure de la sortie** time to go; **à la sortie des (de) vêpres** after vespers

sortilège *m.* spell, witchcraft

sortir *i.t.* to go out; come out; leave; stick out; extricate; take out; **sortons** let's go out; **il sortit sa (la) tête** he thrust his head out

sou (1/20 franc) *m.* cent, sou; **il n'avait pas le (un) sou** he was penniless, he didn't have a cent; **sou à sou** cent by cent

souci *m.* worry; **se faire du souci pour un rien** to worry over nothing at all (over insignificant things); **ne te fais pas de souci** don't worry

soudain *a.* sudden; *adv.* suddenly

soudainement suddenly

souffert (*v.* **souffrir**) *p. part.* suffered

souffle *m.* breath; wind; **il répondit dans un souffle** he answered under his breath

souffler *t. i.* to blow, blow out, catch one's breath, puff, pant; breathe, whisper; **souffler la bougie** to blow out the candle; **ne pas souffler (un) mot** not to utter a word; **souffler à (dans) l'oreille à qn** to whisper in somebody's ear

souffrez: vous souffrez you suffer; **souffrez! please! accept!**

souffrir *i.* to suffer; bear, stand; **il souffrait des pieds** his feet hurt him

souhait *m.* wish

souhaiter *t.* to wish

soûl *a.* drunk, intoxicated; **soûl de** drunk with (on)

soulagement *m.* relief; rest

soulager *t.* to relieve, alleviate; **se soulager** to get a little rest (relief, help)

soulever *t.* to lift, raise; **se soulever** to raise o.s.

soulier *m.* shoe

soumettre *t.* to subdue; **se soumettre** to submit

soumis (*v.* **soumettre**) *p. part.* submitted

soumission *f.* submission; **faire sa soumission** to make one's submission, to submit

soupçon *m.* suspicion, inkling, conjecture; **soupçon d'espoir** gleam of hope; **pris de soupçons** smelling a rat

soupe *f.* soup; **manger la soupe** to eat (have) soup, have dinner

souper *m.* supper (regular evening meal in the provinces; after the show, about midnight, in Paris); *i.* to have supper

soupière *f.* soup tureen

soupir *m.* sigh; **pousser un soupir** to give (heave) a sigh

soupirer *i.* to sigh, give a sigh; **soupirer profondément** to give a deep sigh

souple *a.* supple; free and easy (way)

souplesse *f.* suppleness, nimbleness

source *f.* spring

sourcil *m.* eyebrow

sourd *a.* deaf; muffled, low, stifled (noise); hollow (voice); vague (fear); *n. m.* deaf man (boy); **sourdement** in a hollow voice

souriant (*v.* **sourire**) *a. pres. part.* smiling

sourire *m.* smile; **elle lui fait un sourire charmant** she gives him a charming smile; *v. i.* to smile; **ça commence à me sourire** I am beginning to like it

sous *prep.* under, underneath; **elle écrivait sous sa dictée** she wrote as he dictated (at his dictation)

sous-titre *m.* subtitle, caption (film)

soutenir *t.* to support; maintain, assert; uphold, give courage to; **se soutenir** to keep o.s. up

souvenez (*v.* **souvenir**): **vous vous souvenez** you remember; **vous vous en souvenez** you remember it; **vous en souvenez-vous?** do you remember it?

souvenir *m.* memory; monument; recollection; **se souvenir de** to remember

souvent *adv.* often

souverain *a.* sovereign, supreme

souvienne (*v.* **se souvenir**): **autant que je (qu'il m'en) souvienne** as far as I can remember

souviens: je me souviens de I remember; **je m'en souviens** I remember it

soyeux *a.* silky

soyez be; **que vous soyez** that you (may) be

spacieux *a. m.* large, spacious

sparadrap *m.* adhesive tape

spectacle *m.* show; sight, spectacle

spectre *m.* specter, ghost

sphinx *m.* sphinx; **un sourire de sphinx** sphinx-like smile

spirituel *a.* witty

stalle *f.* stall

station *f.* station; waiting

stéréotypé *a.* stereotyped (in a fixed sentence)

stérile *a.* unprofitable

strophe *f.* stanza

stupéfait *a.* stupefied

stupeur *f.* stupefaction

su (*v.* **savoir**) *p. part.* known

suant *a. pres. part.* perspiring

subconscient *m.* subconsciousness

subir *t.* to undergo; **subir des pertes** to suffer losses

subit (*f.* –**e**) *a.* sudden; **subitement** suddenly

subsistance *f.* subsistence; living; **il en tire subsistance** he makes a living out of it

subtil *m.* subtle, smart, clever

succéder *i.* to succeed; **succéder à X** to succeed (be the successor of) X., replace X.

sucre *m.* sugar; **sucre en morceaux** lump sugar

sucré *a.* sweet (coffee, wine)

sud *a. n. m.* south

suer *i.* to perspire, sweat; **suer sang et eau** to strain every nerve, to toil, sweat blood

sueur *f.* perspiration, sweat; **gagnant son pain à la sueur de son front** earning his bread by the sweat of his brow; **en sueur** perspiring; **j'en ai des (les) sueurs qui me prennent** I get into a (cold) sweat

suffire *i.* to be sufficient; **ils se suffisaient l'un à l'autre** they were sufficient to each other, one was enough for the other

suffisant *a.* sufficient, enough

suffit: ça suffit that's enough; **il suffit d'un témoignage** one testimony (the evidence by one witness) is enough

suffoqué *p. part.* choked to death, asphyxiated

suffoquer *i.* to suffocate, choke to death

suis: je suis I am

suisse *a.* Swiss

Suisse: la Suisse Switzerland

suit (*v.* **suivre**): **il suit** he (it) follows

suite *f.* rest, following part; sequel; **la suite** what happened after that; **et ainsi de suite** and so forth; **à la suite de** following; **le chien s'élança à ma suite** the dog rushed forward to follow me; **il n'a pas d'esprit (l'esprit) de suite** he has no perseverance, he has a grasshopper mind; **par la suite** later on; **tout de suite** right off

suivant *a.* following; *prep.* according to

suivent: ils suivent they follow

suivez: vous suivez you follow

suivi (*v.* **suivre**) *p. part.* followed (by, **de**)

suivre *t.* to follow; not to lose sight of (case); **suivre un cours** to take a course; **suivre un traitement** to follow a (course of) treatment

sujet *m.* subject; **au sujet de** about, concerning, on the subject of

sultane *f.* sultana, sultaness; queen

supérieur *a.* superior; upper

supplémentaire *a.* supplementary, extra; **un devoir supplémentaire** extra work

suppliant *a.* beseeching; **attitude suppliante** attitude of supplication

supplice *m.* torture, ordeal

supplier *t.* to beseech

supporter *t.* to stand, bear, endure, put up with

supposer *t.* to suppose; imagine

supprimer *t.* to suppress, do away with

sur *prep.* on, upon, over; out of (before number) about, concerning; toward; across; **sur la fin de ses jours** toward the end of her life; **les nuages couraient sur la lune** clouds were racing across the (face of the) moon

sûr *a.* sure; safe; trustworthy; **bien sûr! pour sûr!** surely! to be sure!

à coup sûr surely, certainly; **sûr!** sure thing! **sûr qu'il faudrait donner** *colloq.* to be sure it would be necessary to give; **le pied sûr** sure-footed

sûrement surely; **sûrement qu'il s'en va au café** he is certainly going to the café

sûreté *f.* safety

surexcité *a.* greatly excited

surhumain *a.* superhuman, preterhuman; extraordinary

sur-le-champ immediately

surlendemain: le surlendemain two days later; **le surlendemain de** two days after

surmené *p. part. a.* overworked

surmonter *t.* to surmount; ride, breast (a wave); overcome (obstacle)

surnommer *t.* to nickname

surplis *m.* surplice (white-linen vestment worn over cassock)

surplomber *t.* to hang over; **une roche qui surplombait** an overhanging (beetling) rock

surprendre *t.* to surprise, take by surprise, catch, overhear

surpris *p. part.* surprised, taken by surprise, caught; **c'est l'élixir qui m'a surpris** it's the elixir which took me by surprise

surprise *f.* surprise

sursaut *m.* (involuntary) start, jerk, jump; **il eut un sursaut épouvantable** he was terribly startled; **je fus réveillé en sursaut** I was awakened brutally, startled out of my sleep

surtout *adv.* especially, chiefly, above all, be sure, to be sure; **surtout que** especially when

surveillant *m.* overseer; study-hall teacher, proctor

surveiller *t.* to supervise, watch (over), spy on

survivant *n. m.* survivor

survivre *i.* to survive; **survivre à** to survive

susciter *t.* to arouse

suspect *a.* suspicious, suspect, questionable; **ça lui parut suspect** it sounded suspicious to him

suspendre *t.* to suspend; **se suspendre** to hang; **se suspendre à** to hang from (by, on, to)

suspendu *p. part. a.* suspended; **suspendu à** hanging from; **pont suspendu** suspension bridge

sympathie *f.* (best) regards, liking, attraction

sympathique *a.* likable; congenial, friendly

sympathiser *i.* to be in harmony, harmonize (with, **avec**)

symptôme *m.* symptom

système *m.* system; method

T

t' *pron. sing.* you, to you; **t'as** *colloq. for* **tu as** you have

ta *a. f.* your, thy; **ta ta ta!** tut! fiddlesticks!

tabac *m.* tobacco; snuff; **un bureau (débit) de tabac** cigar (tobacco) store; **tabac à priser** snuff (tobacco)

table *f.* table; (pupil's) desk; **table à écrire** writing table; **table d'harmonie** sounding board; **à table!** let's eat! **tenir table ouverte** to have (keep) open house

tableau *m.* painting, picture; blackboard; list

tablier *m.* apron

tache *f.* spot; **tache de rousseur** freckle; **couvert de taches de rousseur** freckled

tâcher *i.* to endeavor; **tâcher de** to try to; **tâche d'avoir une belle robe** be sure you get a pretty dress

tacheté *a.* spotted

tactique *n. f.* tactics

taie *f.* white speck on the eye; **taie d'oreiller** pillow case

tailler *t.* to cut, carve, shape; **tailler dans** to hew (carve) out of

taire *t.* to say nothing about (sth.); **se taire** to keep quiet, be quiet

tais: tais-toi! keep quiet!

taisez: taisez-vous! keep quiet!

talent *m.* talent; **il a du talent** he has talent; **c'est un homme de talent** he is a man of parts; **vivre de ses talents** to live by one's wits

talon *m.* heel; **sur les talons** at one's heels

tambourin *m.* tabor (long, narrow drum of Provence); tambourine

tandis que *conj.* while; **tandis que moi** whereas I

tanière *f.* den

tant *adv.* so much, so many; as much (many); so long; **tant mieux!** so much the better! **tant de travail** so much work; **tant pis** too bad, so much the worse; **tant elle souffrait** because she suffered so much; **tant que** as long as, as much as; **en tant que docteur** in my capacity as a doctor; **tant bien que mal** after a fashion; **tant et tant** so much and so well, so often

tante *f.* aunt; **rien, ma tante** nothing, auntie

tantôt *adv.* a while ago; **tantôt...tantôt** now...now

tape *f.* pat

tapi *a.* crouching, squatting

tapis *m.* rug, carpet; **tapis de table** table cover (table cloth = **la nappe**)

tapisserie *f.* tapestry, hangings; **le coussin en tapisserie** tapestry-covered cushion; **le papier de tapisserie** wallpaper

Tarascon *very old town on the Rhône River, 50 miles N. E. of Marseilles; famous for King René's fortress-like château, and Daudet's fictional hero. Liberated by the Americans and French, August 26, 1944.*

Tarasconnais *m.* man from Tarascon

tard *adv.* late; **plus tard** later, later on

tarder *i.* to delay, be long; **tarder à** to be long in; **il nous tarde de** we are anxious to; **sans tarder d'une minute** without a minute's delay

tas *m.* pile; **un tas de choses** a lot of things

tasse *f.* cup; **tasse de café** cup of coffee; **tasse de lait** bowl of milk

tâter *t.* to feel; **tâter le pouls** to feel the pulse

tâtonner *i.* to grope; **il chercha son bâton en tâtonnant** he groped for his stick

tâtons: à tâtons gropingly

taux *m.* rate

te *pron. sing.* you, to you

teignait (*v.* **teindre**): **il teignait** it (he) stained

teint (*v.* **teindre**) *p. part. a.* dyed; **teint de sang** stained

(smeared) with blood, bloodstained

tel (*f.* **telle**) *a.* such, like; *pron.* such a one; **tel fut** such was; **tel que** just as; **tel que vous me voyez** such as you see me, just as I am now; *n.* **un tel, une telle** So-and-So

tellement *adv.* so, so much, so well

témoigner *i.* to show, give proof of

témoin *m.* witness

tempe *f.* temple (side of forehead)

tempête *f.* storm, tempest, hurricane

tempêter *i.* to storm, rage, scold

temps *m.* time; weather; term (of apprenticeship); **en temps de guerre** in wartime; **de temps en temps** from time to time, occasionally; **il est temps de** it's (high) time to

tenait (*v.* **tenir**): **il tenait** he held; **il se tenait** he stood

tendance *f.* tendency

tendre *a.* tender, soft, affectionate, loving; lenient

tendre *t.* to extend; stretch; straighten; put up; put out (*hand*); **tendre la main à** to hold out one's hand to; **tendre l'oreille** to listen intently

tendresse *f.* fondness, love,

affection *pl.* tokens of affection, caresses

tendu *a.* strained (atmosphere)

ténèbres *f. pl.* darkness, dark

ténébreux *a.* dark, gloomy, sinister

tenez (*v.* tenir): **vous tenez** you hold; **tenez !** look here ! say ! for example

tenir *t. i.* to hold; keep (diary); look upon, consider (as, **pour**); **tenir à** to like, care for, value; insist on; **tenir sa promesse** to keep one's promise; **tenir bon** to hold fast (tight); **des propos qu'il tenait de** remarks that he had learned from; **se tenir** to stand; stay; be; **je sais me tenir** I know how to behave (myself); **se tenant sur les mains** supporting himself on his hands; **s'en tenir à** to confine o.s. to; **s'en tenir là** to stop here

tenons: nous tenons we hold; we carry (in our shop), we sell

tentation *f.* temptation; **échapper à la tentation** to escape from the temptation

tente *f.* tent; **tente-abri** shelter tent, pup tent

tenter *t.* to try, attempt; tempt; **tenter la chance (la fortune)** to try one's luck

tentures *f. pl.* hangings

tenu *p. part.* held; kept; **mal tenu** ill-kept, badly conducted (run)

tenue *f.* dignity

terme *m.* word

terminer *t.* to finish; **se terminer** to end

terni *a.* dull, tarnished, dimmed

terrain *m.* ground, land; field; **terrain d'aviation** flying field, airfield

terrasse *f.* terrace

terre *f.* earth, soil, dirt, ground, land, field; **à (par) terre** on the ground; on the floor; **un flacon de terre** earthenware flask

terrestre *a.* ground; **le Paradis terrestre** the Earthly Paradise

terreur *f.* terror, fear

terrible *a.* terrible; terrifying; **le plus terrible c'est que** the most terrible part of it (terrible thing about it) was that

terrier *m.* burrow

terrine *f.* earthenware pan (basin)

tête *f.* head; **tête d'arbre** tree top (poll); **faire une tête** to pull a long face; **en voyant sa tête** when he saw the expression on his face; **homme de tête** man of brains (intellect); **se mettre dans la tête de** to put into one's head to;

tête de mort death's head; skull

tête-à-tête *m.* private chat; reunion

thé *m.* tea; **prendre le thé** to take tea

théâtre *m.* theater

thérapeutique *f.* therapy; therapeutics (treatment)

tic-tac *m.* tacktack, ticking (of clock)

tiède *a.* lukewarm (water); mild (air)

tiédir *i.* to cool off

tiendrai (*v.* **tenir**); **je tiendrai** I shall hold (keep)

tiennent: ils tiennent they hold

tiens *int.* well! oh yes! there! take this!

tiers *a.* third (1/3)

tigre *m.* tiger

timide *a.* shy; *n. m.* shy man (boy); **les timides** shy people

timidité *f.* shyness

tînt (*subj. v.* **tenir**) held (together)

tint held; **il ne s'en tint pas là** he did not stop here

tintement *m.* tinkling

tinter *i.* to tinkle, jingle

tiraillé *p. part.* pulled about, plagued

tirailleur *m.* skirmisher; colored infantryman (rifleman)

tiré *p. part.* pulled

tirer *t.* to pull, take off, draw, get, derive; shoot, fire;

tirer un coup de fusil to fire a shot; **tirer sur** to shoot at; **tirer son nom de** to derive one's name from; **je ne tirai rien d'elle** I couldn't get anything out of her; **se tirer de** to extricate o.s. from

tiroir *m.* drawer (furniture)

tissu *m.* material, fabric

titre *m.* title; **au même titre** for the same reason, just as much

toi *pron. sing.* you, to you; yourself

toile *f.* linen, cloth; **toile grossière** canvas

toilette *f.* sprucing up, grooming (of one's person), washing, toilet; dress; **elle n'avait pas de toilettes** she had no beautiful clothes; **faire sa toilette** to wash and dress, to spruce up; **faire un petit bout (un brin) de toilette** to wash (clean, dress) up a bit

toison *f.* fleece; mane; shock of hair

toit *m.* roof

tombant *pres. part. a.* falling; **au jour tombant, le jour tombant** at night fall

tombe *f.* tomb, grave

tombeau *m.* tomb, monument (grave); **silencieux comme un tombeau** silent as the grave

tombée *f.* fall; **tombée du jour (de la nuit)** nightfall

tomber *i*. to fall; **il m'en tomba un sous la main** I came across one, I found one; **tomber sur (qn, qch)** to come across (s.o., sth.); **ils sont tombés sur moi** they picked on me; **se laisser tomber** to drop

ton *a. m. sing.* your

ton *n. m.* tone; **donner le ton** to set the tone; **huit cris poussés sur huit tons différents** eight cries uttered in eight different tones

tonnant *a*. thundering (voice)

tonne *f*. ton; barrel, cask; **grosse tonne de cidre** cider butt

tonneau *m*. barrel; (ship) ton

torchon *m*. dishcloth

tordu (*v.* **tordre**) *p. part. a.* twisted; bent

torsade *f*. twisted cord

tort *m*. wrong, harm, injustice; **vous avez tort** you are wrong; **ça me fait un peu tort** it works a bit against me; **elle se mettait dans son tort** she was putting herself in the wrong; **détenir à tort** to hold wrongfully; **à tort et à travers** at random, without rhyme or reason, (fight) recklessly

tortiller *t*. to twist (about, up), twirl

tortue *f*. turtle

tôt *adv*. early, soon, quickly; **le plus tôt possible** as soon as possible

touchant *a*. touching, moving; concerning

toucher *t*. to touch; feel; hit (target); cash; **toucher de l'argent** to draw (get) money; **quand on touche aux dames** when people bully (brutalize, manhandle) women

touffe *t*. tuft (grass), lock (hair)

toujours *adv*. always; still; surely

Toulon Toulon, *French naval base on the Mediterranean, where about 60 French war vessels were scuttled, Nov. 27, 1942, to avoid capture by the Nazis. Pop. 150,000.*

toupet *m*. nerve (boldness)

tour *m*. turn; trip; walk, ride; tour, circuit; trick, feat; *f*. tower; **faire un tour** to take a stroll (trip); **il fit deux ou trois tours dans la chambre** he walked two or three times around the room; **faire le tour de** to go around; **à mon tour!** it's my turn! **à son tour** in his turn; **tour à tour** in turn; **faire demi-tour** to turn back; **jouer un tour à** to play a trick on; **faisant des tours de force** performing feats of strength

Touraine *f. French province called "the garden of France"; the capital is*

Tours, 130 miles S. W. of Paris

tourbillon *m.* swirl, whirl

tourelle *f.* turret

tourment *m.* torment, torture

tourmenter *t.* to wrong, trouble

tournant *n. m.* curve, turn; *a.* **escalier tournant** winding stairs; **porte tournante** revolving door

tourné *a.* fashioned; **l'esprit tourné aus désirs charnels** his mind disposed to (leaning toward) carnal desires, a sensual nature

tourner *t.* to turn; change; *i.* to turn, go round, revolve; **la tête me tourne** I feel dizzy; **mal tourner** (things) to turn out badly; (persons) to go to the dogs (bad); **se tourner** to turn

tous (*pl. of* **tout**) *a.* all; every; *pron.* all; **tous les ans** every year; **tous les deux** both, the two of us (of you, of them); **je les ai vus tous** I saw them all

tout *a.* all; whole; each, every; **à tout moment** all the time, constantly; **tout le monde** everybody; **tout un régiment** a whole regiment; *pron.* everything, all; **pauvre comme tout** frightfully poor; *adv.* wholly, quite, very, however, although, though, (*concessive*); while; **tout**

droit straight ahead; **tout près** quite near; **tout à coup** suddenly; **tout d'un coup** right off; **tout à fait** entirely, quite; **tout là-haut** way up there; **tout de suite** immediately; **pas du tout,** *colloq.* **du tout** not at all; *adv.* **tout à l'heure** in a little while, a little while ago; **à tout à l'heure !** see you in a little while ! **tout en parlant** as he spoke, while speaking; **tout important qu'il soit** important as (though) he is, however important he is

tout *n. m.* whole; whole thing

toute (**toutes** *pl.*) *a. f. sing.* **toute une partie** a whole part; **toutes mes lettres** all my letters; **de toutes les manières** in every way; **toutes deux, toutes les deux** both of them (*f.*) (of us)

toutefois *adv.* however, yet

tout-puissant *a.* Almighty, all-powerful

tracasser *t.* to worry, bother; **se tracasser** to worry; **ne vous tracassez pas** don't worry

tract *m.* propaganda leaflet

trahi *p. part.* betrayed

trahir *t.* to betray

trahison *f.* treason

train *m.* train; tempo, pace, bustle; **en train de** in the act of, busy; **aller (filer) bon train** to go rapidly, speed along, make good time; **mis en train** set going, enlivened, excited; **train de vie** way of living

trait *m.* characteristic; feature; line; **avaler d'un trait** to gulp down; **vider son verre d'un trait** to empty one's glass in (at) one gulp; **pas une ligne ayant trait à** not a line referring to; **faire un trait** to draw a line; **sous les traits de** in the semblance of

traité *m.* treaty; treatise

traitement *m.* salary; treatment

traiter *t.* to treat; **des livres qui traitaient de** books dealing (having to do) with

trajet *m.* distance covered, stretch; **je vais refaire tout le trajet** I'm going to walk (back) over the same route, I'll walk back the whole way

tranche *f.* slice

trancher *t.* to cut, cut off (head); say sharply

tranquille *a.* quiet, tranquil; in peace; **laisse-moi tranquille** leave me alone; **pas tranquille** worried; **soyez tranquille** don't worry; **tiens-toi tranquille** be quiet, behave yourself, don't move, stay put

tranquillement quietly, peacefully

tranquillité *f.* calm, calmness; quiet, quietness; peace; **avec tranquillité** peacefully

transi *a.* chilled

transpirer *i.* to perspire, sweat; transpire, become known, come to light, leak out

trappe *f.* trap, trap door

trapu *a.* stocky

traquer *t.* to track down (police)

travail *m.* work, job; **au travail!** get to work! **le Travail** Labor (versus Capital)

travaille: je travaille I work; **il travaille** he works; **ils travaillent** they (*m.*) work

travailler *t.* to work; work upon; **j'ai travaillé la question** I have gone into the question thoroughly

travaux (*pl. of* **travail**) work(s); **gros travaux du ménage** heavy housework

travers *m.* breadth; **à travers** through, across; **à tort et à travers** at random, (fight) recklessly; **au travers de** through; **de travers** (hood) the wrong way, all crooked, not straight (skirt), askew, awry

traversée *f.* crossing

traverser *t.* to cross, go across, go through

treize *a. m.* thirteen

trempé *a.* wet; soaked (clothes)

tremper *t.* to dip

trente *a.* thirty

trépas *m.* death

trépassé *n. m.* dead man

très *adv.* very; most; **très bien** very well, very good, excellent; **très sainte Vierge** most Holy Virgin

trésor *m.* treasure; **mon trésor** (my) darling

tressaillir *i.* to give a start

trêve *f.* truce; **trêve de plaisanteries** that's enough joking, no more joking

tribu *f.* tribe

tribune *f.* gallery (church); organ loft

tricorne *m.* three-cornered hat

trier *t.* to sort

trifouiller *i. t.* to rummage, search

trinquer *i.* to touch glasses

triomphal *a.* triumphal; gorgeous (sunset)

triomphant *a.* triumphant, victorious

triomphe *m.* triumph; **porter qn en triomphe** to carry s.o. shoulder high, to chair s.o.

tripoter *t.* to finger, handle; **il tripotait son (il se tripotait le) chapeau** he fiddled with (was fingering) his hat

trirème *f.* trireme (galley with three banks of oars)

triste *a.* sad, dull; sorry, unfortunate, wretched

tristesse *f.* sadness

trois *a.* three

troisième *a.* third

trombe *f.* waterspout; quantities of (water)

tromper *t.* to fool; **se tromper** to be mistaken; **se laisser tromper** to allow oneself to be fooled; **je me suis trompé de livre** I took the wrong book

trompeur (*f.* **-euse**) *a.* deceptive

tronc *m.* trunk (tree)

trône *m.* throne

trop *adv.* too much, too many, too

troquer *t.* to exchange (for, **contre**)

trou *m.* hole, gap

trouble *a.* dim (eye) *n. m.* confusion, embarrassment

troublé *a.* confused; blurred (vision); **l'esprit troublé** his mind befuddled

troubler *t.* to confuse, disturb; **se troubler** to get confused

troué *a.* full of holes; **troué de balles** riddled with bullets

troupe *f.* troop, company; party, group; company of (traveling) actors; flock

troupeau *m.* herd; **troupeau d'oies, de moutons** flock of geese, of sheep

troupier *m.* soldier, infantryman, doughboy

trousseau *m.* bunch (keys)

trouvaille *f.* find

trouver *t.* to find; judge, remark; see; **va trouver ton amie** go and see your friend; **je la trouvais belle** she looked beautiful to me; **comment trouvez-vous l'opéra?** how do you like the opera? **se trouver** to be found, be situated, happen to be; **il s'y trouvait un Picard** there was a man from Picardy there; **il s'en fut trouver** he went to see (to meet)

truc *m.* gadget, contraption

truculent *a.* truculent, fierce

truite *f.* trout

tu *pron. sing.* you, thou

tué *p. part.* killed

tuer *t.* to kill; **elle va se tuer** she is going to get killed (to kill herself)

tue-tête: à tue-tête at the top of one's lungs (voice)

tueur *m.* killer; **tueur de lions** lion killer

tumulte *m.* uproar, din, tumult

tumultueux *a.* tumultuous, noisy

tut (*v.* **taire**): **il se tut** he stopped talking

tutoyer *t.* to say tu, toi, etc. (marks either affection or contempt)

tuyau *m.* pipe (tube)

type *m.* fellow, guy; **sale type** bad egg, skunk

U

un *art.* (*f.* **une**) a, an; *a. pron.* one; **l'un** *pron.* the one, one; **l'un l'autre** each other; **l'un dit** one said; **les uns** some; **les uns les autres** each other, one another; **un à un** one by one

une *art. f.* a, an; *a. pron.* one (*see* **un**)

uni *a.* united; smooth; **les États-Unis** *m.* the United States

uniforme *m.* uniform; **en grand uniforme** in dress uniform

unique *a.* only, sole, one; **fils unique** only son

uniquement just, only, solely, simply, merely; **l'homme qu'elle aimait uniquement** the only man that she loved

unir *t.* to unite

usage *m.* use; custom; etiquette; **à l'usage de** for the use of; **avoir des usages que j'ignorais** to be used for things the existence of which I did not know, to be used in a way I did not know about

usé *p. part. a.* worn-out; **usé par le métier** a victim of his profession

user *t.* to wear out; **user ses ongles** to wear one's fingernails down to the quick; **s'user** to wear (away, out)

ustensile *m.* utensil

usure *f.* wear and tear; usury; **usure des sièges** shabbiness of the seats (chairs)

usurier *m.* usurer

utile *a.* useful

utiliser *t.* to use, make use of

utilité *f.* use

V

va (*v.* **aller**) go, you may go; **il va** he goes; **on ne va pas** people don't go; **il va falloir** it's going to be necessary; **comment ça va?** how are you? **ça va** O.K.; **tout va bien** everything is all right; **va!** come! I tell you; **va-t'en!** go away! **ce complet te va** this suit fits you

vache *f.* cow

va-et-vient *m.* motion to and fro

vagir *i.* to wail (of new-born baby)

vagissant *a.* wailing

vague *a.* vague; dim; *n.f.* wave

vaguement dimly (light)

vain *a.* vain, empty

vaincre *t.* to conquer, vanquish

vaincu *p. part.* conquered; *n.* **vaincus** defeated people

vainement in vain

vainqueur *n. m.* victor

vais: je vais I go; I'm going; I feel

vaisselle *f.* dishes; **faire (laver) la vaisselle** to do (wash) the dishes

valaient (*v.* **valoir**) were worth

valait: cela valait that was worth; **ce qui nous valait cette visite** what we owed this visit to, what brought those visitors to us

valet *m.* valet; jack (cards); **valet de chambre** valet

valetaille *f.* flunkeys

valeur *f.* value, valor; *pl.* stocks, securities; **de valeur** valuable

valez (*v.* **valoir**): **vous valez** you are worth

valise *f.* bag

vallée *f.* valley

valoir *t.* to be worth

valu (*v.* **valoir**) *p. part.:* **les tours qui lui avaient valu des louanges** the stunts that had brought him praise (won him renown)

valse *f.* waltz

valser to waltz; *colloq.* to be chucked (away), to fly

valseur *m.* waltzer

vantail *m.* side (of door)

vanter *t.* to praise up; **se vanter** to boast; **tu peux te vanter d'avoir de la chance** you certainly are lucky

varier *t.* to change

vaudra (*v.* **valoir**): **cela vaudra** that will be worth; **mieux ça vaudra** the better it will be

vaudrait (*condit.* of **valoir**): **il vaudrait** it would be worth; **il vaudrait mieux** it would be better

vaurien *m.* good-for-nothing, scamp; **ce vaurien de Tistet** that good-for-nothing T.

vaut (*v.* **valoir**): **il vaut** he (it) is worth; **il vaut mieux** it's better

vécu (*v.* **vivre**) *p. part.* lived

vécurent: ils vécurent de chair humaine they lived on human flesh

vécut: elle vécut she lived

véhicule *m.* vehicle

veille *f.* day before; keeping awake, watching, vigil; **au prix de quelles veilles?** at the cost of how many sleepless nights?; **ils étaient à la veille de partir** they were about ready to leave

veiller *i. t.* to watch; be on guard; stay awake; **veiller à** to look after, be careful about; **il lui laissa le soin de veiller sur** he let him take care of

vélin *m.* vellum (calfskin)

velours *m.* velvet

velouté *a.* velvety; mellow (drink); *n. m.* mellowness, rich sweetness (of liqueur)

vendez sell; **vous vendez** you sell

vendons let's sell; **nous en vendons** we sell them (some of them)

vendre *t.* to sell; **maison à vendre** house for sale

vendredi *m.* Friday

vends: je vends I sell

vendu *p. part.* sold

venez: vous venez you come

venger *t.* to avenge; **se venger** to get revenge, take (have) one's revenge; **se venger de qn** to get revenge on s.o., get even with s.o., wreak vengeance on

venir *i.* to come, come on (of night); **venir de** to have just; **venir au monde** to be born; **s'en venir** to come up (along)

vénitien (*f.* –**ienne**) *a.* Venetian, of Venice

vent *m.* wind; **bannières au vent** banners flying (in the wind)

vente *f.* sale

ventre *m.* stomach (abdomen) belly; **j'ai mal au ventre** I have a stomach-ache

venu: il est venu he came, he has come; **personne n'était encore venu** nobody had yet come; *n. m.* comer; **le dernier venu** the latest comer, the last one

vêpres *f. pl.* vespers, evensong

ver *m.* worm; **mangé des vers** worm eaten; **ver à soie** silkworm

verdure *f.* foliage, green, verdure

véritable *a.* true, real

vérité *f.* truth; **à la vérité** in truth

vermeil *a.* vermilion; *n. m.* silver-gilt

verra (*v.* **voir**): **il verra** he will see

verrait: il verrait he would see

verre *m.* glass; drink; **verre de lait** glass of milk; **petit verre** jigger

verras: tu verras you will see

verrez: vous verrez you will see

verrou *m.* bolt (fastening)

vers *prep.* toward; about (time); *n. m.* line (poetry); *pl.* verse, poetry

verser *t.* to pour (out); spill; shed (tears)

vert *a.* green

vertèbre *f.* vertebra (*pl.* vertebrae)

vertige *m.* dizziness, dizzy spell; **plein de vertige** dizzy

verve *f.* zest, verve, (good) spirits, life

veste *f.* coat (not overcoat), jacket

vestibule *m.* (entrance) hall

vêtements *m. pl.* clothes (garments)

vêtu (*v.* **vetir**) *p. part.* dressed, clothed; **vêtu de** dressed in, wearing

veuille (*v.* **vouloir**) be kind enough to; **que je veuille** that I may wish (want);

si tu veux qu'on ne t'en veuille pas if you want us not to bear a grudge against you

veuillez (*v.* **vouloir**) please, be kind (good) enough to, kindly

veut: il veut he wishes, wants; **cela veut dire** that means

veuve *f.* widow

veux: je veux I want, I am willing; **tu veux** you want, please; **veux-je dire** I mean; **veux-tu finir!** stop it! quit! **veux-tu?** please; **je veux bien** I am willing

viande *f.* meat

vibrant *a.* vibrating, vibrant, pulsing, thrilling; eager

Vichy *French town 70 miles N. W. of Lyons; famous for it's alkaline thermal springs; was the capital of the French State under Marshal Pétain, from July 2, 1940, until he and his clique fled to Sigmaringen (Germany), in July 1944.*

vicieux *a.* depraved; *n. m.* perverse

vide *a.* empty; *n. m.* vacuum, void, space, empty space, emptiness, air; blankness (mind); **faire le vide** to create a vacuum; **un appareil à faire le vide** vacuum apparatus

vider *t.* to empty, unpack;

la valise se vidait the bag was emptying

vie *f.* life; living; cost of living; c'est la vie ! such is life ! à vie for life; gagner sa vie to earn a living; fille (femme) de mauvaise vie slut; c'est entre nous à la vie et à la mort we are bound together for life and death

vieil (*before vowel and* h *mute*) *a. m.* old

vieillard *m.* old man

vieille *a. f.* old; *n. f.* old woman; la vieille the old woman

vieillesse *f.* old age

vieilli *p. part. a.* grown old; il a (est) vieilli he looks older; vieilli de cinq ans older by five years

viennent: ils viennent they come, are coming

viens: je viens I come; je viens de prendre I've just taken

vient: il vient he (it) comes; elle vient de téléphoner she has just telephoned; d'où vient que ? how come that ?

vierge *a.* virgin; une forêt vierge virgin forest, forest primeval, jungle

vieux (*f.* vieille) *a.* old; *n. m.* old man; mon vieux old man, old top

vif (*f.* vive) *a.* lively, bright; colored, rosy (complexion); keen, sharp (air)

vigne *f.* vineyard; (grape) vine

vil (*f.* vile) *a.* vile

vilain *a.* naughty; ugly; crooked (business); bad (trick)

village *m.* village

ville *f.* city, town; au théâtre et à la ville at the theater and in town; ville d'eaux spa

vin *m.* wine

vindicatif *a. m.* vindicative, revengeful

vingt *a.* twenty

vingtaine *n. f.* about twenty, score, twenty odd

vingtième *a.* twentieth

violet *a.* purple, violet

virent (*v.* voir): ils virent they saw

virer *i.* to turn; virer de bord to tack about, go about, change one's tack (course, direction) (ship)

visage *m.* face

visiblement visibly; it was clear that

visière *f.* visor; baisser la visière sur ses yeux to pull the visor over one's eyes

visionnaire *a.* visionary, mystical

visite *f.* visit; inspection; rendre visite à qn to pay a visit to s.o.

vit (*v.* voir, vivre): il vit he saw; he lives

vît (*v.* voir): afin qu'on vît so that one could see

vite *adv.* fast; quickly, quick; **au plus vite** as soon (fast) as possible; as fast as he could

vitesse *f.* speed

vitrage *m.* window panes, windows

vitrail (*pl.* **vitraux**) *m.* stained-glass window; (large) window

vitre *f.* window pane, glass; window

vitré *a.* glass; **porte vitrée** glass door

vivacité *f.* haste; **avec vivacité** hastily

vivait (*v.* **vivre**) was alive; **il vivait** he lived, was living

vivant *a.* live, alive; **elle (c')était le portrait vivant de sa mère** she was the living picture (image) of her mother; *n. m.* lifetime; **de son vivant** in her lifetime

vive *a. f.* (*m.* **vif**) alive; keen, sharp, painful; great (curiosity); bright (light); **douleur vive** sharp pain; *v.* **vive la France !** long live France!; **vivement** quickly

vivre *i.* to live, be alive; make a living; **vivre sa vie** to live one's life; *n. m. pl.* provisions, food supplies

vociférer *i.* to yell, shout

vœu *m.* vow; **faire un vœu** to make a vow (wish)

vogue *f.* popularity

voguer *i.* to sail

voici *prep.* here is (are), this is, these are; **le voici** here he (it) is; **voici !** here you are ! here it is !

voie *f.* track (railway)

voilà *prep.* there (here) is, there (here) are; see there; here (there) you are, there it is, that's just it; well, I declare ! **le voilà !** there he is ! **me voilà** here I am, therefore I am; **nous voilà arrivés** here we are; **voilà comment** that is the way; **voilà pourquoi** that's why; **en voilà assez !** that's enough ! **voilà une heure que je nage** I have been swimming for an hour; **voilà mon Père Gaucher qui se renverse** well, I declare, Father G. sat back

voile *m.* sail; veil

voilé *a.* veiled; **lumière voilée** dim light

voir *t.* to see; look at; realize; **c'est à voir si** it remains to be seen whether

voire *adv.* yes indeed

vois: je vois I see; **vois X** look at X., consider the case of X.

voisin *a.* next, neighboring; **voisin de** next to, near; *n. m.* neighbor; man next to s.o.; **ses voisins de cellule** those who occupied the cells next to his

voisinage *m.* proximity

voiture *f.* car; carriage, cart;

cab (horse); coach (railway); **en voiture!** all aboard!

voix *f.* voice; **à voix basse** in a low voice; **à voix haute** loudly

vol *m.* robbery, flight; flock (of birds in flight); **prendre son vol** to fly away, take off

volé *p. part.* robbed; flown

volée *f.* flock (of sparrows); **à (la) grande (à toute) volée** in full peal (bells); **sonner à grande (toute) volée** to peal loudly; **il a donné un coup à toute volée dans** he struck with all his might

voler *i.* to fly; **il avait vite volé en l'air** it was yanked into the air in a hurry

voler *t.* to steal

volet *m.* shutter (of house)

voleur (*f.* –euse) *n. m.* thief

volontaire *a.* voluntary

volonté *f.* will, will power

volontiers *adv.* willingly

voltiger *i.* to flutter

vomir *t.* to vomit, throw up, belch forth (grapeshot)

vont (*v.* aller): **ils vont** they go, are going; **ils s'en vont** they are going away

vos *a. m. f. pl.* your

votre *a. m. f. sing.* your

vôtre *pron.* yours; **les vôtres** your folks

voudrais: **je voudrais** I would like; **je m'en voudrais de** I would rather not

voudrait on: voudrait they would like

voudriez: vous voudriez you would like

vouer *t.* to dedicate; pledge, vow

voulez: **vous voulez** you want; **vous voulez dire** you mean; **comment voulez-vous que je parte?** how do you expect me to go away?

voulions: nous voulions we wished (wanted)

vouloir *t.* to want, wish; to have a (the) will; **vouloir dire** to mean, signify; **elle ne voulut pas choisir d'avocat** she declined to choose (take) a lawyer; **en vouloir à qn** to hold it (bear a grudge) against s.o.

vous *pron.* you, to you; *expletive:* **il vous riait si bien** he laughed so heartily

voûte *f.* (arched) roof; vault

voyage *m.* trip, journey

voyager *i.* to travel

voyageur *m.* traveler, passenger

voyait: il voyait he saw

voyant *pres. part.* seeing; *n. m.* seer

voyez: vous voyez you see; **voyez-vous** (to convince) you see

voyons: nous voyons we see; **voyons!** don't you see! let's see! come (now)!

voyou *m.* thug, guttersnipe

vrai *a.* true, real, typical; **il est vrai que** it is true that; and yet I must say that; **dire vrai** to speak the truth; **à vrai dire** to tell the truth, as a matter of fact; *n.* **le vrai** the true, truth

vraiment truly, really, certainly

vraisemblable *a.* probable, credible; **vraisemblablement** probably, very likely

vraisemblance *f.* probability, likelihood, credibility

vu (*v.* **voir**) *past. part.* seen

vue *f.* view, sight

ing car; **wagon-restaurant** diner, dining car

Y

y *adv. pron.* there, here; to it, in it; by them; **il y a** there is, there are, ago; at home; **il n'y a pas de quoi** you're welcome, don't mention it; **il n'y voyait pas bien** he didn't see well; **y a-t-il?** is there? are there?

yeux *m. pl.* eyes; vision; **à tes yeux** in your eyes, in your opinion; **sous les yeux** before the eyes

Yves Yves (Christian name)

W

wagon *m.* car (railway); **wagon-lit** *m.* sleeper, sleep-

Z

zèle *m.* zeal, enthusiasm

zoologique *a.* zoological